Ernst Moser · WIR SCHÖPFER

Ernst Moser

WIR SCHÖPFER

Verlag ARISTARCH AG Chur

VORBEMERKUNGEN

Die vorliegende Veröffentlichung schließt an die vier früheren an, welche, teils allgemein und teils speziell, das Thema des geistesmenschlichen Seins und der Geistesmenschlichkeit behandeln: VOM GEISTESMENSCHLICHEN SEIN (1967), GEISTESMENSCHLICHKEIT IM ALLTAG (1971), GEISTESMENSCHENTUM (1974), POLITISCHE GEISTESMENSCHLICHKEIT (1977) und WELTBEWUSSTHEIT (1980); ihr Thema ist eine nach Leitidee, Inhalt und Verfahren besondere, hochrangige (und sogar elitäre) Weise der individuellen und kollektiven Selbstverwirklichung. Aus der ersten der genannten Veröffentlichungen seien wiederum die auch hier bestimmenden Zielideen und Begriffe wiederholt.

(23.11) Unzweifelhaft wirklich ist eine kultur- und geistesgeschichtliche Entwicklung, in welcher der Mensch durch Entfaltung und allmählich weiter werdende Anwendung seiner Geistesvermögen als Lebewesen stärker und erfolgreicher wurde, so daß er jetzt wahrhaft der Herr der Erde ist.

Alles, was zur Erhöhung der menschlichen Lebenskraft beitrug oder beiträgt, war oder ist dieser Entwicklung zeitgemäß. Daraus läßt sich nun ein erster Maßstab für die Beurteilung des Zielsetzens, Verwirklichens und Wertens ableiten: entwicklungsgemäß und unter dem Gesichtspunkt der Entwicklungsgemäßheit richtig ist das die menschliche Lebenskraft Fördernde, Steigernde. Entscheidend sind in dieser Richtigkeitsbeurteilung letztlich die Vitalziele, — man kann das hier angewandte Richtigkeitsprinzip abkürzend die »Vitalrichtigkeit« nennen.

(23.12) Neben der aufsteigenden Entfaltung der der menschlichen Lebenskraft dienenden Vermögen und Erreichnisse verläuft aber, und zwar seit den frühen Hochkulturen, eine zweite: Ausbildung und Wichtigwerden von geistigen Selbstzwecken, durch diese bestimmter Kulturaufbau und -ausbau, Entstehen von durch sie geprägten Menschentypen.

Alles, was zur Erweiterung und Erhöhung der selbstzweckhaften geistigen Verwirklichungen beitrug oder beiträgt, war oder ist dieser zweiten Entwicklung gemäß. Daraus läßt sich ein zweiter Maßstab für die Beurteilung des Zielsetzens, Verwirklichens und Wertens ableiten: entwicklungsgemäß und unter dem Gesichtspunkt der Entwicklungsgemäßheit richtig ist das Geistig-Selbstzweckhafte und das es Fördernde. Entscheidend ist hier die Geistigkeit, die Spiritualität, — man stellt sich unter ein Richtigkeitsprinzip, das man abkürzend die »spirituelle Richtigkeit« nennen kann.

(24.12) Aus dem in jahrmillionenlanger Lebensentwicklung entstandenen naturhaften Wesen des Menschen und aus der sich über Jahrtausende erstreckenden Entwicklung der durch Vitalbedürfnisse bestimmten Kulturwirklichkeit ergibt sich, daß viele Einzelne — mehr oder weniger deutlich bewußt — der Vitalrichtigkeit den Vorzug geben: in ihren Zwecke-und-Werte-Strukturen sind Vitalzwecke und -werte vorherrschend. Hier ist das Geistige nur der Vitalzweckverwirklichung dienend oder höchstens Beiwerk zu dieser.

Unter dem modernen Praktischen Materialismus ist diese Einstellung weit verbreitet. Verstärkend wirkt dabei, daß die Schwächung der Religion viele moderne Menschen der Bindung an geistige Ziele und Werte, die für Gläubige selbstverständlich ist, beraubt hat.

(24.13) Anderseits ist als Ergebnis der Hochkulturentwicklungen in vielen Menschen die strukturhafte Überzeugung wirksam, daß die spirituelle Richtigkeit das richtige Prinzip des Sicheinstellens ist.

In anderen ist wenigstens eine strukturhafte Neigung zugunsten des Geistigen wirksam: sie sind der die spirituelle Richtigkeit bejahenden Belehrung zugänglich.

(24.14) Neben den vielen Innerlich-Festgelegten sind aber einige, die in innerer Freiheit zwischen den beiden Richtigkeitsprinzipien wählen können.

In freiem Entscheiden wird der eine der Vitalrichtigkeit den Vorzug geben: weil er das naturhafte Leben als das Hauptsächliche auffaßt und im Geistigen nur eine dienende Kraft, vielleicht sogar ein vom Wesentlichen Wegführendes sieht, — der andere dagegen der spirituellen Richtigkeit: weil die selbstzweckhaft-geistigen Verwirklichungen einen Seinsreichtum bedeuten, von dem die bloße Vitalerfüllung weit entfernt bleibt.

(24.15) Zwischen den beiden Richtigkeitsauffassungen — Beja-

hung der Vitalrichtigkeit dort, der spirituellen Richtigkeit hier —
besteht ein tiefer Gegensatz im Prinzipiellen.

Jedoch braucht sich das im Praktischen nicht störend auszuwir-
ken: weil jeder für sich seinen eigenen Weg gehen kann, ohne dem
Andersdenkenden in den Weg zu treten.

Auch kann sich eine praktische Verbindung beider Auffassungen
in dem Sinne ergeben, daß jeder Vertreter einer Richtigkeitsauffas-
sung den zwar zweitrangigen, aber noch positiven Wert des als
untergeordnet-wichtig eingestuften Bereiches voll anerkennt (...).

(24.16) An diesem Punkt des Überlegungsganges ist — in
subjektiver Stellungnahme — zwischen den beiden Richtigkeitsprinzipien zu wählen: entschieden wird im Sinne der Bejahung,
Annahme, Anerkennung, Befürwortung und Anwendung der spirituellen Richtigkeit.

Die den Inhalt der folgenden Darlegungen bestimmende Überzeugung, daß die spirituelle Richtigkeit das richtige Richtigkeitsprinzip ist, liegt in der Linie der geistigen Entwicklung, deren
wichtigste Träger und mächtigste Förderer die Geistig-Großen aller
Kulturbereiche waren oder sind. Sie hat Ziele und Werte zum
Inhalt, welche von vielen durch diese geistige Entwicklung Inner-
lich-Bestimmten aus ihrer Zwecke-und-Werte-Struktur hochgehalten, von andern, Innerlich-Nichtfestgelegten, in freiem Entscheiden
angenommen werden.

Aber sie entspricht nur einer, nicht »der«, objektiv-wichtigen
Kulturentwicklung, und sie ist den sie Ablehnenden gegenüber nicht
beweisbar.

(24.18) Die Überzeugung, daß die spirituelle Richtigkeit das
richtige Richtigkeitsprinzip ist, ist auf das Menschliche überhaupt
und im allgemeinen gerichtet: also auf alle Menschen, und insbesondere auch auf jene, für welche die geistig-selbstzweckhafte Verwirklichung eine vorläufig nicht oder kaum genutzte Möglichkeit bildet.
Es folgt hieraus, daß die geistige Verwirklichung des einen nicht die
Möglichkeiten der geistigen Verwirklichung anderer ungebührlich
behindern darf.

Praktisch heißt dies, daß aus der spirituellen Richtigkeit die
allgemeine Menschlichkeit zu bejahen und zu vertreten ist.

(25.1) Unter der spirituellen Richtigkeit ergeben sich Verwirklichungen, die

— erstens inhaltlich durch geistige Selbstzwecke bestimmt sind,
— zweitens unter der Gewißheit des Vorranges dieser besonderen geistigen Selbstzwecke oder des Geistig-Selbstzweckhaften im allgemeinen stehen.

Verwirklichungen dieser Art sei im folgenden »geistesmenschliche Verwirklichung« genannt.

(25.2)   Die Verwirklichungen, die ein Mensch vollzieht, gehören zu seinem Sein, d. h. zu der durch artspezifische, kollektive und individuelle Inhalte gekennzeichneten Geschehenswirklichkeit, in welcher das Leben besteht.

Insofern ein Mensch geistesmenschliche Verwirklichung vollzieht, hat er »geistesmenschliches Sein«.

(25.3)   Der Begriff »geistesmenschlich« geht vom Vorstellungsbild »Geistesmensch« aus: dieser ist der Mensch, dessen Sein wesentlich sehr weitgreifende (und dabei in jedem Falle zumindest erheblich tiefe, also nicht nur oberflächliche), sehr tiefgreifende (und dabei wenigstens einige Weite erreichende) oder zugleich sehr weitgreifende und sehr tiefdringende, dazu sehr intensive Verwirklichung von hohen Anspruch stellenden geistigen Selbstzwecken ist, wobei wiederum die Bewußtheit des Vorranges dieser besonderen Selbstzwecke oder des Geistig-Selbstzweckhaften im allgemeinen besteht. Im Geistesmenschen ist das Nicht-geistig-Selbstzweckhafte auf das Unentbehrliche beschränkt und es ist, abgesehen von unmittelbarer Not oder Bedrohung, zweitrangig.

Die meisten Menschen, die Geistesmenschliches verwirklichen, sind nicht Geistesmenschen: ihre geistig-selbstzweckhafte Verwirklichung ist zuwenig weitgreifend oder tiefdringend, zuwenig intensiv, zuwenig anspruchsvoll.

Der Geistesmensch ist aber eine tatsächliche Möglichkeit, und es gibt Einzelne, die Geistesmenschen sind. Darüber hinaus ist er eine leitbildhafte Idealvorstellung.

(25.4)   Ds geistesmenschliche Sein des Geistesmenschen ist etwas Seltenes, Besonderes: um es vom übrigen geistesmenschlichen Sein abzuheben, sei es hier »Geistesmenschentum« genannt.

(25.5)   Schließlich kann es nötig sein, die auf das geistesmenschliche Sein gerichtete Einstellung als solche zu kennzeichnen: hiefür sei der Ausdruck »Geistesmenschlichkeit« verwendet.

25.6)   Aus der hier vertretenen Überzeugung, daß die spirituelle

*Richtigkeit der richtige Beurteilungsmaßstab sei, ergibt sich die
Hochschätzung*

— *der geistesmenschlichen Verwirklichung und des geistesmenschlichen Seins als der wertvollsten Erfüllung,*
— *der Geistesmenschlichkeit als der richtigen Einstellung,*
— *des Geistesmenschen als des Trägers des höchsten für Menschen erreichbaren Seins,*
— *des Gestesmenschentums als dieses höchsten Seins.*

(25.7) *Wenn aber das Geistesmenschentum das höchste geistesmenschliche Sein ist, so heißt dies, daß es geistesmenschliches Sein von weniger hoher Stufe gibt, wobei die Rangunterschiede mehr oder weniger groß sein können.*

Und aus dem Noch-im-Nichthöchsten-Stehen kann, mit dem Blick auf das Geistesmenschentum als Ideal, die innere Pflicht abgeleitet werden, fortschreitend zu höherer Verwirklichung aufzusteigen und nach Möglichkeit dem Idealen näher zu kommen.

Daß jene Rangunterschiede bestehen und diese Pflicht zum Aufstieg wirksam sein kann, wird bei der folgenden Behandlung der einzelnen Inhaltsgebiete des geistesmenschlichen Seins vorausgesetzt.

(25.8) *Aus der Bejahung des geistesmenschlichen Seins ergibt sich, daß die Behinderung und erst recht die Verhinderung von geistesmenschlichem Streben und Verwirklichen negativ zu werten sind.*

Grundsätzlich ist also insbesondere die geistesmenschliche Verwirklichung, welche sich auf das geistesmenschliche Sein anderer Menschen störend oder hindernd auswirkt, mit negativem Wert belastet; ist die Störung erheblich, so müssen auch hier die Ansprüche und Rechte der Einzelnen gegeneinander abgewogen werden.

Diese Einschränkung ist im folgenden ebenfalls vorausgesetzt.

Schöpferischsein — Thema dieses Buches — ist die Seinsweise, in welcher der Mensch als Autonom-Geistiger sich am deutlichsten, kraftvollsten und erfolgreichsten der Natur-, Kultur- und auch seiner eigenen, persönlichen oder kollektiven, Wirklichkeit gegenüberstellt, fähig und willens, Gegebenes umzugestalten und Neues zu Existenz zu bringen; mit beiden mag er den Soseinsreichtum der Kultur, und in kosmischer Sicht: der Welt, erweitern, erhöhen. Die meisten Schöpferischen werden dieses ihr (handelndes oder betrachtendes oder sich in Gemeinschaftserleben ausprägendes) Verwirklichen nicht klar-bewußt als selbstzweckhaft oder gar, zumal nach den vorstehend beschriebenen Begriffen, als geistesmenschlich verstehen: aber Selbstprüfung mag sie die Geistesmenschlichkeit erkennen lassen, von der sie tatsächlich bestimmt sind. Anderseits kann, wer sich unter Geistigkeitszielen weiß, dank der theoretischen und meditativen Besinnung auf das Schöpferische an sich selbst Anspruch stellen, der bisher außerhalb seines persönlichen Wollens lag. Offenheit in Richtung auf Geistesmenschentum ist hier wie dort denkbar.

Erster Teil

ZUR THEORIE DES SCHÖPFERISCHSEINS

1. Allgemeines Wesen der Verwirklichung

1.1 Inhalte und Bestimmungsarten

Leben ist Verwirklichung: In-Wirklichkeit-Bringen von Zuständen und Prozessen, auf welche das Tatsächliche des lebenden Organismus und vielleicht von Organismengesamtheiten, -verbänden gerichtet ist, — das Lebende, weil es so ist wie es ist, bewirkt in sich selbst oder in seiner Umwelt Dinge und Abläufe, die ohne seine Lebensprozesse nicht entstünden. In diesem Sinne sind die Organismen, als Verwirklichende, immanent bestimmt, wenn auch unter vielfacher Bedingtheit von außen; denn das Lebende muß aus seiner Umwelt das ihm Lebensgünstige heranziehen, nutzen, und das für es Lebensungünstige vermeiden oder abwehren, — wobei das, was für das eine Lebende lebensgünstig ist, für ein anderes lebensungünstig sein kann, ja das eine Lebewesen manche andern für seinen eigenen Nutzen zu zerstören sucht. Zum Immanentbestimmtsein gehört so von vornherein die nach außen gerichtete Eingriffsbereitschaft: als Tendenz, Nahrung an sich zu bringen, einen Lebensplatz zu bekommen und zu behaupten, Gefahren und Feinde abzuwehren, sich bei der Paarung und in der Gruppe durchzusetzen (usw.).

Dieses Immanentbestimmtsein ist ein Allgemeines, unter welchem vielartiges Besonderes festzustellen ist, und zwar vor allem nach zwei Kategorien: Inhalt und Bestimmungsart. Inhalt: je besondere Qualität von Dingen und Abläufen, die durch die Verwirklichung, und nur durch sie (jedenfalls so, daß sie sonst nicht einträten), wirklich werden. Bestimmungsart: Weise, in welcher die auf den Erfolgsinhalt gerichtete Verwirklichung geschieht, damit Art der dem Lebewesen eigenen Verwirklichungsfähigkeit und -kraft. Hieraus ergeben sich zwischen den Lebewesen und auch innerhalb der einzelnen Organismen mehr oder weniger tiefgreifende Verschiedenheiten. — Inhalte: Verschiedenheiten nach den Großkategorien des Lebenden — Pflanzen, Tiere und Mensch, je in ihrer Großklassifikation —, innerhalb der Arten Verschiedenheiten nach Geschlecht und Alter, vielleicht nach der Stellung in der Gruppe; in der Menschenwelt Verschiedenheiten nach dem Kulturtypus, nach Stand und Beruf, nach Art der geistigen Interessen. Sodann Verschiedenheiten nach den Wesensschichten: bei niedrigem Lebenden nur Nahrungsaufnahme, Fortpflanzung, Schutz vor Feinden und Krankheit; bei den höheren Tieren auch Paarung, Brutpflege und allenfalls soziales Verhalten; beim Menschen die ganze Vielfalt zwischen den einfachsten Vitalzwecken und dem schwierigsten Geistigen, und zwar in je nach Menschentypus und auch nach Individualität verschiedener Spannweite, von der kleinen des geistig Unentfalteten bis zur großen des geistig Höchstinteressierten. — Bestimmungsarten: Verschiedenheiten nach den Antrieben, den innerseelischen Drängen und Ängsten, auf höherer Stufe nach den Zielbildern und Werthaltungen (zunächst nur undeutlich, eng, dumpf; bei den höchsten Tieren mit einiger und beim Menschen oft mit großer Deutlichkeit); beim Menschen zudem nach den begrifflich gefaßten Zielen, Werten, Ideen, Idealen und nach den in der Gesellschaft geltenden Normen und Verhaltensempfehlungen.

Es zeigt sich in diesen ersten Hinweisen, daß sich die das Verwirklichen betreffenden Überlegungen, solange sie allgemein bleiben, auf zwei Hauptreiche richten müssen: dasjenige des naturhaften Lebens und dasjenige des Übernaturhaften, Kulturellen, Geistigen.

1.2   Das Nur-Menschliche

Das menschliche Leben insbesondere ist zunächst — ausschließlich beim Kleinkind, beim frühesten Primitiven, beim auf die einfachen Lebensfunktionen reduzierten Kranken oder Sich-selbst-Abbauenden; teilweise, nämlich in einer untersten Wesensschicht oder einem Ganzen von unteren Wesensschichten, bei allen anderen Menschen — Verwirklichung gleichen Inhaltes und ähnlicher

Verwirklichungsweise wie bei den höheren Tieren, in vielem auch Verwirklichung, die den Menschen mit allen Tieren und sogar den Pflanzen verwandt erscheinen lassen. Jedenfalls in diesem Zusammenhang sind die biologistischen, das heißt das Menschenwesen aus dem Biologischen als dem allem Lebenden eigenen Wesen erklärenden Auffassungen unbestreitbar zutreffend, was aber nicht zur biologistischen Deutung alles Menschlichen berechtigt.

Über den unteren, weitgehend vormenschlichen Verwirklichungen wurden in der Kultur nur-menschliche aufgebaut, solche, die bei den Tieren, selbst den höchsten und erst recht bei den unteren, und bei den Pflanzen fehlen und auch keine annähernde Entsprechung haben, — spezifisch-menschliche in dem Sinne, daß Bewußtsein, mag es einfach und leistungsschwach schon bei Tieren gegeben sein, nur im Menschen hochausgebildet ist und ihm dadurch eine besondere, ihn von allem andern Lebenden unterscheidende Qualität gibt. In diesem Zusammenhang weisen die spiritualistischen Lehren auf das Entscheidende hin: das Geistige ist das zentrale Wesensmoment des Nur-dem-Menschen-Eigenen, des Überbiologischen, Kulturellen. Materiell falsch wäre es indessen, das spiritualistische Prinzip auf alles Lebende und gar auf alles Wirkliche anzuwenden. — Besonderen Wesens sind die nur-menschlichen Verwirklichungen sowohl in ihren Inhalten als auch in den Verwirklichungsweisen: viele der Zwecke, die den Menschen bestimmen, und der Verfahren und Mittel, die er anwendet, sind ausschließlich-menschlich; durch sie nimmt der Mensch in der Soseinsvielfalt der Welt eine Sonderstellung ein.

Aber das nur-menschliche Verwirklichen ist nicht allgemein-menschlich, schon darum nicht, weil es den Primitiven weitgehend fehlt, sodann und wichtiger, weil in den verschiedenen Kulturen verschiedenartige Verwirklichungsinhalte und -weisen ausgebildet wurden, schließlich, weil innerhalb jeder Kultur manche Verwirklichungstypen nur Sondergruppen oder sogar nur Einzelnen, Vereinzelten eigen oder zugänglich sind. Auch hieraus sind Folgerungen in Hinsicht auf die philosophische Deutung der Wirklichkeit zu ziehen: die (philosophische) Anthropologie darf zwar ein einigermaßen formales, abstraktgefaßtes Menschenwesen behaupten, aber nicht ein konkretmateriales, das für alle Kulturen oder auch nur für alle Menschen einer bestimmten geschichtlichen Kultur Geltung hätte (je besondern geistigen Wesens ist etwa der Mensch der geistigen Elite im alten Ägypten, im perikleischen Athen, im Indien Ashokas, im Frankreich des Hochmittelalters, in den italienischen Städten der Renaissance, im England des 17. Jahrhunderts, im Frankreich des 18. Jahrhunderts, im Deutschland der Gründerzeit, im modernen Nordamerika, im modernen Rußland, im modernen Japan).

1.3   Offenheit als Wirklichkeitsprinzip

Wenn in der Natur die beiden Reiche des Unbelebten und des Lebenden nebeneinander gegeben sind (und nach Qualitätsrang das zweite über dem ersten steht), dann ist das Gesamtreich des Unbelebten (aber nicht jedes seiner Teilfelder und noch weniger jedes einzelne Unbelebte) gegen das Leben hin offen: Leben konnte auf der Erde entstehen, sich entwickeln, sich behaupten, — unter den physikalischen und chemischen Bedingungen, die seit der Zeit des frühesten irdischen Lebens, seit über dreieinhalb Milliarden Jahren, auf unserm Planeten herrschten. Wenn durch Evolution bei den Tieren und, beschränkter, auch bei den Pflanzen neue Verwirklichungsinhalte und -weisen entstanden, so war und ist das Ur- und Grundwesen des Lebenden für sie und auf sie hin offen, — Offenheit des niedrigeren Lebenden gegen das höhere, konkret immer in den Linien der Lebensentwicklung, durch welche die höheren Formen aus den niedrigeren hervorgehen. Wenn aus der Tierwelt sich der Mensch mit seinen besonderen Verwirklichungsinhalten und -weisen erheben konnte, so war sie auf ihn hin offen, — genauer: es gab die Offenheit der höchststufigen Tiernatur, nämlich derjenigen unserer nächsten Tiervorfahren, in Richtung auf das übertierhafte menschliche Bewußtsein. Und wenn im Verlaufe der Kulturentwicklung das menschliche Verwirklichen in Inhalten und Weisen differenziert, höhergebildet wurde und sich in immer wieder neuen kulturgeschichtlichen Typen ausprägte, so bestand entsprechende Offenheit in diesem engeren, innermenschlichen und innerkulturellen Seinsreich.

Offenheit für das Entstehen neuer Qualitäten, vor allem neuer Strukturen und Wirkungsarten, ist ein Hauptwesenszug des Wirklichkeitsganzen; immerhin wird sie nur in vereinzelten Seinsbezirken und unter speziellen, teilweise nur unter seltenen Bedingungen — vor allem energetischer Art — aktuell wirksam. Dieser Grundcharakter läßt sich über den genannten Zusammenhang zwischen Unbelebtem und Lebendem hinaus zurückverfolgen: ins Unbelebte, wo vielfach aus Einfacherem Komplexeres und somit aus niedrigerer höhere Qualität aufgebaut wird, — was in der Richtung aufs Lebende die Voraussetzung für die allmähliche Herausbildung präbiotischer Substanzen und Komplexe ist.

Von dieser prinzipiellen Offenheit aus ist der philosophische Determinismus zu prüfen: das allgemeine Auffassungs-, Beschreibungs- und Erklärungsmuster, daß alles Spätere in Dasein und Sosein durch das Frühere, aus dem es hervorging, bedingt ist, daß also, enger gefaßt, die höheren Qualitäten des Späteren schon in den einfacheren des Früheren angelegt sind. Geht man aufs Konkrete, so erweisen sich solche Aussagen meistens als Leerschema: »aus A wird B, und die Umbildung von A in B, das Entstehen von B aus A ist gesetzmäßig, so daß das Besondere, Neue von B bereits in A vorgegeben ist«. Aber das steht in realem Widerspruch sowohl zu den Sachzusammenhängen wie zu den Erklärungsmöglichkeiten: zumeist läßt sich ein höheres B nicht aus einem einfacheren, zumal elementaren A ableiten; vielmehr hat es Eigenschaften, die nur ihm eigen sind und daraus nur an ihm festgestellt werden können (zur Verdeutlichung: nicht aus Elementarem ableitbar sind wohl schon die speziellen Eigenschaften der höheren Moleküle, sicher nicht diejenigen der Organismen; in sich selbst begründet sind die Instinktleistungen und das Sozialverhalten der Tiere; eigenständig auf höchster Stufe sind Können, Wollen und Tun des Künstlers, des Staatsmannes, des Wissenschaftlers, des Technikers, des Wirtschaftlers, des Philosophen). Hieraus sind Folgerungen in Hinsicht auf das Verwirklichen und seine Inhalte und Weisen zu ziehen: es gibt für die je besondern Qualitäten nicht die volle Zurückführung auf Grundlegendes, damit nicht die konkrete deterministische Erklärung. — Das führt zu fünf kritisch-philosophischen Ablehnungen: gegenüber dem leerformelhaften Determinismus; gegenüber dem physikalischen Materialismus, insofern das Übermaterielle (Psychische, Geistige, Kulturelle, Soziale) mit Vollerklärungsanspruch auf Materiehaftes zurückgeführt wird; gegenüber dem Biologismus, insofern das Kulturelle für letztlich biologisch gehalten wird; gegenüber dem Psychologismus, insofern er das Geistige und Kulturelle aus elementarem, vielleicht vormenschlichem Psychischem erklären will; gegenüber dem historischen Materialismus wegen seines ausschließlichen Aus-Ökonomischem-Erklärens. Aber das Negative dieser Ablehnungen ist durch das Positive des Hinweises auf das Offenheitsprinzip aufzuheben.

1.4 Offenheit höheren Grades

»Offenheit« ist eine weitgehend allgemeine, abstrakte Kategorie, unter welcher viele besondere und konkrete »Offenheiten« zu fassen sind: Offenheit der Atome für die Molekülbildung; der Moleküle für die Kristallbildung; der einfacheren Moleküle gegen die komplexeren; der präbiotischen Materie gegen die lebende und das Leben als Seinstypus; der einzelligen Wesen gegen die mehrzelligen; der niedrigeren gegen die höheren Arten; des nur materiehaften Lebenswesens gegen das Psychische; des ursprünglichen dumpfen Fühlens gegen das spätere, heller bewußte der höchsten Arten; des schwachen, nahzielbedingten Wollens der Tiere gegen das starke, auch auf Fernes gerichtete des Menschen; des einfachen Denkens der Primitiven gegen das hochausgebildete, feinstdifferenzierte und -differenzierende, schärfster Begrifflichkeit fähige der geistigen Eliten der Hochkulturen, — jede dieser Offenheiten ist von inhaltlich besonderer Art und von allen andern verschieden. Und prinzipielle Verschiedenheiten zeigen sich sehr ausgeprägt dort, wo die zunächst im Individuellen gegebene Offenheit ins Kollektive übergeleitet wird: Anfänge dazu liegen schon in der Geschlechtlichkeit der Pflanzen und niederen Tiere, in einfachen Weisen der Symbiose; höhere Formen werden im Entstehen der Tiergesellschaften, der menschlichen Gesellschaften, Gemeinschaften, Organisationen, Institutionen und, zusammenfassend, Sozialkulturen sichtbar. — Umgekehrt gibt es den Aufstieg von Offenheit der Individuen gegen das Kollektive zu solcher der Gesamtheiten gegen das Individuelle. Die naturhaft lebenden und strukturierten Individuen vereinigen sich in Gruppen, weil sie sich so besser behaupten können oder jedenfalls die Gesamtheit sich so besser behaupten kann (bei Not mögen einige oder sogar viele Individuen dem Ganzen aufgeopfert werden). Im Menschlichen, zumal auf hochkulturaler Stufe, tritt eine Rückwendung zum Individuellen und also Offenheit für sie ein: im Rahmen des gesellschaftlichen Geistigen wird der Einzelne — genauer: werden ausgewählte Einzelne, nämlich auf Grund von besonderer Begabung, Schulung und Freiheitsbereitschaft sich selbst Auswählende — fähig, sich mehr oder weniger deutlich und vollständig aus der Gemeinschaft herauszulösen, ja vielleicht sich gegen sie zu stellen. Danach kann eine neue Tendenz zum Kollektiven eintreten, indem eingesehen wird, daß das individuelle Wert- und Zielhafte die Gesamtheit unterstützen muß; das kann bis zur Preisgabe bisher für wichtiggehaltener Rechte der Einzelnen gehen, braucht es aber nicht, — auf hoher Kulturstufe ist das beste Ziel die Gemeinschaft freier Einzelner.

Schon diese knappe Zusammenfassung der unter dem Offenheitsaspekt zu prüfenden Entwicklungen (sie müßten in einer spezialwissenschaftlichen Untersuchung ins einzelne gehend dargestellt werden) läßt Offenheit höheren Grades erkennen: Offenheit der zunächst auf nur eine Wesensschicht beschränkten Offenheit in dem Sinne, daß diese auf Offenheit hin offen ist, dank welcher die Entwicklung zu einer höheren Wesensschicht aufsteigt: aus Offenheit innerhalb des Unbelebten wird Offenheit für Leben und Lebendes, aus Offenheit innerhalb des Lebensphysikalischen und -chemischen wird Offenheit für das Psychische, aus Offenheit innerhalb des vorrationalen Psychischen wird Offenheit für das Rationale, — in jedem dieser Fälle muß die ursprüngliche, einfachere Offenheit sich in die spätere, die höhere Wesensschicht betreffende verwandeln, also für sie offen sein. Tieferdringend, wird man noch komplexere Offenheit-für-Offenheit feststellen: wird aus Offenheit innerhalb des Biophysikalischen und -chemischen solche für das Psychische, so schließt diese auch an Offenheit im präbiotischen Physikalischen und Chemischen an, — somit wird die letztere in Bio- und Psychooffenheit verwandelt und muß zweidimensional offen sein; geht die Entwicklung ins Spirituale weiter, sind ein weiterer Offenheitstypus und eine dritte Offenheitsdimension gegeben. — Als Offenheit auf einen andern Seinstypus hin lassen sich auch diejenige des Individuellen gegen das

Kollektive und diejenige des Kollektiven gegen das Individuelle verstehen.

Alles Verwirklichen — menschliches, tierisches, pflanzliches — setzt Offenheit voraus, Offenheit jedenfalls darin, daß im Materiellen des Lebenden, im Psychischen oder Geistigen von einem Früheren zu einem Späteren der gleichen Seinsebene weitergegangen wird, genauer erfaßt auch darin, daß unbelebtes Materielles Lebensstruktur und -prozeß, über diese vielleicht zudem Psychisches und Geistiges trägt und ermöglicht. Aus solchen Offenheiten wird das, was man als die »Zweckmäßigkeit des Lebens« versteht: die Ausrichtung des Geschehens auf organismisch-immanente Geschehenserfolge, welche eigentliche Zwecke, nämlich bewußt vorgenommene Erfolge dann werden, wenn das Psychische ausreichend entfaltet ist; trifft letzteres zu, so wird die Erfolgsbestimmtheit in Autonomie übergeleitet. Es wird so die Aufbaukette sichtbar, die schließlich, bei klarer menschlicher Bewußtheit, in die Freiheit des Wertens, Wählens, Zielsetzens, Planens und Geplant-Verwirklichens ausmündet. Nach den Inhaltstypen der Offenheit und insbesondere nach den Graden der Autonomie und der Freiheit aber ergeben sich Typen und Ränge der Verwirklichung. Schöpferisches Verwirklichen ist nur bei weiter Offenheit im Geistigen und bei hochausgebildeter Autonomie und Freiheit möglich.

Es ist für die philosophische Besinnung förderlich, an dieser Stelle die den Determinismus, den physikalischen Materialismus, den Biologismus, den Psychologismus und den historischen Materialismus betreffenden Überlegungen zu vertiefen. Schon die einfache Offenheit (Offenheit innerhalb der gleichen Wesensschicht) und noch mehr die Offenheit-für-Offenheit (als Offenheit der Offenheit der einen Wesensschicht gegen die höhere Offenheit auf höherer Soseinsebene) bedeutet die Durchbrechung der schematischen Kausalität »Aus den Ursachen A entstehen die Folgen B«, Durchbrechung auf das komplexere Schema hin »Aus den Ursachen A entstehen die lebensgünstigen oder bewußt als wertvoll erstrebten Erfolge B, und der Organismus oder die Gruppe ist fähig, das Ursächliche A so umzuformen, daß die Lebensgünstigkeit oder der Wert der Folgengesamtheit B gesteigert wird«. Das ist sogleich ins Konkretere zu wenden: es wirken im Lebens- und Kulturgeschehen neben inneren und äußeren Zwängen auch Selbstbestimmungsmomente, auf hoher Entwicklungsstufe solche, die zu Freiheit und In-Freiheit-Schöpferischsein gebracht sind; es hat sich über dem Biologisch-Physischen das Seelische, und in diesem das Geistige, erhoben und jedenfalls zum Teil selbst aufgebaut; es wurde von einfacherer Kultur aus komplexere, leistungsstärkere geschaffen; es wurde das Leben-um-des-Lebens-willen ins Sein-aus-geistigen-Selbstzwecken erhöht; dank Autonomie, Freiheit und schöpferischem Vermögen hat der Mensch seine Kultur geschaffen, die an Wesens- und Wertrang alles Nichtkulturale übertrifft. (Aber die Kultur konnte nur entstehen, geschaffen werden, weil das Nichtkulturale in seiner Gesamtheit gegen sie hin offen ist.)

Die Voraussetzungen und Bedingungen, das Entstehen, die Typen und Stufen, die Auswirkungen, aber auch die Grenzen von Autonomie und Freiheit, dazu die autonomen, freien Zielsetzungen, Strebungen, Verhaltensweisen, Handlungen als solche sind hieraus philosophisch-anthropologische Themen, von deren Bearbeitung die vollständige Einsicht ins Menschenwesen — und insbesondere ins Wesen des schöpferischen Menschen — abhängt.

1.5 Bewußtheitsstufen

Autonomie und Freiheit sind eingehender zu betrachten. Autonomie ist nach dem gewöhnlichen Sprachgebrauch Selbständigkeit, Eigengesetzlichkeit: darin wird ausgesagt, daß ihr Träger, das autonome Individuum oder Kollektiv, ein eigenes Ziel- und Verhaltenssystem und ausreichende Kraft zu dessen Durchsetzung besitzt. Die in diesem System vereinigten Ziele und Verhaltensweisen sind nicht immer bewußt, vielmehr oft die Prägung unbewußten organismischen oder sozialen Wesens; unter dieser Begriffsbestimmung läßt sich von der Autonomie jedes Lebenden gegenüber den Ursachen und Wirkungen seiner Umwelt (der physikalischen und chemischen des Unbelebten wie der im benachbarten Lebenden gegebenen) sprechen. Autonomie in diesem Sinne haben auch die, gänzlich unbewußten, Pflanzen und die, selbst auf höchster Entwicklungsstufe nur sehr beschränkt bewußten und jedenfalls des anspruchsvolleren Zielsetzens nicht fähigen, Tiere: sie stehen unter ihrem eigenen Gesetz und vermögen sich in der ihnen nur teilweise günstigen, teilweise dagegen feindlichen Umwelt zu behaupten. Autonomie haben sodann die Tiergesamtheiten, -gesellschaften; das Eigengesetzliche des Kollektivs ist in den sozial lebenden Tieren ebenfalls nicht oder nur in geringem Umfange und mit geringer Intensität bewußt. Immerhin läßt sich annehmen, daß bei den höchsten Tieren Situationen eintreten, in welchen Einzelwesen oder Gruppen kurzfristig durchzusetzende Ziele verfolgen, die dem oder den handelnden Individuen (auch in der Gruppe ist das Bewußtsein individuell) in einiger Deutlichkeit bewußt sind.

Teilweise unbewußt sind die Inhalte, Erfolge und Verfahren des menschlichen Verwirklichens; es ist in dieser unteren Schicht des Menschlichen Autonomie gleich oder ähnlich derjenigen der höheren oder sogar der niedrigeren Tiere (so im Physiologischen, auch in einigem Individual- und Sozialpsychologischem). Das Besondere der menschlichen Autonomie aber ist die bewußte Verfolgung und Durchsetzung von Vorgenommenem, — wobei sofort zwei Typen zu unterscheiden sind: erstens die Bewußtheit nur der Verwirklichungsweisen und allenfalls von Nahzielen auf Strebenslinien, die überwiegend von nur undeutlicher Erfolgsabsicht bestimmt sind (so: dranghaftes Wollen und Handeln auf Macht oder Reichtum hin, Verwirklichen unter sexuellen oder Familiengefühlen); zweitens die sowohl die Verwirklichungsweisen als auch die inhaltlich entscheidenden Verwirklichungserfolge erhellende Bewußtheit (so: klar zielbewußte Verfolgung von Macht oder Wohlstand, auf höherer Ebene von Geistig-Wertvollem). Im ersten Fall ist die Autonomie jedenfalls im Enderfolgshaften von derjenigen der weniger bewußten Wesen (Primitive, höhere Tiere) nicht prinzipiell verschieden, — aber auch im nicht oder nur wenig bewußten Enderfolgshaften kann tatsächliche Autonomie gegeben sein: wenn nur der Mensch oder das menschliche Gemeinwesen fähig ist, sich in den in ihm vorgegebenen, ihm wesenseigenen Erfolgsrichtungen gegenüber den in der Umwelt auftretenden Widerständen und ihren Trägern zu behaupten. Im zweiten Fall besteht Autonomie auch als Bewußtheit der Enderfolge, die damit zu Zielen oder, von den Verwirklichungstätigkeiten aus gesehen, zu Zwecken werden, denn zum Wesen von Ziel und Zweck gehört die Bewußtheit (wie auch zum Wollen, denn »Wollen« ist ein Streben oder Bemühen nur soweit, als in ihm ein Ziel vorgenommen und entsprechend ein Zweck maßgebend ist). Verglichen mit dem ersten Autonomietypus ist der zweite vollständiger und anspruchsvoller, — er ist aus dieser seiner Qualität höheren Ranges.

Autonomie ist Selbständigkeit, Eigengesetzlichkeit gegenüber den Faktoren, die den Organismus oder die Gesamtheit unter der allgemeineren Gesetzlichkeit bestimmen würden (womit allerdings etwas Widerspruchsvolles ausgesagt ist, denn wenn nur die allgemeinen Faktoren herrschten, so gäbe es keinen Organismus und keine Gesamtheit, da beide erst dank ihrer autonomen Kräfte entstehen). Autonomie ist aber nicht in jedem Falle Selbstbestimmung, denn zum Wesen dieser gehört die Wahl zwischen zwei oder mehreren sich bietenden Möglichkeiten. Ausgeschlossen ist solches Wählen bei den unbewußten autonomen Vorgängen, fehlen kann es aber auch in den bewußten: Verwirklichungsweise und Ziel, die dem Wollenden bewußt sind, können von ihm für so selbstverständlich-richtig gehalten werden, daß die kritische Prüfung zumindest als unnötig und vielleicht als unerlaubt erscheint (so mögen für den gläubigen Sozialisten die von der sozialistischen Ideologie gebotenen sozialtechnischen Verfahren, für den gläubigen Christen Gottesverehrung und Seelenheil so selbstverständlich richtungweisend sein, daß sich Kritik, Gegenüberstellung mit andern Verfahren und Zielen, Abwägen, Auswählen und allenfalls Verwerfen erübrigen, ja verbieten).

Freiheit ist hieraus Autonomie nicht nur höheren Ranges (wie ihn schon die klarere, aber unfreie Zielbewußtheit hätte), sondern von besonderer, höherer Wesensart: wesentlich ist für sie das Vermögen, zwischen zwei oder mehreren sich anbietenden Inhalten des Vorzunehmenden und Zuverwirklichenden zu entscheiden, — sie ist Autonomie der entscheidungsfähigen und -befugten Instanz gegenüber der Autonomie, die nur, unbewußte oder bewußte, in sich selbst begründete Eigengesetzlichkeit ist, sie ist Entscheidungsfähigkeit und -befugnis des Ichs im Individuum und des Führungsorgans in der Gesamtheit. Autonomie in allgemeinster Auffassung haben alle Lebenden; mit Bewußtsein verbundene Autonomie jedenfalls in bezug auf die Verfahrensweisen hat bei den höheren Tieren einige Ausdehnung; Freiheit dagegen ist (abgesehen von Anfängen bei höchsten Tieren) eine menschliche Sonderqualität.

Befaßt man sich, wie im folgenden, mit dem schöpferischen Verwirklichen, so wird man oft Einzelarten des von Bewußtheit getragenen autonomen und, innerhalb des letzteren, des freien Wollens und Handelns herauszuarbeiten haben. Vorläufig sei nur übersichtsweise auf die drei Einteilungs- und Unterscheidungskategorien hingewiesen, die man hiebei mit Vorteil anwenden wird: Trägertypus, Inhaltstypus und Aktivitätstypus.

Träger des menschlichen Verwirklichens sind die Einzelnen, die nichtorganisierten Gesamtheiten, die organisierten Gesamtheiten und die Leistungsorganisationen im engeren Sinne. Für jeden dieser Typen sind immer wieder vier Fragen zu stellen: Welches sind die für das innerhalb des Bewußten erfolgende autonome und insbesondere das freie Verwirklichen wichtigen Strukturen und Prozesse? Welches sind die Ziele, Maximen und Normen, wodurch werden sie dem Handelnden gegeben und woraus kommt ihre Geltung? Welches ist und wie geschieht das die Ziele und Verwirklichungsweisen betreffende Auswählen und Entscheiden? Welches sind die tatsächlichen Möglichkeiten, aber auch die Grenzen von Autonomie und Freiheit? — Für den Einzelnen sind das Bewußtes einbeziehende autonome und insbesondere das freie Verwirklichen das, was er in einigermaßen klarer Bewußtheit sich vornimmt und wollend durchsetzt. Ein ziemlich großer bis sehr großer Teil dieses Verwirklichens steht unter naturhaften Antrieben, und zwar selbst dann, wenn über dem Verwirklichen als solchen und den in ihm maßgebenden Nahzielen auch fernere und allgemeinere Ziele bewußt sind, denn die letzteren sind oft Ausdruck der naturhaften Triebanlage und gehören zum naturhaften Teil einer Zwecke-und-Werte-Struktur, die das Wollen und Tun ihres Trägers prägt (biologistische und psychologistische Deutung sind hier erlaubt). Immerhin werden dank der erreichten Bewußtheit schon im Vitalen mancherlei lenkende und einschränkende Maximen und Normen wirksam: manches ganz innerhalb der Vitalschicht erfolgende Verwirklichen bedarf, und zwar im Interesse der auf längere Sicht besten Durchsetzung der Vitalerfolge, der Disziplinierung. Auch wenn das Vitalverwirklichen geistig überlagert ist, und sogar wenn Geistiges das Hauptgewicht hat, können die Ziele in Zwecke-und-

Werte-Strukturen (vor allem religiösen und ideologischen) festgelegt sein; aber alle hochentfaltete Geistigkeit hat einigermaßen ausgedehnte und klare Wahl- und Entscheidungsfreiheit. — Bei den nichtorganisierten Gesamtheiten ist in der Regel das sich aus dem Zusammenwirken der verbundenen Einzelnen ergebende gemeinschaftliche Wollen bestimmend: mag auch ein Stärkerer neben Schwächeren sein, so muß er sich diesen anpassen und ihre Ansprüche aufnehmen, vielleicht verteidigen. Anderseits werden die Schwächeren durch den Stärkeren beeinflußt und übernehmen etwas von seiner Besonderheit; möglich werden da die Einstellung auf Anspruchsvolles, das vorläufig nur dem Stärkeren einsichtig ist, und insbesondere die Auflockerung von zunächst alleinbestimmenden oder vorherrschenden Zwecke-und-Werte-Strukturen (vor allem vitalinhaltlichen) und der Aufbau von Selbstbestimmung für alle oder jedenfalls die meisten Beteiligten. — In den organisierten Gesamtheiten (wie Verband, Staat, Kirche) und Leistungsorganisationen (wie Industrieunternehmung, Staatsverwaltung, Militär) ist die Willensbildung einem oder mehreren Leistungsorganen übertragen, im zweiten Fall, bei mehreren, hat ein höchstes die Gesamtleitung inne. Entschieden und angeordnet wird von den kompetenten Einzelnen gemäß Organisationszielen und -aufträgen (diese bilden eine institutionelle Zwecke-und-Werte-Struktur), aber auch nach ihrer persönlichen Einstellung. Autonomie und Freiheit sind hier zweischichtig: als solche der führenden Einzelnen, soweit sie nach Organisationsstatut und persönlicher Einstellung autonom und frei sind, und als solche des, überpersönlichen, Sozialgebildes, soweit es für Neues offen ist, das heißt auch, soweit Neues gegenüber den leitenden Einzelnen durchgesetzt werden kann.

Die Unterscheidung nach dem Inhaltstypus ergibt nur wenige oder aber viele Arten, je nachdem man allgemeine oder ins Spezielle gehende Kategorien anwendet. Allgemeinst sind etwa die Kategorien Vitalinhalt (damit Vitalziel, -zweck, -verwirklichung) und Spiritualinhalt (damit Spiritualziel, -zweck, -verwirklichung), wobei aber zu bedenken ist, daß mit dem vitaltriebbestimmten Inhalt ein geistiger verbunden oder der geistige an vitaltriebbestimmten anknüpfen kann. Jeder der beiden so zu bildenden Großbereiche läßt sich, je nach der das Konkrete mehr oder weniger stark hervorhebenden Typusfassung, in mehr oder weniger zahlreiche Teilbereiche gliedern: bei den Vitalzwecken etwa nach den Antriebsarten, bei den geistigen nach den Interessenarten, jene wie diese mehr oder weniger weitgehend differenziert. Möglich wäre aber auch eine andere Haupteinteilung, etwa die vom prinzipiellen Unterschied zwischen individueller und kollektiver Verwirklichung ausgehende. — Gestützt auf solche Gliederung der Inhalte ist zu überlegen, welches die inhaltlichen Prägungen von Autonomie und Freiheit seien: wahrscheinlich sind sie schon im Allgemeinwesen verschieden, wenn sie sich auf Vitalinhalte oder aber Geistiges, erst recht in Sonderwesen, wenn sie sich auf besonderes Vitales (Ernährung, Wohnung und Kleidung, Gesundheitsschutz, physische Familienwohlfahrt, geschlechtliche Ziele, soziale Einordnung und Geltung, Macht) oder besonderes Spirituales (Erkenntnis, Wissen, religiöser Glaube, Meditation, Kunsterleben, geistige Erfüllung bedeutendes technisches Schaffen oder politisches Handeln) richten. Viele, ja wohl die meisten der sich hier zeigenden Sondertypen lassen sich mit denen nach dem Trägertypus verbinden; daraus ergibt sich eine große Zahl von theoretisch oder praktisch zumindest interessanten und vielleicht wichtigen Kombinationen sowohl der Verwirklichungs- als auch, und insbesondere, der Autonomie- und Freiheitsarten.

Der Aktivitätstypus, allgemein gefaßt, ist die Art des zielgerichteten Verhaltens und Handelns als solchen (etwa: Forschen, Planen, Darlegen, Lehren, Herstellen); untergeordnete Kategorien, die sich auf Aktivität jeglichen Träger- und Inhaltstypus anwenden lassen, sind vor allem: Wesen und Grad der Selbständigkeit, Originalität, Sachgemäßheit und Zweckmäßigkeit, Konzentriertheit und Intensität, auch des Erfolgreichseins (denn für den sachlichen Wert der Aktivität ist letztlich entscheidend, ob und wie weit sie an ihr Ziel gelangt). Speziellere Qualitäten sind vom Träger- und vom Inhaltstypus her bestimmt: es gibt die spezifischen Wesenszüge der individuellen, kleingesamtheitlichen, großgesamtheitlichen, in Leistungsorganisationen zu vollziehenden Aktivitäten, und sie sind zudem je besonders nach ihrem Sachgehalt (so hat das wissenschaftliche, technische oder wirtschaftliche Handeln aus dem Inhalt ein von allen Handelnden zu berücksichtigendes fachspezifisches Wesen). Hieraus ergeben sich sehr viele Kombinationen: jede Aktivitätskategorie läßt sich mit jeder Träger- oder

Inhaltskategorie und auch jeder Kombination dieser verbinden. Manche von ihnen haben direkte theoretische und praktische Bedeutung für das autonome, freie und, hier wichtigst, schöpferische Verwirklichen.

1.7 Fragen zur Praxis

Hält man das Verwirklichen allgemein, noch mehr das autonome und freie, und stärkst das schöpferische Verwirklichen für wertvoll, so wird die Förderung des Verwirklichens zum Thema praktischen Überlegens: das Verwirklichungsgünstige ist auszubauen, das Verwirklichungsungünstige ist abzubauen. Solches ist unter möglichst allen praktisch-wichtigen Aspekten zu prüfen: mit Bezug auf die Träger-, Inhalts- und Aktivitätstypen, und zudem in Richtung auf das Soziale, durch welches die Verwirklichung beeinflußt werden kann. Das gibt dem Überlegen zweifach sozialpraktische Aktualität: erstens ist das gegebene Soziale unter der sich aus der Bejahung des, zumal des freien und schöpferischen, Verwirklichens ergebenden Wertauffassung kritisch zu beleuchten, und zweitens ist verwirklichungsbezogene Sozialreform zu postulieren.

Dieses Praktische muß sich aus seiner Grundidee auf, allgemeineres oder spezielleres, Konkretes von mehr oder weniger großen Sachgebieten richten. Oft wird man dabei drei getrennte Betrachtungsweisen anwenden. Erstens: Wie wird Sachgebietsthematik durch sachgebietseigene Momente beeinflußt, und was ist das Richtige? Zweitens: Wie wird sie von andern Sachfeldern her beeinflußt und wie soll sie so beeinflußt werden? Drittens: Wie wirkt sie nach außen und wie soll sie nach außen wirken? So ist in der Wissenschaft nach dem Tatsächlichen und dem Günstigsten, Besten erstens der innerwissenschaftlichen, zweitens der von andern Feldern auf die Wissenschaft und drittens der von der Wissenschaft auf andere Felder wirkenden Einflüsse zu fragen. Und ähnlich für Technik, Wirtschaft, Staat und Politik, Religion und Philosophie, Kunst, Erziehung und Schulen, Medien: im Prinzip gibt es da immer die Dreiheit der fachinternen, der von außen kommenden und der nach außen gehenden Wirkungen, — sie soll auch die (individuelle und kollektive) Autonomie, Freiheit und Kreativität unterstützen, fördern, ausbauen.

Solches Überlegen ist aus dem Wesen des Sozialen, auf das es sich richtet, dynamisch, denn das vielschichtige, vielfältige Tatsachenreich, auf das es sich bezieht, ist in ständiger Wandlung begriffen, — jetzt in komplexer und auf vielen Feldern rascher Wandlung; das verlangt vom kritischen und postulierenden Betrachter immer wieder Neubesinnung und Neueinstellung. Eine Sonderaufgabe darin bilden die Prüfung und allenfalls die Neugestaltung von Autonomie, Freiheit und Kreativität, vor allem in dem Sinne, daß neue Ziele und Werte gesetzt, neue Wege erforscht und neue Verwirklichungsweisen vorbereitet werden.

2. ZIELÜBERNAHME UND ZIELSETZUNG

2.1 Zielhaben

Grundmoment des Verwirklichens ist das Zielhaben: der Verwirklicher (der Einzelne, die Gesamtheit oder die Organisation) hat die Vorstellung von einem Verwirklichungserfolg, die ihn zu Wollen und Handeln bringt, vielleicht — wenn sie mit einer Idee, der Zielidee, verbunden ist — zu Wollen und Handeln verpflichtet. Vom Zielhaben geht das seinem Inhalt entsprechende Wollen aus: der Zielhabende will das Ziel verwirklichen und, das liegt im Wesen des Zieles, er soll so wollen. Das Wollen wiederum prägt das Verhalten und Handeln (Verhalten ist allgemeiner als Handeln, es ist in einigen Bezirken weniger aktiv als dieses, wenn auch nie gänzlich passiv, zumindest nicht nach der inneren Einstellung des Verwirklichers, die immer ein einigermaßen entschlossenes Sichdurchsetzen ist); das Handeln im besondern ist Eingreifen in Äußeres, von dem die Zielverwirklichung abhängt, zielgünstiges Umformen von Äußerem. Durch Verhalten und Handeln verwirklicht der Zielhabende sein Ziel; dieses kann damit seine Wichtigkeit verlieren (so bei aus seinem Wesen kurzdauerndem Vergnügen) oder es kann sie behalten, da es ein Zuständliches zum Inhalt hat (so auf unterer Stufe Macht und Reichtum, auf höherer Stufe Teilhabe am Denken Großer und vielleicht am Göttlichen).

Zwei Fragen stellen sich im Zusammenhang mit dem Zielhaben: diejenige nach der Möglichkeit der Zielverwirklichung und diejenige nach dem Wert des Zieles und somit auch des durch die Verwirklichung geschaffenen Gutes. Unter der ersten sind die erreichbaren und die unerreichbaren Ziele zu unterscheiden, weiter bei jenen die leicht- und die schwererreichbaren, bei diesen die nur für einige Verwirklicherkategorien und die überhaupt unerreichbaren. Die zweite Frage führt zunächst zu Bejahung oder Verneinung des Wertvollseins des Zielinhaltes, weiter zu abstufender Einschätzung vor allem des Wertes, oft auch des Unwertes; und das strahlt auf das Zielhaben als solches aus, denn Zielhaben wertvollen Inhaltes ist berechtigt, Zielhaben unwerten Inhaltes ist nicht berechtigt. Die beiden Fragen regen zu Selbstkritik an: man soll erreichbare wertvolle Ziele haben (auch solche, die man erst nach vielleicht mühevollem Ausbau des Verwirklichenkönnens zu erreichen vermag), nicht unerreichbare, und seien sie inhaltlich wertvoll, und nicht unwerte. Die Selbstkritik wird so zu Zielkritik, in der man die Inhaltstypen und oft auch die Einzelinhalte herausarbeitet, auf welche man seine (bewußte) Autonomie, seine Freiheit und seine Kreativität richten soll.

2.2 Empfehlung und Gebot

Die Ziele, die für den Zielhabenden gelten, sind ihm großenteils in seiner Zwecke-und-Werte-Struktur (Vitalstruktur und aus Begabung, Erziehung und sozialer Beeinflussung kommende geistige Struktur) gegeben, einige, und vielleicht wichtigste, aber sind für ihn neu in dem Sinne, daß er sie entweder von außen übernimmt oder selbst setzt. Übernommen werden Ziele in allen Gesellschaften, schon in den einfachsten, in denen das meiste Wichtige als Selbstverständlichkeit gilt und somit in den individuellen und kollektiven Zwecke-und-Werte-Strukturen verfestigt ist, denn auch hier treten ab und zu Schwierigkeiten auf, denen die Führer mit neuen Lösungen zu begegnen haben, die von den Einzelnen und Kleingruppen entsprechendes Sicheinstellen und damit die Annahme neuer Ziele verlangen. Vielfältiger ist das Zielübernehmen in den komplexeren Kulturen: in ihnen läßt sich bei weitem nicht alles Sozialwichtige traditionell festlegen, weshalb wirksame Methoden des Anordnens, Gebietens, Empfehlens und Überzeugens, also gesamthaft der Übertragung des von den Führenden Beschlossenen auf diejenigen, die es anzunehmen und auszuführen haben, entwickelt und angewandt werden; sozialpraktisch vertretbares Bemühen wird sich darauf richten, möglichst viel von dem, was längere Dauer haben soll, durch verpflichtende Ordnung gesellschaftlich zu verfestigen, was allerdings sowohl in bezug auf den konkreten Inhalt als auch im Prinzip von Meinungsgegnern bestritten werden und so zu sozialmoralischen und politischen Kontroversen Anlaß geben mag. — Würdigung solcher Ziele setzt beim Übernehmenden einen inneren Bereich voraus, in dem er gegenüber dem ihm durch Anlage, Erziehung und Umwelteinfluß Gegebenen autonom und frei ist: es muß ihm praktisch möglich sein, das ihm zur Annahme Empfohlene und vielleicht Befohlene zu prüfen, zu werten und allenfalls nicht anzunehmen, sogar abzulehnen. Stets zu bedenken ist in diesem Zusammenhang, daß Empfehlen und Befehlen einerseits, Übernahme und Befolgung anderseits sowohl individuell als auch kollektiv sein können: im ersten Fall steht der Einzelne den Empfehlenden und Befehlenden unmittelbar gegenüber, im zweiten Fall nur mittelbar, als einer, der einer gehorchenden Gesamtheit angehört und die zu befolgenden Richtlinien erst von ihr übernimmt (so: einerseits staatliche Ziele, die, etwa unter liberaler oder sozialistischer Idee, den Bürger direkt verpflichten sollen, anderseits solche, die die Arbeit der Kommunen zum Inhalt haben und auf die Einzelnen erst über das Kommunale wirken).

2.3   Selbstbestimmung

Autonomie und Freiheit des Einzelnen prägen sich deutlichst in dem aus, was er voll und ganz selbst bestimmen kann, somit in dem Bereich, in welchem er weder durch innere Struktur noch sozial zu konkretem Verhalten veranlaßt ist. Selbstbestimmung mag zunächst, auf ihrer untersten Stufe, darin bestehen, daß mit Bezug auf die vorgegebenen Endziele die im Sonderfall zu verwirklichenden Nahziele und anzuwendenden Verfahren gewählt werden;

solches beschränktes Wählen ist vor allem im Zusammenhang mit den sozialen Zielen praktisch wichtig, denn diese sind meistens so abstrakt, daß der Verwirklicher sie für seinen eigenen Lebensbereich konkret fassen muß (etwa: Wenn die Respektierung der Persönlichkeit jedes Einzelnen ein empfohlenes und allgemeinanerkanntes soziales Ziel ist, was heißt das für den Bürger A in Hinsicht auf sein Verhalten gegenüber seiner Frau und seinen Kindern, seinen Angestellten und Arbeitern, seinen geschäftlichen Konkurrenten und politischen Gegnern?). Auf höherer Stufe betrifft die Selbstbestimmung prinzipiell gewichtigere Ziele, solche, die in einem größeren Lebenszusammenhang als Haupt- und vielleicht als wichtigste Selbstzwecke zu verstehen sind (Hauptziele sind Ziele, welche ein großes Seinsfeld auf lange hinaus bestimmen sollen; Selbstzwecke sind Ziele, deren Verwirklichung für den Verwirklicher eigenwert, weil Seinssinn erfüllend und vielleicht sogar dem Leben Sinn gebend ist): hier wird der Verwirklicher unter höherem und vielleicht höchstem Anspruch Selbstgestalter. — Träger der Selbstbestimmung sind vor allem die Einzelnen, soweit sie selbstbestimmungsfähig und -willig sind, neben ihnen aber auch entscheidungsfähige und -befugte Gesamtheiten und Leistungsorganisationen. Freilich wird die Selbstbestimmung des Sozialgebildes letztlich immer von Einzelnen ausgeübt; diese sind in ihren aufs Soziale gehenden Überlegungen einerseits durch dessen Wesen und Aufgaben beschränkt, anderseits durch die ermöglichte Breitenwirkung (so: Leistungsmöglichkeit des Staates, der Großunternehmung) zu intensivem Sicheinsetzen gebracht.

Kreativität setzt immer Selbständigkeit im Zielsetzen voraus. Jedoch nicht unbedingt die Selbständigkeit in bezug auf die Setzung der Hauptziele, denn schöpferisch sein kann auch, wer die Hauptziele von außen übernimmt und vielleicht übernehmen muß: verlangt ist aber zumindest die Selbständigkeit in der Bestimmung der Nahziele und Verwirklichungsverfahren und -mittel. Vielfältiger ist theoretisch die Kreativität dort, wo der Verwirklicher vollständige Zielwahlfreiheit hat, Freiheit also auch in der Setzung der Hauptziele, — praktisch ist jedoch oft die Wirkungsmöglichkeit beschränkt, weil unerläßliche sachliche und persönliche Voraussetzungen des Erfolges fehlen; besonders in der Leistung gelangt mancher zu seiner besten Erfüllung, wenn er sich in einer Leistungsorganisation für ein Ziel einsetzt, das von Führenden bestimmt worden ist und den Ausführenden nur (aber immerhin) Freiheit in der Wahl der Nahziele und Methoden läßt.

2.4 Verzicht auf mögliches Wählen

Tatsächlich übernehmen die Einzelnen, Gesamtheiten und Organisationen ihre Ziele auch dann, wenn sie sie weitgehend frei wählen könnten, großenteils von außen. Dies aus mehreren Gründen und in mehreren Weisen. Erstens gibt es das öffentliche, gesamtgesellschaftliche Interesse an der Erreichung der Gemeinschaftszwecke, allgemein und gesamthaft an Erhaltung und Ausbau der Wohlfahrt des Ganzen: darum werden manche Ziele und Aktionsweisen als rechtlich verpflichtend geboten, andere als unerlaubt verboten. Zweitens geht das öffentliche Interesse auf das möglichst reibungslose Zusammenleben der Einzelnen und Gruppen, auf den möglichst geringen Energieaufwand für die innergesellschaftlichen Vorgänge: das verlangt in einigem und vielleicht erheblichem Ausmaße Konformität und ihr dienen Verhaltensnormen, deren Befolgung mit Anerkennung belohnt und deren Nichtbefolgung mit Kritik und Wohlwollensentzug bestraft wird; beides treibt zu Einfügung ins gesellschaftliche Ganze und zu Annahme der geltenden Maßstäbe und auch Zielhaltungen an. Drittens haben Gruppen, Organisationen und Institutionen und ihre Führer ein Interesse daran, die von ihnen vertretenen Ideen und Zielauffassungen zu gesellschaftlicher Geltung zu bringen: Parteien, Verbände, Kirchen und andere religiöse Organisationen, Wirtschaftsverbände, kulturelle und humanitäre Organisationen und Institutionen werben für ihre Programme und Thesen, damit diese in der Gesellschaft allgemein oder auf Sozialbezirke beschränkt übernommen werden und Geltung erlangen; vielleicht wirkt darin ein Streben nach Macht, welche verpflichtende Normen und Ziele zu gebieten gestattet wird. Viertens das persönliche, das heißt nicht in Organisationen oder Institutionen eingehende Wirken Einzelner, die sich für Ideen und Ziele einsetzen und für diese eine zahlreiche Anhängerschaft gewinnen wollen, Vertreter von Neuem, das noch nicht oder erst gering anerkannt ist, und Vertreter von Altem, das durch neue Entwicklungen bedrängt wird: religiöse Denker, Philosophen, Wissenschaftler, politische Schriftsteller, Dichter, Künstler, — für sie alle ist charakteristisch, daß sie hauptsächlich als Individuen wirken und nicht von einer Organisation oder Institution getragen sind (zwar müssen sie publizieren und vortragen können, was Organisation und Institution voraussetzt, aber hier sind diese nur Mittel zu Persönlichem). Fünftens die Geschäftsreklame: in ihr geht es darum, Kunden zu gewinnen, was bei den Dingen des Endverbrauches, zumal des Massenkonsums, dann am besten gelingt, wenn die Meinung verbreitet werden kann, das propagierte Verbrauchsverhalten habe eine allgemeinere, umfassendere gesellschaftliche Würdigkeit, — wer das annimmt, läßt sich auf dem betreffenden Sachfeld vorschreiben, worin er den Sinn seines Seins zu sehen habe. Sechstens das Kulturangebot (im weitesten Sinne), durch welches die tatsächliche kulturelle Umwelt des Einzelnen gebildet wird: Bücher, Zeitungen, Zeitschriften, Theater, Konzert und Kino, Rundfunk und Fernsehen; allerdings kann man innerhalb des Publikationenangebotes und der Veranstaltungs- und Medienprogramme wählen, aber was darin fehlt, ist unzugänglich, und was man auswählt, schließt jedenfalls das Gleichzeitig-Veranstaltete aus. Auch hier wird das Zielhaben vielfach beeinflußt.

Von den Einzelnen und Gesamtheiten aus gesehen liegen die bisher erwähnten Gründe der Übernahme von Ideen und Zielen hauptsächlich in Äußerem, im Sozialen und Kulturellen, das als Umwelt gegeben ist. Zu ihnen kommen einige innere Gründe, solche aus denen der Einzelne oder die Gesamtheit von sich aus geneigt ist und sogar vorzieht, sich Empfohlenem oder Befohlenem unterzuordnen. Bestimmend ist da erstens und hauptsächlich die gefühlshafte und sogar triebhafte Bereitschaft zur Einfügung in ein größeres Gesellschaftliches und Gemeinschaftliches; der Mensch ist in seiner Grundanlage auch Gesellschafts- und Gemeinschaftswesen, nicht nur Individuum (das Individuumsein ist ein seelen- und geistesgeschichtlich Späteres), und die Gesamtheiten und Organisationen entsprechen in ihrem, von den Führenden und den andern Mitgliedern getragenen, Selbstverständnis dieser Urneigung. Das reicht bis ins Ideenhaft-Große und -Weite: Volk in völkischer und Staat in nationalistischer Sicht, Kirche für den durch starken

Glauben Geprägten, jetzt auch übernationale Gemeinschaft für den Befürworter von ideenbestimmter großräumiger — westlicher oder sozialistischer —, kontinentaler oder globaler Völker- und Staatenvereinigung. Bestimmend sind zweitens Wunsch und Interesse der Einzelnen und Gesamtheiten, im übergeordneten gesellschaftlichen Ganzen Erfolg zu haben: lieber Erfolg mit dem Von-außen-Auferlegten als Mißerfolg mit dem Eigenen, das in der Gesellschaft keinen Anklang findet oder sogar abgelehnt wird, — diese Haltung wird durch Thesen, welche die Einfügung in ein Ganzes fordern, ideologisch untermauert und ist überdies in der modernen Leistungs- und Geschäftswelt den meisten als unausweichlich auferlegt. Dazu kommen drittens Bequemlichkeit und Routine, menschlicher Ausdruck des Strebens nach niedrigstem Energieaufwand: die Anpassung an das in der Gesellschaft Geltende schafft weniger Mühe als die Aufstellung und Durchsetzung von Eigenem.

Alle diese Momente, die äußeren wie die inneren, wirken einschränkend auf Autonomie und Freiheit: sie erschweren oder verhindern mögliche Autonomisierung und Befreiung und mitunter wird bereits erfolgte durch sie zurückgebildet, beides am deutlichsten dort, wo von den sich frei betätigenden Einzelnen und Organisationen her soziale Unruhe droht. Jedoch kann hier eine Gegentendenz auftreten, indem gerade durch Beschränkung der gesamthaft-freien Betätigung die Betätigungsfreiheit in Teilbereichen und auf Nahziele hin ermöglicht wird. Kreativität hat der Idee nach das weiteste Feld dort, wo die Freiheit am vielfältigsten ausgebildet ist; sie ist aber unter nur auf Nahziele und Verwirklichungsweisen beschränkter Freiheit ebenfalls in einigem Umfang möglich.

Wie sind die in der Gesellschaft geltenden, von den Einzelnen, Gesamtheiten und Organisationen übernommenen Ziele und auch Zielideen entstanden? Manche in gesamtgesellschaftlicher oder in einem Stand oder einer Klasse erfolgender Auffassungsbildung, ohne daß ein Einzelner oder eine Gruppe oder Folge von Einzelnen (etwa aufeinanderfolgende religiöse Führer) bestimmend gewesen wäre; diese Entstehungsart ist bei den auf die Vitalinhalte und -antriebe gestützten Zielen wohl immer gegeben, so sehr, daß auch ihre theoretische Darlegung als Ausdruck einer im Grundwesen naturhaften Moral aufzufassen ist (darum die prinzipielle Gleichheit aller Vitalmoralen), — und weiter bei den durch kulturhafte Zusammenlebenstypen bedingten Zielen und Normen (Bauern-, Handwerker- und Händler-, Aristokraten-, Arbeitermoral). Einige aber sind Erreichnis von Zielsetzern, die aus schöpferischer Bewußtheit neue Seinsweisen erkennen, selber erstreben, und lehrend, auch Gefolgschaft suchend darlegen; sozialpraktisch wichtigst ist solches Zielsetzen und -lehren in der Religion, der Sozialideologie und der Politik. Daraus aber ergibt sich die Vermutung, daß in unserer modernen Kultur ein Hauptbereich nicht ausreichend von Zielgebern und -lehrern bearbeitet werde, nämlich derjenige des selbstzweckhaften individuellen Verwirklichens der Religiös-Indifferenten und Atheisten (die Ideologien auf nicht-mehr-religiöser Basis haben zumeist Probleme von Gesellschaft, Sozialkultur und Politik zum Gegenstand), und von hier aus ist allenfalls eine neue postulierende Zielphilosophie zu fordern.

Im Zusammenhang mit diesen Überlegungen sind die Begriffe »Zwecke-und-Werte-Struktur« und »Beschränkung von Autonomie und Freiheit« voneinander abzugrenzen. Mit dem ersten wird eine Festgelegtheit bezeichnet, die dem Einzelnen oder der Gruppe keine oder nur sehr geringe Wahlfreiheit läßt: die Ziel- und Werthaltung ist so fest geprägt, daß das in ihr Erstrebte als selbstverständlich-richtig erscheint. Der zweite dagegen bezieht sich auf eine Beschränkung im Rahmen von Auch-anders-Können: man wäre frei und hätte die Kraft, sich eigene Ziele zu setzen, paßt sich aber Äußerem oder Innerem an, welches das eigene Entscheiden schwächt oder unterbindet. Wird das zweite bereitwillig und dauernd geübt, so kann sich das Festgelegtwerden der Zwecke-und-Werte-Struktur annähern; die Einzelnen und Gruppen sind hierin wandelbar, prägbar (davon gehen die Bemühungen in diktatorischen Staaten aus, »einen neuen Menschen« zu schaffen: die Einzelnen und auch die Gruppen sollen in ihrem bisherigen, freien oder traditionell geprägten, Wollen so beeinflußt werden, daß sie schließlich sich selbst und die Gesellschaft unter den von den Machthabern vertretenen Richtigkeitsauffassungen sehen, — darum insbesondere die Befürwortung von Parteilichkeit und sogar Fanatismus). Umgekehrt kann die Zwecke-und-Werte-Struktur als Beschränkung von Autonomie und Freiheit erscheinen, die zwar noch nicht sind, aber sein und werden sollten; Freiheitslehre und

-ideologie, Erziehung zur Freiheit, liberale und individualistische Politik, praktische Bürgerfreiheit, verantwortliche Arbeit im Beruf wirken befreiend, — möglich ist dank ihnen sogar die Entstehung von Zwecke-und-Werte-Struktur, in deren geistiger Schicht das Ziel Freiheit den höchsten Rang hat. Alle diese Befreiungsmomente sind in den Traditionen wie auch in neuen Auffassungen und Verhaltensweisen der abendländischen Kultur (die hierin von andern Kulturen wie der indischen und chinesischen tiefgreifend verschieden ist) mannigfaltig gegeben, — jedoch verlangt die Situation des Einzelnen in der Industriegesellschaft doch auch die Neubesinnung auf das allgemeine Wesen und die besonderen Inhalte der jetzt möglichen Freiheit: das bedeutet eine an die zielsetzenden, ziellehrenden Denker, zumal die Zielphilosophen, gerichtete Aufforderung.

2.5   Auseinandersetzung

Der Einzelne, der nicht einfach durch seine Zwecke-und-Werte-Struktur festgelegt ist, begegnet im Laufe der Zeit vielen Ziellehren, -auffassungen und -haltungen, die in der ihm näheren oder auch in der weiteren Kultur vertreten werden und von denen er einige als auch an ihn gerichteten Geltungsanspruch enthaltend verstehen kann. Vielleicht bringt ihn das zu Auseinandersetzung über das, was — persönlich und gesamtheitlich — als richtig und wichtig anzuerkennen, zu befolgen und zu erstreben oder aber als nicht-richtig und unwichtig einzustufen und darum abzulehnen oder zumindest nicht weiter zu beachten sei. Darin wirken autonome, freie Kritik und an sie anschließend autonome und freie Selbstbestimmung, die vielleicht zu Selbstgestaltung überleitet, die ihrerseits autonom und frei sein, bei der aber auch zwecke-und-werte-strukturhafte Festlegung, vor allem aus religiösem, philosophischem oder ideologischem Glauben, welcher der Kritik nicht zugänglich ist, beteiligt sein kann.

Ähnliches gilt für die Gesamtheiten und Leistungsorganisationen: auch ihnen gegenüber werden mit mehr oder weniger scharfem Geltungsanspruch Ideen, Ziele und Werte vertreten, mit denen sie sich auseinandersetzen müssen oder zumindest können. Vielleicht bringt sie das zur Feststellung des — von ihrem Standpunkt aus — Besten und zu ihm gemäßer Bestimmung des praktischen Handelns; darin liegt Selbstbestimmung im Rahmen des institutionell Möglichen, was aber auch heißt, daß zumeist als Grundlage die früheren Ziele wirksam bleiben (so bleibt die Familie unter ihrem vitalzweckbestimmten Familienwesen, auch wenn in ihr neuaufgenommene spirituelle Auffassungen wirksam werden, und behält die Erwerbsunternehmung ihren Erwerbscharakter, auch wenn in ihr die sozialpolitischen Forderungen starke Beachtung finden).

Solche Auseinandersetzung — des Einzelnen, der Gesamtheit, der Organisation — mit in der Kultur Geltendem ist in der Regel Voraussetzung von individuell- oder kollektiv-eigenem schöpferischem Handeln, denn soll dieses einigen Rang haben, so muß man vor allem andern ein Ziel setzen können, das vom Bisher-Anerkannten und zumal vom Bisher-Selbstverständlichen in Hauptwesen verschieden ist. Allerdings mag praktisch aussichtsreichst sein und damit der Kreativität die größten Chancen bieten, was zwar in wesentlichem Inhalt, aber nicht im ganzen wesentlichen Inhalt neu ist, was also gegenüber dem Bisherigen zwar eine erhebliche, aber keine vollständige Wandlung bedeutet; meistens hat das Reformerische größere Erfolgsaussicht als das Revolutionäre. — Schöpferische Neuerung gibt es auch im Technischen der Verwirklichung bisheriger Ziele; nicht alle Kreativität ist somit Zielneuschaffung.

2.6 Inhalt und Form des Zielsetzens

Allgemeines Wesen des eigenen, autonomen und freien Zielsetzens: in eigenem Sichvornehmen wird ein Erfolgsinhalt festgelegt, auf den hin ausreichende Verwirklichungskraft eingesetzt werden soll. Das Sichvornehmen besteht darin, daß der Zielsetzer sich auf einen Inhalt besinnt und ihn hochwertet, also solchen Besinnens fähig ist, was Kenntnis, Vorstellungskraft und erhebliche Ausdauer erfordert: Kenntnis, weil der zu setzende Inhalt in einem, vielleicht komplexen, Sachzusammenhang stehen wird und darum sachrichtig zu fassen ist (Sachunrichtiges läßt sich zwar vornehmen, muß sich aber früher oder später als illusionär erweisen); Vorstellungskraft, weil ein Noch-nicht-Gegebenes zumindest in seinen Hauptzügen so zu sehen ist, als sei es ein Gegenwärtiges; erhebliche Ausdauer, weil die Festlegung eines sachrichtigen, erreichbaren Zieles von einiger Sachvielfalt und Verwirklichungsschwierigkeit sorgfältiges Überlegen und vielleicht sogar einigermaßen anspruchsvolles Planen erfordert. Und dieses Sichvornehmen ist für den Zielsetzer (wiederum als ein Einzelner, eine Gesamtheit oder Organisation zu verstehen) ein eigenes: er beginnt und vollzieht es aus eigener geistiger Kraft, ja eigener Kreativität, nämlich dann, wenn das vorgenommene Neue vom Bisherigen (eigenem und in der Gesellschaft gegebenem übernehmbarem) erheblich abweicht.

Das Ziel soll erreicht werden, es muß also allgemein, für den Menschen überhaupt erreichbar sein (was etwa bei Bemühungen, die den biologischen oder physikalischen Gegebenheiten widersprechen, nicht zuträfe) und es muß für den konkreten Verwirklicher konkret erreichbar sein (zwar darf man den Rahmen seiner bisherigen inneren und äußeren Möglichkeiten zu erweitern trachten, aber für jeden gibt es da unüberschreitbare Grenzen, — ein neuer Beethoven oder Einstein werden zu wollen wäre für die meisten sinnlos). Freilich werden immer wieder Inhalte vorgenommen, die sich in der Praxis als zu hoch gegriffen oder sogar als sachlich verfehlt erweisen: im ersten Falle ist in der Richtung des Unerreichbaren das erreichbare Wertvolle, und zwar das wertvollste Erreichbare oder erreichbare Wertvollste, festzustellen und in diesem Sinne kann auch die Setzung eines Unerreichbaren realistisch sein; im zweiten Falle ist der Fehler einzusehen und zu korrigieren, so kann das Unrichtige zum Richtigen führen und ebenfalls seinen praktischen Wert haben (»Durch Versuch und Irrtum« läßt sich auch im Zielhaften anwenden). — Ausreichende Verwirklichungskraft: Der Erfolgsinhalt muß verwirklicht, der erstrebte Inhalt ein tatsächlicher Erfolg werden und das erfordert Fähigkeit, Kraft und beide einsetzendes Handeln. Da die Verwirklicher in bezug auf diese Faktoren verschieden sind, haben sie auch verschiedene Möglichkeiten des sinnvollen Zielsetzens.

Zu überlegen ist die Form des Zielsetzens und des gesetzten Zieles. Meistens grundlegend, oft überwiegend und mitunter ausschließlich wird das Ziel bildhaft vorgestellt und enthält damit das

Zielsetzen ein inneres Bildschaffen: der zu erreichende Erfolgsinhalt ist ein anschauliches Außermenschliches oder Menschliches, das der Zielsetzende ganz oder großenteils oder wenigstens in einigem als Vorstellungsbild gestaltet; oft schließt er dabei an ihm in der Kultur gegebene Vorbilder, Leitbilder und Ideale an, aber indem er selber zielsetzend ist, fügt er ins Übernommene ein Eigenes ein. Anderseits kann das Ziel mehr oder weniger weitgehend rational sein, das Zielsetzen entsprechend zu rationaler Denkleistung werden: das Eigene des Zielsetzers besteht hier meistens darin, daß er eine bekannte, aus der Kultur übernehmbare Begriffsart nach seinen Bedürfnissen und Interessen selbständig konkretisiert, seltener darin, daß er auf höherer Allgemeinheitsstufe einen neuen abstrakten Zielinhalt schafft (wie etwa der Philosoph, der aus seiner rationalen Weltauffassung ein rationales Moralprinzip ableitet, das er als für ihn selbst wie für andere verbindlich oder jedenfalls wertvoll versteht).

Zwischen den Zielsetzern bestehen mancherlei Verschiedenheiten nicht nur nach Zielinhalten, sondern auch nach Zielrängen. Jedes dem Menschen Zugängliche und dazu manches dem Menschen Unzugängliche ist möglicher Zielinhalt, aber für das praktische Handeln des einzelnen Zielsetzers (der auch eine Gesamtheit oder Organisation sein kann) kommt nur eine verhältnismäßig kleine Gruppe von Zielinhalten in Betracht und sind alle andern unwichtig. Im Blick aufs Ganze darf sich die beschreibende und allenfalls postulierende und kritische philosophische Befassung mit den Zielinhalten nicht auf eine Gruppe oder eine Sonderart der Ziele beschränken, sondern muß sich auf alle Inhaltstypen erstrecken (deren Differenzierung weit genug gehen muß, um alle praktisch wichtigen Inhaltsarten theoretisch zu fassen), und entsprechend weit ist die Gesamtheit der zu untersuchenden Zielsetzer: alle, nicht nur ausgewählte, Arten der Zielsetzer sind für die philosophische Betrachtung interessant. Und die Zielinhalte sind nicht alle gleichrangig, sondern nach ihrem Wert in mehrere Stufen einzuordnen, woraus allenfalls Folgerungen in Hinsicht auf das Zielsetzen als solches und sogar den Rang der Zielsetzer zu ziehen sind. Jedoch ist dieses Einstufen immer wertend, steht also unter der subjektiven oder sozialbedingten Wertauffassung des Urteilenden: die hier möglichen Aussagen entbehren von vornherein des objektiv begründeten Geltungsanspruches, dafür regen sie gerade wegen ihrer Werthaftigkeit zu die Wertqualitäten und -ränge prüfendem Denken an.

2.7 Kulturbedingtheit des Zielsetzens

Das Zielsetzen steht unter den Gesamtauffassungen des Zielsetzers und diese sind teils sozial und kulturell bedingt, teils aber subjektiv, persönlich. Auch der in seinem Zielbestimmen Freie denkt so, und nur so, wie es in der Kultur, zu der er gehört, möglich ist: durch sie sind ihm Denkrichtungen aufgetan, aber auch Grenzen gezogen. Hieraus ist jeder Zielsetzer in seiner Kulturbedingtheit zu sehen, was (wenigstens der Idee nach) die Berücksichtigung der ihn beeinflussenden geschichtlichen Gegebenheiten erfordert. Vor allem aber sind die in unserer eigenen, der modern-abendländischen Kultur bestehenden Voraussetzungen des Zielsetzens zu erhellen. Man wird so auf Verschiedenheiten sowohl in den tatsächlich gegebenen als auch in den vermeintlichen Verwirklichungs- und damit Zielsetzungsmöglichkeiten kommen: einiges von dem, was früher erreichbar war, ist es jetzt nicht mehr (so: wissenschaftliche Erforschung von leicht zugänglichen Nahweltdingen, — diese sind jetzt größtenteils erforscht und bieten somit dem Wissenschaftlich-Begabten kaum mehr ein Betätigungsfeld, abgesehen vielleicht von neuentstandenem Sozialem und Kulturellem); einiges von dem, was früher erreichbar schien, ist jetzt zweifelhaft (so: die Paradiesgewißheit der gläubigen Christen früherer Jahrhunderte); manches von dem, was jetzt vollziehbar ist, war es früher nicht (so: manches wissenschaftliche Forschen, Folgern und Darlegen, manches technische und wirtschaftliche Handeln, modernes Reisen). Das wirkt sich auch auf das Zielsetzen aus und über dieses auf die Kreativität: von der früher für möglich gehaltenen Freiheit des Zielbestimmens und Schöpferischwerdens erscheint jetzt etliches als realitätsfremd; anderseits, und in großem Umfang, gibt es jetzt Freiheit, die früher unerreichbar, ja nicht einmal vorstellbar war. Man mag sich da prinzipiell fragen, ob man im Zusammenhang mit Freiheit und Kreativität »vom Menschen« (im allgemeinen Sinn) sprechen soll: muß man sich nicht auf die konkreter gefaßten

Menschentypen konzentrieren und sie in ihrer Kultursituation und -bedingtheit untersuchen, — also, was das praktische Lebens- und Sozialphilosophische anbelangt, auf jetzige Menschentypen und allenfalls, sie übergreifend, den (hier aber zeitgeschichtlich gefaßten) Menschen der Gegenwart und der voraussehbaren, also nahen Zukunft? Stellt man sich auf dieses Zeitnahe ein, so wird man sich fürs Praktische bewußt machen, daß auch die eigenen Folgerungen, zumal die Postulate, die man aufstellt, gegenwartsbedingt sind.

Trotzdem soll man sich immer wieder und intensiv mit den geschichtlichen Zielsetzern und ihren Lehren, auch mit den von diesen abweichenden geschichtlichen Gesamtheiten lebens- und sozialpraktischer Zielhaltungen befassen, schon aus Interesse am Geistesgeschichtlichen, weiter in Hinsicht auf das jetzt zu erstrebende Zielhafte. Man mag dabei mit den alten Lehren über das Allgemeinmenschlich-Richtige beginnen, soll sich aber hauptsächlich daruber klar werden, ob und wie die alten Ziellehren sich unter den Verwirklichungsbedingungen der modernen Kultur praktisch anwenden lassen (für den modernen Menschen können etwa Aristoteles, Epikur und die Stoiker bis ins praktische Detail hinein maßgebend bleiben, aber fragwürdig geworden sind die frühchristlichen Ziellehren, sofern man sie — Enderwartung — streng nach ihrem Wortsinn auffaßt). Bei letzterem wird man sogar zu Um- und Neudeutung greifen dürfen, sofern man in intellektueller Redlichkeit am prinzipiellen Lehregehalt weiterbaut (wobei zur Redlichkeit auch gehört, daß man sich selbst über das Umdeuten klar ist und es nach außen sichtbar macht; man darf, und vielleicht soll man sogar, die alten religiösen Zielauffassungen aus moderner Weltsicht neufassen, aber man gebe offen zu, daß man vom Ursprünglichen abweicht).

2.8 Zielsetzung und Kreativität

Auf die Beziehungen zwischen Zielsetzung und Kreativität ist genauer einzugehen. Oft liegt im Zielsetzen ein Kreativitätsmoment: der Zielsetzer ist, indem er selbständig ein Ziel setzt, in eben diesem Selbständig-Wollen und -Sichvornehmen neuschaffend, schöpferisch, wenn auch zunächst nur in seinem eigenen, persönlichen und privaten Geistigen; man kann die Zielsetzer nach dem Rang ihrer Zielsetzungskreativität vergleichen, — höchster Rang ist da wohl denjenigen zuzuerkennen, die sich im Rahmen des ihnen Möglichen ein besonders Anspruchsvolles vornehmen (vielleicht auch ein Unerreichbares, das im Erreichbaren die Verwirklichung eines Wertvollsten anregt), aber natürlich würde die Wertung auf Grund von subjektiven Maßstäben des Wertenden erfolgen. Eine zweite Art von Kreativität geht auf den Inhalt des neuen Zieles; sie besteht darin, daß ein Inhalt vorgenommen ist, der gegenüber den bisher verfolgten erheblich neu ist; die Kreativität bedeutet hier das Zustandebringen eines höhere Verwirklichungskraft erfordernden Objektiven. Beide Arten können verbunden werden: es ist einer innergeistig kreativ, indem er ein für ihn neues Ziel setzt (etwa: wissenschaftlich tätig zu werden), unter dem er, nach außen kreativ, ein neues Objektives (etwa: neue wissenschaftliche Erkenntnis; auch Erkennen ist schöpferisch) verwirklichen wird. — Zu unterscheiden ist beim Im-Objektiven-Schöpferischsein darnach, ob das geschaffene Objektive nur für den Zielsetzer und die mit ihm verbundene engere Gesamtheit (Familie, Partei, Unternehmung, lokale oder regionale Bevölkerung) oder überhaupt, in der Kultur und letztlich menschheitlich neu sei; das zweite würde in eine ranghöhere Kategorie gehören (Beispiel: höherer Kreativitätsrang der Schaffung eines technologisch neuartigen Kraftwerktypus gegenüber der Errichtung eines neuen Kraftwerkes bekannter Art).

Umgekehrt erfordert das Schöpferischsein Zielsetzung, denn was in ihm verwirklicht werden soll, muß als Erfolgsinhalt gefaßt, gesetzt und erstrebt werden. Vielleicht ist diese Zielsetzung einmalig: es wird ein Ziel gesetzt, das so klar und fest ist, daß es nicht mehr geändert zu werden braucht; vielleicht aber ist sie ein länger dauernder Vorgang, indem Teile des Erfolgsinhaltes erst später festgelegt oder aus Erfahrung oder neuem Bedürfnis geändert werden, — auch den eigenen Zielen gegenüber kritikbereit zu sein wird wohl immer den Vorzug verdienen.

Aber viel Zielsetzen ist nicht kreativ, sondern bleibt ganz im Rahmen des Bekannten, häufig des dem Verwirklicher selbst und seinem Nahkreis, nicht nur des kulturell oder sogar menschheitlich Bekannten. Ist es deswegen negativ zu werten? Meistens nicht, denn das individuelle und kollektive Leben besteht zum großen Teil darin, daß Bekanntes immer wieder in gleicher oder nur wenig veränderter Weise angewandt wird, — was jedenfalls dann zweckmäßig ist, wenn das Bekannte ein Bewährtes ist (oft gebietet die zweckmäßige Verwendung der vorhandenen Mittel, daß man Bekanntes, das an sich nicht mehr voll befriedigt, beibehält). Mitunter aber ist das Im-Alten-Verharren ungünstig und abzulehnen: wenn ein Neues möglich ist oder möglich gemacht werden kann, das in gewichtiger Weise sachlich und gesellschaftlich wertvoller. ist als das Bisherige. Letzteres wiederum hängt von den allgemeinen und fachbesondern Voraussetzungen des wertschaffenden Handelns ab: werden sie erweitert, so kann das Zielsetzen kreativer werden, und daraus wird solche Erweiterung ihrerseits zum Thema schöpferischen Zielsetzens und -verwirklichens.

2.9   Schöpferisches Zielsetzen

Welche Zielsetzung ist schöpferisch, welche nicht? Welche ist stark schöpferisch, welche nicht? Entscheidend hiefür ist der Grad der Neuheit erstens des Zieles innerhalb der Gesamtheit der vom Zielsetzer verfolgten Ziele (innere Neuheit), zweitens des Zielinhaltes innerhalb der in der gesellschaftlichen Umwelt oder der Kultur überhaupt wirkenden Ziele (äußere Neuheit), — beides unter der Voraussetzung der Realisierbarkeit in engerem oder weiteren Sinne, der vollen oder jedenfalls weitgehenden Realisierbarkeit des Zielinhaltes als solchen oder der Realisierbarkeit zumindest eines wichtigen Vorzieles auf dem Wege zum an sich vorläufig nicht erreichbaren Endziel. Prinzipiell gilt das sowohl für das Zielsetzen der Einzelnen wie für dasjenige der Gesamtheiten und Organisationen; erhebliche Unterschiede ergeben sich hieraus bei der inneren Neuheit, weil die individuellen und kollektiven Zielfelder wesentlich verschieden sind, — für die äußere Neuheit gelten dagegen bei beiden Kategorien die gleichen Anforderungen.

Innere Neuheit und innere Kreativität. Viele Einzelne sind fähig, neue Erfolgsinhalte einzusehen und sich vorzunehmen: Wie klar muß die Einsicht sein, damit an sie das wirksame Vornehmen anschließen kann? Einsicht bedeutet hier Erfassung des Inhaltes als solchen und dazu seines Wertvollseins: Muß der kreativ zielsetzende Einzelne den neuen Zielinhalt genau, zumal rational, kennen und werten? Was den sachlichen Gehalt anbelangt, so ist, wenn die Zielsetzung realistisch sinnvoll sein soll, erhebliche Kenntnis verlangt, aber sie braucht nicht bis ins Letzte zu gehen, sondern wird oft im Allgemeinen und Gesamthaften bleiben, vielleicht kaum mehr sein als eine einigermaßen deutliche bildhafte Vorstellung oder ideenhafte Umschreibung; das kann zwar den Nachteil der Unbestimmtheit haben, aber auch das Günstige, daß das Verwirklichen nicht in den Einzelheiten festgelegt ist, sondern sie erst später zu entscheiden erlaubt, — das schöpferische Zielsetzen wird oft auf ein zunächst nur allgemein Gefaßtes gehen. (Läßt sich, als Typus und in den Sonderausprägungen, das Künstlerische rational vorstellen?, — sicherlich für den, der über die nötigen Begriffe verfügt, aber der Schöpferische, und gerade wenn das Neue zunächst nur ein inneres Ziel ist, bedarf dessen an sich nicht). Noch weniger wird in der Regel der Wert des Neuen begrifflich herausgearbeitet: man erstrebt das Neue, weil es gefühlshaft und oft eher wegen seiner Tendenz als wegen des konkreten Sosein für wertvoll gehalten wird. Gibt es so keine Einheitlichkeit bezüglich der Art des Einsehens der Einzelnen, so ist sie doch darin gefordert, daß das Neue intensiv als ein das Bisherige in Inhalt und Wert übertreffend erfahren werde.

Wenig rational ist die Erfassung der durch innere Neuheit ausgezeichneten Inhalte oft auch bei den Gesamtheiten, zumal bei den Kleingesamtheiten: die in ihnen verbundenen Einzelnen, die ja die Träger der Gesamtheitsbewußtheit sind, denken in den gemeinsamen Dingen meistens nicht anders als in den nur sie betreffenden, und in den Großgesamtheiten gilt das gleiche wenigstens bei jenen ihnen angehörenden Einzelnen, welche das rationale Denken nicht gewohnt oder ihm in eben den Gesamtheitsdingen abgeneigt sind, seltener dagegen bei den Führern: diese verdanken ihre Stellung auch der rationalen Überlegenheit, was sie aber nicht zu hindern braucht, vielmehr oft darin bestärkt, bei den Geführten die emotionale Beteiligung zu fördern und die verstandesmäßige, da sie aus ihrem Wesen kritisch ist, zu beschränken. — Stärker dagegen ist die rationale Fassung der Ziele und damit insbesondere des Neuen bei den Leistungsorganisationen, zumindest dessen, was konkret geplant wird und zielbewußt auszuführen ist; denn die Leistungsorganisation ist ein technisch-soziales Gebilde, in welchem personelle, sachliche und finanzielle Mittel möglichst zweckmäßig auf den gewollten Erfolg hin eingesetzt werden, was die unrationalen Zielvorstellungen, die beim Einzelnen mitunter sehr wirksam sind, ausschließt. Anders mag es bei der Fassung des letzten Zieles der Leistungsorganisation (etwa einer politischen Partei, des Heeres, sogar des Staates als Ganzen) bestellt sein, des Fernerfolges, der durch die konkreten Bemühungen mit gefördert werden soll: da sind vielleicht dranghafte Antriebe bestimmend und kann sich die Organisation als das rationale Werkzeug eines Irrational-Wollenden erweisen.

Äußere Neuheit und äußere Kreativität. Der Handelnde ist dank der von ihm gewollten und verfolgten Ziele in der Welt (als der Gesamtheit des Realen), soweit sie menschlichem Wirken zugänglich ist, eine wirksame Kraft, die Dinge schafft und Geschehen auslöst und lenkt, welche ohne das menschliche Handeln nicht wirklich würden: der Mensch ist an vielen Punkten der kausalbestimmten Welt aus seinem autonomen, freien und kreativen Wollen eine erste Ursache, die Wirkliches neuer Art zustande bringt. Zu unterscheiden ist innerhalb des Neuartigen erstens darnach, ob das Neue global, in der gesamten Kultur oder nur in der engeren Umwelt des Wirkenden neu, zweitens darnach, ob es erheblich oder nur unerheblich neu sei. Oft wird man die beiden Unterscheidungsweisen kombinieren, und daraus ergeben sich vier Wichtigkeitsstufen: Unerheblich-Neues, neu nur in der Umwelt oder aber im Wirklichkeitsganzen, Erheblich-Neues, neu nur in der Umwelt oder aber im Wirklichkeitsganzen; den höchsten Rang hat das letzte. Das nur in der Umwelt Neue ist nicht gänzlich-neu, sondern in anderm räumlichem Bereich bekannt, so daß der es Schaffende nicht in menschheitlichem Maßstab originell-kreativ ist; hohe Qualität sowohl des Wirkens wie des Bewirkten kann aber auch darin liegen, daß ein Wertvolles, das in anderm Bereich geschaffen wurde, im Nahen verfügbar gemacht wird (man ist auf eine besondere Art kreativ, wenn man ein Fernes als auch fürs Nahfeld geeignet erkennt und auf ihm anwendet). Dagegen ist das für die ganze (uns bekannte) Welt Neue auf seinem Sachgebiet erstmalig; der es Schaffende ist sachgeschichtlich gesehen ein erster Schöpfer. Praktisch steht er allerdings immer in Sachzusammenhang mit andern, früheren oder gleichzeitigen, Schöpferischen, indem er mit seinem Schaffen an gegebene Erreichnisse anschließt: selbst das größte Schöpfergenie schafft nicht aus dem kulturellen Nichts. Das Erheblich-Neue ist in Hauptmomenten von allem wesensverwandten Bisherigen so stark verschieden, daß man ihm einen eigenen, und zwar hohen Rang beimessen muß; das Unerheblich-Neue hat zwar seine Sonderqualitäten, die ihm aber nur geringen Sonderrang gegenüber dem Wesensverwandten geben. Das Erheblich-Neue ist ein Menschheitliches in dem Sinne, daß es entweder im gesamten Menschheitsraum einzigartig ist und als solches allen Interessierten bekannt werden kann oder aber Vorlage für Wiederholungen ist (erste Art: ortsgebundene Werke der bildenden Kunst, zweite Art: reproduzierbare Kunstwerke, technische, wissenschaftliche, wirtschaftliche Neuerreichnisse).

Das äußere Neue kann sowohl von Einzelnen wie von Gesamtheiten verwirklicht werden, bei den letzteren am ehesten von Leistungsorganisationen; hiebei ist auf die Entscheidungsträger abzustellen (Einzelner, unorganisierte oder organisierte Gesamtheit, eigentliche Leistungsorganisation), nicht auf die eigene Ausübung der zielbestimmten Arbeit, denn in Technik, Wirtschaft und Staat gibt es kaum eine größere, von einem Einzelnen gewollte und geleitete Leistung, an der nicht mitarbeitende Untergeordnete beteiligt werden. Die Verwirklicher aller Kategorien stehen zwar an sich unter den gleichen äußeren Bedingungen, jedoch gibt es Unterschiede der Eignung der Einzelnen einerseits, der Gesamtheiten anderseits in Hinsicht auf manche Inhaltsart: philosophisches, künstlerisches, manches wissenschaftliche Schaffen, politische Ideensetzung und Kritik sind vorzugsweise Leistung von Einzelnen, dagegen Großtechnisches, Großwissenschaftliches, Großwirtschaftliches, manche Art der politischen Aktion, Staatsverwaltung, Militär meistens Aufgabe von Organisationen, in denen freilich immer Einzelne mehr oder weniger stark, ja mitunter autoritär bestimmend sind. Die Willensbildung geschieht in den Gesamtheiten und Organisationen, zu deren Leistungsprogramm die Schaffung von äußerer Neuheit gehört, kollektiv jedenfalls mit Bezug auf die konkreten Besonderheiten: selbst der autoritäre Leiter braucht für die praktische Arbeit seiner Organisation kompetente Mitarbeiter, an die er die Planung, Vorbereitung,

Ausführung delegiert und denen er damit Recht und praktische Möglichkeit des selbständigen und allenfalls schöpferischen Handelns gibt.

3. Übernahme und Neuschaffung von Verwirklichungsverfahren

3.1 · Verfahren

Das Ziel soll verwirklicht werden: das verlangt zweckmäßige, das heißt zielgerechte und dabei möglichst rationelle Verfahren, worunter hier, in weitestem Sinne, die Gesamtheit der in Betracht zu ziehenden Verhaltensweisen, Handlungen, Vorkehrungen, Methoden und Mittel zu verstehen ist; je nach dem Sachfeld sind sie inhaltlich speziell. Zielgerecht sind die Verfahren, wenn sie aus ihrem Sachwesen geeignet sind, die Zielerreichung zu bewirken oder wenigstens zu ihr beizutragen (letzteres ist nur dann tatsächlich gegeben, wenn es im Zusammenwirken mit andern Faktoren die Erreichung möglich macht). Denkbar ist, daß ein Verfahren nur vermeintlich zielgerecht, weiter daß von zwei Verfahren das eine stärker als das andere zielgerecht ist; daraus ergeben sich zwei Kritikaspekte: Ersetzung von nicht-zielgerechten Verfahren durch zielgerechte und von weniger-zielgerechten durch in höherem Maße zielgerechte, und hieraus folgen Postulate in Hinsicht auf die, vielleicht schöpferische, Gestaltung der Verfahren. Rationell sind die Verfahren, wenn der bei ihnen nötige Aufwand ein günstiges Ergebnis hat; da meistens ein günstigeres Verhältnis Aufwand-Ertrag vorstellbar und von Sachkundigen herbeiführbar ist, gibt es auch hier Ausbau- und Verbesserungsaufgaben.

Manche Verfahren sind innerpsychisch, innergeistig: der Verwirklicher muß zielgerecht und (innerlich) rationell denken, wollen, sich einsetzen, beharren, und er bedarf dazu entsprechender innerer Handlungskraft und Disziplin; daß diese dank Schulung und Erfahrung auf hohem Stand sind, macht mit die Überlegenheit der modernen westlichen Kultur aus, und daß sie zuwenig ausgebildet sind, bedingt mit die Unterlegenheit der Entwicklungsländer: Ausbau und Aufbau zur Beseitigung dieses Rückstandes erweist sich als Hauptaufgabe der Entwicklungspolitik und -praxis. Manche Verfahren betreffen das (an die Zielsetzung, die ebenfalls ihre zweckmäßigen Verfahrensweisen hat, anschließende) innerkollektive Planen und Ausführen der Gesamtheiten und Organisationen: Verfahren, welche einerseits das Sachliche und anderseits das Menschliche (bestes Zusammenwirken der beteiligten Einzelnen, Untergruppen, Organisationsteile und Teilorganisationen) betreffen. Es gibt in Hinsicht auf die Verwirklichung eines und des gleichen Zieles oft mehrere geeignete Verfahren und manchmal sind diese in ihren Effizienzgraden verschieden, weshalb in jedem Fall das effizienteste der tatsächlich anwendbaren (jedes hat seine sachlichen, personellen, organisatorischen und finanziellen Voraussetzungen, die nicht in jeder interessierten Gesamtheit oder Organisation gegeben sind) gesucht und angewandt, dabei das Bisherige nach Möglichkeit in schöpferischem Denken und Handeln verbessert oder durch Neues ersetzt werden soll; bei letzterem wird das beste Verfahren als solches zum Ziel, nämlich des Verfahrensgestaltens, das zu einer fachlichen Leistung werden kann, in der wiederum effizienteste Verfahren anzuwenden sind.

Überlegungen zur Eignung der Verfahren sind nötig schon im Zusammenhang mit der Verwirklichung der bisher bekannten oder von ihnen nur wenig abweichenden (gegenüber den bisherigen nur graduell verbesserten) Ziele: immer wieder ist die Effizienz der angewandten Verfahren kritisch zu prüfen und von den sich neu bietenden technischen und organisatorischen Möglichkeiten aus zu verbessern. Eine noch dringendere Aufgabe ist die Ausarbeitung von zweckmäßigsten und rationellsten Verfahren bei neuen Zielen, sofern sie die Anwendung neuer Verwirklichungsweisen erfordern; oft kann ein Neues erst dann ein praktisches Neuziel werden (nachdem es vielleicht schon lange ein theoretisch vorstellbares Fernziel war), wenn neue Verfahrensvoraussetzungen erreicht sind. Anderseits ermöglicht mitunter eine neue Verfahrensweise die Setzung von neuen Zielen, deren wesentlicher Inhalt bisher nicht einmal vorstellbar war (so ist die »Offene Universität« ein kulturpolitisches Ziel, das erst von Rundfunk und Fernsehen aus konzipiert werden konnte).

Einige Verfahrensweisen sind anlagemäßig festgelegt, und zwar immer in Einzelnen, denn diese sind auch Träger des Kollektiven. Meistens sind dabei allgemeinmenschliche, wenn auch geschlechts- und altersspezifische oder durch die soziale Stellung aktivierte Anlagen bestimmend, seltener eine Sonderbegabung (wie die des »geborenen« Technikers, Kaufmannes, Politikers, Organisationschefs, Künstlers); durch sie wird der Einzelne zu kategoriespezifischer oder individueller Verwirklichung sowohl seiner eigenen, individuellen wie auch der kollektiven Zwecke gebracht. Diese betreffen großenteils Erfolgsinhalte, die ebenfalls triebhaft oder sonstwie anlagemäßig festgelegt sind, daneben freigewollte, zumal rational gefaßte. Allgemeinanlagehaft ist manches im Verwirklichen der individuellen wie der kollektiven Vitalzwecke (so · Ernährung, Gesundheitsschutz, Gewinn und Sicherung von Sozialgeltung, Einordnung in die Gesamtheit; Schutz und Wohlfahrt der Familie und anderer Kleingruppen, auch größerer Gesamtheiten und, stärkst, des Volkes) und auch einiges im Verwirklichen von Kulturzwecken (so im religiösen und künstlerischen, aber auch im wissenschaftlichen, technischen, wirtschaftlichen, politischen Handeln: vor allem hat der Wille zum Dienst an Mitmenschen und Gemeinschaft einen mehr oder weniger starken Triebgrund). Aber der Gesamtbereich der Verfahrensfestgelegtheit — man kann ihn, an den Begriff »Zwecke-und-Werte-Struktur« anschließend, »Verfahrensstruktur« nennen — ist meistens nicht endgültig abgegrenzt, sondern kann eingeschränkt und abgebaut werden, sei es so, daß ein Bisher-Festgelegtes voll ins bewußte Handeln übergeführt, oder so, daß wenigstens die äußere Schicht eines Festgelegten der Kritik und Umformung geöffnet wird. Freilich gibt es auch, umgekehrt, die Ausweitung jenes Bereiches: durch Absinken in geistige Trägheit und sogar durch gewollte, also bewußte Zurückdrängung des bewußten Wählens und Entscheidens (etwa aus ideologischer Bevorzugung von Triebhaftigkeit und natürlicher Emotionalität).

Die meisten für die Verwirklichung bewußt verfolgter Ziele wichtigen Verfahren aber werden von außen übernommen, indem sie, mit mehr oder weniger großer Anstrengung, gelernt werden. Das beginnt mit dem Schullernen, dessen Wissensstoff zum großen

Teil Verfahrensweisen betrifft oder die Fähigkeit vermittelt, später Verfahrensweisen zu lernen; im ganzen sind die Schulen viel stärker auf das Verfahrenshafte ausgerichtet als auf das Zielhafte: die Schüler und Studenten sollen vor allem lernen, wie man die erstrebten Dinge zustande bringt, und dabei ist vorausgesetzt, daß die Ziele des späteren Handelns sich aus dessen konkreter Situation ergeben werden (als Vorschrift, Auftrag oder aus freier Wahl) und darüber in der Lernzeit keine Belehrung nötig ist. Fortgeführt wird das Verfahrenlernen, was das Berufliche oder sonstwie Praktisch-Wichtige anbelangt, in ausbildungsfördernder praktischer Betätigung, und auf andern Verwirklichungsfeldern (wie etwa staatsbürgerliches Tun und Sport) durch Beobachtung des Bestehenden und allmähliches Einfügen in dieses. In sozial und kulturell einfachen Verhältnissen (so im vormodernen Abendland und auch jetzt noch in den technisch-wirtschaftlich wenig entwickelten Ländern) erwerben die meisten Menschen das für ihre praktische Lebensarbeit (als Bauern, Handwerker, Händler, als Hausfrauen) nötige und genügende Verfahrenswissen schon in der Jugend und ändern es später kaum noch; die moderne Leistungskultur ist hierin anspruchsvoller, aber auch sie erlaubt noch manchen das Verharren in Früherworbenem. Auf den höheren Leistungsstufen jedoch ist von den Verwirklichern verlangt, daß sie immer wieder neu lernen, also neue Verfahrensweisen übernehmen, welche die bisher angewandten und für zweckmäßigst gehaltenen ersetzen sollen; das betrifft natürlich vor allem die Berufsarbeit, strahlt aber auch auf Haushalt und Freizeitbeschäftigung aus.

Die Übernahme von Verfahrensweisen mag den Verfahrensbereich des Einzelnen oder der Gesamtheit, auch der Leistungsorganisation verfestigen, zumal wenn das Übernommene gleichbleibend wiederholt werden muß oder kann (letzteres vielleicht, trotzdem eine Änderung möglich und angezeigt wäre); oft gehen die betreffenden Inhalte in die Verfahrensstruktur ein, wofür alle durch Routine Gebundenen Beispiel sind. Natürlich hat das Übernehmen seinen praktischen Sinn und Wert: es ist für die Großgesamtheit, letztlich das Volk, ja die übernationale Gemeinschaft in vielem rationeller, daß sich die Einzelnen und Untergesamtheiten mit möglichst geringem Kraft- und Mittelaufwand das Bewährte aneignen, — auf Lernen gestützte Routine ist ein solches Rationelles und darum in keiner Gesellschaft entbehrlich. Anderseits erweist sich diese Festgelegtheit als nur begrenzt wertvoll und oft als nachteilig, wenn neue Anforderungen ans Verwirklichen gestellt werden: dann geschieht das rationellste Verwirklichen meistens so, daß die bisherige Verfahrensweise dem Neuen angepaßt oder durch eine besser geeignete neue ersetzt wird. Zudem kann immer gefragt werden, ob ein bisheriges Verfahren auch nur für das bisherige Ziel bestgeeignet sei; oft erkennt man, daß der gewollte Erfolg jedenfalls unter neuen Voraussetzungen und vielleicht sogar unter den früheren nicht zweckmäßigst erreicht wurde. Das in der Gesellschaft verfügbare Verfahrenswissen kann und muß auf seine Eignung geprüft werden; was sich als mangelhaft erweist, ist durch Besseres zu ersetzen, und Lücken, die festgestellt werden, sind durch Zweckmäßiges auszufüllen, — beides im Rahmen des Möglichen, aber dieser Rahmen läßt sich erweitern und daraus kann eine Hauptaufgabe für den Kulturausbau abgeleitet werden: Steigerung der gesamtgesellschaftlichen Fähigkeit zur Verfahrensverbesserung. Besonders-Begabte werden hieraus mit Bezug auf die Verfahren schöpferisch, womit die besseren Verfahren als solche zum Ziel des Forschens, Planens und Verwirklichens werden; es gibt sogar Forschen und Planen, welche das beste Verfahren zur Verfahrensverbesserung zum Gegenstand haben. Hohe Verwirklichungseignung der Verfahren wird so als solche zum Ziel, das seinerseits mit günstigsten Verfahren verfolgt wird.

3.3   Verfahrensautonomie

Auch wenn der größte Teil der Verfahren übernommen wird, kann der Verwirklicher in ihrem Rahmen einiges selbst anordnen und damit zwischen mehreren sich bietenden Möglichkeiten wählen: viele Verfahren sind ja inhaltlich allgemein gefaßt. Besteht in der praktischen Anwendung erhebliche Variationsbreite, so kann das autonome Gestalten des Verwirklichers ein schöpferisches Moment bekommen; der Verwirklicher setzt damit, meistens auf engerem Felde und ohne Wirkung nach außen, das Schaffen der Verfahrensschöpfer fort. Schon hier sind mehrere seelisch-geistige Fähigkeiten verlangt: Sachkenntnis, Unabhängigkeit und Autonomie gegenüber dem Gebräuchlichen, Vorstellungskraft für die Fassung von Neuem, praktische Geschicklichkeit in dessen Ausarbeitung und Anwendung, Bereitschaft zur kritischen Prüfung der Ergebnisse, Beharrlichkeit. Sachkenntnis: man kann ein Verfahren anwenden, ohne von ihm mehr als den äußeren Ablauf, dem man sich zu fügen hat, zu kennen; man kann aber auch tief ins Verfahrenswesen eindringen, ja es voll erfassen, und je vollständiger und klarer dieses Wissen ist, desto mehr wird man fähig, es besondern, zumal neuen Bedingungen und Bedürfnissen anzupassen (dazu kommt der Eigenwert der größeren Sachkenntnis, bestimmt durch das Selbstzwecksein der Bewußtheit: oft wird diese gerade durch die aktive Betätigung und durch auf Verfahren gestütztes Wissen gesteigert; Ausbau der Sachkenntnis wirkt damit auf zwei Feldern des Geistigen, zumal des Geistesmenschlichen, rangerhöhend). Unabhängigkeit und Autonomie gegenüber dem Gebräuchlichen: erste Bedingung ist hier, daß man nicht durch die Arbeitsorganisation unter strenge Ausführungsvorschrift gezwungen ist, sondern zu einigermaßen freier (natürlich nicht gegen die Effizienz verstoßender, vielmehr sie fördernder) Verfahrensgestaltung berechtigt ist; zweite Bedingung ist, daß man den Verfahrensregeln innerlich selbständig gegenübersteht, auch, oft am zweckmäßigsten durch schrittweises Andersmachen, diese Autonomie allmählich erweitert: Autonomie, deren Inhalt ist, daß man bisher vorgesehene Verfahrensteile anders faßt oder unterläßt und durch neue ersetzt, häufigst wohl, daß man andere Mittel heranzieht oder neue entwirft. Vorstellungskraft für die Fassung von Neuem: das spezieller gefaßte Verfahren wird ein neues Wirkliches sein, das es bisher entweder überhaupt, in der ganzen (dem Menschen bekannten) Welt oder wenigstens in der Umwelt des Verwirklichers nicht gab; der Verfahrenändernde muß ein solcherweise Neues denkend, vor allem begrifflich festlegend und anschaubar skizzierend, entwerfen können, was immer von Sachkenntnis getragen sein, sie aber durch selbständiges Setzen von Noch-nicht-Bestehendem ergänzen muß. Praktische Geschicklichkeit in der Ausarbeitung und Anwendung des Neuen: über Sachkenntnis und Vorstellungskraft hinaus muß der Verfahrensgestalter eine aufs Praktische gehende Fähigkeit besitzen, er muß die Dinge, mit denen der gesuchte Erfolg erreicht werden soll, so auswählen, gruppieren, aufeinander abstimmen, miteinander in Beziehung und zum Zusammenwirken bringen, daß sie ein möglichst zweckmäßiges Wirkungsganzes ergeben. Bereitschaft zur kritischen Prüfung der Ergebnisse: von den Ergebnissen her wird die Eignung der Verfahren festgestellt, die sich in ihnen erweist (es sind alle Ergebnisse zu prüfen, auch Nebenergebnisse wie etwa die Auswirkungen auf die Arbeitskräfte); zeigen sich Eignungsmängel, so sind, an den ursprünglichen und vielleicht auch an den bereits umgebildeten Verfahren, die nötigen Verbesserungen zu studieren, zu planen und auszuführen. Beharrlichkeit: das Verfahrengestalten betrifft ein im Objektiv-Realen Wirkendes, dessen Wirksamkeit verbessert werden soll; wahrscheinlich wird der gewollte Erfolg nicht auf Anhieb erreicht und vielleicht führt der Weg vom Teilerfolg zu Teilerfolg, — langedauerndes Bemühen ist da schon darum geboten, weil man immer wieder Erfahrungen (günstige, aber auch ungünstige) berücksichtigen muß.

Alle diese Momente sind auf höherer Stufe der Aufgabenstellung und -erfüllung einzusetzen, wenn ein gegebenes Verfahren nicht nur in seiner gewöhnlichen Variationsbreite gestaltet, sondern in Wesentlichem umgebildet werden soll; insbesondere von Sachkenntnis und Vorstellungskraft wird hier viel gefordert. Das gilt um so mehr, je weiter entfernt in seinem Wesen das zu findende Neue vom Bisherigen sein wird. Und es gilt am stärksten, wenn ein gänzlich neues Verfahren zu entwickeln ist. Die Sachkenntnis muß sich dann über den Eigen- und Nahbereich des bekannten Verfahrens hinaus auf andere, ihm bisher fremde Bereiche erstrecken, von denen aus zum Zielinhalt bisher nicht genutzte und vielleicht nicht einmal theoretisch bekannte Sachbeziehungen bestehen oder auf Grund von neuen Einsichten, vor allem von wissenschaftlicher Erkenntnis, neu geschaffen werden können; je höher der Ausbildungsstand des Verwirklichens — der Technik im weitesten Sinne —, desto mehr hat dieses Fortschreiten an die Arbeit der Wissenschaften anzuschließen, weshalb anderseits diese ihr Forschen und Darlegen zunehmend von solchen Anwendungsbedürfnissen bestimmen lassen müssen und weshalb weiter der gesellschaftliche Wert der verschiedenen Wissenschaften auch, und stark, nach ihrem Gesamtbeitrag an den Ausbau der Verfahren, den Technikausbau bemessen wird. Unabhängigkeit und Autonomie bedeutet hier nicht Abgrenzung vom Gebräuchlichen, sondern vom

Bekannten: das neue Verfahren oder das in ein bisheriges Verfahren eingebrachte Wesentlich-Neue weicht vom Bekannten zumindest so erheblich ab, daß es ein neuartiges Praktisches ist, habe es im Theoretischen bereits-bekannte oder neu-erkannte Voraussetzungen; am meisten aber steigert der Fortschritt der Theorie die Selbständigkeit der Verfahrensschaffer, denn oft geht von ihm eigentlicher Zwang zur Distanzierung gegenüber dem Bisherigen aus, — Zwang zur Verselbständigung. An die Vorstellungskraft werden um so größere Anforderungen gestellt, je mehr das Bekannte zu verlassen ist, größte wohl dort, wo das Neue ein auf neue Theorie gestütztes neues Praktisches sein wird; je schärfer wissenschaftlich das konzipierende Denken ist, desto abstrakter wird in der Regel der Entwurf des Auszuführenden und desto schwerer begreiflich sogar für Praktiker des betreffenden Sachfeldes.

Die praktische Geschicklichkeit in der Ausarbeitung und Anwendung muß um so vielfältiger sein, je größer der Abstand zwischen der theoretischen Grundlage und dem erstrebten Praktischen ist, zumal wenn vorläufig erst die Theorie, aber noch nicht ihre Anwendungsmöglichkeiten klar herausgearbeitet sind; auf manchen Sachgebieten ist von den Verfahrenschaffenden so viel verlangt, daß ihre Leistung von Organisationen übernommen werden muß, — bis zu den Riesenkomplexen etwa der Atomenergietechnik (in den großen Organisationen sind nicht nur die Funktionen der das Ausgangswissen feststellenden und interpretierenden, es allenfalls mit dem Fortschritt der Anwendung erweiternden und vertiefenden, Wissenschaftler von denen der die Anwendung betreibenden Techniker, sondern auch innerhalb der zweiten Gruppe diejenigen der Spezialisten der verschiedenen Spezialgebiete personell getrennt, so daß eine große Vielfalt von Leistungs-, ja Berufsarten ausgebildet werden muß). Die Bereitschaft zur kritischen Prüfung der Ergebnisse und damit der Verfahrensqualität muß bei schwierigen, komplexen Verfahren größer sein als bei einfachen: Schwierigkeit heißt, daß die bisherigen Mittel und Methoden zur Aufgabenlösung nur knapp oder nicht ganz oder in einigem gar nicht ausreichen, Komplexität heißt, daß viele Teile in wirksames Zusammenspiel zu bringen sind, in beidem sind Schwerfälligkeiten und eigentliche Fehler unvermeidlich und am besten werden sie vom Verwirklicher selbst festgestellt und behoben. Und wegen der Schwierigkeit und Komplexität des Verfahrensausbaues höherer Stufe muß der Verwirklicher schließlich auch über besonders ausgeprägte Beharrlichkeit verfügen, wahrscheinlich über sehr viel größere, als sie auf unterer Stufe genügen würde.

Schon die inhaltlich erhebliche Umbildung von bekannten Verfahren hat ein schöpferisches Moment, noch mehr die Schaffung von neuen Verfahren, sei es für bekannte oder neue Ziele (aber anderseits läßt sich manches neue Ziel mit bekannten Verfahren verwirklichen, die allerdings wahrscheinlich, und darin liegt wiederum ein Neues, anders zu gruppieren und aufeinander abzustimmen sind).

3.4 Verfahrensverbesserung

In der Berufswelt haben die meisten Arbeitenden eher Gelegenheit, angewandte Verfahren zu verbessern oder neue vorzuschlagen als sich am Ausbau der Produktions- und Dienstleistungsziele zu beteiligen. Ist solches Aktivwerden an sich wertvoll — und das ist aus der Sicht aufs Geistesmenschliche zu bejahen —, so muß es in der praktischen Arbeitsorganisation gefördert werden, und das ist möglich nicht nur bezüglich der betrieblichen Hauptarbeiten (etwa der Teileherstellung und des Zusammenbaues in einer Apparatefabrik oder der Korrespondenz und der Buchhaltung in einer Bank), sondern auch in Nebenzweigen, in Zudienendem (etwa in der Lagerorganisation, in der Registratur, in der Auslieferung, in der Bewachung, bis hinunter zur Reinigung), also in allen, oder doch fast allen, Zellen eines Leistungsganzen. Pflege und Ausbau des betrieblichen Vorschlagswesens gehen in diese Richtung, und neuerdings Bildung von Leistungsgruppen, welche Arbeitern und Angestellten die selbständige Organisation ihrer Arbeit erlauben.

Verfahrensverbesserung gibt es vor allem in der Technik, die zunächst als Einsatz von materiellen Mitteln und von Methoden, die sich auf Materielles beziehen, — Einsatz zu irgendwelchen, freiwählbaren Zwecken — verstanden sei; die Verbesserung besteht darin, daß man durch andere, zweckmäßigere Verwendung von Mitteln der bisher angewandten Art einen günstigeren Erfolg erreicht: den bisherigen Erfolg mit kleinerem Aufwand, mit gleichem Aufwand einen größeren Erfolg oder mit größerem Aufwand einen überproportional größeren Erfolg, — oder sie besteht darin, daß man anstelle von Bisherigem Neues einsetzt, manchmal im Rahmen einer großen Umorganisation und manchmal nur in einem Kleinbereich. Technische Verbesserung solcher Art gibt es ausgedehntest in der industriellen Produktion, denn diese ist das Feld der vielfältigsten Anwendung von Technischem: darum ist in der Industrie die Mobilisierung der Mitwirkungsbereitschaft der Arbeiter und Angestellten aller Stufen, bis hinunter zu den Hilfskräften, eine Hauptforderung; es gibt sie weiter in der Landwirtschaft, bis hinunter zum Kleinbetrieb, in der Verkehrswirtschaft, bis hinunter zum Kleintransporteur, im Hotel und im Restaurant, in den Büros der Banken, Versicherungsgesellschaften und Handelshäuser, bei den freien Berufen (wofür der beratende Ingenieur, der Zahnarzt und der Archäologe Beispiele sind), — und in jeder größeren Organisation dieser Leistungszweige können Verbesserungen auch von unteren Mitarbeitern angeregt werden. Verfahrensverbesserung kann anderseits spezifisch-wirtschaftlichen Inhaltes sein, etwa die Methoden und Mittel der Bedarfsfeststellung, der Produktions- und Absatzplanung, der Handels-, Bank- und Versicherungspraxis betreffend (hier bedeutet »Praxis« einfach die Anwendung von möglichst erfolgsgünstigen berufspraktischen Verfahren); oder politischen Inhaltes, die Praxis der politischen Planung und Vorbereitung, der Öffentlichkeitsarbeit, der Parlaments- und Regierungsarbeit betreffend; oder künstlerischen Inhaltes, spezifisch-künstlerisches Praktisches der Malerei, Bildhauerei, Architektur, der Dichtung, der Musik, und hier der Komposition wie der Darbietung, der Schauspiele, der Oper, des Ballets betreffend; oder wissenschaftlichen Inhaltes, die spezifisch-wissenschaftliche Praxis der Forschung, der Theoriebildung, der Darlegung, der Zusammenarbeit von Wissenschaftlern, der Kritik, des Lehrens betreffend; oder philosophischen oder religiösen Inhaltes, bei beiden etwa die Art der Behandlung von aktuellen Entwicklungen und Problemen, weiter die eigentliche Berufsarbeit der Philosophen, Theologen und Priester betreffend; oder sportlichen Inhaltes, das Spezifische der einzelnen Sportarten betreffend.

Auf jedem dieser Gebiete gibt es sehr viel mehr Änderungen in den Verfahren als in den Zielen, denn die letzteren sind einigermaßen fest (jedenfalls in den großen Leistungsorganisationen erfordert die Neuaufnahme eines wichtigeren Zieles sorgfältige und langedauernde Vorbereitung und umfangreiche, kostspielige Einführung), die ersteren dagegen sind änderbar, auch wenn der nach außen gehende Erfolg, das Produkt oder die Dienstleistung, gleich bleibt, ja sie müssen unter dem Druck der Rationalitätsanforderungen und der Konkurrenz schrittweise oder auch sprunghaft verbessert werden. Für die meisten Leistenden ist darum eher das Verfahrensfeld als das Zielfeld (im Sinne des Feldes der nach außen gehenden Endleistungen) der Bereich von autonomem und insbesondere schöpferischem Eingreifen. Wenn (wie oben) für die technische Zusammenarbeit ein Vorschlagsrecht für alle Beteiligten verlangt wird, so ist es nun auf die übrigen Praxisfelder zu erstrecken: in jeder Leistungsorganisation sollen die Mitarbeitenden, als Einzelne und als Gruppen, Verfahrensverbesserungen vorschlagen dürfen, und vielleicht sind sie auf dieses besondere Kreative hin auszubilden.

Ergänzend ein Terminologisches. Unter »Ziel« ist der Erfolg verstanden, auf den hin die Leistung des Einzelnen, der Gruppe oder der Organisation angelegt ist, also bei der Berufsarbeit und in den Leistungsorganisationen das, was der Gesellschaft als ein Nützliches zugeführt wird, sei es als ein auf dem Markt Käufliches oder als ein außerwirtschaftliches Wertvolles. »Verfahren« dagegen ist die gesamthafte Vorkehrung, einschließlich der in ihr benötigten Kenntnisse, Methoden und Mittel, durch die jener Erfolg zustandegebracht wird. Innerhalb der Leistungsorganisation ist das zweckmäßige, wirkungsstarke und noch mehr das zweckmäßigere, wirkungsstärkere Verfahren seinerseits ein Ziel, und insbesondere gilt das für den Einzelnen, der sich um die Verfahrensverbesserung bemüht, — aber von außen gesehen bleibt dieses Sonderziel auf der Verfahrensebene. Anders wird es dann, wenn der Verfahrensänderer sein Verfahrenverbessern als Berufsleistung anbietet, vielleicht sogar ein hierauf spezialisiertes Unternehmen aufbaut: dann wird entweder das abschließend verbesserte Verfahren, wie etwa ein als Ganzes übernehmbares Betriebsprogramm oder die Computer-Software, ja die Verfahrensverbesserung als spezialisierte, und wahrscheinlich hochqualifizierte, Dienstleistung zu einem Gut von selbständiger gesellschaftlicher Nützlichkeit.

Die Verfahrensverbesserung oder -ersetzung ist auf mehreren Rangstufen des Anspruches und der Neuerungsleistung möglich. Meistens ist das Neue, das als zweckmäßig und ausführbar erkannt und darnach praktisch angewandt wird, vom Bisherigen nur wenig verschieden: dieses wird verändert, aber nicht stark und vielleicht nur in Nebensächlichem. Für die meisten Arbeitenden bleibt das Wirkenkönnen solchen Inhaltes von vornherein bescheiden, schon weil ihre Kenntnisse und auch ihre Kompetenzen beschränkt sind, noch mehr weil die Verfahrensorganisation, unter welcher sie arbeiten, fachmännisch durchgebildet ist und wahrscheinlich schon jetzt den fachlichen Zweckmäßigkeitsanforderungen genügt; aber auch solcherweise eingeengte Neuerung kann wegen des sachlichen Erfolges wertvoll sein und vom Leistenden als Teil oder sogar als Höhepunkt seines selbstzweckhaften, geistige Erfüllung bedeutenden (und damit vielleicht geistesmenschlichen) Tuns verstanden werden. Manche der auf beschränktem Sachfeld unternommenen Verfahrensverbesserungen erbringen immerhin Fortschritt, der gemessen am Bisherigen und am sachlichen und finanziellen Erfolg ansehnlich ist, und darunter mag einiges sein, das zum Prinzipiell-Neuen vorstößt. Natürlich sind der Neuheitsgrad und damit die kulturelle Wichtigkeit der einfacheren Verfahrensverbesserungen nicht groß, da das Neue, das in ihnen geschaffen wird, wahrscheinlich nur auf kleinem Raum und während kurzer Zeit in Anwendung bleibt, — trotzdem ist es für den Leistenden ein wertvolles, erfüllunggebendes Tätigwerden; bei höherrangiger Neuerungsleistung dagegen vollbringt der Einzelne, indem er ein für ihn selbst Wertvolles unternimmt, ein für ein größeres Sachgebiet und in diesem speziellen Sinne gesamtkulturell Wichtiges.

Wieweit liegt darin Kreativität? Ist, was die Verfahren im besonderen anbelangt, unter ihr das sachkundige und zudem sachüberlegene (und sei es auch nur auf einem Teilfeld eines Spezialgebietes), dazu autonom gewollte und selbständig durchgeführte Verwirklichen von neuen Verfahren — zur Ergänzung oder Ersetzung bestehender oder zur Anwendung im Rahmen neuer Verfahrensweise — verstanden, so ist sie in starker Ausprägung nur dort gegeben, wo ein Prinzipiell-Neues von erheblicher fachlicher (und sich damit über den engeren Arbeitsbereich des Neuerers hinaus erstreckender) Wichtigkeit geschaffen wird. In weniger starker, schwächerer, bis hinunter zu sehr geringer Ausprägung wirkt sie aber auch in den weniger anspruchsvollen Neuerungsleistungen: Kreativität kann alle Niveaus zwischen sehr-niedrig und sehr-hoch einnehmen. Hieraus aber ergibt sich, wird die Kreativität als Weise der Selbsterfüllung der Leistenden bejaht, das Streben nach möglichst hohem Kreativitätsgrad und -rang.

Verfahrens- und Zielneuerung können miteinander verbunden sein oder sich wenigstens beeinflussen. Zielneuerung kann Verfahrensneuerung verlangen oder zumindest als sehr erwünscht erscheinen lassen, als dringender erwünscht denn unter Beibehaltung des alten Zieles: manches neue Ziel läßt sich solange nicht erreichen, als nicht neue Verfahren entwickelt sind (ein Extrembeispiel ist die Abhängigkeit der Raumfahrt von der Entwicklung neuer mathematischer Techniken zur Bahnbestimmung und -kontrolle); manches läßt sich erst dank neuer Verfahren ins Ökonomisch-Machbare bringen (so setzt allgemein die Herstellung von auf dem Markt anzubietenden technisch-komplizierten Konsumgütern die Anwendung und damit die Entwicklung von ertragsgünstigen Fertigungsverfahren voraus; oft ist die Verfahrensneuerung, durchzusetzen vielleicht auf mehreren oder vielen Verfahrensfeldern, praktisch wichtiger als die Zielneuerung). Anderseits kann die Verbesserung oder Neuschaffung von Verfahren die Erweiterung bisheriger oder die Setzung neuer Ziele erlauben: vielleicht war das Ziel schon früher bekannt, aber mangels geeigneter Verfahren nicht realisierbar; vielleicht werden von neuen Verfahren aus neue Ziele oder sogar Zielarten einsichtig. Auf allen großen Sachfeldern besteht hierin wohl Wechselwirkung, indem dank Verfahrensfortschritten die Ziele verändert und von geänderten Zielen aus die Verfahren weiterentwickelt werden. Wer ein neues Ziel faßt, muß es planen und die Verwirklichung einleiten, — daraus ergeben sich Anforderungen an den Verfahrensausbau und Anregungen, ihn eben auf das neue Ziel hin zu betreiben. Wer primär an der Verfahrensvervollkommnung arbeitet, tut das wahrscheinlich in der Sicht auf ein konkretes Ziel oder eine Gruppe konkreter Ziele, — er trägt so zur späteren Zielneufassung bei, wenn er die fachgebietliche Zielverwirklichung vervollkommnet.

ZWEITER TEIL

SCHÖPFERISCHE LEISTUNG

4. VERBESSERUNGSSCHÖPFUNG

4.1 Verbesserung

Nicht immer ist das neue Verwirklichungserreichnis oder Verfahren vollständig neu, — oft, ja meistens, wird von einem Bisherigen einiges und vielleicht vieles beibehalten, so daß die Neuerung auf einen Teil des Verwirklichungsinhaltes beschränkt ist. Das gilt auch für das schöpferische Sichvornehmen, Planen und Ausführen: ein großer Teil des in der Gesellschaft vollzogenen und für sie praktisch wichtig werdenden schöpferischen Verwirklichens ist Verbesserungsschöpfung.

Begriff der Verbesserungsschöpfung: mit oder im Rahmen von Bekanntem wird durch dessen Änderung — Erweiterung, Ergänzung, Verfeinerung, Wirkungssteigerung, auch äußere Neuformung, usw. — ein vom Bisherigen erheblich abweichendes Ergebnis erreicht. Mit oder im Rahmen von Bekanntem: es ist ein Bisheriges gegeben, das sich zwar einigermaßen bewährt hat (also nicht aufzugeben oder zu beseitigen ist), aber eine Umgestaltung wünschen läßt; in ihm ist zwischen dem beizubehaltenden und dem zu ändernden Inhalt zu unterscheiden, und bereits darin kann die schöpferische Fähigkeit des Umgestalters wirksam werden (denn mitunter erfolgt die Kritik des Gegebenen aus der, wenn auch erst ungefähren, Vorstellung der zu unternehmenden Änderung: im kritisierten Jetzigen wird bereits das verbesserte Zukünftige gesehen). Dessen Änderung: Umgestaltung des Bekannten, nicht dessen Verdrängung und Ersetzung, wenn auch Ersetzung eines mehr oder weniger großen Teiles in ihm, somit hier nicht Schaffung eines Gänzlich-Neuen, das in seinem Hauptwesen nicht bereits vorgebildet gewesen wäre; und dies in einigermaßen wichtigen Punkten, nicht nur in Unwesentlichem (wobei auch die äußere Erscheinung für wesentlich gehalten werden kann), — wichtig, wesentlich gemäß sachkundiger, aufs Objektive gehender Beurteilung, nicht etwa nach der subjektiven eines sich selbst überschätzenden Änderers. Erweiterung: vor allem als inhaltliche Ausdehnung des Vermögens- und Wirkungsfeldes durch entsprechende Ausgestaltung des Ding- oder Verfahrensinhaltes (Beispiele: Umbildung eines Einzweck- zu einem Mehrzweckapparat, Ausbau einer religiösen Zielidee in Richtung auf moderne Sozialprobleme). Ergänzung: Neuaufnahme eines Inhaltes oder Inhaltsbereiches, der sich unmittelbar an den bisherigen anschließt, so daß ein inhaltlich vollständigeres Ganzes entsteht (Beispiele: Einrichtung eines Servicebetriebes in einem Handelsunternehmen, Behandlung der technischen Terminologie und Ausdrucksweise im Anschluß an den allgemeineren Unterricht in einer Fremdsprache). Verfeinerung: für jedes Leistungsgerät, Wirkungsmittel oder Verfahren gibt es eine Grenze, jenseits welcher es zu grob ist, also die sich stellenden Feinheiten nicht mehr zu bewältigen vermag; Ziel der Verbesserung kann darum sein, diese Grenze zu verschieben und in den Leistungsbereich bisher unzugängliche Feinheitsgrade einzubeziehen (Beispiele: größere Genauigkeit von Beobachtungsgeräten, Verfeinerung der Auswertungsmethoden). Wirkungssteigerung: jedes Leistungsding oder -verfahren ist in seinem Wirkungsfeld und -grad beschränkt; bei manchem ist es sinnvoll, die Leistung im Grad zu steigern und über ein größeres Gebiet zu erstrecken (Beispiele: Steigerung der absoluten und relativen Flugmotorenleistung und Flugzeugleistung überhaupt, sodann der kommerziellen Leistungsfähigkeit der Fluggesellschaften). Äußere Neuformung: der Gegenstand, der Prozeß, die Organisation, auch die Darlegung, das System, der Überlegungsgang haben ihre sinnlich oder gedanklich wahrnehmbare Form, die unter Gesichtspunkten der Zweckmäßigkeit oder der Ästhetik geprüft werden kann und vielleicht anschließend zu ändern ist (Beispiele: neue Formgebung im Maschinenbau, in Architektur und Innenarchitektur, in journalistischen Berichten, in der mathematischen Behandlung und Darstellung). Ein vom

Bisherigen erheblich abweichendes Ergebnis: an das bereits erwähnte Allgemeinere anschließend ist zu überlegen, worin die erhebliche Veränderung bei den verschiedenen Änderungsarten bestehen kann, und auch, worin sie bestehen soll: welche konkrete Verbesserung im Einzelfall und welche allgemeinere auf einem Sachgebiet richtigerweise als beste zu erstreben ist; vielleicht wird der Verwirklicher damit in dem für sein Neugestalten maßgebenden Ideenbereich, also nicht nur mit Bezug auf den konkreten Gegenstand, schöpferisch, — womit er dann nach außen wirkt, wenn das Umbildungsergebnis von andern Verwirklichern als beispielhaft verstanden wird.

4.2 Ziel- und Verfahrensverbesserung

Die Verbesserungsschöpfung kann sowohl bei Zielen als auch bei Verfahren unternommen werden; die meisten Ziele, die langedauernd gelten, und alle Verfahren, die auf solche Ziele hin angewandt werden, lassen sich verbessern, — wobei immerhin zu fragen bleibt, ob sich in jedem Falle eine erhebliche, zumal eine wertvoll-erhebliche Änderung durchsetzen läßt. Bei Verbesserung eines Zieles behält dieses sein Grundwesen und wahrscheinlich auch viele seiner Hauptinhalte bei, aber in einigen Wesensbereichen wird es so verändert, daß das Neugefaßte den maßgebenden Zweckmäßigkeits-, Effizienz- und Formanforderungen besser entspricht; oft sind dabei die bestimmenden Anforderungen seit längerer Zeit bekannt, mitunter sind sie dagegen neu, — im ersten Fall werden vielleicht die bereits gegebenen Auffassungen erstmals ausreichend aktiviert, vielleicht, wenn sie an sich bereits aktiv waren, die bisherigen Hindernisse gegen ihre Durchsetzung beseitigt, im zweiten Fall wird eine neue Endzweckauffassung geschaffen und für den Verwirklicher richtungweisend, und anschließend werden die sich hieraus stellenden fachlichen Aufgaben gemeistert. Das besondere Wesen des Zieles prägt sich hiebei vor allem im Vorgenommensein, Vorgestelltsein, Beabsichtigtsein aus, und die Verbesserung besteht darin, daß der vorgenommene, vorgestellte, beabsichtigte Inhalt in der hier umschriebenen Weise verbessert, nämlich erweitert, ergänzt, verfeinert, auf höhere Wirkung ausgerichtet, unter neuen Formanspruch gebracht wird. In erster Phase bedeutet das nur eine Vorstellungs- und Absichtsverbesserung (bezogen auf den Inhalt, nicht auf die Weise dieses Vergegenwärtigens, das ja ebenfalls seine Verfahrensseite hat); in logisch und zeitlich nachfolgender Phase ist den verbesserten Absichtsinhalten Wirklichkeit zu geben, so daß sich die Zielverbesserung schließlich in besserem Zielhaft-Wirklichem ausprägt. Aber natürlich gibt es Zielverbesserung auch in den nachfolgenden Phasen (zumal wenn man diese als zeitliche versteht), indem während des Fortschreitens von Absicht zu Erfolg bis zuletzt der erstrebte Inhalt verändert werden kann; oft wird der Inhalt erst dank der Verwirklichungsbemühung ganz klar gesehen werden, — der Vollzug wirkt so auf das Zuvollziehende zurück (so mag der wissenschaftliche Schriftsteller bei der Neubearbeitung seines Buches erst während des Neuschreibens die nötigen Änderungen des alten Textes genau erkennen).

Verbesserung der Verfahren bedeutet ebenfalls Umbildung in einigem, verbunden mit Erhaltung des Grundwesens und der Hauptweisen. Sie erfolgt immer unter einem Zielhaften, das durch das Verfahren besser zu verwirklichen ist, wobei allerdings die bessere Verwirklichungsqualität oft von anderm als dem sachlich hauptsächlichen Erfolg aus bestimmt sein kann, so wenn günstige Nebenfolgen zu verstärken oder ungünstige zu verringern oder auszuschließen sind: jedes Verfahren steht in sein engeres Zielhaftes überlagernden Sachzusammenhängen, und was auf dem Sonderfeld der zunächst verfolgten Zweckmäßigkeit nur Vorzüge hat, ist vielleicht ungünstig für anderes Wichtiges, mitunter für Wichtigeres, Wichtigstes. Mit der Komplizierung der Kultur, vor allem im Technisch-Wirtschaftlichen, zumal mit der starken Erhöhung der Leistungsfähigkeit der wissenschaftlich begründeten und durch weitere Fortschritte der Wissenschaft ständig verbesserten Verfahren, werden die Nebenwirkungen des rein fachlich Zweckmäßigen sozial gewichtiger, und das sehr oft in ungünstigem Sinne; Überlegung, die stärker als bisher aufs Ganze geht, ist hieraus verlangt: viele Verfahren sind mit neuen, zusätzlichen Kriterien zu beurteilen und ihnen gemäß umzubilden, — modernste Anforderung an die technologische Kreativität. Wiederum wird der Verbesserungsinhalt oft erst während des Verbesserns genau festgelegt und manchmal über das Zunächst-Beabsichtigte hinaus erstreckt: nötige Verbesserung studierend und entwickelnd, erkennt man weitere Möglichkeiten; mancher wird so von geringerer zu höherer — und für ihn selbst befriedigenderer — Kreativität aufsteigen.

4.3 Subjektive Voraussetzungen

Verbessern im allgemeinen und Verbesserungskreativität im besondern erfordern Sachkompetenz, Interesse und Neuerungswillen, Distanziertheit gegenüber dem bisherigen Sachlichen und allenfalls auch Mitarbeitern, oft zudem soziale Kompetenz, nämlich Befugnis zur entsprechenden Arbeit; kaum realisierbar sind sie dem Sachunkundigen, Gleichgültigen, Allzufügsamen und natürlich dem, der aus seiner Stellung von Initiative ausgeschlossen ist. Die Sachkompetenz mag beschränkt, muß aber zumindest auf einem engen Feld erheblich, ja vollständig sein, — fachliche Schulung und Erfahrung schaffen solche Kreativitätsvoraussetzung. Interesse und Neuerungswillen sind subjektive Aktivitätsmomente und als solche bei einigen sehr stark und bei vielen nicht sehr stark (nur mittelstark oder sogar schwach); aber wenn sie auch subjektiv sind, so hängen sie doch nicht nur vom Einzelnen ab, sondern auch von der sein geistiges Wesen formenden Erziehung, von seiner Berufsarbeit und von der auf ihn einwirkenden Umweltmentalität. Distanziertheit: um etwas verbessern zu können, muß man zuerst die Wünschbarkeit oder Unerläßlichkeit der Verbesserung feststellen, man muß darum den Gegenstand kritisch betrachten können und bereit sein, gewohntes und vertrautes Bisheriges aufzugeben; vielleicht ist auch die Bereitschaft zur Auseinandersetzung mit denen, die das Bisherige beibehalten wollen, verlangt, — vielleicht stempelt man sich damit, in seinem Kleinstkreis, zum Außenseiter. Sind im Persönlichen alle Voraussetzungen gegeben, so muß man immer auch das Recht haben, die betreffende Sache aktiv aufzugreifen; entscheidend sind hier die Stellung des Tätigen und die Betriebsorganisation. — Nicht nur die Sachkompetenz, sondern auch die andern Kreativitätsvoraussetzungen werden stark von Erziehung und Schulung bestimmt; aber manches muß der Einzelne weitgehend aus seinem Eigenen aufbringen, und manches muß in der sozialen Organisation gegeben sein oder von ihr unterstützt werden.

Spricht man von »Verbessern« und »Verbesserung«, so denkt man wohl am ehesten an Alltagspraktisches, das heißt vor allem an Technisches und Wirtschaftliches, vorzugsweise solches, das in einem Produktions- oder Dienstleistungsbetrieb oder einem Verwaltungszweig unternommen wird, in zweiter Linie auch solches, das in der Privatsphäre des Handelnden bleibt. Das Ziel des Verbesserns ist entweder das günstigere Verhältnis Aufwand-Erfolg (sei der Erfolg finanziell oder nach sachlicher Wirkung zu bemessen, bis hinunter zur haushälterischeren Mittelverwendung und Arbeit in der privaten Haushaltung), oder ein neuer, vielleicht bisher nicht oder nur schwer erreichbarer Erfolgsinhalt, oder eine höhere Qualität der zu leistenden Arbeit in persönlicher oder sozialer Beurteilung. Im ersten Fall (Beispiele: rationellere und dadurch billigere Herstellung von Apparateteilen und des zusammenzubauenden Apparates im ganzen, rationellere und damit billigere Geschäftskorrespondenz) mag schon die Rationalisierung innerhalb der bekannten Verfahren und Mittel einigen Nutzen erbringen; oft aber wird man das Bisherige inhaltlich erweitern und teilweise ersetzen müssen. Im zweiten Fall (Beispiele: Bau eines verbesserten, aber nicht eigentlich neuen Apparatetyps, Aufnahme eines neuen Geschäftszweiges, geographische Erweiterung der Geschäftstätigkeit) wird die Verbesserungswirkung nach außen in anderm sichtbar als nur in Preisvorteil (allenfalls auch nur im günstigeren Geschäftsergebnis der Unternehmung oder Verwaltung), nämlich in gradueller — nicht prinzipieller, das wäre Neuwesens- oder Werkschaffung — Veränderung, vor allem Qualitätssteigerung, der Ergebnisse. Oft ist damit die Änderung auch der Verfahren verbunden: Ergebnisverbesserung kann Verfahrensverbesserung erfordern; Verfahrensverbesserung ermöglicht oder erleichtert Ergebnisverbesserung und regt diese damit an; Verbesserungen der beiden Arten laufen parallel und beeinflussen sich sekundär. Im dritten Fall soll das Verwirklichen in anderm als ihrem sacheigenen Erfolg oder ihrer auf diesen bezogenen Wirksamkeit günstiger werden; drei Gesichtspunkte sind da wichtigst: Gesundheits- und in weiterem Sinne Wohlfahrtsschutz, Steigerung der Arbeitsbefriedigung (ein Sonderbemühen kann da auf höhere

Kreativität auch in der abhängigen Berufsarbeit unterer Hierarchiestufen gehen), Umweltschutz, — wenn nötig werden Beeinträchtigungen von Sacherfolg und -wirksamkeit in Kauf genommen.

Technik und Wirtschaft sind zwei sehr große Leistungsbereiche, jeder mit vielen Teilbereichen, Untergebieten und Sonderbezirken, je mit mehreren Anforderungsschichten (von anspruchsvollster Inhaltsbestimmung und Planung bis zu einfachster Ausführung), und jeder — in der modernen, durch Dynamik von Wissenschaft und Wissenschaftsanwendung charakterisierten Kultur — vielfach in Umbildung, Weiterentwicklung und Ausbau begriffen (natürlich gilt das nicht für jedes Sonderfeld, wohl aber für die Großgebiete der Technik wie Metallurgie, Elektrotechnik, Straßenbautechnik, Technik der Kunststoffherstellung, und der Wirtschaft wie Landwirtschaft, Industrie, Bankwesen; oft sind dabei technische und wirtschaftliche Dynamik zu einem Ganzen verschmolzen): ein großer, ja der größte Teil der Umbildung, der Weiterentwicklung, des Ausbaues aber ist Verbesserung — der Erfolge und damit der Ziele (Produkteverbesserung) oder der Verfahren (Verbesserung der betrieblichen Rationalität) —, denn bei weitem nicht aller technische und wirtschaftliche Fortschritt ist Neuwesens- oder Werkschaffung. Entsprechend entstehen durch die technische, die wirtschaftliche und die (beide Arten vereinigende, verschmelzende) technisch-wirtschaftliche oder wirtschaftlich-technische Verbesserung zahlreiche und mannigfalte Möglichkeiten und Gelegenheiten des autonomen, freien Neukonzipierens, -planens und -ausführens — und damit des Schöpferischseins und -werdens. Unter diesem Gesichtspunkt erhalten Technik und Wirtschaft hohe Würde, — die ihnen, als »nur zur Zivilisation, nicht aber zur Kultur« gehörend, in traditionell-humanistischer Wertauffassung abgesprochen wird, mit der Behauptung, zumal die Kreativität sei auf die nur-geistigen Bereiche von Kunst, Religion, Philosophie und (mit Vorbehalt, etwa das Sehr-Rationale von Naturwissenschaften und Mathematik ausschließend) Wissenschaft beschränkt; jedoch gerade aus der Einsicht, daß Technik und Wirtschaft Hauptfelder der Kreativität sind, müssen die veralteten bildungsfeudalistischen Meinungen überwunden werden.

Welche Besonderheiten haben im Technischen die allgemeinen Wesensmomente der Verbesserungskreativität und wie lassen sie sich auf diesem Großgebiet verstärken? Die an oder im Rahmen von Bekanntem unternommene Änderung, durch die ein vom Bisherigen erheblich abweichendes Ergebnis erreicht werden soll, bezieht sich auf körperliche Sachgüter, auf Energie und zielgerichtete Arbeitsvorgänge. Vom Um- oder Neugestalter ist verlangt, daß er auf einem Sondergebiet solches Inhaltliches untersuche, sich Neues vorstelle, plane, ausführend verfolge, — das erfordert spezifische, fachliche Fähigkeit, Ausbildung und Betätigungsautonomie. Der eine wird sich in seinem Denken, Wollen und Tun ganz auf das Körperlich-Gegenständliche seines Arbeitsgebietes einstellen, er muß sich selbst dazu bringen, den ihn interessierenden Nutzgegenstand als Ganzes oder in einem wesentlichen Teil umzuformen, auch in ihn vielleicht ein Neues von die bisherige verstärkender oder neuartiger Wirkungsweise aufzunehmen: mancher wird dadurch zwar auf ein Technisch-Körperliches, ein Nutzding, ein Bloß-Materielles festgelegt, aber gerade dadurch kann ein wertvollstes Menschliches, eben das Schöpferische erreichbar werden. (Was ist wertvoller: sich rein betrachtend mit antiker Bildhauerei zu befassen oder sich, wenn auch nur im Bereiche von Haushaltungsgegenständen, um die Verbesserung eines Küchengerätes oder eines Radios zu bemühen? Sicher ist beim ersten der Gegenstandswert höher, aber beim zweiten vielleicht der Aktivitätswert.) Ähnlich konzentriert sich ein zweiter auf die technischen Energieprobleme seines engeren Arbeitsgebietes, also, verbessernd, auf die wirksamere und rationellere Gewinnung, Freisetzung, Umformung, Speicherung und Anwendung von Energie; oft richtet sich dabei das Vorgehen auf körperliche Gegenstände, die in ihrer Nützlichkeit zu verbessern sind, — entscheidend aber ist das Energietechnische als solches. Und ein dritter arbeitet an der Verbesserung eines technischen Arbeitsvorganges, vielleicht in der Absicht, ein für das Fachgebiet wichtiges Besseres zu schaffen, vielleicht als Umorganisation eines Großbetriebes, vielleicht nur im Rahmen einer Betriebsabteilung oder eines Kleinbetriebes, vielleicht nur ein Einzelverfahren betreffend.

In allen diesen Fällen ist das Verbessern wertvoll in erster Linie wegen seiner sachlichen, spezieller wegen der nutztechnischen Auswirkung: das verbesserte körperliche Nutzgut tut besseren Dienst, die effizientere Energietechnik steigert die Leistungsfähigkeit der Leistenden und das Wohlbefinden der Verbraucher, das rationellere Verfahren führt sicherer zu vollkommenerem Sacherfolg. Eben deswegen wird diese Tätigkeitsart oft von Kulturkritischen als praktisch bloß utilitär und in ihrer prinzipiellen Einstellung als utilitaristisch und damit verwerflich beurteilt, das eigentlich-wichtige Kulturelle und insbesondere das eigentlich-wichtige Schöpferische seien auf über-utilitarischer Ebene zu suchen. Dagegen ist zweierlei einzuwenden: daß die Qualität des Schöpferischseins nicht von der Art des Gegenstandssinnes (so: Nützlichkeit gegen künstlerische Qualität) abhängt, und daß gerade die im Technischen maßgebenden Nützlichkeitsanforderungen, zusammen mit den Sachbedingtheiten, die von ihnen aus zu berücksichtigen sind, an den Schöpferisch-Leistenden, auch an den Verbesserungsschöpferischen, Aufgaben stellen, die schwieriger sind als etliches außerhalb des Utilitären (so kann es kreativer sein, ein Medikament zu verbessern als eine metaphysische Aussage zu verändern).

Verbesserungskreativität im Wirtschaftlichen ist in ihrem grundsätzlichen Wesen von der technischen erheblich verschieden. Ihr Inhalt ist: wirtschaftlicher Wert als solcher, wirtschaftliche Organisation, wirtschaftliche Tätigkeitsweise, — in jeder dieser drei Aktionsarten bestehen Allgemeinwirtschaftliches und spezielles Wirtschaftliches nebeneinander. Allgemeinwirtschaftlich ist das Streben nach wirtschaftlicher Rationalität; diese ist in allen Wirtschaftsbereichen ein Prinzip, das bestimmend ist oder jedenfalls sein sollte, somit, wo es das nicht bereits ist, zu einem bestimmenden gemacht und als solches praktisch durchgesetzt werden muß: darin zeigt sich eine oft grundlegende Aufgabe des wirtschaftlichen Verbesserns, sich stellend und zu lösen meistens in einzelnen Betrieben und Unternehmungen, oft aber in gesamten Wirtschaftszweigen, in staatlichen Wirtschaftskomplexen, ja in Volkswirtschaften als Ganzen, — je größer das Aktionsgebiet, desto höher die Anforderungen an die Verbesserungsschöpferisch-Handelnden. Speziellwirtschaftlich sind die konkreteren Verbesserungsmöglichkeiten und die aus diesen gefaßten konkreteren Aufgaben: bei den Unternehmungstypen nach Branche und Größe (die Rationalitätssteigerung ist inhaltlich besonders, je nachdem sie in der Industrie, im Handel, im Bankgewerbe oder in der Landwirtschaft, und im Falle der Industrie, je nachdem sie in der Textil-, der Maschinen- oder der chemischen Industrie, und auch je nachdem sie in einem Großkonzern, einer andern Großunternehmung, einer Mittel- oder einer kleineren Unternehmung zu verwirklichen ist), bei den Wirtschaftszweigen nach sachlicher Eigenart und vorherrschender Betriebs- oder Unternehmungsform (verschieden ist das Verbesserungsbemühen in der Landwirtschaft als Ganzen und in der gewerblichen Wirtschaft als Ganzen, und innerhalb beider je nachdem, ob Klein- oder Großbetriebe vorherrschen), bei den staatlichen Wirtschaftskomplexen nach Wirtschaftszweig, Größe, absoluter und relativer Bedeutung in der Gesamtwirtschaft, Organisationsform, staatlichem Rechtssystem (Verschiedenheiten zwischen Staatsunternehmungen der liberalen und der sozialistischen Staaten), bei den Volkswirtschaften als Ganzen nach Strukturbesonderheit, Art und Bedeutung der Außenwirtschaft, Größe (entscheidend sind da wohl die Verschiedenheiten zwischen sehr stark, erheblich aber nicht sehr stark, und wenig industrialisierten Ländern).

Verbesserung bezüglich des wirtschaftlichen Wertes als solchen hat ihr spezifisches Wesen je nach dem Wirtschaftsfeld, auf dem sie unternommen wird: das beginnt etwa mit dem Bemühen um Einkommensteigerung für Bauern und Dorthandwerker und reicht bis zum Aufbau von Volkseinkommen und -vermögen in Großstaaten, zumal unter Entwicklungs- und Wachstumsidee. Verbesserung in der wirtschaftlichen Organisation kann ebenfalls im Kleinbetrieb beginnen, hat aber ihr Hauptfeld in den größeren und großen Unternehmungen, deren Erfolgskraft durch innere Maßnahmen und durch zweckmäßigere Einfügung in die Gesellschaft zu verstärken ist. Verbesserung in der wirtschaftlichen Tätigkeitsweise hängt zum Teil mit Umorganisation zusammen, ist aber oft, und wahrscheinlich häufiger, sachlich selbständig: sie beginnt mit Nebensächlichem der Kleinbetriebsführung und endet bei hauptsächlichen Verfahrensarten, die in gesamten Wirtschaftszweigen, ja in der modernen Wirtschaft überhaupt anzuwenden sind.

Aber nochmals: Ist denn solches Verbessern (immerhin nicht alles Verbessern) in Technik und Wirtschaft wirklich schöpferisch? Fehlt nicht eben das, was das Schöpferische besonders in der Kunst ausmacht, nämlich das freie Gestalten? Stehen nicht die Technisch-

und Wirtschaftlich-Leistenden unter dem Zwang der Sachbedingungen, der gesellschaftlichen Gegebenheiten und, entscheidend, der Rationalitäts- und Zweckmäßigkeits-, und stärkst der Rentabilitätsanforderungen? Man hat hier genauer zu prüfen, worin allgemein das Schöpferische bestehe und in welchem Ausmaße es speziell in Technik und Wirtschaft, und im Zivilisatorischen überhaupt, seinen Platz habe und seine Kraft ausübe. Ist das Schöpferische, zwar ungenau aber dafür gesamthaft gefaßt, diejenige Tätigkeitsart und -kraft, durch welche der Tätige aus seinem eigenen Vorstellen, Wollen und Können neuartige Erfolge schafft, so ist es auf allen Tätigkeitsgebieten möglich, wenn auch praktisch stärkst dort, wo die Erfolge objektiviert werden, das heißt in den gesellschaftlichen Kulturgüterbestand eingehen. Somit muß es das Schöpferische auch im technischen und wirtschaftlichen Verbessern vielfach geben, und wahrscheinlich ist dieses in unserer Zeit das inhaltlich vielfältigste Gebiet jenes Schaffens und Objektivierens neuartiger Erfolgsinhalte, vielfältiger wohl als das Schaffen gänzlich neuen Wesens, denn meistens schließt die produktive Tätigkeit an Bestehendes an. Diese Haupttatsache der modernen Kultur wird im traditionellen bildungshumanistischen Wertdenken häufig übersehen oder, wenn beachtet, in unteren Bedeutungs- und Wertrang geschoben, wahrscheinlich darum, weil es in einer Zeit geprägt wurde, in welcher das Technische und Wirtschaftliche bei weitem noch nicht die jetzige Reichhaltigkeit, Komplexität und Beweglichkeit hatten.

4.5 Verbesserungskreativität in der Wissenschaft

Verbesserung in Technik und Wirtschaft, am unmittelbarsten und vielfältigsten in der ersten, ist weitgehend durch Fortschritt in der Wissenschaft bestimmt, Fortschritt, der wiederum großenteils Verbesserung, als Ausbau der Kenntnisse und Methoden, zum Teil allerdings Schaffung von prinzipiell neuer Kenntnis oder Denkweise ist; gesamthaft gesehen, aber natürlich nicht in jedem Einzelfall, kann wissenschaftlicher Fortschritt jeder der beiden Arten in der Anwendung zu Verbesserung oder zu Neuwesensschaffung führen (so kann von einer prinzipiellen Neuerkenntnis über die

Kristallgitter aus entweder ein bereits bekanntes elektronisches Gerät verbessert oder ein prinzipiell neues entwickelt werden). Die praktische Anwendung, verbessernd und neuwesenschaffend, ist denn auch der Hauptantrieb des wissenschaftlichen Weiterforschens und, auf dessen praktischer Seite, der Neuschaffung und des Ausbaues von Forschungseinrichtungen. Insbesondere wird damit die wissenschaftliche Verbesserungsleistung auf die technische und wirtschaftliche bezogen: Wissenschaftler arbeiten auf besseres Wissen hin, damit von ihm aus besseres Technisches und Wirtschaftliches geschaffen werde.

Das Wissen, das Gegenstand des wissenschaftlichen Verbesserns ist, kann Wissen über Tatsächliches, reales und ideelles, oder über Verfahrensmöglichkeit sein (Tatsächliches sind etwa Atome und Moleküle, Lebensvorgänge in der Zelle, Nervensystem und Nervenfunktionen, die Röntgenstrahlen, die nationalökonomischen Gesetze, die mathematischen Strukturen; Verfahrensmöglichkeit betrifft etwa die Züchtung resistenterer Pflanzen, die Schädlingsbekämpfung, die Metallherstellung und -verarbeitung, die Computertechnik — Hardware und Software — , die Konzernbuchhaltung); meistens hat es praktischen, nämlich Anwendungs-, Verwertungssinn, aber immerhin nicht in jedem Falle, denn es gibt Tatsachenkenntnis, die nur um des reinen Vergegenwärtigens, um der durch sie eröffneten Bewußtheit willen erarbeitet wird (so vor allem astronomische und Geschichtskenntnis), und mitunter ist sogar das Wissen über Verfahrensmöglichkeit selbstzweckhaft (etwa in nicht praktisch anzuwendender Mathematik oder Linguistik, abgesehen von der innerdisziplinären Anwendung). Verbesserung des Tatsachenwissens erfordert entweder die Neudeutung von Bekanntem (so: an archäologischem Material werden neue Beziehungen erkannt, eine Statistik wird unter neuem Sachaspekt ausgewertet, der Kausalitätsbegriff wird anders als bisher definiert); oder die Feststellung von bisher unbekanntem Realem (so: Experimente zur Feststellung von physikalischen, chemischen und biologischen Zusammenhängen, archäologische Grabung, sozialwissenschaftliche Bestandsaufnahme, psychologische Forschung); oder das Bisherige ergänzende Neusetzung von Ideellem, sei es aus Interesse am Rein-Formalen (etwa der Topologie) oder an dem aufs Reale anzuwendenden Logischen, Mathematischen und Sprachlichen (etwa: den neuen naturwissenschaftlichen Erkenntnissen entsprechender Ausbau der Wahrscheinlichkeitslogik). Verbesserung von Wissen über Verfahrensmöglichkeit hat den Sinn, die Verfahrensfähigkeit in Hinsicht auf die innerwissenschaftliche Arbeit (so: verbesserte Forschungsmethoden) oder die Wissenschaftsanwendung (so: wissenschaftliche Vervollkommnung von technologischen, betriebswirtschaftlichen, pädagogischen Verfahren) zu steigern.

Wissenschaftliche Verbesserungsleistung hat meistens ein enges Sachfeld; wahrscheinlich ist dieses nur ein kleines Teilgebiet innerhalb des Ganzen einer Einzelwissenschaft, und erstreckt sich jene auf einen größeren Zusammenhang, so in ihm auf Teilmomente. Dabei steht der Leistende stark unter den Sachgegebenheiten, die er zu erhellen sich vornimmt, und unter den Regeln und Geboten seiner Wissenschaft, die in jeder richtigen Fachmannsarbeit anzuwenden sind. Hieraus ist das wissenschaftliche Verbessern strenger eingegrenzt als das technische oder wirtschaftliche: man kann einen richtigen wissenschaftlichen Satz nur mit sachlich einwandfreier Begründung umbilden, dagegen ein technisches Gerät oder eine wirtschaftliche Organisation auch aus rein persönlichem Gutfinden, sogar aus ästhetischem Gefühl, wenn auch im Rahmen des sachlich Notwendigen oder Erfolgversprechenden (ästhetisches Gefühl kann auch im wissenschaftlichen Formulieren wirken, aber die Schönheit eines Satzes oder einer Formel ist immer strengst an die sachliche Richtigkeit gebunden); der Wissenschaftler steht unter Richtigkeitszwang, der ihm vielleicht asketischen Verzicht auf Gestaltungsfreiheit abverlangt. Trotzdem hat der Wissenschaftler seine Selbständigkeit, kann er sein wissenschaftliches Handeln selbst bestimmen: in der Themawahl, im Fragen innerhalb des gewählten Themas, im Vorgehen bei der Beantwortung der Fragen, sogar noch in der Auswertung der für diese wichtigen Tatsachen (sie darf zwar nie gegen die sachliche Richtigkeit verstoßen, mag aber auf die Weise der Fragebeantwortung, die Fragestellung und schließlich die Themawahl zurückwirken, — Beispiel: der Astronom, der im interstellaren Raum nach molekularem Wasserstoff sucht, stößt auf komplexere Moleküle, und das veranlaßt ihn, sein Untersuchungsprogramm zu ändern). In allen Phasen der wissenschaftlichen Arbeit kann insbesondere Schöpferisches wirken, nämlich autonome, freie, vorstellungsmächtige, sachüberlegene, zu erheblich neuen, vielleicht neuartigen Erfolgsinhalten führende Geisteskraft; das wissenschaftliche Denken als solches ist geistige Aktivität, nicht bloß ein passives Gegenübersein, — je besonders ausgeprägt ist das Tätigkeits-, und hieraus auf höherer Stufe das Schaffenswesen beim Themafassen, Fragestellen, Beobachten, Bearbeiten, Analysieren, Systematisieren, Darstellen, Lehren.

Als Einschränkung wird da vielleicht verstanden, daß in der jetzigen Wissenschaft ein großer Teil der wissenschaftlichen Leistung, insbesondere des Forschens, und hier in engerem Sinne des wissenverbessernden Forschens, in umfangreichen, komplexen, kostspieligen Organisationen erfolgen muß, welche das Zusammenwirken von mehreren oder vielen Spezialisten nötig machen, so daß der Einzelne nur noch eine Teilleistung übernehmen kann, je nach seiner Fähigkeit und Stellung in der Organisation eine mehr oder weniger anspruchsvolle. Selbständigkeit und sogar Kreativität gibt es auch hier, eben als Beitrag zur Gesamtleistung der Organisation; am stärksten ist sie von den leitenden, anordnenden, die Tätigkeit der Mitarbeiter bestimmenden Chefs und von den die wichtigsten und schwierigsten Teilfragen behandelnden Spezialisten verlangt, — es kann, hohe wissenschaftliche Fähigkeit vorausgesetzt, ein berechtigter Ehrgeiz sein, an einen Platz zu kommen, auf dem besonders anspruchsvolle, zumal schöpferische Leistung zu erbringen ist. Immerhin ist in einigen Wissenschaften auch jetzt noch schöpferische Leistung von Alleinarbeitenden möglich: in den Wissenschaften, deren Material ohne großen organisatorischen Aufwand zugänglich gemacht werden kann, entweder weil es, obwohl seit langem bestehend, etwa wegen Sprachschwierigkeiten noch nicht vollständig erfaßt ist (so: die Schriften des tibetischen Buddhismus eingehend zu studieren erfordert die Kenntnis der tibetischen Sprache, und das ist eine Bedingung, die am besten ein Einzelner erfüllt), oder weil es in der Kultur ein Neues ist, sei es ein Neuentstandenes, als solches (z. B. die multinationalen Unternehmungen) oder in seiner Auswirkung (z. B. die politischen Auswirkungen des Transistorradios in den Entwicklungsländern), sei es ein Neugeschaffenes (z. B. die serielle Musik und einzelne serielle Kompositionen).

Gegen die Auffassung, daß in der Wissenschaft vielfach Gelegenheit zu schöpferischer Leistung sei, mag eingewendet werden, daß dem meisten neuen Wissenschaftlichen, wie auch dem meisten neuen Technischen und Wirtschaftlichen, keine lange Dauer beschieden ist: es liegt in der Natur der wissenschaftlichen Leistung, inhaltlich und in der sozialen Wichtigkeit überholt zu werden, und beim nichtgrundlegenden Neuen, also beim meisten Wissenverbessernden, geschieht das bald. Aber im Schöpferischsein ist die Dauer des Geschaffenen kein Hauptmoment, vielmehr ist in ihm, was das Ergebnis anbelangt, die sachliche Qualität maßgebend, und es kann das Geleistete ganz kurze Dauer haben und doch ein Wesentlich-Neues sein (am deutlichsten zeigt sich das in den künstlerischen Darbietungen). Und von hier aus weitergehend mag man fragen, ob es für das schöpferisch-wissenschaftliche Denken wesentlich sei, daß das Ergebnis soziale Bedeutung erlangt, indem es, und sei es nur im Kreis von interessierten Betrachtern, besser natürlich bei den auf dem gleichen Gebiet arbeitenden Fachwissenschaftlern, in der breiteren Öffentlichkeit oder durch Anwendung in neuen Kulturgütern gesellschaftlich aufgenommen und anerkannt wird (oder wenigstens zur Kenntnis genommen und abgelehnt wird, aber eben dadurch zu besserer Einsicht anregt). Solche Auswirkung der Leistung gibt ihrem sachlichen Gehalt zusätzlichen Rang und ist wohl meistens Anzeichen dafür, daß das Geleistete und das zu ihm führende Subjektiv-Geistige kulturell wertvoll sind: aber es kann einer wissenschaftlich-kreativ auch dann sein, wenn das Erreichte nicht in die Gesellschaft ausstrahlt (um an das Beispiel der tibetischen Schriften anzuschließen: es kann einer ein schöpferischer Tibetologe sein, ohne zu publizieren oder zu lehren).

4.6 Verbesserungskreativität in Staat und Politik

Im politischen und staatsspezifischen Handeln besteht das meiste Neuschaffen in der Verbesserung von Bestehendem, ist also vorwiegend Verbesserungsleistung und, wenn schöpferisch, von Verbesserungskreativität getragen. Das gilt zunächst für das neuschaffende Wirken des Staates und damit der staatlichen Behörden und Organisationen: sogar die Gesetzgebung, die doch der Idee nach neues Recht schafft, schließt großenteils an bestehendes Recht an, das durch sie neuen gesellschaftlichen Bedürfnissen anzupassen ist, und erst recht überwiegt das Verbessern von Gegebenem in den neuernden Maßnahmen von Regierung und Verwaltung. Vielfältig ist dabei der Zusammenhang mit Technik, Wirtschaft und Wissenschaft, die einerseits vom Staat zu fördern sind (insbesondere durch Maßnahmen der modernen Aufbau- und Wohlfahrtspolitik), anderseits die Gesellschaft mit nachteiligen Auswirkungen belasten, denen der Staat zu begegnen hat (so durch Arbeitsrecht, Sicherheitsvorschriften, Umweltschutzmaßnahmen).

Staatliche Verbesserungsleistung hat Dinghaftes und Prozeßhaftes, beide im weitesten Begriff verstanden, zum Gegenstand. Dinghaftes: Physisches wie Bauten, Anlagen und Einrichtungen (so: Amtshäuser, Schulen, Eisenbahnen, Straßen, Post und Telegraph, staatliche Fabriken), Organisationen wie Behörden, Staatsunternehmungen, staatliche und halbstaatliche Kulturinstitutionen (so: Regierung, Verwaltungsbehörden, Gerichte, staatliche Eisenbahnverwaltung oder -unternehmung, staatliche Hochschule, Forschungsrat, Staatskirche), Normen — und zwar rechtliche (so: Gesetze, Verordnungen, Verfügungen, Ausführungsvorschriften), speziellere fachliche (wie die von den Landwirtschaftsbehörden angewandten agrartechnischen Richtlinien und -werte), aber auch prinzipiellere, allgemeinere (wie die Grundsätze der Demokratie, der sozialen Gerechtigkeit, der praktischen Menschlichkeit). Prozeßhaftes: die vom Staat angewandten Verfahren, abgesehen vom Normwesen ihrer formalen Einkleidung (so: Verfahrensweisen der Regierung, des Parlamentes, der Verwaltungsbehörden, der Gerichte, der staatlichen Verkehrsunternehmungen, der staatlichen Schulen). Mit Bezug auf alle diese Leistungsinhalte ist Verbesserung möglich, und bei manchen ist sie durch sachspezifisches Bedürfnis nötig; vorzunehmen, zu planen, zu beschließen, anzuordnen und oft auch durchzuführen ist sie von im Staate verantwortlich tätigen Einzelnen oder Gremien (aber in den letzteren sind immer Einzelne initiativ), — und hieraus ergeben sich entsprechende Kreativitätsinhalte: der Staat ist ein Großraum möglichen schöpferischen Denkens und Handelns. Allerdings sind gerade im Staat mancherlei Hemmnisse gegen das Wirklichwerden des Der-Idee-nach-Möglichen: Schwerfälligkeit der Arbeit von Parlament und Regierung, blockierende Machtverhältnisse, Widerstände von Interessengruppen, ideologische Voreingenommenheit, das Neue (allgemein oder im speziellen Fall) ablehnender Konservativismus, auch einfach Denkträgheit, dazu in Verwaltung und Gerichten die Bürokratie, und mitunter, schlimmer, Korruption. Es ergeben sich hieraus praktische Forderungen in Hinsicht auf die Gestaltung der staatlichen Leistungsfelder: daß die im Staate erwünschte — weil dem Gesamtinteresse dienende oder Teile der Gesellschaft fördernde — Kreativität der im Staate Tätigen freie Bahn erhalte, daß insbesondere die ihr entgegenstehenden Hindernisse zu beseitigen seien. Zweierlei Positives soll da erreicht werden: erstens die bessere Wirksamkeit des Staates überhaupt und aller seiner verschiedenen Behörden und Institutionen im besondern, zweitens die größere Leistungsbefriedigung, die Steigerung der geistigen — geistesmenschlichen — Erfüllung, der höhere Sinn und Wert des Menschseins für die Leistenden. (Aber natürlich hat die kreative Leistung nicht unbedingt den Vorrang vor der nichtkreativen, ist das Ergebnis von schöpferischem Tun nicht immer besser als dasjenige von unschöpferischem, vielleicht routinehaftem: entscheidend ist in jedem Falle der sachliche Gehalt.)

Als zweites Hauptfeld ist die auf den Staat gerichtete Leistung zu betrachten. Ihre Träger sind vor allem die Parteien, in zweiter Linie, aber in manchen Ländern mit zunehmendem Einfluß, Wirtschafts- und Berufsverbände (Industrie-, Landwirtschaftsverbände, Gewerkschaften), in dritter Linie sachbezogene Organisationen anderer Art (etwa für oder gegen Kernkraftwerke, für oder gegen die wirtschaftliche Integration des betreffenden Landes in ein übernationales Ganzes), — wobei auf allen drei Ebenen das Organisationshandeln durch Zeitungen, Zeitschriften, Rundfunk und Fernsehen mehr oder weniger umfangreich und intensiv unterstützt wird, weshalb es eine Sonderaufgabe dieser Politik ist, die Verantwortlichen der Berichtsmittel nach Möglichkeit zu interessieren und zur Mitwirkung zu bringen. Schaffung von Neuem erfolgt auf zwei verschiedenen Linien: neue Ideen, neue Programme, und neue politische Tatsachen, neue Machtpositionen und -verhältnisse. In beidem geht die politische Aktion oft (aber nicht immer) von Bestehendem aus, das zu verbessern — Verbesserung in der Sicht der Tätigen, wenn auch nicht ihrer Gegner — ist: Initiative,

Fähigkeit, Handeln und Erfolg wirken sich dahin aus, daß alte Ideen und Programme den neuen Bedingungen oder Auffassungen angepaßt, das heißt ihnen entsprechend ergänzt, erweitert, vertieft, präzisiert, und daß gegebene politische Stellungen ausgebaut werden. Es mag scheinen, daß hier der einzelne Leistungsbereite größere Aktionsfreiheit hat: er kann ja von sich aus postulieren, für seine neuen oder wenigstens modernisierten Ideen werben, in der Öffentlichkeit wirken. Allein die Ideenbildung soll sich innerhalb des sachlich Vernünftigen halten; Unangemessenes läßt sich zwar postulieren, aber man hat damit keinen politischen Erfolg. Und dem Bemühen um größeren politischen Einfluß sind von vornherein die sich aus den sozialen Verhältnissen ergebenden Schranken gezogen. Schöpferisches Handeln ist in beidem möglich, — aber es muß, um Erfolg zu haben, die Erfolgsbedingungen berücksichtigen, und das kreative Moment kann eben darin bestehen, daß eine neue Weise dieses Berücksichtigens gefunden oder dessen bisherige Weise verbessert wird: der Politiker muß Sinn für die politische Machbarkeit haben und seine schöpferische Kraft muß sich auch in dieser besonderen Fähigkeit auswirken.

Im praktischen Verlauf der Politik haben natürlich bei weitem nicht alle, die sich für Politik interessieren, die tatsächliche Möglichkeit, in ihr, und erst noch führend, tätig zu werden: auch hier sind Organisationen mit nur kleinen Entscheidungsgremien, und Hierarchien, in denen sich der Leistungsbereite emporarbeiten, vielleicht empordienen muß, — das schöpferische Tun des politischen Außenseiters mag darum zunächst das Ziel haben, dieses Emporkommen abzukürzen, durch Überspringen von Zwischenstufen oder durch Schaffung einer aggressiven Konkurrenzorganisation. Darin zeigt sich sehr deutlich, daß das Schöpferische nicht in jedem Falle und nicht aus seinem Grundwesen altruistisch ist: oft ist es im Gegenteil egoistisch, indem der Kreative sich selbst durchsetzen, für das von ihm Vertretene Einfluß gewinnen will, oder nur den eigenen Vorteil sucht, und dafür sein Schöpferisches, das vielleicht hohen Ranges ist, als Mittel zur Macht benutzt. Mit Recht wertet man die Kreativität und das schöpferische Verwirklichen sehr hoch, jedoch sind auch sie kritisch zu sehen, — und gerade im Zusammenhang mit der Politik erweist sich, daß sie der allgemeinen Menschlichkeit untergeordnet sein müssen.

Da die in der modernen Gesellschaft auftretenden neuen Bedürfnisse überwiegend durch Technik, Wirtschaft, Staat und, diese drei
unterstützend, Wissenschaft befriedigt werden, verliert die religiös
begründete lebens- und sozialpraktische Aktivität der Kirchen und
Priester viel von ihrem früheren Gewicht: in realistischer Einstellung greift der moderne Mensch zu erfolgsicheren rationalen
Verfahren, welche das überlieferte Ritual und auch das private
Gebet als nicht mehr unentbehrlich erscheinen lassen. Das wird
viele veranlassen, sich vom Religiös-Praktischen, wenn nicht von
der Religion überhaupt (mit deren dogmatischem Gehalt sich
theoretisch auseinanderzusetzen indessen für die meisten kein
praktischer Anlaß besteht, weshalb es eher zur religiösen Indiffe-
renz als zum Atheismus kommt) abzuwenden, einige aber, die in
ihm bleiben, dazu, dem modernen Denken oder jedenfalls den
modernen Problemen besser entsprechende Aufgaben zu suchen.
Indem sich so die Kirchen als Institutionen und die in ihnen oder auf
sie hin Tätigen als Einzelne dem Hier-und-Jetzt, der sozialen
Aktualität zuwenden, müssen sie die, im dogmatischen Hauptwesen unantastbaren, Glaubenslehren auf neues Praktisches richten,
— darin liegt ein Schöpferisches, und zwar im genauesten Wortsinn
ein Verbesserungsschöpferisches, denn es geht um Anpassung und
Ausbau des Überlieferten, nicht um seine Ersetzung durch ein
prinzipiell Neues.

Hauptgebiet solcher Modernisierung, wenn nicht des Glaubens
so doch der Glaubensanwendung, ist das Soziale, und zwar vor
allem dort, wo das Gegebene für Teile der Gesellschaft bisher
belastend war; das gilt um so mehr, je gleichgültiger die traditionelle
Kirche diesem Nachteiligen gegenüber gewesen ist, je mehr sie sich
auf die Seite der Bevorzugten und Bevorrechteten gestellt hat: nach
ihrem allzulangen Konservativismus und wegen ihm ist sie jetzt zu
Fortschrittlichkeit gezwungen, schon aus Selbsterhaltungswillen,
aber nicht nur daraus, denn viele, die dem Glauben dienen wollen,
sind Menschen mit feinen geistigen Organen, Sozial-Sensibilisier-
bare und zunehmend Sozial-Sensibilisierte. Logischerweise wendet
sich diese neue religiöse Aktivität am stärksten den sozialen Bereichen zu, auf denen die Benachteiligungen am größten sind, — und

wahrscheinlich muß sie dabei Ideen und Ziele übernehmen, die im sachbezogenen säkularen Denken entwickelt wurden, woraus sie allerdings von diesseitigen und überdies kämpferischen Ideologien abhängig werden kann, denn die theoretische, praktische und insbesondere die taktische Kenntnis liegt eher bei denen, die sich schon lange aus rein politischem Interesse mit der Sache befassen (so: religiöser Sozialismus, Arbeiterpriester, sozial-reformerische Tendenzen in der Katholischen Kirche); gerade hieraus muß der Religiös-Denkende sich bemühen, religiöse oder, allgemeiner, spirituale Momente ins Säkulare hineinzubringen und ihnen entsprechende Ziele zu formulieren und Zielrichtungen vorzuschlagen, — das aber kann bedeuten, daß er von seinem religiösen Standpunkt aus im weltlichen Denkraum schöpferisch, insbesondere verbesserungsschöpferisch wird (denn das bisher vertretene Weltliche ist ins Religiöse zu erweitern oder von ihm aus zu ergänzen, und umgekehrt).

Jedoch brauchen sich die politisch oder in einem weiteren Sinne sozialgestalterisch tätig werdenden Kirchen, Religionsgemeinschaften und individuellen Denker nicht auf die Behebung von dringenden Notlagen zu beschränken, vielmehr können sie ihr Denken und praktisches Tun auch auf die Gesellschaft als Ganzes oder auf gesamtgesellschaftlich wichtige Großgebiete richten und hieraus, als praktische Konsequenz, Postulate aufstellen, die auf langfristige und inhaltlich umfassende Politik gehen; auch das verlangt von den Führenden und Ideengebern Verbesserungskreativität, entweder nur im Religiösen oder im Religiösen und Säkularen zugleich, vielleicht nur im letzteren. Solches kann sich, und soll sich wohl, auf Dinge des eigenen Landes beziehen: religiös-politisches Wirken zugunsten der benachteiligten Klassen und Regionen, Mitarbeit in der Kulturpolitik, etwa in der Bildungsreform; oft aber ist das Gegenstandsfeld geographisch fern: Bemühen, sich für Benachteiligte eines fernen Landes einzusetzen, und möglich ist auch die Aufstellung und Vertretung von Thesen, welche die internationale Politik, und hier vor allem die Friedenswahrung und -sicherung betreffen. In allen diesen Denkbezirken haben sich die ursprünglich religiös denkenden Politisch-Interessierten mit an sich Außerreligiösem zu befassen, es in neuer Weise ins Religiöse einzubeziehen und dieses dadurch zu erweitern und zu bereichern, anderseits dieses auf jenes zu erstrecken und damit die gesamtkulturelle Ausstrahlung der Religion zu verstärken. Und all das verlangt die Gewinnung von politischem Einfluß, zumindest der Idee nach den Aufbau von Macht, — an sich ein altes Feld der praktischen Religion, jetzt aber unter neue Bedingungen gestellt und von ihnen aus modernisiert zu bearbeiten.

Jedoch ist nicht alle sozial-aktuelle Tätigkeit der Kirchen und der einzelnen Aus-Religion-Handelnden politisch oder mit Politischen verbunden, abgesehen davon, daß jedes öffentliche Wirken rechtlich gestattet und tatsächlich toleriert sein muß. Ein großer Teil der in die Gesellschaft ausstrahlenden Religionspraxis geht direkt auf soziale Endwirkung: auf die Hilfe an Menschen, Behebung von materieller und geistiger Bedrängnis. Auf diesem Felde wirkt die Kirche schon lange, hätte sie es nicht getan, so wäre sie nicht zu ihrer einflußreichen, mächtigen Sozialstellung gelangt: aber jetzt sind Bedrängnisse von neuer Art und ihnen ist nicht nur mit den bekannten Mitteln und Weisen zu begegnen, sondern mit neuen; vielleicht müssen die Handelnden in Prinzipiellem umdenken. Das mag sich, was das Äußere anbelangt, in bescheidenem Rahmen abspielen, etwa demjenigen der Bemühung um innerlich unsichere Jugendliche oder um vereinsamte Alte, — aber gerade darin kann die allgemeine Menschlichkeit, die auch in der modernen Gesellschaft das oberste Prinzip sein muß, wie in einem Brennpunkt zentriert erscheinen und erkennen lassen, worauf es im Menschsein, dem individuellen und dem kollektiven, stärkst und eigentlich ankommt. So erbringt vielleicht der Pfarrer, der in seiner Kirchgemeinde die überlieferte, nur religiös begründete Zusammengehörigkeit der Gläubigen in eine allgemeiner geistige umbildet, eine, obgleich äußerlich bescheidene, im Wesentlichen wertvolle schöpferische Leistung.

Spezifisch religiöse Probleme stellen sich religiösen Denkern und Lehrevertretern, durch sie unterstützt auch Leitern religiöser Institutionen, zumal von Kirchen und Kirchenverbänden. Zunächst sind hier die überlieferten Lehren von modernen Standpunkten aus auf ihre Richtigkeit oder wenigstens auf ihre Vertretbarkeit zu prüfen; Glaubenskritik hat festzustellen, ob und wie der Dogmeninhalt neuen Einsichten und vielleicht auch neuen geistigen Bedürfnissen anzupassen sei, — daran wird sich das entsprechende schöpferische Lehreumbilden anschließen. Solches Denken hat, auf der Kenntnisseite, von neuen, immer wieder erweiterten, vertieften und präzisierten wissenschaftlichen Erkenntnissen auszugehen, in erster Linie von naturwissenschaftlichen: die Welt wird jetzt ganz anders gewußt als zur Zeit der Religionsstifter und Dogmenbegründer, der christlichen im besondern, und die Richtigkeit dieses Neuen ist beweisbar (jedenfalls der Idee nach, über die vertretenen Hypothesen mag es Kontroversen geben, aber sie haben gerade den Sinn, schließlich das Bewiesene herauszuarbeiten); in zweiter Linie von religionswissenschaftlichen: nicht nur die andern Religionen, sondern auch die eigene sind geschichtlich bedingt und im dogmatischen Gehalt auf Menschliches zurückführbar (Beispiel: eschatologische Vorstellungen und Erwartungen der Urchristen); in dritter Linie von psychologischen: Religion als seelisches Bedürfnis, in seiner Befriedigung durch allgemeinmenschliche und kulturelle, geschichtliche Momente bedingt (so: religiöse Archetypen, ins Christentum übernommene jüdische und hellenistische Heilsbilder); vielfach bietet sich hier den Theologisch-Geschulten Gelegenheit zur wissenschaftsgerechten Weiterbildung der Dogmeninterpretation. Sodann ist zu prüfen, ob und wie von neuen sozialen, kulturellen und damit auch individual-geistigen Problemen aus, die ihrerseits Folge neuerer und vielleicht jüngster Entwicklungen sind, die Religionspraxis zu ändern ist, — auch der in einer kleinen Gemeinde tätige Pfarrer oder Priester kann so verbesserungsschöpferisch denken und arbeiten.

Ferner wird gefragt, ob und wie die Gegensätze zwischen Konfessionen und Religionen gemildert werden können; wenn in der modernen Kultur die Religion in ihrem Allgemeinwesen und die einzelnen Religionen in ihren Sonderauffassungen angefochten sind, so gebietet das Glaubensinteresse, daß sich die Gläubigen stärker der sie einigenden als der sie trennenden Lehreinhalte bewußt werden: innerhalb der Christenheit, innerhalb des Ganzen der rein oder überwiegend monotheistischen Religionen (Christentum, Judentum, Islam), innerhalb der theistischen Religionen (Hinduismus und wohl auch den japanischen Buddhismus miterfassend), vielleicht sogar im Ganzen der Religionen (auch den Theravada-Buddhismus einschließend, der in der Grundeinstellung atheistisch ist, aber mit den theistischen Religionen die Hinwendung zu einem Transzendenten gemein hat), — es wäre vor allem beharrliche Schritt-für-Schritt-Arbeit zu leisten , die Phantasie und Neuerungsfähigkeit voraussetzt.

4.8 Philosophische Verbesserungskreativität

Verbesserungsschöpfung in der Philosophie hat anzuschließen an die neuen Ergebnisse der Wissenschaft, an neue religiöse Auffassungen, an neue psychische, soziale und kulturelle Tatsachen und Bedürfnisse. Sie hat zwei Hauptfelder: neues Fragen, neue Probleme, — und neues Antworten, neue Problemlösung; jenes vielleicht ohne dieses, oder dieses ohne jenes, oder beide verbunden (es kann ein neues Problem mit altem Denken, ein altes Problem mit neuem Denken, ein neues Problem mit neuem Denken zu lösen versucht werden). Ergebnisse der Wissenschaft: einzelne oder gesamthafte, besondere oder allgemeine, sehr-konkrete (damit wenig-abstrakte) oder sehr-abstrakte (damit wenig-konkrete); philosophisch wichtig sind die inhaltlich engeren meistens unter einem weitergreifenden, allgemeineren Aspekt, anderseits hat das gesamthafte, allgemeine, abstrakte Wissenschaftliche diese Qualitäten nur innerhalb eines klar umrissenen Sachgebietes und damit einer Fachwissenschaft, — die Sach- und Fachgrenzen nicht beachtendes Aussagen ist wissenschaftlich unzuverlässig und philosophisch verdächtig. Das zwingt auch zur Beschränkung der weitgreifenden wirklichkeitsphilosophischen Überlegungsgänge: Realerkenntnis, die der Wissenschaft unzugänglich ist, läßt sich nicht durch philosophisches Vermuten gewinnen; insbesondere muß jetzt das philosophische Denken über »das Wesen des Lebens« oder »den psychophysischen Zusammenhang« auf entprechenden, einwandfreien, wissenschaftlichen Feststellungen aufbauen). Gesamthaft stellt die moderne Wissenschaft den Philosophen, und auch den Philosophierenden als den sich um philosophische Einsicht bemühenden Nicht-Fachphilosophen, vor die Aufgabe, die bisher angewandten Frage- und Denkmuster zu präzisieren, zu korrigieren, dem neuen wissenschaftlichen Wissen anzupassen, mithin zu verbessern, und das teilweise in kreativer, verbesserungsschöpferischer Weise. Vielleicht gelingt das wissenschaftlich hochfähigen Philosophierenden jedenfalls in einigem und sogar im ganzen besser als den Philosophen mit nur-philosophischer Ausbildung. Aber entscheidend ist natürlich die Fragebeantwortung, und in ihr muß die erstrebte Verbesserung vor allem realitätsnähere, sachlich konkretere Aussagen erbringen (einige nur-philosophische Aussagen erweisen sich, in den großen philosophischen Wortklang nicht respektierender wissenschaftlich-realistischer Kritik, als wenig gehaltvoll und manche als eigentlich leerformelhaft; »Weg von den großtönenden Leerformeln!« ist da ein nützlicher Leitsatz). Das philosophische Interesse geht hiebei, und gerade im Zusammenhang mit dem Wissenschaftlich-Neuen, vorwiegend auf drei Inhaltsarten: erstens das Begriffliche, Kategoriale, auch den kategorialen Aufbau des Wissensfeldes, zweitens die Gesamt- und Allgemeintatsachen, drittens die im Zusammenhang mit spezifisch philosophischen Fragen wichtigen Sondertatsachen (Einzeldinge und Kleinfelder betreffend); oft wird sich von Objektivem dieser drei Typen aus das philosophische Denken auf sich selber richten, auf seine eigenen Relativitäten und Bedingtheiten: neues wissenschaftliches Wissen kann für das philosophische Denken neue Möglichkeiten, aber auch neue Grenzen ergeben. Trotz der Pflicht zur Beachtung der Wissenschaftsgebiete und ihrer Sach- und Denkbesonderheiten wird die philosophische Arbeit immer wieder gebietszusammenfassend: Widerspricht das dem Gesagten? Nein, denn solches Weitergreifen und Übergreifen soll von genauer Kenntnis des Philosophisch-Erheblichen der zusammenzufassenden Gebiete ausgehen (insbesondere kann man über das Universum nur voll wirklichkeitskundig philosophieren, indem man vom Sachgebietsphilosophischen der Physik, Chemie, Geologie und Astronomie und überdies des Prinzipiellen der Biologie ausgeht; es war ein Mangel früherer Universumsphilosophie, daß diese Begründung fehlte, und es ist ein noch immer möglicher Fehler, daß man an sie zuwenig Mühe wendet).

Neue religiöse Auffassungen beeinflussen das philosophische Denken vor allem in der Wirklichkeitssicht und im Ethischen. Sind Gott oder die Götter, das Gottes- oder Götterreich nicht mehr so, wie sie im Glauben für wirklich gehalten wurden, so erscheinen das Weltganze und in ihm die Menschenwelt und die Menschen als Einzelne anders als bisher; vor allem wirkt sich das in den Auffassungen vom Göttlich-Geschaffensein und Göttlich-Bestimmtsein (dieses ist ohne jenes vorstellbar, darum ist denkbar, daß jenes nicht länger behauptet wird, aber der Glaube an dieses bleibt) der Welt und des Menschen aus: stärker als bisher sieht man das Diesseits als welt- und menschseinsimmanent bestimmt, — neuer Glaube, der in seinen Anfängen pantheistisch verhüllt, aber auch deistisch klar sein kann und der bei scharfer Durchbildung atheistisch nur-weltlich ist. Durch religiöse Wandlungen beeinflußtes philosophisches Denken wird wohl meistens an bekannte Lehre anschließen, die es der neuen religiösen Sicht anzupassen hat, sei es realitätsphilosophisch (und hier insbesondere die Möglichkeiten des Menschen herausarbeitend), sei es ziel- und wertphilosophisch (sowohl beschreibend, analysierend und systembildend als auch wertend, postulierend und kritisierend); soweit dies zutrifft, überwiegt das Verbesserungsschöpferische. Gesamthaft tritt freilich die religiöse Begründung des philosophischen Denkens gegenüber der nicht-mehr-religiösen, eben wissenschaftlichen, dazu innerphilosophischen, aber auch modern-kulturpraktischen (durch wirtschaftliche, technische, soziale Gegebenheiten und Reformbedürfnisse bedingten) zunehmend zurück: hieraus kann die philosophische Verbesserungsschöpfung die Aufgabe haben, die Ablösung des Religiösen voranzutreiben.

Neue psychische, soziale und kulturelle Bedürfnisse (als solche, das heißt ohne Beziehung zu Religiösem): das Denken, Fühlen, Erleben, Wollen und Tun der Einzelnen, insbesondere der Moderneingestellten, das Denken, Wollen und Handeln der Gruppen, Gemeinschaften, Gesamtheiten, Organisationen und Institutionen, sie alle wandeln sich durch die kulturelle Entwicklung mehr oder weniger rasch und stark, und das gleiche gilt für Inhalte und Formen des Sozial- und Kulturobjektiven, der Organisationen und Institutionen in ihrem sachlichen Wesen, der Werke und Leistungen als solcher; in mancher Hinsicht ergibt sich aus der Wandlung des bisherigen Objektiven ein neues, weiterführendes Philosophieren. Dieses wird sich meistens auf die Ergebnisse der psychologischen, sozial- und kulturwissenschaftlichen Durchforschung des Neuen stützen und erhält daraus Momente, wie sie der auf den modernen Wissenschaften aufbauenden Philosophie eigen sind; bestimmend bleibt aber das starke Interesse am Menschen und am

Menschlichen, also eine lebens-, sozial- und kulturpraktische Einstellung.

Auf allen diesen Sachfeldern ändert sich vor allem das Inhaltliche des Philosophierens, und dabei sind zwei wesentlich verschiedene Typen zu unterscheiden, welche die Einstellung des Philosophen gegenüber den neuen Inhalten betreffen. Erstens kann er von den durch Wissenschaftler oder religiöse Denker dargelegten neuen Auffassungen ausgehen: dann ist er zwar im Philosophieren selbständig, aber nicht in der Feststellung des Denkmaterials; das Philosophieren ist dann auf Von-außen-Gegebenes beschränkt, und die Kreativität bleibt meistens schon hieraus im Rahmen des Verbesserns, denn auch das frühere Von-außen-Gegebene ist philosophisch bearbeitet worden und es geht jetzt vor allem darum, die bisher anerkannten philosophischen Aussagen dem neuen Wissensstand anzupassen. Zweitens kann er auch in der Feststellung des philosophisch zu bearbeitenden Materials selbständig sein, nämlich dort, wo dieses ohne spezialwissenschaftliche Fähigkeit und Ausrüstung erschließbar ist, so im Gesellschaftlichen, Politischen, in vielem Wirtschaftlichem und Technischem, im Allgemeinverständlichen der Wissenschaften und im Menschlichen der wissenschaftlichen Arbeit, in der Kunst allgemein und den einzelnen Künsten. Der philosophisch Neuernde sollte in größter Bewußtseinshelle an den aktuellen Sozial- und Kulturentwicklungen teilhaben und sich immer wieder mit ihren Ergebnissen befassen, er muß hiebei Meisterschaft in der Ausnützung der modernen Berichts- und Teilhabemedien erlangen (Zeitung, Zeitschrift, Hörfunk, Fernsehen vermitteln ihm täglich Hinweise, die sich direkt oder indirekt auf seine Wirklichkeits- und Wertsicht auswirken, — sie helfen ihm, seine geistige Offenheit zu intensivieren und zu aktivieren). Aber trotz dieser Selbständigkeit des Tatsachenerfassens geht auch hier das Philosophieren eher auf Anpassung bisheriger als auf Gewinnung grundlegend neuer Einsicht, wiederum ist es vor allem die Verbesserungskreativität, die das Denken auf hohe Stufe bringt.

Daß allenfalls die philosophische Denkweise den neuen materialen Einsichten anzupassen ist, wurde im Zusammenhang mit dem auf Wissenschaftliches bezüglichen Fragen und Antworten bereits erwähnt; dort zeigt es sich am deutlichsten, denn das wissenschaftliche Forschen und Beschreiben nimmt keine Rücksicht auf das methodologische Fürrichtighalten der Philosophie, vielmehr entscheidet es von sich aus über die Eignung der Denkverfahren und -mittel und schafft wenn nötig neue, im Rahmen des Möglichen, aber ihn beharrlich erweiternd: immer wieder hat neues philosophisches Denken an neues wissenschaftliches anzuschließen (neu meistens als ein verbessertes, nur sehr selten als ein prinzipiell anderes). — Auch im Zusammenhang mit dem gewandelten Religiösen sind philosophische Denkweisen zu ändern, weniger aus neuem religiösem Denken (immerhin gibt es das auch, etwa wenn die überlieferte christliche Gottesauffassung ins Pantheistische, konkreter ins Evolutionistisch-Pantheistische übergeleitet wird) als wegen des, durch Unverbindlichwerden bisheriger Überzeugungen bedingten, Entstehens neuer Orientierungsbedürfnisse: wenn Gott oder die Götter, das Gottes- oder Götterreich nicht mehr wie früher selbstverständliche Gewißheiten sind (sei es auch nur so, daß sie jetzt stärker abstrakt oder symbolisch verstanden, daß ihre Unerkennbarkeit und Verborgenheit stärker betont werden), dann ist der Philosoph nicht mehr berechtigt, wie früher einfach von den Jenseitsgewißheiten aus auf Diesseitspraktisches zu schließen: in seinem gewandelten Glauben (nur ein Gläubiger wird religiösbegründet philosophieren) muß er jetzt vielmehr vom Menschen aus und auf ihn hin denken, konkret entweder Selbstbestimmungsfähigkeit, oder Triebgebundenheit, oder Sinnlosigkeit des Menschseins annehmend; jedenfalls unter der ersten dieser drei Haltungen muß das Denken sachlicher, rationaler und präziser sein als unter der früheren Religiosität, wobei aber wiederum Anpassungen wahrscheinlicher sind als tiefgreifende Neuschöpfungen. Immerhin ist auf diesem Felde auch eine gegenläufige Entwicklung möglich: die Abwendung von der Wissenschaft und, vielleicht primär, von der, einigen Modernen verhaßten, Rationalität, Rückkehr zu traditionellerem Glauben, Rückwendung von religiösem Liberalismus und Modernismus zur Orthodoxie, sogar Ersetzung von Ideen durch Gestalten. Auch das muß sich aufs philosophische Denken auswirken, aber vielleicht sind beizuhaltende neue Überlegungsweisen mit dem wiederaufgenommenen Alten zu verbinden (nicht in jedem Falle: es gibt auch die Rückwendung, in der alles Neue abgewiesen wird, weil jedes Neureligiöse die Traditionell-Gläubigen irritiert). — Im Zusammenhang mit den neuen psychischen, sozialen und kulturellen Tatsachen und Bedürfnissen sind neue, meistens an bisherige anschließende, Denkweisen auf zwei Ebenen zu entwickeln: auf derjenigen des neuen Realen als solchen, da der Philosophisch-Denkende es in seinen eigenen Erlebensbereich einbeziehen muß, um an diesem Besondern und an der Gegenwartswirklichkeit im allgemeinen voll teilzuhaben (auch der Philosoph muß mit Technischem arbeiten, wirtschaftlich überlegen, die modernen Informationsmittel benützen), und auf derjenigen des das Neue philosophisch durcharbeitenden Denkens (Aussagen über die kulturellen Auswirkungen etwa des modernen Verkehrswesens erfordern wahrscheinlich die Abwandlung bisher verwendeter Denkmuster, so im Sinne des Überganges vom National- zum Kontinental- oder Globalkulturmodell).

4.9 Verbesserungskreativität in der Kunst

Wieweit gibt es Verbesserung und damit Verbesserungsschaffen, Verbesserungskreativität in der Kunst? Zweifellos ist die Verschiedenheit zwischen dem technischen oder wissenschaftlichen Verbessern und der Schaffung eines Kunstwerkes, das in Thema und Stil an Bekanntes anschließt, erheblich: jenes ist Beifügung von Neu- an Altwesen, das sich bewährt hat und weiterverwendet wird; dieses ist Gestaltung eines Werkes, das ein geschlossenes Ganzes ist und in dem die übernommenen Elemente so mit dem Neuen verschmolzen sind, daß man das Ergebnis zwar wohl noch als von jenen ausgehendes Weiteres, Späteres, vielleicht Höheres, aber in der Regel, oder jedenfalls sehr oft (und stärkst, wenn es ein Künstlerisch-Hochwertiges ist), nicht als sie in Wesentlichem unverändert beibehaltend (zum Beispiel so, wie in einem neuen Automodell die Grundkonstruktion seines Vorgängers beibehalten wird) verstehen darf.

Und trotzdem gibt es Verbesserungsschaffen auch in der Kunst: in ihrem Technischen, Wirtschaftlichen und Gesellschaftlichen, und im Künstlerischen als solchen. Jede Kunst hat ihre technische und sogar handwerkliche Seite, jeder Künstler ist auf seinem Gebiet ein Techniker und sogar ein Handwerker, jeder bedeutende Künstler ist im Technischen, Handwerklichen seiner Kunst ein Meister: es ist für den künstlerischen Erfolg wichtigst, daß der Künstler diese

Seite seines Könnens weiterbilde, seine bereits erreichte Fähigkeit zu Meisterschaft ausbaue (man sehe sich etwa die Skizzenbücher eines großen Malers daraufhin an). Jede Kunst hat ihre wirtschaftliche Bezogenheit: bei den werkschaffenden Künsten in beschränkterem Ausmaße die Malerei, die Dichtung, die Musik, in ausgeprägterem die Architektur, die Gartenarchitektur, die Orts- und Landschaftsgestaltung, der Film, bei den aufführenden, darbietenden Künsten in geringerem Ausmaße das Nachschaffen durch Solisten, Kleinformationen, Dilettantenaufführungen, stärker die Großdarbietung von Schauspiel und Oper, aufwendige Fernsehproduktion (die aber auch zum Werkschaffen gehören kann: Fernsehaufzeichnung); indem der Künstler oder Produzent die wirtschaftliche Seite des von ihm unternommenen Künstlerischen verbessert, schafft er Voraussetzungen, es im ganzen, also auch in der künstlerischen Qualität zu sichern (allerdings gibt es bisweilen Abstriche am Künstlerischen wegen oder zugunsten des Wirtschaftlichen). Jede in die Öffentlichkeit wirkende Kunst (und die noch nicht in die Öffentlichkeit wirkende Kunst zumindest latent) ist ein Faktor im gesellschaftlichen Geschehen, ein schwacher bei geringem, ein vielleicht starker bei großem Publikumserfolg, und daraus mag man fragen, ob die gesellschaftliche Auswirkung, wie sie tatsächlich ist oder der Idee nach eintreten könnte, künstlerisch oder unter außerkünstlerischem, vor allem moralischem oder politischem Aspekt in Art und Grad richtig sei (gefragt werden darf dies auch in der freiheitlichen Gesellschaft, etwa in dem Sinne, ob das Künstlerische die Einzelnen und Gemeinschaften in ihrem freien Sein unterstütze); künstlerische und außerkünstlerische Überlegung mag dazu führen, daß man das Werk oder die Darbietung auf Gesellschaftliches hin zu verbesserter Wirkung bringt, und das durch kreative Weiterbildung bisheriger Gestaltungsart (so in religiöser, patriotischer, humanitärer, revolutionärer, freiheitlicher oder internationalistischer Dramatik und direkter in der auf »Erhöhung der Lebensqualität« gerichteten Großarchitektur). Und jedes Kunstwerk, jede Darbietung steht unter rein-künstlerischen Anforderungen (die von den kunsttechnischen verschieden sind), Anforderungen, welche der Künstler vielleicht nicht auf Anhieb ganz erfüllt, sondern nur schrittweise, wobei der folgende Schritt die Überarbeitung des Werkes oder der Aufführung oder die

86

Gestaltung eines Neuen sein kann. — Alles in allem ist die Kunst ein weites und vielschichtiges Reich von Verbesserungsschaffen und -kreativität, aber natürlich ist in ihm das Gestalten von Wesentlich-Neuem und von Werken relativ besonders wichtig.

4.10 Verbesserungskreativität im Sport

Schöpferisches Verbessern hat ein Nebenfeld im Sport. Dieser ist ein Gebiet von selbstzweckhafter körperlicher Betätigung, selbstzweckhaft als an sich entspannend und unterhaltend oder als Bewährung an einem gestellten Leistungsziel oder im Wettkampf (oft als Wettkampf, bei dem zugleich eine objektive, das heißt meßbare Höchstleistung erstrebt wird); von Sport sprechen mag man auch bei spielhaftem Geistigem, das dem Spielenden Gelegenheit zu regelgemäßem Fähigkeitsmessen mit andern oder an objektiven Schwierigkeiten bietet (Spiel mit andern oder mit sich selbst). Solches Tun ist nicht endgültig festgelegt; schon innerhalb des gegebenen Regelrahmens kann der Sportler sein Sporttreiben selbst bestimmen und insbesondere seine Verfahren verbessern, und einige mögen die Regeln ändern oder sogar die gegebene Sportart erweitern oder von ihr eine Sonderart abzweigen. Und vielleicht werden in solchem die Erfordernisse der Kreativität erfüllt; bei manchen Aktiven kompensiert das die Vorgeschriebenheit der Berufsarbeit und hat hieraus seinen lebenspraktischen Wert.

4.11 Drei Verwirklichungsebenen

Verbesserung und damit Verbesserungskreativität gibt es auf allen Feldern der individuellen oder kollektiven Betätigung, nicht nur auf den bisher genannten: wo immer ein Einzelner oder eine Gesamtheit etwas unternimmt, kann das Unternommene, als Inhalt, erweitert, verfeinert, neuen Bedingungen angepaßt und kann das Sichbetätigen, als Verfahren, rationeller, erfolgreicher, zweckmäßiger gemacht werden. Das gilt für alle Weisen des Handelns, das heißt des Nach-außen-Aktivseins: jedes Handeln ist ein Konkret-Besonderes, Für-sich-Gegebenes und es ist als solches

Konkretes vorzunehmen, zu planen, auszuführen (der Handelnde braucht sich nicht um die Kategorien zu kümmern, die der einteilende Betrachter anwendet); jedes Handeln ist aus eben dieser Konkretheit und in ihr umgestaltbar, ohne daß es in irgendeinen größeren Sachzusammenhang gestellt werden müßte, jedes Handlungsfeld ist ein mögliches Kreativitätsfeld. Es gilt weiter für alle Weisen des nicht-tätigen Sichbefassens, des Lernens, des Studiums von Werken, Lehren und Tatsachen, der Auseinandersetzung mit Auffassungen, der auf die Sache gehenden oder von Werten und Zielen aus stellungnehmenden Kritik, der miterlebenden Teilhabe am Sein, Denken, Wollen und Handeln von Einzelnen und Gesamtheiten, der betrachtenden Teilhabe an Werken: fast immer können hier sowohl das Inhaltliche wie auch die Verfahrensweise verändert und, insbesondere, verbessert werden (wobei über das, was Verbesserung ist und was nicht, vor allem der Verwirklicher selbst entscheidet), verbessert wohl am ehesten im Rahmen des Bekannten, oft aber in kreativer Weise, nämlich in dem Sinne, daß der Verwirklicher von sich aus in selbständig-besonderer Art denkt, erfaßt und urteilt. Und es gilt drittens für alle Weisen des In-Gemeinschaft-Seins, In-Gemeinschaft-Tretens und damit, weil das letztere vor allem von der Selbstauffassung des Einzelnen abhängt, des Sich-in-Gemeinschaft-Wissens, und, entscheidend, der persönlichen Erfüllung, welche in der Gemeinschaft oder auf sie hin gesucht und gefunden wird: Änderung, Verbesserung, Verbesserungskreativität sind auch hier möglich.

Bei diesen Überlegungen stößt man auf eine begriffliche Unklarheit, die zu beheben ist. Ändert, verbessert zumal, der Verwirklicher (Einzelner, Gruppe, Gesamtheit, Organisation, Institution) sein Verwirklichen in Inhalt oder Verfahrensweise oder beidem so, daß ein in der Gesellschaft noch nicht bekanntes Neues entsteht, so ist er hierin in einem objektiven, nämlich sozialen Sinne schöpferisch. Möglich ist aber, daß er mit genau gleichem Aufwand an Vorstellungs- und Gestaltungskraft (subjektivem Aufwand, wenn man darunter auch das Eigene von Sozialgebilden einbezieht) etwas zustande bringt, das zwar für ihn, aber nicht für die Gesellschaft neu ist, vielleicht für ihn selbst und seine nähere oder weitere Umwelt neu ist, nicht aber für die Gesellschaft überhaupt, weil es in einem ferneren Bereich bereits besteht. Jedenfalls fürs Praktische ist es angezeigt, ein Neues-Schaffen schon dann als schöpferisch anzuerkennen, wenn es im Nahbereich zu einem Erheblich-Verbesserten führt.

4.12 Postulate zur Selbst- und Kulturgestaltung

Schöpferischsein ist eine Seinsweise, in welcher die Leistungskräfte gesteigert werden und die überdies, in der besonderen geistesmenschlichen Sicht, ein an sich wertvolles Geistiges ist. Hieraus ist es eine erste praktische Aufgabe, zunächst einmal die auf Verbesserung des Bestehenden gehenden Interessen bewußt werden und an sie das aktive Verbessern anschließen zu lassen: Interesse auf allen Gebieten, von der nächstliegenden Berufsausübung bis zur Stellungnahme zu Allgemeintatsachen, wichtigst dort, wo der Prüfende, Besseressuchende unmittelbar eingreifen kann, wichtig aber auch dort, wo er, wie etwa in Religion und Politik, höchstens einen kleinen Beitrag leisten (vor allem bei der Wahl der Handelnden und durch Stimmabgabe in Sachfragen) oder nur eben seine eigene Meinung bilden kann (als einen Punkt in der öffentlichen Meinung, die von den Handelnden schließlich doch zu berücksichtigen sein wird). Freiheit des Sichinformierens, Überlegens, Stellungnehmens, Vorschlagens und Diskutierens, auf höherer Stufe des Zielsetzens, Planens und Ausführens ist auch darum ein Hauptziel der Selbst- und Kulturgestaltung. Zweite praktische Aufgabe ist, dieser Freiheit, oder diesen Freiheiten, den für sie benötigten sozialen Rahmen zu schaffen: es müssen in der Gesellschaft die freiheitsgünstigen und hier im besondern die der Verbesserungsfreiheit günstigen, Institutionen und Normen gegeben sein, das heißt, wenn sie noch nicht bestehen, geschaffen oder, wenn sie veraltet sind, den neuen Bedingungen angepaßt werden, — vielleicht in schöpferischem Verbessern von Sozialem, von dem allgemeiner das Verbesserungsschaffen abhängt. Und drittens müssen die technischen und wirtschaftlichen Voraussetzungen des verbesserungsschöpferischen Handelns bestehen, also, wenn ungenügend oder fehlend, verbessert oder neugeschaffen werden.

5.1 Inhalte und Weisen

Neuwesensschaffung ist gekennzeichnet dadurch, daß in ihr und durch sie entweder ein Bisher-Nichtbekanntes von erheblicher Neuartigkeit (so: neuer Gerättypus, neue Heilmethode, wissenschaftliche Hypothese, neue Art der rechtlichen Unternehmungsorganisation, neue Berechnungsweise) geschaffen oder in einem an sich beibehaltenen Bisher-Bekannten (so: Automotor, Medikament, Forschungsmethode, statistische Darstellung, Finanzierungstypus, religiöse Grundlehre) ein Grundmoment oder Inhaltsbereich so stark verändert wird, daß das geschaffene Neue als gegenüber dem Bisherigen wesentlich und tiefgreifend verschieden erscheint, — als prinzipiell verschieden, wogegen das bloß Verbesserte sich vom Früheren nur graduell oder höchstens in Nebenwesen prinzipiell unterscheidet. Beziehen kann sie sich auf Seiendes jeder Art, sofern es dem menschlichen Gestalten zugänglich ist: damit auf das Seiende aller Kulturfelder, denn diese sind die Bereiche des menschlichen Wirkens und damit eben jener Zugänglichkeit, sie sind hinsichtlich der Gestaltbarkeit prinzipiell offen, ausweitbar. Das gilt in der modernen Kultur auch im konkretspezielleren Sinne, daß es jetzt, verglichen mit früher, zahlreichere Möglichkeiten und praktische Gelegenheiten gibt, von Gegebenem zu Erheblich-Neuem vorzustoßen, ja einigen Großfeldern neue Bezirke mit Seiendem von bisher unbekannter, damit neue ontologische Kategorien eröffnender Wesensart anzulagern. Indessen steht nicht die ganze moderne Kultur unter solcher (zumindest möglicher) Ausbaudynamik, vielmehr ist in einigen Bereichen das Weiterschreiten zu Erheblich-Neuem dadurch erschwert, daß schon bisher gründlichste Arbeit geleistet wurde (aber sind wir sicher, daß nicht auch in einem für abgeschlossen gehaltenen Gebiet wie etwa der Geschichte des Mittelalters oder der Darstellung des Römischen Rechtes prinzipiell-neue Weisen des Fragens, Untersuchens und Auffassens angewandt werden können?).

Gestaltendem Einwirken zugänglich sind die dem Menschen eigenen oder nahen Wirklichkeitsbereiche, wenn nicht in ihrem

Ganzen, so in mehr oder weniger großen Teilbezirken: Neuwesensschaffung gibt es mit Bezug auf den Menschen selbst, am freiesten im Geistigen, als Schaffung neuer Vorstellungen, Bilder, Begriffe, Denkweisen, Ziele und Werte (so: geistiges Neuwesen aus der Weltlehre des Thales, aus der Ideenlehre Platons, aus der christlichen Gotteslehre und Eschatologie, aus dem Kantischen Apriorismus, aus der klassischen Musik); es gibt sie mit Bezug auf die naturhafte Umwelt des Menschen (schon als Anpflanzung und Tierzucht im Sinne der Bevorzugung nützlicher und der Zurückdrängung nichtnützlicher Arten — das tatsächliche Wesen von Pflanzen- und Tierbestand wird dadurch verändert —, weiter und insbesondere als züchterische Herausbildung neuer Pflanzen- und Tiertypen); es gibt sie schließlich mit Bezug auf die Kulturwelt als das Ganze des vom Menschen geschaffenen oder bewirkten Objektiven, im allgemeineren das erwähnte geistige und an sich naturhafte Neue einschließend (so: Gebäude, Güter des täglichen Gebrauchs, Geräte, Apparate, Maschinen; soziale Organisationen und Institutionen, Normen). Gestaltendem Einwirken zugänglich sind, innerhalb des Wirklichen oder an es anschließend, die realen Möglichkeiten: es kann ein Schöpferischer durch Erkenntnis, Gestaltung von Sozialem, zumal von Politischem, Rechtlichem, Staatlichem, durch Ideenbildung und pädagogische Ideenanwendung, auch durch technische Erfindung und Entwicklung, durch Schaffung eines wirtschaftlichen Leistungsgebildes bisherige Voraussetzungen des Denkens, Stellungnehmens, Wollens und Handelns von Einzelnen und Gesamtheiten tiefgreifend verändern (so: durch neue natur- oder staatswissenschaftliche Theorie, durch Setzung eines neuen politischen Zieles und durch Aufbau einer neuen Partei, durch Erfindung und Entwicklung einer neuen Weise der Energieproduktion, durch Gründung einer die Dorfgewerbe einer wirtschaftlich rückständigen Region finanzierenden Bank); gesamthaft gesehen sind neuartige Wirkungsmöglichkeiten wohl die gesellschaftlich wichtigsten Inhalte der Neuwesensschaffung, — weil die für die anschließende Gestaltung von weiterem Neuen grundlegenden. Und der kreativen Einwirkung zugänglich ist prinzipiell das Ideelle in seinem Allgemeinwesen und sind praktisch viele seiner Teilfelder: geistiges Schaffen kann sich darauf richten, ein neues Vorstellungsbild (etwa des Transzendenten oder des Guten Bürgers) zu entwerfen, einen neuen Begriff (etwa für eine neuentdeckte Kategorie von Kernteilchen oder für eine jüngst entstandene Tendenz in der Weltwirtschaft) zu setzen, bekannte Begriffe in ein neues System, oder bekannte Teilsysteme in ein umfassenderes Gesamtsystem zu bringen (etwa: Bildung eines juristischen Begriffssystems auf Grund der das UNO-Recht betreffenden Einzelbegriffe und Teilgebietssysteme), schließlich und höchste Anforderung stellend: einen neuen Typus des logischen oder mathematischen Denkens (etwa im Zusammenhang mit der Kybernetik) zu schaffen; zu beachten ist hier die Verbindung-und-Getrenntheit von Wirklichem und Ideellem: daß ein Begriff gekannt, eine logische Beziehung gewußt wird, ist psychisch-wirklich, aber es sind nicht deswegen auch der Begriff und die Beziehung als solche wirklich, vielmehr sind sie ideell, und entsprechend ist das Ideelles-Schaffen zwar als geistiges Tun wirklich, steht aber inhaltlich ganz unter den Möglichkeiten und Geboten des Ideellen, und zwar des allgemeinen und des sachspezifischen. — Kunst des Ideelles-Schaffenden: Impulse aus der kulturellen, sozialen und psychischen Wirklichkeit in die Schaffung von ideellem Neuwesen überzuführen.

Neuwesensschaffung geschieht in den Seinsbereichen, die dem menschlichen Gestalten zugänglich sind, und also nicht in denen, die diesem nicht zugänglich sind. Zugänglichkeit ist am deutlichsten als Möglichkeit zu physischem Eingreifen gegeben: Handeln der Ingenieure, technischen Arbeiter, Handwerker, Bauern, des Verkehrspersonals, der Ärzte und Pharmazeuten, dazu, in einem Sondersinn, der Militärs, auch der Sportler; die Eingreifbarkeit ist hier bedingt durch das Hier-und-Jetzt des Gegenstandsfeldes, räumliche Nähe und zeitliche Gegenwärtigkeit, — aber zu diesen muß Zugänglichkeit in der Sache kommen und der Handelnde muß fähig sein, gemäß seiner Erfolgsvorstellung auf den Gegenstand einzuwirken (was etwa beim Töpfer, der aus Ton ein Gefäß formt, und beim Baumeister, der aus Bruchsteinen und Mörtel eine Mauer errichtet, zutrifft, aber nicht beim Alchimisten, der Blei in Gold verwandeln will). Solche Zugänglichkeit ist nach drei Richtungen ausbaubar: räumlich, indem ins Verwirklichungsfeld entferntere Bezirke einbezogen werden (so: Erstreckung des verkehrstechnischen Planens oder des Umweltschutzes auf ein mehrere Länder umfassendes Großgebiet); zeitlich, indem das Handeln auf eine fernere Zukunft erstreckt wird (wiederum Verkehrsplanung und Umweltschutz: werden sie in großem räumlichem Maßstab aufgenommen, so wirken sie auch weit in die Zukunft hinein und erfordern, daß dies bewußt berücksichtigt und angestrebt wird); sachlich, durch Ausbau des gegebenen und Ausbildung neuen fachlichen Könnens (etwa in der Agrartechnik, im Straßenbau, in der Metallurgie, in der Maschinenherstellung, in der Heilmittelerzeugung). Praktisch wichtigst ist wohl meistens die dritte Ausbaurichtung, sie wird denn auch in der modernen Kultur stärkst durch die praktischen Wissenschaften unterstützt.

Zugänglichkeit kann zweitens Möglichkeit zu Gestaltung von Sozialem sein: Politik und in ihr vor allem die Staatsgestaltung, in der mehr alltäglichen Staatstätigkeit: Gesetzgebung, Regierung, Staatsverwaltung und auch Rechtsprechung (soweit diese rechtsetzend wirkt); Organisation und Führung von Wirtschaftsunternehmungen; Aufbau und Führung von kirchlichen, kulturellen und humanitären Organisationen. Räumliche, zeitliche und sachliche Momente sind auch hier bestimmend, — räumliche aus der geographischen Reichweite der Institution oder Organisation, in welcher die Leistung erfolgt (vom Kleinstaat zur Weltmacht und zur UNO, vom Kleinbetrieb zur multinationalen Gesellschaft, von der Lokalsekte zur Katholischen Kirche); zeitliche aus der Sachbesonderheit der Leistung (so: neue Staatsverfassung, neues Zivilgesetzbuch, neue Moralnorm haben lange Dauer) oder aus der Größe der Leistungsorganisation (so: Neuerung in einem Handwerksbetrieb hat wahrscheinlich nur geringe Dauer; die Gründung einer neuen Großindustrie dagegen kann eine neue Phase der Wirtschaftsgeschichte der betreffenden Region einleiten); sachliche daraus, daß jedes anspruchsvolle Wirken fachmännische Kompetenz erfordert (so: Sonderfähigkeiten, die vom Parteipolitiker, vom Verfassungsjuristen, vom Regierungsmitglied, von Verwaltungschef, vom Kirchenführer verlangt sind), und wiederum ist in allen drei Richtungen das Gegebene ausbaubar.

Zugänglichkeit kann drittens die Möglichkeit der Gestaltung von Begrifflichem, Ideenhaftem, Vorstellungshaftem, von Lehre und Lehresystem sein: Religion, Philosophie, Wissenschaft, Ideologie, jede aufgefaßt einerseits als Bereich von spezifischem Seiendem, andererseits von Denken und Tun, gerichtet auf solches Seiende. Beschränkend sind hier direkt nur sachliche Momente, räumliche und zeitliche dagegen überwiegend indirekt, vor allem im Sinne von Schwierigkeit der Tatsachenfeststellung (sind die Tatsachen erfaßt, so werden sie unter rein sachlichen Gesichtspunkten bearbeitet und die Entfernung des Tatsachenfeldes ist dann unerheblich, — zum Beispiel geht die astrophysikalische Untersuchung der Kernzone des Milchstraßensystems, einer andern Galaxie oder der Galaxie als eines allgemeinen Materiegebildes nur auf das sachliche Wesen, die räumlichen und zeitlichen Faktoren spielen dabei nur soweit eine Rolle, als sie Momente dieses Sachlichen sind) und hieraus bezweckt der Ausbau der Gestaltungsmöglichkeiten vor allem die vollständigere, feinere, richtigere Erfassung und Durchführung des Sachlichen als solchen.

Zugänglichkeit kann viertens die Möglichkeit der Gestaltung von Künstlerischem, und zwar von Werk wie von Darbietung sein; jede Kunst hat da ihre besonderen Voraussetzungen und Ausbauweisen. Dies gilt enger gefaßt auch für die verschiedenen Schaffenszweige innerhalb der einzelnen Künste (etwa Lyrik und Roman innerhalb der Dichtung).

Neuwesensschaffung geschieht somit nicht in den Seinsbereichen, die dem menschlichen Gestalten unzugänglich sind, das heißt nicht in unzugänglichem Raum, nicht in unzugänglicher Zeit, nicht in unzugänglichem Sachbereich. Kein Mensch kann Dinge und Vorgänge auf der Sonne beeinflussen (beim Mond und den Planeten ist jetzt wenigstens eine geringe Einwirkung möglich oder voraussehbar), und solche außerhalb des Sonnensystems noch weniger; kein Mensch kann in die Vergangenheit eingreifen, und was die Zukunft anbelangt, so muß das bewußte Gestalten auf einigermaßen Nahes gehen (allerdings kann Gegenwärtigem eine bis in fernere Zukunft wirkende Kraft innewohnen, aber das, was durch sie entstehen wird, kann nicht von den jetzt Handelnden zum Ziel gesetzt oder auch nur vorausgesehen werden, — Cäsar konnte nicht wissen, was er mit der Eroberung Galliens weltgeschichtlich bewirkte); kein Mensch kann das Grundwesen der Materie oder das Sonderwesen der verschiedenen Materiearten verändern, auch nicht das Wesen des Lebens, nicht einmal das prinzipielle Wesen des Bakterienorganismus, und nicht das eigene psychische Grundwesen. Aber mit Bezug auf die unzugänglichen Bereiche gibt es der

Idee nach immer und praktisch sehr vielfältig ein sekundäres, abgeschwächtes Gestalten: das Beobachten, die Tatsachenfeststellung, die Analyse der beobachteten und festgestellten Daten, die anschließende Ausarbeitung von Erklärungen, Gesetzen, Struktur- und Prozeßbeschreibungen, Modellen, Hypothesen, Theorien, Systemen, die lehrende Darstellung. Die solcherweise Gestaltenden stehen großenteils ihrem Gegenstandsfeld räumlich und zeitlich fern, aber sie benützen gegenwärtige Tatsachen, von denen aus auf das interessierende Ferne geschlossen werden kann (so: Licht und andere Strahlung in der Astronomie, Landschaftsformen und Gesteine in der Geologie, Dokumente in der Geschichtswissenschaft, Funde in der Archäologie), oder es ist ihnen das in Raum und Zeit nahe Gegenstandsfeld sachlich fern in dem Sinne, daß sie sich von vornherein auf das Beobachten und Erklären beschränken müssen. Immerhin ist damit in manchem Fall ein mehr oder weniger schwieriges, mehr oder weniger raffiniertes, bisweilen ein meisterliches Eingreifen in Gegenwärtig-Nahes verbunden: in der Anwendung von Beobachtungsinstrumenten, sofern sie das untersuchte Wirkliche (so: Licht, andere Strahlung, Wärme, Stoffliches, Organismisches) verändern, im naturwissenschaftlichen und psychologischen Experiment, in der archäologischen Grabung und Fundaufarbeitung usw.; das hat praktische Bedeutung zunächst nur für die Tatsachenfeststellung, als Gewinnung von Ausgangsmaterial für zu erarbeitende oder von Bestätigungsmaterial für zu prüfende Erklärung, — aber es kann darüber hinaus Ansätze für ein späteres Gestalten unter Anwendungszweck bieten, also ein anschließendes primäres Gestalten einleiten (Beispiele: von der Halbleitertheorie zur Transitortechnik, von der Vererbungslehre zur pflanzen- und tierzüchterischen Praxis). In der praktischen Wissenschaft gibt es manches Zwischenfeld zwischen dem rein-theoretischen Forschen, das zwar Gestalten ist, aber bei fernem Gegenstand nur gegenwärtige, nur innerhalb der Wissenschaft erfolgende, die erhellte Sache an sich nicht berührende Erkenntnisleistung und allenfalls Neuwesensschaffung · erlaubt, und der Aktion, die sich auf die Sache selbst erstreckt.

Auch die Neuwesensschaffung kann sich einerseits auf Ziele und Zielhaftes, anderseits auf Verfahren im Sinne der Verwirklichung eines verfolgten Zieles richten, wobei für die letzteren das Zielhafte herkömmlichen oder aber neugesetzten Inhaltes und in diesen beiden Fällen ein Zuständliches oder ein Geschehenshaftes sein mag; insbesondere gibt es Neuerung der Verwirklichungsweise in Hinsicht auf ein Ziel, das ein Verfahren neuzuschaffender Art zum Inhalt hat. Die Setzung eines in Hauptwesen neuen Zieles erfolgt entweder im Rahmen von an sich Bekanntem, das aber anders als bei der bloßen Verbesserung verändert wird, nämlich durch tiefergreifende und damit sich stärker und weiter auswirkende Um- oder Fortbildung seiner spezifischen, je nach Inhaltsgebiet physischen, sozialen, psychischen, intellektuellen oder ideellen, Qualität: das Ergebnis muß als erheblich neu beurteilt werden können, und das in fachmännischer Sicht, nicht nur im Beeindrucktsein des Laien; oder es ist ein Neues in dem Sinne, daß es eine neue Kategorie vertritt, daß es sein eigenes neues Zielfeld hat (so läßt sich die Erfindung und Entwicklung des Farbfernsehens als neue Hauptkategorie und besonderes Zielfeld auffassen). Hier wie dort sind vom Leistenden in der Regel hohe Sach- und Fachkenntnis und wohl immer besonders aktive Sach- und Fachphantasie verlangt: jene wird durch Schulung und berufliche oder außerberufliche Erfahrung aufgebaut, diese verbindet intensiv erlebte Autonomie und Freiheit mit Vorstellenkönnen, das erheblich über das Bekannte hinausgreift, dabei aber unter den allgemeinen Prinzipien des Sachgebietes bleibt (würden diese nicht eingehalten, so wäre das Vorgestellte nicht realisierbar oder, bei Ideellem, nicht konkretisierbar; unsere jetzige Kultur ist eine Fachgebiets- und Fachmannskultur, wogegen früher, und noch in den ersten Epochen der neuzeitlich-abendländischen Kultur, auch Dilettanten große Leistungsmöglichkeiten hatten, da noch manches Nahe erforschbar oder gestaltbar war. — Neuwesensschaffung, die sich auf Zielhaftes bezieht, läßt im Realen oder Ideellen neues Wertvolles entstehen, denn es ist anzunehmen, daß man das Neue verwirklicht, weil damit der gesellschaftliche Güterbestand, zu dem in weiterem Sinne auch die ideellen Erreichnisse gehören, bereichert wird; der so neues Wertvolles Schaffende arbeitet, selbst wenn er nur an den eigenen Nutzen denkt, immer auch für die Gesamtheit.

Weniger deutlich ausgeprägt ist das letztere bei der sich auf Verfahren beziehenden Neuwesensschaffung: oft betrifft sie nur das interne Vorgehen innerhalb des Leistungsbetriebes, und vielleicht ist sie Berufs- oder Geschäftsgeheimnis, — zwar wird das Leistungsergebnis in der Gesellschaft bekannt, es wird ja angeboten und soll Käufer finden, aber wie es zustande gebracht wird, braucht nicht mitgeteilt zu werden, und es zu verschweigen kann die Marktstellung des Anbietenden sichern und verbessern. Jedoch kann Verfahren als solches Ziel sein: wenn es von Verfahrensspezialisten angeboten wird, was schon damit beginnt, daß Berufserfahrungen publiziert werden, auf höherer Stufe etwa in der erfolgreichen Arbeit von Instituten besteht, deren Aufgabe die Schaffung und Verbreitung neuer Fachmethoden ist (z. B. für Landwirtschaft, Handwerk, Kleinhandel, je allgemein und speziell), und auf höchster dazu führt, daß Organisationsfirmen große und komplexe Betriebe und Unternehmungen auch und gerade in Hinsicht auf die Arbeitsorganisation rationellst einrichten (was in der Entwicklungshilfe großpolitisch-wichtig werden kann); in allen diesen Fällen gehen die neuen Verfahren in den gesellschaftlichen Güterbestand ein. — Sachkenntnis und -phantasie, Fachkenntnis und -phantasie, sie sind auch hier verlangt, als insbesondere auf die Handlungs- und Wirkungsabläufe gerichtet; die Fähigkeit, das beste, das heißt zweckmäßigste Verfahren zunächst im Prinzip auszudenken, sich vorzustellen, aus der Idee zu analysieren, dann gesamthaft und im einzelnen zu planen, zu entwerfen, zu erproben, und schließlich als ein erfolgsicheres Neues praktisch einzusetzen, ist in der modernen Leistungskultur ein unentbehrliches Geistiges.

Die Erweiterung, Bereicherung des gesellschaftlichen Güterbestandes, die dank der Neuwesensschaffung und in geringerem Maße schon dank der Verbesserungsschaffung eintritt, geschieht oft nur auf kleinstem geographischem Raum: die Wirkung eines neuen Bildes erfolgt nur im Haus des Besitzers oder im Museum, ein neues Gebäude hat nur im Lokalen seine Ausstrahlung, eine an sich geniale neue Organisationsmaßnahme bleibt zunächst innerhalb der Unternehmung, die sie einführte, ein neuer Eisenbahntypus wird zwar international beachtet, aber nicht von andern Ländern übernommen, eine im Typus neue Institution bleibt Besonderheit des Landes, das sie schuf. Aber selbst in solchen Fällen tritt eine wenigstens sekundäre, und allerdings entsprechend abgeschwächte, weiträumigere Bereicherung ein: durch Beschreibung und Bild, durch analysierende Darlegung, sei es auf fachmännischer, sei es auf populärwissenschaftlicher Stufe oder auch nur innerhalb der Tagesaktualität. Viele Neuleistungen sind dagegen ihrem Wesen und Inhalt nach von vornherein zu großräumiger Verbreitung bestimmt: rechts-, kultur-, wirtschaftspolitische Maßnahmen eines Großstaates oder einer Staatengemeinschaft, Veröffentlichungen in Originalsprache oder Übersetzung, Maschinen und Verbrauchsgüter, die durch die Produzenten selbst oder auf Grund von Lizenzen weltweit verbreitet werden. Die Gesamtheit, die der Neuwesensschöpfer durch seine Leistung bereichert, läßt sich so fast immer als einigermaßen groß, oft als sehr groß und nicht selten als global auffassen, — es sind immer Schöpferische am Werk, die auf ihrem, meistens engen, Sachfeld für ein sehr großes gesellschaftliches Ganzes, ja für die Menschheit arbeiten.

5.3   Subjektive Voraussetzungen

Während sich zwischen Verbessern im allgemeinen und Verbesserungskreativität im besondern eine praktische Verschiedenheit daraus ergibt, daß in den meisten Fällen des Verbesserns das schöpferische Moment entweder ganz fehlt oder doch sehr beschränkt und schwach ist, liegt das Schöpferische in aller Neuwesensschaffung, wenn der Schaffende in ihr das Ziel und das Vorgehen selbständig bestimmt, diese also nicht durch Anordnung auferlegt erhält (aber trifft letzteres zu, so ist er nicht eigentlich neuwesenschaffend, sondern eher ein ausführender Mitarbeiter). Hieraus gelten, oft wegen höheren Anspruches gesteigert, subjektive und objektive Voraussetzungen gleich oder ähnlich wie bei der Verbesserungsschöpfung; zu bedenken ist indessen, daß zwar das Schaffen von neuem Wesen kategorial von höherem Rang sein mag als das Verbessern, jedoch manches Verbessern etliche sachverwandte Neuwesensschöpfungen an Schwierigkeit und Tragweite übertrifft (etwa die Modernisierung eines großen Gesetzeswerkes den Entwurf neuer Rechtsnormen auf einem engen Spezialfeld).

Die Sachkompetenz, beim Verbessern stark das Bisherige betreffend, weil dieses mit dem es umbildenden Neuen zu vereinigen ist, wird bei der Neuwesensschaffung primär auf das Neue gerichtet sein, — trotzdem hat die Neuwesensschaffung oft die genaueste Kenntnis des zu ersetzenden oder durch ein Neufeld zu erweiternden Bisherigen zur Voraussetzung (so wird wohl kaum jemand, der nicht die bisherige Routine des Bauens kennt, ein zu neuen Formtypen und Konstruktionsweisen vorstoßender Architekt); anderseits mag einer gerade aus dem Unverständnis für das Überlieferte den Antrieb erhalten, ein Neues zu entwickeln, durch das jenes abgelehnt wird (so: Nichtbeachtung der phänomenologischen und positivistischen Philosophie, dafür Konzentration auf das rein fachwissenschaftlich scharfe, saubere und richtige Denken; oder umgekehrt, Mangel an Interesse und Fähigkeit für das spezifisch fachwissenschaftliche oder allgemeiner wissenschaftliche Denken, dafür Kompetenz für neue Metaphysik, vielleicht ohne erheblichen Bezug zur alten, oder für sozialreformerische Ideologie, und hieraus Ideenschaffen). In jedem Falle muß aber die Sachkompetenz für das, was den wesentlichen Inhalt des Neuen ausmacht, für das zunächst auszudenkende und vorzustellende, darnach zu einem Objektiven zu gestaltende Neuwesen, stark ausgeprägt sein; unentbehrlich ist weiter die Kompetenz, das gewollte Neue zustandezubringen; erwünscht ist drittens die Kompetenz, in der Gesellschaft dem Ergebnis Beachtung zu verschaffen, den Sacherfolg, den Werkerfolg durch den Anerkennungs-, in unserer Zeit vor allem durch den Verkaufserfolg zu vervollständigen, — aber bei manchem Schöpferischen reichen Begabung und Ausbildung zum letzteren nicht mehr aus (daß ein Schöpferischer den großen Erfolg erreicht, spricht nicht gegen ihn, sondern für ihn, es zeigt die Vollständigkeit seiner Begabung und Kompetenz, — jedenfalls solange er nicht das Inhaltliche seiner Leistung dem Erfolg anpaßt, vielleicht aber sogar, wenn er dem Publikum nachgibt, denn dann bringt er wenigstens einiges von dem, was in seinem Können liegt, zu gesellschaftlicher Wirkung).

Zumeist wohl schärfer und intensiver als beim Verbesserungsschöpfer ist beim Neuwesensschöpfer das Interesse am Besonderen seines Themas; hiebei besteht eine Wechselwirkung: daß das Interesse groß ist, gibt die Kraft zur Kreativität, und daß die Leistung schöpferisch ist, intensiviert das Interesse, denn die Kreativität hat ihre eigene hohe Würde jedenfalls für den Schaffenden selbst, mag diese vielleicht auch von außen gesehen von geringem Gewicht sein (wie diejenige der Leistung moderner Maler oder Komponisten). Neuerungswillen gibt es in der Neuwesensschaffung in dem allgemeinen Sinne, daß durch ein Zuschaffendes der Typenbestand des Geschaffenen auf dem betreffenden Sachgebiet, das mehr oder weniger weit gefaßt sein kann (so: der Helikopter bloß als neuer Flugzeugtypus, oder als neues Verkehrsmittel oder Militärgerät gesehen), bereichert wird, sodann im spezielleren Sinne, daß von einem Bestehenden aus ein sich von ihm unterscheidendes, aber doch an es anschließendes Neues (so: ein neuer Akkumulatortyp, der von den bekannten Typen in Prinzipiellem verschieden ist, aber doch an ihre Grundidee anschließt) erreicht wird; wohl in jedem Neuwesensschöpfer wirkt zumindest ein vorläufig tastender und dennoch intensiver Neuerungswille. Ebenfalls in allgemeiner und spezieller Sachbezogenheit läßt sich die Distanziertheit gegenüber dem bisherigen Sachlichen sehen, in allgemeiner, weil der Schöpferische innerlich den gegebenen Auffassungen und Erreichnissen fern sein muß, genügend fern, um sich für das gewollte Neue voll einsetzen zu können, in spezieller, weil er, wenn er Bisheriges fortsetzt, dieses genau kennen muß, sich aber nicht von ihm binden lassen darf; und starke Distanziertheit kann gegenüber den Mitarbeitern unvermeidlich sein, weil das Wesentliche des Neuen nicht von vielen, und vielleicht eben nur von dem es verfolgenden Einzelnen, der hierin ein Einziger ist, eingesehen wird. Die soziale Kompetenz muß beim Neuwesenschaffen dann klar umschrieben sein, wenn es in einer Leistungsorganisation erfolgt: dem Handelnden ist weitgehende Freiheit der Problemstellung und -lösung zu gewähren. Arbeitet er für sich allein, so muß ihm — unter Vorbehalt der sich aus der allgemeinen Menschlichkeit ergebenden Normen, aber nur dieser — das Recht auf freie Wahl der Ziele und Verwirklichungsweisen gesichert werden: jede Beschränkung dieser Freiheit ist Einengung der Kreativität. Aber vielleicht wäre dieses Negative dadurch gemildert, daß das die Einzelnen in ihrer Freiheit beschränkende Regime ihnen (das heißt praktisch den

Leistungsstarken unter ihnen) anderseits Aufgaben stellt, welche die Kreativität auf Teilfeldern steigert (etwa: Einengung des künstlerischen und philosophischen Schaffens, womit dieses nicht gänzlich unterbunden zu sein braucht, denn vielleicht entstehen bedeutende Werke auch so, anderseits erhöhte Leistungsanforderungen an Naturwissenschaftler, Ingenieure und Wirtschaftsfachleute).

Sachkompetenz, Interesse, Neuerungswille und Distanziertheit sind subjektive Faktoren; ob sie gegeben sind und in welchem Ausmaße sie wirksam werden, hängt in erster Linie vom Einzelnen ab, in zweiter Linie vom Zustand des Sozialen. Begabung ist grundlegend, und die Einzelnen sind darin persönlich verschieden; sie bedeutet vor allem die individuelle Fähigkeitsgrundlage für sachlich und fachlich besonderes Verwirklichen, als angeborenes starkes Können, Dinge bestimmter Inhaltsart, aber nicht anderer, selbständig zu gestalten (so für wissenschaftliches Forschen und Beschreiben, für Leistung in einer Kunst, für technisches Erfinden, für Unternehmungsorganisation und -führung, für Politik, — und jedenfalls bei den ersten drei nur für ein engeres Feld, etwa eher für Naturwissenschaft als für Geschichte, für Malerei als für Bildhauerei, eher für Chemo- als für Maschinentechnik); daß es Begabung und Begabungsverschiedenheit gibt, ist als allgemeine, daß es fachliche Hochbegabung gibt, ist als sozialpraktisch wichtige besondere Tatsache klar bewußt anzuerkennen. Begabung ist nur Grundlage von Verwirklichungsfähigkeit, zu dieser muß sie durch Schulung ausgebildet werden, woraus folgt, daß Schulen und andere Lehrinstitutionen die Ausbildung der schöpferischen Begabungen als eine Sonderaufgabe verstehen, organisieren und betreiben müssen (das Elitäre, das darin liegt, sollte, wenn demokratische Gleichheit erstrebt wird, im Fachlichen bleiben, — in diesem aber ist es unaufhebbar). Natürlich ist die Ausbildung der Kreativität nicht schon mit dem Abschluß der Fachschulung beendet, denn das Singuläre eines schöpferischen Menschen wird wahrscheinlich erst in und mit dem schöpferischen Tun, in und mit den konkreten Verwirklichungen, auch in und mit der Zuwendung zu immer wieder neuen Aufgaben. Richtigerweise arbeitet der Schöpferische an seiner schöpferischen Fähigkeit bis ans Ende der Zeit seines Leistenkönnens (auch das kann Begabung und Ausbildung erfordern, Begabung zu lebenslanger mentaler Aktivität, und Ausbildung, sich immer wieder auf Neues einzustellen — und darum auf das Bekannte, den erworbenen geistigen Besitz, neue Sichtweisen anzuwenden).

Sozialkompetenz ist ein Faktor, auf den der Einzelne zum größeren Teil keinen oder höchstens einen sehr geringen Einfluß hat: dort, wo sie von der Gesellschaftsordnung (starre Klassen und Kasten oder soziale Mobilität), von der Staatsorganisation (zentralistisch oder föderalistisch, kollektivistisch oder individualistisch, autoritär oder liberal), von der Unternehmungsorganisation (vor allem in Großunternehmungen und -betrieben, in denen die meisten Arbeitenden nur eine festgelegte Teilfunktion ausüben) bestimmt ist; dazu kommt die für den Einzelnen nicht oder nur wenig änderbare Gebundenheit durch die allgemeinen Kulturbedingungen und die sachgebietlichen Gegebenheiten. Immerhin ist die Sozialkompetenz auf manchen Leistungsfeldern vom Wollen des Verwirklichers abhängig, vor allem bei den Selbständig-Leistenden und auf den höheren Hierarchiestufen der Großorganisationen. Ist die Kreativität ein wertvolles Menschliches, so ist zu wünschen, ja zu fordern, daß durch bessere Ordnung des Sozialen, und zwar des privaten wie des öffentlichen, die Möglichkeiten der Einzelnen, schöpferisch zu arbeiten, optimal vermehrt werden.

Schöpferisches Verwirklichen, als kreatives Verbessern oder Neuwesenschaffen und noch mehr als Werkschaffen (das im folgenden Kapitel erörtert wird) erfolgt, soweit es Leistung ist, meistens als Berufsarbeit; außerhalb dieser gibt es Schöpferisches allerdings in Haushalt, Freizeitbeschäftigung und Sport, aber hier ist der Aktionsraum beschränkt: damit Kreativität zu bedeutendem Ergebnis führt, muß sie die organisatorische Unterstützung haben, die, von sehr wenigen Ausnahmen abgesehen, nur der Beruf bietet. Wie ist es da um die bestellt, welche zwar an sich schöpferische Fähigkeit haben, sie aber nicht im Beruf zur Auswirkung bringen können? Außerberufliche Tätigkeit bietet da immerhin manche Gelegenheit, wenn auch bei weitem nicht gleich anspruchsvolle wie ein Beruf, der Kreativität verlangt; man soll das mögliche Schöpferische von Haushalt, Hobby und Sport nicht gering schätzen, darf aber nicht verkennen, daß auf diesen drei Feldern für die meisten keine hochrangige Leistung erreichbar ist. Also Verzicht auf große Kreativität? Wahrscheinlich ja, soweit es die Leistung betrifft. Aber keinesfalls in allem und im ganzen. Denn jedem fähigen Interessierten — Interesse und Fähigkeit müssen sich nicht nur ergänzen, sondern gegenseitig fördern — steht das Riesenreich des Bewußtseiend-Teilhabens offen, in dem Sinne, daß vollständige Freiheit der Themenwahl besteht und es ganz vom Einzelnen abhängt, wie und mit welchem Bewußtwerdensziel er die ausgewählten Inhalte durcharbeiten oder in anderer Weise erfassen will. Schöpferisches Verwirklichen ist hier vielfältig möglich: es liegt allgemein darin, daß der Teilhabende in neuer Sichtweise selbständig Fragen stellt und, sie beantwortend, neue Inhaltsbeziehungen schafft; neu sollen diese freilich nicht nur subjektiv, nämlich nur für den Teilhabenden sein, sondern auch objektiv, nämlich so, daß sie noch nicht in der Literatur oder in Berichten dargelegt sind, — tatsächlich gibt es sehr viele Inhaltekombinationen, die von den Fachleuten noch nicht geprüft, und damit von Einsichten, die noch nicht gewonnen wurden, am meisten in Verbindung mit Neuestem von Wissenschaft, Kunst, Technik, Wirtschaft, Gesellschaft, Politik. Und Kreativität, auch Neuwesensschaffung, kann im gemeinschaftsbezogenen Verwirklichen neue Ziele setzen, neue Wege weisen, neue Auffassungen bestimmen, das schon in der Einstellung des Einzelnen zur Gemeinschaft, in seiner Selbstauffassung als eines In-Gemeinschaft-Stehenden, noch mehr in seinem auf die Gemeinschaft gerichteten Handeln: beides mag etwa die Familie, die Beziehung zu Freunden oder Kleinorganisationen (wie Betrieb und Verein) betreffen, weitergreifend die Stellung und das Tun in Großorganisationen, im Staat, bei einigen auch in übernationaler Gesamtheit, bis zur globalen, menschheitlichen Gemeinschaft.

5.4 Verbessern oder Neuesschaffen?

Vielleicht ist im Einzelfall zu fragen, ob man eher das Bestehende verbessern oder ein Neues schaffen, und im zweiten Falle, ob das zu schaffende Neue dem Bisherigen nahe bleiben oder sich von ihm einigermaßen weit entfernen solle (ist das Neue nur eine Abwandlung des Bisherigen, so lassen sich Verbessern und Neuwesenschaffen nicht klar unterscheiden, oft liegt es denn auch ganz im Ermessen des Beurteilers, unter welchen Typus ein konkretes

Schaffen zu stellen ist). Was soll für die Beantwortung jener Haupt-
und dieser Nebenfrage maßgebend sein? Denkbar sind da: die
Entscheidung nach Sachmomenten, nach sachlicher Zweckmäßigkeit vor allem, die Entscheidung auf Grund von gesellschaftlichen
Voraussetzungen (Kenntnisbestand, technischen und finanziellen
Mitteln, Arbeitskräften, usw.), die Entscheidung nach individuellen Fähigkeiten und Wünschen, die Entscheidung nach politischen,
ideologischen, religiösen Gesichtspunkten. Die sachbezogene
Überlegung mag das Verbessern als ausreichend erweisen: wenn das
Bisherige einen an sich befriedigenden Dienst leistet und lediglich
ein günstigeres Verhältnis von Aufwand und Ergebnis erwünscht
ist; umgekehrt ist sachlich ein Wesentlich-Neues dann vorzuziehen, wenn es auf seinem Sachfeld den Güterbestand bereichert und
mit vernünftigem Aufwand realisierbar ist (Beispiel fürs erste: die
Eisenbahnen leisten so große Dienste, daß intensivste Bemühung an
ihre technische Verbesserung zu wenden ist und es völlig falsch
wäre, sie durch prinzipiell neue Verkehrsmittel zu ersetzen; Beispiel fürs zweite: Privatauto und Straßenbahn belasten den Groß-
stadtverkehr so stark, daß für diesen prinzipiell-neue Lösungen
gesucht werden müssen); freilich ist hiebei mehr oder weniger
deutlich vorausgesetzt, daß man weiß, was das Neue ist und
bringen kann, und dieses also mit dem Bisherigen vergleichbar ist,
— das aber trifft häufig nicht zu (so konnten nicht einmal die
Spezialisten die praktischen Auswirkungen der Entdeckung des
Penizillins voraussehen), und darum ist es sachlich höchst wichtig,
daß immer wieder, auch mit dem Risiko des Scheiterns, Ausgefal-
len-Scheinendes unternommen wird. Die Entscheidung auf Grund
der gesellschaftlichen Gegebenheiten wird großenteils aufgezwun-
gen und steht dann außerhalb des Wählenkönnens des Handelnden:
man kann sich nur etwas vornehmen, zu dem man die Kenntnisse
hat und zu dem in der Gesellschaft die Mittel vorhanden sind
(besitzt der Leistende die Mittel nicht selbst, so gibt es in der
modernen Wirtschaft Wege, sie ihm zur Verfügung zu stellen);
manchmal ist aber abzuwägen, welches die günstigste Mittelverwendung ist (wieder am Beispiel der Eisenbahnen: Ausbau der
bestehenden oder Schaffung neuer Linien?, Beibehaltung der bisherigen oder Übergang zu einer neuen Traktionsart?; und am Beispiel
des Großstadtverkehrs: Bau einer Untergrundbahn bekannten

Systems oder — kostspielige und zeitraubende, dazu erst noch im Erfolg unsichere — Entwicklung einer gänzlich neuen Transportart?). Oft fehlen auch hier die Unterlagen für eine sachlich richtige Stellungnahme: man weiß nicht mit Sicherheit, welches der Aufwand für das Sehr-Neue und welches sein Erfolg wäre, — Neuerungs- und damit verbunden Risikobereitschaft ist für einen nicht zu kleinen Teil der Einsetzung der gesellschaftlichen Mittel zu postulieren.

Verbessern oder Neuwesenschaffen? Die Antwort, die darauf gegeben wird, hängt nicht nur von sachlichen Erwägungen ab, sondern auch von allgemeinen Einstellungen: der eine ist konservativ und somit eher der Beibehaltung des Bisherigen zugeneigt, der andere ist progressiv und zieht daraus das Neue vor. Diese Haltungen ergeben sich zum Teil aus dem psychologischen Typus des Einzelnen, hängen aber stark auch von Religion, Ideologie und gesamtgesellschaftlicher Grundstimmung (diese ist wiederum stark durch den Wirtschaftstypus und die Verkehrsbedingungen bestimmt: Bauern in abgelegenen Tälern, Fischer in einsamen Fjorden sind wohl immer konservativer als die Bewohner einer Handelsstadt) ab; die Neuwesensschaffung hat in einigen sozialen Umgebungen günstigere Voraussetzungen als in andern und es mag überlegt werden, ob nicht das der Neuwesensschöpfung günstige Soziale und Kulturelle zu fördern sei, weil sie gesamthaft größeren praktischen Fortschritt verspricht und überdies an sich für die Handelnden wertvoll ist, — vielleicht sind hieraus für die Ausgestaltung des Sozialen allgemein und der es bestimmenden Ideen im besondern entsprechende Ziele abzuleiten.

5.5   Neuwesenschaffen in Technik und Wirtschaft (I)

Neuwesenschaffen, Neuwesensschöpfung hat praktisch die gleichen Sachfelder wie das schöpferische Verbessern; das Besondere des ersten läßt sich einfachst in Überlegungen erhellen, die an das zweite anschließen. Auch die Neuwesensschöpfung hat in Technik und Wirtschaft ihr alltagspraktisch wichtigstes Feld, jedenfalls in dem Sinne, daß der Einzelne oder die kleinere Gesamtheit hier am ehesten zu konkreter Kreativität gelangen kann. Oft sind dabei

Ziele maßgebend, wie sie schon das Verbesserungsschaffen bestimmen: günstigeres Verhältnis Aufwand-Ertrag, neuer Erfolgsinhalt, höhere Qualität der zu leistenden Arbeit; dann ist ein Bestand an Verwirklichungsweisen und -mitteln gegeben, der nun so zu verändern und wahrscheinlich auch so zu ergänzen ist, daß in ihn oder in die durch ihn ermöglichten Ergebnisse ein Wesentlich-Neues aufgenommen werden kann, — in gesamthafter Sicht mag das ebenfalls Verbessern sein (so: Verbesserung der Medikamentenproduktion oder der Versicherungsprämienabrechnung durch Entwicklung von Computern eigens für diese Betriebsarten), in speziellerer aber erscheint das Verbessernde als vom Bisherigen so stark verschieden, daß man es als Wesentlich-Neues auffassen muß. Günstigeres Verhältnis Aufwand-Ertrag, durch Wesentlich-Neues erreicht, bedeutet entweder, daß mit dem Aufwand bisheriger Art dank dem Neuen das Ergebnis bisheriger Art rationeller, oder mit andersartigem, günstigerem Aufwand das bisherige Ergebnis, oder mit dem Aufwand bisheriger Art ein andersartiges Ergebnis, welches das bisherige günstig ersetzt, erreicht wird: im ersten Fall wird zwischen Aufwand und Ergebnis ein zweckmäßigeres, erfolgreicher arbeitendes Mittelhaftes eingeführt (so: anstelle der handwerklichen Drehbank eine automatisierte, anstelle des gewöhnlichen Briefes das Fernschreiben); im zweiten Fall richtet sich das Neuern darauf, für den bisherigen und unveränderten Zweck eine von der bisherigen Aufwandsart wesentlich verschiedene einzusetzen (so: anstelle der Ofenheizung die Ölzentralheizung und vielleicht später anstelle dieser die Sonnenenergieheizung); im dritten Fall wird davon ausgegangen, daß mit dem Aufwand bisheriger Art jetzt, auf höherer technologischer Stufe oder unter neuem sozialem Bedürfnis ein individuell oder sozial Wertvolleres geschaffen werden kann (so: neue Ziele der Ortsgestaltung, zu verwirklichen mit Aufwand bisheriger Art). Neuer Erfolgsinhalt kann von solchem bisheriger Art stark abweichen und trotzdem als Verbesserung innerhalb eines gegebenen Sachbereiches erscheinen, indem bei den Ergebnissen oder den Mitteln und Verfahren Neues, das mit dem Bisherigen inhaltlich verwandt ist, geplant, unternommen und durchgesetzt wird (Beispiele für neue Ergebnisse: Strahltriebwerk anstelle des Kolbenmotors, Forschungssatellit statt Sternwarte, — zwar handelt es sich bei ihnen um Mittel, für Flugzeugantrieb und Forschung, aber für die sie schaffende Technik sind sie Ergebnisse, Ziele; Beispiele für neue Mittel und Verfahren: Ersetzung des bisherigen Stückgüter- durch Containertransport, des bisherigen transatlantischen Telefonverkehrs durch Satellitenübertragung). Die Art der zu leistenden Arbeit kann von der bisherigen erheblich verschieden sein und trotzdem eine Verbesserung dieser bilden (so: Arbeitsverfahren in der hochtechnisierten Weberei oder Färberei verglichen mit den auf einfacherer technischer Stufe angewandten); auch das läßt sich im Zusammenhang mit den Zielen und als besonderes Zielfeld betrachten: neue, zum Teil erheblich-neue, Verfahren sind Ziel der Organisationsleistung und vielleicht ist das Neue, das ihr Ergebnis ist, primär-neu in dem Sinne, daß von der wesentlich veränderten Arbeitsart aus neue Ziele für die technische Ausstattung und die entsprechende Entwicklung von technischen Produkten zu setzen sind, — dies nicht nur bei technischen Verfahren, sondern auch bei andern (sogar der Künstler, der seine Arbeitsweise ändert, kann auf neuartige Instrumente angewiesen sein).

Das leitet über in die Schaffung von Wesentlich-Neuem, das für den Leistenden nicht Ziel, sondern Teil seines eigenen zielgerichteten Verwirklichens, beginnend mit dem Ideefassen und endend mit der letzten Phase der Fertigstellung, ist: er findet eine neue Arbeitsweise, baut sie aus, verfeinert sie, und das entweder unter Zielen bisheriger Art oder unter neuartigen. Im Unterschied zu der oben genannten Verfahrensänderung wird hier, wenigstens zunächst, nicht ein Neues entwickelt, das andern Leistenden zugänglich gemacht, von ihnen übernommen und vielleicht gekauft (Bücher, Kurse, technische und betriebliche Beratung) werden soll; oft soll im Gegenteil das Neue ausschließlicher Besitz des Ausübenden bleiben, um ihm einen Marktvorteil zu verschaffen. Auch ist mitunter das Neue, weil stark vom Talent des Verwirklichers geprägt, kaum oder nicht übertragbar (so: die Arbeitsweise eines höchstfähigen Erfinders, Konstrukteurs, Organisators, Unternehmungsleiters, Kaufmanns); aber wenn immer, und bleibe es ganz im Privatesten, ein Verfahrensneues erreicht wird — auch die Hochbegabten besitzen das Verfahrensbeste nicht nur aus angeborenem Talent, vielmehr müssen sie, vielleicht lebenslang, daran arbeiten —, geschieht das in schöpferischem Tun und ist es darum auch in allgemeinerer, ja in menschheitlicher Sicht ein Wertvolles. Auf diesem Felde, wohl auf ihm besonders (weil jeder Leistende an bekannte Leistungsarten anschließt), gibt es viel Neues, das zwar vom Bisherigen wesentlich verschieden ist, doch in einer weiteren Sicht als dessen Verbesserung aufgefaßt werden darf; aber hier sind die neuen Momente so gewichtig, daß das sie bewirkende Neuern vom gewöhnlichen Verfahrenverbessern abzuheben und einer höheren Stufe zuzuweisen ist.

Hier noch mehr als bei der einfacheren Verbesserungskreativität, hat jedes größere Sachfeld seine Besonderheit und bestehen zwischen den Fachgebieten vielerlei Verschiedenheiten in Möglichkeiten und Anforderungen. So haben, allgemeinst, die Technik und die Wirtschaft je ihr für das Gesamtgebiet geltendes Spezifisches: die Technik ist von der Wirtschaft, das Prinzip des Technischen vom Prinzip des Wirtschaftlichen, jedes Technische von jedem Wirtschaftlichen verschieden, und wenn etwas zugleich technisch und wirtschaftlich ist, so ist sein technisches Wesen prinzipiell anders als das wirtschaftliche (so vor allem: der Betrieb als technisches Leistungsganzes einerseits und als wirtschaftliches anderseits, aber auch: das Werkzeug, die Nachrichtenverbindung einerseits als technisches Erzeugnis und Leistungsmittel, anderseits als Kapitalgut, Produktions- und Kostenfaktor): ans technische Neuwesenschaffen und an den neuwesenschaffenden Techniker sind somit andere Allgemeinforderungen gestellt als ans wirtschaftliche Neuwesenschaffen und an den neuwesenschaffenden Wirtschaftler, — der auf höherer oder hoher Stufe schöpferische Techniker ist im Grundwesen anders als der auf höherer oder hoher Stufe schöpferische Wirtschaftler, und jeder hat Kreativität auszubilden, die auf seinem Hauptfeld spezifisch ist, jedoch auf dem andern unwichtig ist oder fehlt. Indessen sind Technik und Wirtschaft bei all ihrer sachlichen Verschiedenheit engst verbunden (aber die Verbindung Wissenschaft-Technik ist ebenso eng und bewirkt das Entstehen des dreigebietigen Komplexes Wissenschaft-Technik-Wirtschaft): ein großer Teil des Technischen wird wirtschaftlich verwendet und darauf hin konzipiert und entwickelt; ein großer Teil des Wirtschaftlichen setzt Technisches voraus und ist nur auf Grund von Technischem zu verwirklichen. Sind die schöpferischen Techniker und Wirtschaftler auch in Kenntnis, Fähigkeit und Leistung, ja im grundlegenden Interesse verschieden, so müssen sie doch zusammenwirken: der Techniker muß Wirtschaftlich-Nützliches schaffen und der Wirtschaftler muß auf das Spezialtechnische seines Arbeitsgebietes abstellen und wird oft den technischen Fortschritt anregen, antreiben; nötig ist die Symbiose beider, oft ergänzt durch Einbezug auch des schöpferischen Wissenschaftlers, Symbiose auf hoher Stufe der Kulturwirklichkeit, — hieraus stellt sich als besondere, und gesellschaftlich besonders wichtige, Aufgabe: daß in Unternehmungsführung oder durch vom Staat, von Wirtschaftsverbänden, Hochschulen usw. geschaffene Organisationen die wirtschaftliche und die technische Kreativität vereinigt werden. Natürlich ist auch denkbar, daß diese Vereinigung in einem Weitbegabten, der zugleich wirtschaftlich und technisch schöpferisch ist, wirklich wird, es gibt dafür in der Wirtschaftsgeschichte manches Beispiel (Siemens, Edison, Marconi, Ford); wahrscheinlich wird das aber wegen der Komplizierung von Technik und Wirtschaft zumal auf der Stufe, auf welcher allgemein-wichtiges Neues einerseits zu entwickeln und anderseits zu produzieren ist, immer schwieriger.

5.6 Neuwesenschaffen in Technik und Wirtschaft (II)

Es kommen dazu die je besondern Anforderungen, auch und gerade in Hinsicht auf die Kreativität, der verschiedenen Sachgebiete. Letztere sind innerhalb der Technik enger, vielfältiger, zahlreicher als innerhalb der Wirtschaft; das zeigt sich schon darin, daß manche Großunternehmung viele technische Abteilungen umfaßt, die aber aus dem Zwang der Unternehmungsstruktur alle wirtschaftlich zentral geleitet werden, — für das wirtschaftliche Neuwesenschaffen können der zweckmäßige Zusammenschluß und die zentrale Führung von technisch verschiedenen Produktionsarten dringliche Aufgaben sein. Das gilt schon in Großunternehmungen, die Technisch-Verschiedenes der gleichen Hauptbranche betreiben (so: Großunternehmungen der Nahrungsmittel-, der Textil- oder der Maschinenindustrie), noch mehr in solchen, deren Geschäftsbereich sich über mehr als nur eine Hauptbranche erstreckt (so: Unternehmung, die zugleich Textilien und Textilmaschinen herstellt), auch kann es Ziel der schöpferischen Unternehmungsführung sein, in Hinsicht auf den weiteren Ausbau und zur Risikoverminderung die Produktion branchenmäßig aufzufächern, zu diversifizieren, aber immer unter zentraler oberster Leitung zu halten. Doch gibt es im Wirtschaftlichen nicht nur die oberste Unternehmungsführung, sondern auch zahlreiche Spezialfelder, die jedes ein hochrangiges Können und von einigen Chefs und Experten spezifische Kreativität verlangen (so: Organisation, Finanzen, Einkauf, wirtschaftliche Seite der Produktion im besondern, Personal, Verkauf, Kundendienst, Werbung). Entsprechend ist die Neuwesensschaffung im technisch-wirtschaftlichen Ganzen zum großen Teil Sondergebietskreativität, und da die größeren Teilgebiete meistens weiter in kleinere aufgegliedert werden, Spezialistenkreativität. Für den neuwesensschöpferisch Begabten ist es in der Regel unausweichlich oder zumindest günstig, sich auf ein Spezialgebiet zu konzentrieren, selbst wenn die dabei unvermeidliche Beschränkung bedauert wird.

Wenn die Neuwesensschaffung sachlich schwierig ist, noch mehr, wenn sie einen komplizierten Leistungsapparat erfordert, muß sich der in ihr Tätige, auch der Schöpferische, in eine Arbeitsgruppe, ein Team, einordnen: auf sehr vielen Fachgebieten der Technik und auch auf manchem der Wirtschaft hat der Einzelne kaum mehr die Möglichkeit, allein zu einem Wesentlich-Neuen vorzustoßen, jedenfalls nicht bis zu dessen produktions- oder sonstwie realisationsreifer Endform. Hiedurch wird das Praktische der Kreativität sachlich, organisatorisch und personell stark verändert. — Sachlich, indem die Gesamtleistung in mehrere oder viele Leistungslinien gegliedert wird (etwa bei der Konstruktion eines neuen Großapparates: prinzipielle Wirkungsweise und sich hieraus ergebende Gesamtkonzeption, Konstruktion des Hauptaggregats, der Nebenaggregate, des Chassis, der Verkleidung, Entwicklung von Werkstoffen), von denen vielleicht einige in mehrere Phasen zu unterteilen sind (etwa: Auslegung einer Teilapparatur zunächst nur in Hinsicht auf die prinzipielle Arbeitsweise, später nach den Endanforderungen und zwar denen der Leistung wie der Solidität, Reparierbarkeit, Handlichkeit usw.). Hieraus ergeben sich mit Bezug auf die Kreativität der mitwirkenden Einzelnen (soweit sie kreativ sind und nicht nur mithelfend, den Schöpferischen zudienend, aber natürlich sind auch solche untergeordneten Leistungen wichtig und beteiligen den Arbeitenden am Gesamten) tiefgreifende Verschiedenheiten gegenüber der Alleinleistung: erstens, bei den meisten, muß sich die schöpferische Fähigkeit auf die Lösung von Teilaufgaben konzentrieren, die allerdings oft so schwierig sind, daß der Spezialist mehr zu leisten hat als früher mancher Konstrukteur eines Ganzen (etwa: Auslegung der Elektronik eines komplizierten Steuerungsgerätes, selbst wenn dieses im komplexen Gesamten nur eine zweitrangige Funktion haben wird); zweitens, bei den Chefs und Projektleitern, geht die Kreativität auf Ganze, muß sich aber auf die Konzeption beschränken, die von Anfang an möglichst klar, doch nicht starr sein, vielmehr die Ergebnisse der in den Teillinien geleisteten Arbeit berücksichtigen soll, woraus vielleicht die Gesamtkonzeption zu ändern ist (vielleicht sogar aufgegeben werden muß; das erfordert Entschlußkraft und Mut, und kann, wenn auch negativ, ein Schöpferisches sein: wenn die Feststellung, »daß es so nicht geht«, richtig und praktisch wichtig ist).

Organisatorisch ist die Gruppen- von der Alleinkreativität vor allem darin verschieden, daß sie von den Mitwirkenden die Einordnung in ein Leistungsganzes verlangt, das heißt Disziplin hinsichtlich Zeit, Ort und Sachablauf (Freiheiten, wie sie etwa dem Künstler erlaubt sind, sind dem modernen Entwicklungsingenieur oder Industrieleiter verboten), Fähigkeit und Bereitschaft zur Zusammenarbeit (allzu ausgeprägter Individualismus wäre störend, Opposition um der Opposition willen unzulässig), Fähigkeit und Bereitschaft zur, vielleicht weitgetriebenen, Spezialisierung und damit, was die Leistung anbelangt, zur Nichtganzheit (schon der Großgegenstand, den eine Arbeitsgruppe zu erstellen bemüht ist, wird nur ein Teilaggregat in einem viel größeren Leistungsganzen sein, etwa der Schiffsmotor, an sich ein höchst komplexes Gebilde, im Ganzen des Flugzeugträgers, — und das einzelne Teammitglied arbeitet wahrscheinlich nur an einem Teil eines Teiles jenes großen Teilaggregates, etwa am Antrieb der Brennstoffpumpe des Schiffsmotors), — verschieden sodann daraus, daß sich die Leistung hier auf Dinge richtet und beschränkt, die eines größeren oder großen organisatorischen Aufwandes wert erachtet werden, was voraussetzt, daß von dessen Vertretbarkeit die Organisationsmächtigen überzeugt werden, die zu entscheiden haben (so mag in einer

Autofabrik der Ingenieur, der in richtiger Voraussicht kommender Treibstoffknappheit die Konstruktion eines von bisherigen Großtypen revolutionär abweichenden Kleinfahrzeuges befürwortet, schon am Widerstand seiner nächsten Vorgesetzten scheitern), verschieden schließlich daraus, daß die das schöpferische Handeln ermöglichende Organisation, man kann sie die Kreationsorganisation nennen, als solche besteht oder, wohl ebenfalls in kreativen Handeln, geschaffen werden muß (so muß die chemotechnische Forschungs- und Entwicklungsorganisation nach dem fachwissenschaftlichen und -technologischen Kenntnisbestand aufbaubar sein und vielleicht muß dieses Kenntnisseganze für eine konkrete Anwendung erst noch erweitert oder verfeinert werden, und es muß eine konkrete Organisation errichtet werden, was wohl immer kreatives Können der Planenden verlangt).

Mit Bezug auf das Personelle stellen die Gruppenleistung und insbesondere die Gruppenkreativität besondere Anforderungen wie erwähnt schon durch den Zwang zum dauernden, intensiven, ganz auf die gemeinsame Sache bezogenen Zusammenwirken, allgemeiner in dem Sinne, daß die Einzelnen auf das Zusammenwirken hin ausgebildet sein müssen: in ihrem Wissen und Können ist Spezialisten- mit Teammitgliedsfähigkeit zu vereinigen, richtigerweise nicht in schon durch Schulung erreichter kleininhaltlicher Festlegung, sondern, jedenfalls für die verantwortungsreicheren Posten, so, daß der Einzelne zur allgemeineren, offenen Fähigkeit gebracht wird, irgendwo und vielleicht mit der Zeit wechselnd auf irgendeinem Teilfeld seines Großgebietes ein im Team arbeitender Spezialist zu werden (Beispiele für solche möglichen Großgebiete: Elektromotorentechnik, Klimatechnik, Technik der Bewässerung und Entwässerung, allgemeine Betriebs- und Unternehmungsorganisation, Organisation und Führung des Finanzwesens von Großkonzernen), — wenn, was jetzt zutrifft, Technik und Wirtschaft sich ständig verändern, so müssen gerade die Schöpferischen sich immer wieder auf neue Aufgaben einstellen, und das auch in der jetzt vorherrschenden Teamarbeit.

Wieweit ist Neuwesensschaffung technischen oder wirtschaftlichen Inhaltes auch auf unterer Leistungsstufe möglich, etwa als Neuwesensschaffung, die in unterem Hierarchierang einer Großunternehmung, in einem kleineren Produktionsbetrieb, einem kleineren Handelsgeschäft unternommen wird? Ausgeschlossen ist sie nicht, das beweisen schon die Fälle, in denen ein Neues erfunden und entwickelt wird, dessen kommerzieller Erfolg eine beträchtliche Geschäftserweiterung erlaubt, — und natürlich gibt es noch viel mehr in kleinen Verhältnissen erreichtes Neuwesen, das zwar nicht sehr, aber einigermaßen erfolgreich ist, also sich auf seinem Konkurrenzfeld durchzusetzen vermag (etwa ein Spezialbohrer, der nach einem neuen Prinzip arbeitet, aber in seiner Anwendung so beschränkt ist, daß sich ein Großverkauf nicht einstellen kann). Im ganzen ist aber bei bescheideneren Forschungs- und Entwicklungsmöglichkeiten die Neuwesensschaffung eingeengter als die Verbesserungsschaffung: wenn in dieser verhältnismäßig viele aktiv werden können, so in jener nur wenige.

Man mag in diesem Zusammenhang überlegen, wieweit dem Schöpferischsein ein elitäres Moment innewohne, bewirkend, daß der Schöpferische durch seine Kreativität einerseits von allen Nichtschöpferischen abgehoben und andererseits mit den andern Schöpferischen innerlich verbunden sei. Beim Verbesserungsschaffen mag das als zweifelhaft erscheinen: freilich gibt es Verbessern, das deutlich kreativ ist und an den Leistenden hohe Anforderungen stellt, aber auch manches, bei dem das Kreative nur schwach ist, oft so schwach, daß der es Verwirklichende den Nichtkreativen näher ist als den in erheblichem Ausmaße Kreativen. Das Neuwesenschaffen dagegen bewegt sich von vornherein auf höherem Leistungsniveau: wer ein Wesentlich-Neues schafft, ist darin von denen, die nie ein Wesentlich-Neues — irgendwelcher Art — schaffen, unterschieden, und das kann als elitebildend verstanden werden.

5.7 Neuwesenschaffen in der Wissenschaft (I)

Neuwesensschaffung in der Wissenschaft besteht vor allem darin, daß der schöpferische Wissenschaftler zu wesentlich-neuer Einsicht gelangt, oft auch darin, daß er einen gegebenen Wissensbestand neu systematisiert und vielleicht darlegt, — aber auch beim zweiten wird in der Regel neue Einsicht gewonnen werden, zwar nicht in Einzeltatsachen, wohl aber in bisher nicht bekannte

Zusammenhänge von an sich bekannten Tatbeständen, in die Struktur und Dynamik von Großfeldern, auf denen vielleicht schon lange gearbeitet wird; freilich ist hier wie dort in manchem Einzelfall unklar, ob Neuwesenschaffen oder Verbessern vorliege, und der Entscheid darüber mag vom Beurteiler subjektiv getroffen werden.

Wissenschaftliches Neuwesen einer Einsicht, eines Wissenssystems oder einer Darlegung kann den Inhalt als solchen oder die Inhaltegesamtheit als solche, die Denk-, Auffassungs- und Darlegungsweise oder die Anwendungsweise betreffen. Inhalt und Inhaltegesamtheit ist hier zu verstehen als die Erscheinung des Gegenstandes oder der Gegenständegesamtheit im Denken des Wissenschaftlers und in der objektivierten wissenschaftlichen Lehre, — Erscheinung von Seiendem, und vor allen von Soseiendem, realem oder ideellem, immer geprägt vom Medium, in dem sie stattfindet, nämlich vom menschlichen Denken, denn der Gegenstand außerhalb des Denkens (und auch das in die Reflexion gestellte Denken, das dadurch Gegenstand wird) ist durch Denken zu erfassen, zu erhellen und zu durchleuchten, zu untersuchen, zu analysieren und zu systematisieren, das gewonnene Denkmaterial ist auf seine theoretische Bedeutung hin zu bearbeiten, in darstellungsbeste Form zu bringen und allenfalls ist in ihm der anwendungswichtige Gehalt hervorzuheben. Darin aber wirken menschliches Interesse, im engeren Sinne wissenschaftliches, von Wissenswerten geleitetes, sodann praktisches (weltanschauliches, ideologisches, pädagogisches, politisches, technisches, wirtschaftliches, militärisches), und menschliche Denkungsart, bestimmt durch traditionelle Lehre, jetzige Kultur, sprachliche und mathematische Strukturen (sie lassen sich zwar den neuen Denkerfordernissen anpassen, aber das braucht seine Zeit und hat unübersteigbare Schranken), schließlich durch die dem je besondern fachwissenschaftlichen Denken und Bewußtsein eigenen Anschauungsformen und Kategorien (Beispiele: die Alpen sind je besonders für den Geologen, den Geographen, den Botaniker, den Zoologen, den sich für Wirtschaftstypen interessierenden Nationalökonomen, den den Ausbau des europäischen Verkehrsnetzes wissenschaftlich diskutierenden Verkehrsfachmann; das Gen ist für den Biologen das eine, für den Biochemiker ein anderes, für den Biophysiker ein drittes; die Familie ist je besonders für den Soziologen, den Psychologen, den Juristen, den Nationalökonomen, den die Moralen wissenschaftlich untersuchenden Ethiker). Hieraus wird erkennbar, daß und wie der Wissenschaftler im Inhaltlichen Neuwesen schaffen und damit schöpferisch werden kann: allgemein durch Schaffung von Neuinhalt des wissenschaftlichen Denkens, und praktisch durch neuartige Erfassung eines bereits bearbeiteten (etwa: neue Theorie über das Entstehen der frühesten Hochkulturen oder über das seelischgeistige Wesen der Musik) oder durch erstmalige Erforschung und Beschreibung eines bisher noch unbekannten, sei es zwar seit langem bestehenden, aber verborgen gebliebenen (so: neuentdeckter Tiefseefisch, neufestgestellte Rechtsnormen eines Primitivvolkes), sei es erst in jüngster Zeit entstandenen (so: individual- und sozialpsychologische Auswirkungen der modernen Berichtsmedien, neuartige übernationale Institutionen) oder sogar vom Wissenschaftler selbst neugeschaffenen (so: Neugesetztes in Mathematik, Logik und Wissenschaftssprache) Gegenstandes oder Gegenstandsfeldes; schöpferisch sind hier die wissenschaftliche Gestaltung des Inhaltes als solchen — freiest und stärkst kreativ, aber wohl auch schwierigst ist die zuletzt genannte Neusetzung — und die ihn ins allgemeinzugängliche Wissensgut einbringende Darlegung.

In der Denk-, Auffassungs- und Darlegungsweise schöpferisch wird der Wissenschaftler, indem er den Gegenstand, sei dieser bereits bekannt oder ein Neuzuerkennendes, unter einen Denkaspekt stellt, der im betreffenden Zusammenhang noch nie angewandt wurde (ein konstruiertes Beispiel: sozialpsychologische Untersuchung der Ideologisiertheit neuester Soziologie) und vielleicht sogar prinzipiell neu ist (alle große wissenschaftliche Erkenntnis war entscheidend neu auch, und damit fundamental für Anschließendes, in Idee, Denkweise und Beschreibungsart). Schöpferisch in der Anwendung wird der Wissenschaftler, der ein Erkanntes unter einen neuen praktischen Aspekt zu stellen und hieraus in neuer Weise menschlichem Bedürfnis dienstbar zu machen vermag, — solche Kreativität läßt vor allem neues Technisches entstehen, es kann von ihr aber auch neues Medizinisches, Praktisch-Psychologisches, Pädagogisches, Administratives, Politisches, Militärisches ausgehen; solche schöpferische Neuanwendung ist in der modernen Wissenschaft nicht nur ein Nebenfeld, sondern ein Hauptfeld und bei manchem Forschungsthema das einzige Hauptfeld, denn für viel wissenschaftliches Untersuchen ist das bestimmende, antreibende Ziel ein Praktisches.

Auch die Systematisierung und damit die gesamthafte Darlegung (in Unterschied zur Darlegung von Einzel- und Kleingebietsinhalten) können neuwesensschöpferisch sein: wenn das zu bearbeitende Wissensgut, das immer fachlich abgegrenzt sein muß (aber vielleicht wird eine neue Abgrenzung gewählt, was schon an sich kreativ sein kann, indem es eine neue Sicht voraussetzt und, bei den Aufnehmenden, anregt), unter neuer Idee einerseits als ein Ganzes verstanden und anderseits differenzierend durchgebildet wird. Meistens haben das Systematisieren und die gesamthafte Darlegung ihren wichtigsten praktischen Sinn im Lehren: das Wissensgut des Sachgebietes soll Lernenden so nahe gebracht werden, daß sie es unter ihren Lernvoraussetzungen aufnehmen und eben durch diese Aufnahme auf eine höhere Wissensstufe gelangen, — wobei deren Höhersein vielleicht nur in größerer Stoffausdehnung besteht, richtigerweise aber immer auch in der besseren sachlichen Durchdringung des Gewußten und im klareren, schärferen, kompetenteren Denken zu suchen ist. Das Neuwesenschaffen des Wissenschaftlers kann so einen Sinn außerhalb des Sachlichen bekommen, nämlich den, das subjektive, persönliche Denken der Lernenden so umzuformen, daß in ihnen neuartiges Mentales entsteht, jedenfalls solches, das in oberster Wesensschicht vom bisher bekannten Denken abweicht (so: Ausbildung zu Denkweisen der Atomphysik, der Biochemie und -physik, der Wissenschaftsgeschichte, der Religionspsychologie), und vielleicht solches, das ins Prinzipielle des wissenschaftlichen, ja des Denkens überhaupt hineinwirkt (so: Denken prinzipiell-neuen Wesens im Zusammenhang mit Relativitätstheorie, kosmologischen Modellen und Hypothesen, Feststellungen über das Entstehen komplexerer Materie im Weltall und auf der Erde, Physik und Chemie von Nervensystem und Gehirn, Kybernetik, Semiotik, mehrwertige Logik). Jedoch verlangt diese Bildung von neuem Mentalwesen, daß die Lernenden sich dem ihr Denken formenden Einfluß öffnen, daß sie ihn suchen, gutheißen, unterstützen, daß sie sich vom Lehrenden zur Selbstbildung anleiten lassen; es gibt zwar auf den unteren Stufen die Geistesformung unter Lernzwang, aber auf hoher Stufe und zumal beim Aufstieg von bereits sehr komplexem zu noch komplexerem und damit zu schwierigstem Denken müssen die Lernenden von starkem und beharrlichem Willen zum mentalen Neuen beseelt sein, — daraus ist diese geistige Neubildung das gemeinsame Werk von Lehrendem und Lernendem. Und mancher Lehrende bleibt selber ein Lernender, in seiner Beziehung zu Führenden seines Faches oder auch zu Schöpferischen anderer Sachgebiete: der Ausbau des Denkens, die Schaffung von neuer Denkungsart wird so zu einem Überindividuellem.

Die sich aus der modernen Kultur ergebenden Belastungen im Persönlich-Geistigen sollten Anlaß sein, diese Tatsachen genau zu bedenken: die modernen Wissenschaften, zumindest ihre theoretischsten, abstraktesten Denkbezirke, enthalten vieles, das sogar für Wissenschaftlich-Geschulte, auch für solche, die mit der Wissenschaft intensiv verbunden sind, befremdend ist, weil sie in ihm Gemütswidriges und sogar Widermenschliches sehen, — was jedenfalls darin real begründet wäre, daß der Mensch natürlicherweise kaum abstrakt denkt und daß bis in die jüngere Zeit hinein das meiste Wissenschaftliches bei all seiner Begrifflichkeit dank Alltagsnähe und wegen des Vorwiegens des (den Menschen schon seit den frühesten Religionen besonders interessierenden) Kausalen doch einigermaßen überschaubar und sogar erlebbar blieb. Daraus mag sich der Wissenschaftler, sei er lehrend oder lernend oder beides zugleich, fragen, wie er sich zu dem in diesem Sinne den bisherigen Menschlichkeitsauffassungen Widersprechenden einstellen solle. Objektive sachliche Richtigkeit gibt es hier nicht, und wenn einer sich gegen die Wissenschaft neuesten Typs wendet, weil er sie als für ihn selbst und andere, ja gesamthaft für den modernen Menschen und damit die Kultur gefährlich, eben als widermenschlich und sogar als entmenschlichend beurteilt, so müßte man ihm jedenfalls das Recht zugestehen, das Zentrale des Menschlichen im Bisher-Wichtigsten zu sehen und die Abkehr von diesem verwerflich zu finden. Aber anderseits gibt es keine Pflicht, im bisherigen Geistigen zu verharren und sich dem Neuen modernster Wissenschaft — vielleicht ist es noch gar nicht da, sondern entsteht eben jetzt oder sogar erst in Zukunft — zu entziehen; vielmehr ist jeder berechtigt, sich diesem Neuen zuzuwenden, es dem Bisherigen und erst recht dem Alten vorzuziehen, und das selbst dann, wenn er damit in Gegensatz zu dem tritt, was andere für das Eigentlich-Menschliche halten: zeigt sich insbesondere, daß man unter höherem intellektuellem Anspruch den realen und ideellen Gegebenheiten nur mit Sehr-Abstraktem und Sehr-Komplexem geistig Herr wird, so ist es eine berechtigte Entscheidung, von eben jenem Anspruch und dieser Schwierigkeit aus das eigene Denken und auch dasjenige von Lernenden (auf dieser Stufe darf ohne weiteres die Zustimmung der Lernenden vorausgesetzt werden) entsprechend umzubilden, — wer sich dazu entschließt, gibt dem Prinzip der objektiven Richtigkeit den höchsten Rang und bestimmenden Einfluß auf einen neuen Typus des Menschseins. Hiedurch wird einsichtig, daß das Schaffen des systematisierenden, gesamthaft darstellenden, insbesondere des in solchem Grundinteresse lehrenden Wissenschaftlers nicht auf das Objektiv-Geistige des fachlichen Wissens und Denkens beschränkt ist, sondern auch, vielleicht vorrangig, Subjektiv-Geistiges, des Schaffenden selbst und der von ihm Beeinflußten, zum Gegenstand hat: Schaffenserreichnis sind auch, bei manchen Schaffenden in erster Linie, Wissende und Denkende von neuer persönlich-geistiger Fähigkeit.

5.8   Neuwesenschaffen in der Wissenschaft (II)

So wichtig unter den Bedingungen der modernen Wissenschaft die Um- und Neubildung von Subjektiv-Geistigem ist, so ist sie doch nicht ein gänzlich neues Kulturelles: es gibt sie seit dem Beginn der Kultur, denn der Kulturaufbau verlangte immer wieder die Ausbildung neuer und damit die Preisgabe alter Denkweisen, Störung des inneren Friedens gehört zum kulturmenschlichen Schicksal (ist aber für viele innerlich belastend, darum die Erbitterung gegen neue Lehren und ihre Urheber und Verkünder). Hauptfeld des Neuerns und der durch sie bewirkten Auseinandersetzungen war zunächst und bis in die jüngere Zeit die Religion: Spannung zwischen Neuerern und Traditionalisten erhebt sich schon früh und ist mit großen Namen verbunden (Echnaton, Buddha, Mahavira, Jesus, Paulus, — und welcher Geschichtlich-Wirkliche verbirgt sich hinter dem selbstbewußten, kämpferischen

Krishna der Bhagavad-Gita?), reicht auch, mit zum Teil verheerenden Folgen, bis in die Neuzeit (Religionskriege und Inquisition); häufig bewirkt sie, daß Menschen sich von bisherigem Denken (auch Glauben ist Denken) ab- und neuem zuwenden, also ihr Persönlich-Geistiges (allerdings religiöses, nicht wissenschaftliches) entweder selbstschöpferisch oder schöpferischen Lehrern folgend umbilden, — insbesondere sind es Weltverneinung und (bei den Theisten) Gottesliebe oder (bei den Buddhisten) Nirwanastreben, welche das seelisch-geistige Wesen verwandeln. Schöpferische Neuerung hinsichtlich von Wissen und Denken wie auch der Geistigkeit der Denkenden, hat ein Großfeld sodann in der Philosophie und der mit ihr während langer Zeit eng verbundenen Wissenschaft, die beiden gemeinsam charakterisiert durch das Rationale, welches sowohl das metaphysische als auch das auf die Weltdinge gerichtete Interesse trägt, unterschieden immerhin darin, daß das, was man jetzt als Wissenschaft bezeichnet, sich auf feststellbares und überprüfbares Sachliches richtet: Abkehr von Bisherigem, neue Einsicht, neue Denkweise auch hier — und daraus Auseinandersetzung, Streit, Verfolgung (Asebieklagen), anderseits Bildung von Denkschulen, in denen sich die von den Schulgründern und ihren schöpferischen Nachfolgern gelehrten, aber von Meinungsgegnern bestrittenen Neuauffassungen gesellschaftlich behaupten konnten; für die menschheitliche Geistesgeschichte wichtigst war da die antike philosophisch-wissenschaftliche Rationalität und Wirklichkeitszugewandtheit, die in Aristoteles einen einsamen Höchstpunkt erreicht, aber dann freilich nicht die Weiterführer fand, welche den aristotelischen Impuls der Denkverwandlung, der Umbildung der Denkenden in lebendiger Wirksamkeit gehalten hätte. So dauerte es bis in die Neuzeit hinein, bis in größerem Umfange wieder in ähnlicher konstruktiver Sachlichkeit und mit ähnlicher ins Subjektiv-Geistige verwandelnd ausstrahlender Kraft schöpferisch gedacht und gelehrt wurde wie von jenem Bahnbrecher der Antike.

Das moderne wissenschaftliche Denken steht in Wesen und praktischem Vollzug zwischen zwei Polen: dem Allgemeinen und Prinzipiellen der modernen Wissenschaftlichkeit überhaupt und dem Fachbesonderen der Einzelwissenschaft: der schöpferische, zumal der neuwesenschaffende Wissenschaftler muß sowohl den

Prinzipien aller Wissenschaft wie den speziellen Kategorien und Verfahrensgeboten seiner Sonderdisziplin gerecht werden, — wobei freilich jenes Allgemeine zumeist weniger als für alle Wissenschaft denn als für das Großgebiet (so: Naturwissenschaft im allgemeinen oder jedenfalls die ganze Physik, die ganze Chemie, die ganze Biologie, — Sozialwissenschaft im allgemeinen oder jedenfalls die ganze Rechtswissenschaft, die ganze Nationalökonomie, die ganze Soziologie) geltend erfahren wird, was das Denken über die Wissenschaft in ihrem allgemeinsten Wesen der philosophischen Befassung mit den Wissenschaften, der Wissenschaftstheorie zuweist. Keineswegs ist die moderne Wissenschaft in Spezialisierung getrieben, welche die Wissenschaftler voneinander unaufhebbar isolieren würde, denn jedes Einzelforschen, jede fachwissenschaftliche Aussage hat allgemeinen Gehalt und kann hieraus wissenschaftstheoretische Allgemeinbedeutung bekommen (praktisch am ehesten so, daß aus Speziellem zunächst das für ein größeres Sondergebiet, etwa die Genetik oder die Verhaltenslehre, Zutreffende herausgearbeitet wird, an das dann die aufs Allgemeingültige gehende Überlegung anschließen kann), und wirkt sich insbesondere das neue Wissenschaftliche aufs Subjektiv-Geistige von Lernenden aus, so wohl meistens aus solcher, vielleicht nicht klar bewußter, aber doch am speziellen Beispiel erfahrbarer, Allgemeinbedeutung.

Trotz dieser Wichtigkeit des Allgemeinpoles ist das wissenschaftliche Neuschaffen der meisten schöpferischen Wissenschaftler dem andern, dem Spezialpol näher: Erkennen, Analysieren, Beschreiben, Systematisieren, Lehrend-Darlegen haben in den meisten Fällen spezialwissenschaftlichen Inhalt, — und Neues mit dem vollen Wert des Neuwesens ist auch bei engst begrenztem Gegenstand schaffbar (etwa: in der Erforschung eines einzigen Minerals, einer einzigen Primatenart, eines einzigen Kunstwerkes). Infolge der Wissenschaftenspezialisierung ist die Wissenschaftengesamtheit ein Riesenreich höchst vielfältigen Wissenschaffens geworden, Schaffens von Wissen teils um des reinen Wissens und teils um der Anwendung willen (aber manches Wissen, das für den einen selbstzweckhaft ist, wird vom andern unter Verwertungszweck gestellt, und jedes Anwendungswissen hat Inhalt, der in eigenwertes Vergegenwärtigen eingebracht werden kann). Der

Ausbau der schöpferischen Wissenschaft ist weitgehend durch die Technik bewirkt, und dies zweifach: die Technik verlangt von der Wissenschaft – insbesondere verlangt jede Einzeltechnik von den mit ihr sachlich verbundenen Einzelwissenschaften — technisch-anwendbares Wissen, das von der Wissenschaft, oft schöpferisch, auf die Anwendung hin zu erarbeiten ist, und anderseits schafft die Technik Mittel zur wissenschaftlichen Forschung und damit bessere Voraussetzungen für wissenschaftliche Kreativität. Dank jener Spezialisierung und dieser Einwirkung der Technik sind jetzt viele Wissenschaftler und auch viele Wissenfreunde (die zwar nicht selbst wissenschaftlich tätig sind, aber an den Erreichnissen und vielleicht auch an der Arbeit einer oder mehrerer sie besonders interessierender Disziplinen nachvollziehend Anteil nehmen) eines neuen Typs entstanden, den es erst in der modern wissenschaftlich-technischen Kultur geben kann, — moderne Menschseinsart als Hauptergebnis moderner Neuwesensschaffung.

5.9 Neuwesenschaffen in Staat und Politik (I)

Staat und Politik bieten im ganzen weniger Gelegenheit zu Neuwesensschaffung als Technik, Wirtschaft und Wissenschaft, denn jene betreffen große Menschengesamtheiten, die in einigermaßen fester, schwer zu verändernder institutioneller Ordnung stehen, wogegen das Unpolitische, in welchem der Großteil der technischen, wirtschaftlichen und wissenschaftlichen Leistung erfolgt, gegenüber dem Bisherigen skeptischer und gegenüber den neuen Möglichkeiten viel offener ist; in Staat und Politik wird denn auch zumeist das Verbessern größeres Gewicht haben als das Neuwesenschaffen. Trotzdem gibt es Neuwesensschaffung und entsprechende Kreativität von Einzelnen, Gruppen und Organisationen auch auf diesem fürs soziale Ganze und die Kultur höchst wichtigen Großgebiet: in Gesetzgebung, Regierung, Verwaltung, Rechtsprechung, Militär, in den Parteien und politisch tätigen Verbänden und Leistungsgebilden, in den Organisationen und Medien der Meinungsbildung, im privaten politischen Denken, Darlegen, Lehren und Ideenvertreten. Dabei ist die Neuwesensschaffung, aus dem Wesen des Staatlichen und Politischen, vierstufig: Ideenfassung und allenfalls -ausarbeitung, politische Durchsetzung des entsprechenden Postulates, das Neue verbindlich machender Beschluß, Ausführung.

Ideenfassung und -ausarbeitung. An sich geht alles Neuschaffen von der Idee des zu schaffenden Neuen aus und ist somit zunächst diese Idee zu fassen und auszuarbeiten, doch braucht das keine gesonderte Phase zu sein, wenn der Ideenschöpfer die Idee selbst ausführt (wie der Erfinder, der Unternehmer, der Wissenschaftler, der religiöse Denker, der Künstler), und oft wird diese erst dank der Arbeit an ihr, durch Versuch und Irrtum klar. In Staat und Politik aber muß die Idee vom Ideenfasser (das kann ein Einzelner, eine Gruppe, ein auf den Staat hin arbeitendes Institut sein) so klar formuliert werden, daß sie in der Auseinandersetzung über das Zuverwirklichende ausreichend gewichtig werden kann: indem die Idee so in die Diskussion über das Richtige eingebracht wird, erhält sie bereits als solche einigermaßen starke Selbständigkeit (ähnliches zeigt sich allerdings auch in der Großtechnik, -wirtschaft und -wissenschaft und in den Großgebilden von Religion und Kunst: wenn ein Neues zunächst von den Entscheidungsbefugten anerkannt werden muß; maßgebend ist dann das Großsein des Leistungsgebildes, also das, was im Staat, dem zumindest relativ großen Sozialen, stärkst ausgeprägt ist), — darum muß der Ideenfasser schon in dieser ersten Phase seine schöpferische Leistung zu einem abgeschlossenen, aus sich selbst weiterwirkenden Ergebnis bringen können (am deutlichsten wird das beim politischen Denker, der seine Idee den Politikern überläßt).

Politische Durchsetzung. Der Staat ist ein Großgebilde mit mehreren oder vielen Klassen, Ständen, Kasten, Wirtschaftsgruppen, Religionsgesamtheiten, mit mehreren oder vielen politisch mächtigen oder wenigstens einflußreichen Parteien, Verbänden, Pressionsgruppen, mit einflußreichen Zeitungen, Rundfunk- und Fernsehanstalten, und in vielen dieser Teilfelder oder Sonderorganisationen stehen sich Konservative und Progressive, Autoritäre und Liberale, eher Kollektivistische und eher Individualistische (wobei aber nicht etwa der Konservative von vornherein autoritär und kollektivistisch, und der Progressive liberal und individualistisch ist: es ist da immer auch die umgekehrte Einstellung möglich), zudem Weniger-Interessierte und Interessiertere gegenüber.

In dieser Vielfalt, ja Wirrnis, muß die neue Idee so durchgesetzt werden, daß sie entweder von einem ausreichend mächtigen politischen Lager aufgenommen und an den Staat heran-, in ihn hineingetragen oder von staatlichen Behörden mit Aussicht auf Gutheißung oder wenigstens stillschweigende Hinnahme durch das Volk aufgenommen und verwirklicht wird. In der liberalen, pluralistischen Demokratie ist das wohl zumeist schwierig, weil sich gegen alles Neue ablehnende Kräfte erheben, aber immerhin soweit möglich, daß als Teil eines ständig weitergehenden Reformprozesses die dringenden Probleme sachlich einigermaßen richtig gelöst werden; im autoritären, auf eine Einheitsdoktrin festgelegten Staat hat es das Neue allerdings leichter, wenn es dieser Doktrin oder wenigstens den Interessen der Mächtigen entspricht, aber viel schwerer, wenn es ihnen zuwiderläuft. — Liegt in der politischen Durchsetzung als solcher überhaupt ein Schöpferisches, ist sie nicht bloß darlegend, propagandistisch, taktisch? In der Tat kann sie schöpferisch sein, und dies zweifach: erstens in den Methoden, in der Art der politischen Aktion (freilich zeigt sich da auch, daß das Schöpferische, an sich sehr wertvoll, nicht unbedingt ein Höchstes ist, denn es gibt im politischen Ideenkampf strategische und taktische Genialität, wie diejenige Hitlers, die zu Unmenschlichkeit führt und also, weil die Allgemeine Menschlichkeit höchstes und letztes Gebot ist, unbedingt abgelehnt werden muß); zweitens in der Umformung des politischen Denkens und Wollens von Menschen, die, sei es auch nur als Wähler, politisch maßgebend sind oder werden können, — neue Bürgerauffassung und -einstellung als Erreichnis politischer Kreativität. Als prinzipiell neu, nicht nur als zwar erhebliche, aber doch auf der Verbesserungslinie bleibende Änderung von Bisherigem, wird man die neue Auffassung und Einstellung dann anerkennen, wenn sie in ihrem politischen Inhalt wesentlich-neu ist (so: Bereitschaft zu Sozialreform in einer bisher durch starre Klassenordnung geprägten Gesellschaft, zu überstaatlicher Gemeinschaft in einem bisher scharf nationalistischen Volk).

Das Neue verbindlich machender Beschluß. Das staatliche Neue, und damit das politische Neue, nachdem es ein staatliches geworden ist (daß es ein staatliches wird, darum geht der politische Kampf), muß ausführbar festgelegt, das heißt zumeist: es muß im Sachgehalt richtig festgelegt und es muß rechtlich in klare, verbindliche Form gebracht werden, und das stellt Anforderungen besonderer Art, denn der Erfolg hängt nicht nur von der allgemeinen Güte des Neuen ab, sondern auch, und stärkst, von der speziellen Fassung, die ihm in Hinsicht auf die Ausführung gegeben wird. Schöpferischem Staatshandeln kann die Aufgabe gestellt sein, unter mehreren bekannten Möglichkeiten die praktisch beste zu wählen, was Kreativität jedenfalls in der richtigen Erkenntnis dieses Besten erfordern kann, vielleicht auch die schwierigere Aufgabe, das wirklich Zweckmäßige neu zu konzipieren, was oft erst auf die Ausführung hin, nicht schon beim früheren prinzipiellen Postulieren, erfolgen wird. Die Überlegenheit des im Staate Handelnden, bei großen Verwirklichungskomplexen die Meisterschaft und vielleicht die Genialität des Staatsmannes, zeigt sich auch in der sachlichen Richtigkeit des konkreten Ausführens (so: gerechteste Sozialversicherung, wirksame Konjunkturpolitik, vorausschauende Rohstoffpolitik, dem menschheitlichen Gesamtinteresse dienende kontinentale und überkontinentale Zusammenarbeit, das sind berechtigte Postulate, die zu Zielen des Staatshandelns erhoben werden sollen, — was aber unter diesen vorläufig allgemeinen und abstrakten Zielen im einzelnen und konkret zu unternehmen ist, muß unmittelbar vor oder bei der Beschlußfassung von den verantwortlichen Staatspraktikern, meistens von Regierenden und Verwaltungschefs, festgelegt werden). In dieser für den Fortgang der Aktion wichtigsten Phase das sachlich und gesellschaftlich Richtige zu wählen hat innerhalb des staatsspezifischen Neuwesenschaffens besonderen Rang, ist im Prinzip die entscheidende im Staate durchzusetzende Kreativität.

Ausführung. Legt der Beschluß das Zuverwirklichende detailliert fest, so kann in der Ausführung kaum noch Neuwesen geschaffen werden, es sei denn außerhalb des Festgelegten (etwa das neuartige Technisch-Wirtschaftliche der Industrieunternehmungen, die auf Grund eines die zu schaffenden Industriezweige genau festlegenden Wirtschaftsaufbauprogrammes errichtet werden). Oft aber ist der Beschluß inhaltlich allgemein, rahmenhaft und dann bleibt für das ausführende Handeln einige oder vielleicht sogar erhebliche Gestaltungsfreiheit (als Beispiel wiederum ein Wirtschaftsaufbauprogramm: die Bestimmung der Branchen und der Organisationsform der zu gründenden Industrie kann einem Gremium übertragen werden, das nicht nur ausführend ist, sondern den betreffenden Wirtschaftsbereich kreativ gestaltet). Ein Sonderfall der Ausführungskreativität ist die Befugnis des Richters, unter neuen Verhältnissen eine gesetzliche Norm neuartig auszulegen.

5.10 Neuwesenschaffen in Staat und Politik (II)

Inhaltlich ist das im Staate erfolgende Handeln großenteils, und das vor allem in der staatlichen Zentralsphäre, in dem, was dem Staat als solchen und nur ihm zusteht, Ausübung der Macht, das Volksleben durch erzwingbare Maßnahmen zu ordnen und im Notfall zu schützen; in der Machtausübung liegt das Staatspezifische, welches jedenfalls das zentrale staatliche Handeln vom außerstaatlichen unterscheidet (Macht und Machtausübung gibt es allerdings auch in der privaten Wirtschaft, in den privaten Organisationen und Institutionen, aber — abgesehen von der Anwendung von Recht, durch das der Staat ins Private ordnend eingreift — nicht mit der Zwangsbefugnis des Staates). Sie kann den Inhalt der im Staate erfolgenden Neuwesensschaffung zweifach bestimmen: erstens mit Bezug auf das, was nach den geltenden Auffassungen von Staatsmacht und Recht angeordnet werden kann und soll (so: der Staat soll Verbrecher bestrafen, — aber was ist konkret Verbrechen und wie ist richtigerweise zu bestrafen?; der Staat soll das Schulwesen organisieren, soll Schulen errichten, betreiben, finanzieren, — aber welches staatliche Schulwesen ist das beste?; hier wie dort kann der schöpferische Politiker innerhalb der geltenden Auffassung vom seinsollenden Staatlichen wesentlich-neue Inhalte vorschlagen); zweitens in Hinsicht auf diese Auffassungen als solche, im Sinne der Erweiterung oder Beschränkung der Staatsmacht, auch im Sinne der Setzung von grundsätzlich neuem Recht, nämlich von solchem, das die Staatsabhängigkeit von Sonderbereichen der Sozialkultur ändert (so: Ausdehnung der Staatsmacht auf die Massenmedien oder Befreiung dieser von staatlichen Eingriffen, Erlaß von Rechtsvorschriften über den Umweltschutz). Aus der Staatsspezifität des Handelns werden an den Handelnden, und an den im Staate Schöpferischen im besondern, spezifische Anforderungen gestellt: er muß den Sinn, die Begabung, die Ausbildung fürs Staatliche, das

Interesse, die Freude am Staatlichen haben, — das heißt auch, für die Macht und an ihr, für das rechtliche Ordnen der Gesellschaft und an ihm.

Am klarsten zeigt sich die politische Kreativität darin, daß der Macht neuer Inhalt, neben vielen bisherigen Inhalten natürlich, gegeben wird. Zumeist hat das nur eine beschränkte Ausdehnung, ist aber auch so für die im Staat geordnete Gesellschaft wichtig (Beispiele: staatliche Normierung der Beziehungen zwischen Arbeitgebern und Arbeitnehmern, Verstaatlichung von Wirtschaftszweigen, oder, entgegengesetzt, Aufhebung bisheriger Wirtschaftsreglementierung, Privatisierung von Staatsbetrieben, — Neuwesen wird in allen diesen Fällen schon in der staatlich-gesellschaftlichen Machtstruktur, überdies auch im ihr unterworfenen oder von ihr befreiten konkreten Wirtschaftlichen). In seltenen Fällen dagegen kann das Machtgefüge eines Staates bis in sein Grundwesen verändert werden, stärkst in der Revolution, die das Alte zerstört und, schrittweise und in Kämpfen, ein Neues entstehen läßt (Französische Revolution: vom ancien régime zum Staat Napoleons, Russische Revolution: vom Staat der Zaren zum Staat Stalins, nationalsozialistischer Umbruch: von der Weimarer Republik zum Hitlerstaat), schwächer, jedenfalls langsamer, aber trotzdem wirksam durch beharrlichen Machtaufbau und zielsicher sozialreformerische Machtausübung einer Partei oder eines Partei-Gewerkschaften-Komplexes (so: politisches Wirken der Labourpartei und der ihr nahestehenden Gewerkschaften in Großbritannien, der sozialistischen Parteien und Gewerkschaften in Skandinavien).

Tiefgreifende Änderung der Staatsmacht geschieht in unserer Zeit aus zwei besonderen, erst jüngst aktuell gewordenen Situationen: Ersetzung der Kolonien durch selbständige Staaten und Entstehung von übernationalen Organisationen. Bei der Umbildung einer Kolonie in einen selbständigen Staat ist diesem zunächst eine Form zu geben, die manche Elemente aus der kolonialen Vergangenheit beibehält und in anderm den Vorstellungen der für die Freiheit kämpfenden Gruppen und Führern entspricht; aber mit der Zeit, vielleicht rasch, gerät dieses erste in innere und äußere Spannungen, wirtschaftliche Schwierigkeiten, soziale Wandlungen oder wenigstens Weiterentwicklungen (unter denen die Bevölkerungszunahme einen Dauerdruck ausüben kann): hieraus entstehen viele nationale Aktionsfelder, auf denen schöpferische Politiker das zweckmäßigere, den Sozialgegebenheiten besser angemessene Staatliche zu schaffen haben, dies allenfalls unter Ideen, die von den in den westlichen Demokratien entwickelten mehr oder weniger weitgehend abweichen. — Die Entstehung von übernationalen Organisationen hat politische, wirtschaftliche, technische und, in engerem Sinne, militärische Tatsachen, die erst in jüngerer Zeit hervorgetreten und für die Handelnden neue Gegebenheiten sind, zur Voraussetzung. Aber das neuentstehende Übernationale ist nicht etwa eine automatisch eintretende Folge, sondern Ergebnis von bewußtem schöpferischem Wirken, vor allem des Wollens und Tuns von Staatsmännern der beteiligten Länder und von Führenden der neuen Organisationen als solcher, auch von Verwaltungschefs und Experten, Wissenschaftlern und Publizisten. Im neuentstehenden Übernationalen ist immer auch Persönliches der es gestaltenden Politisch-Schöpferischen; freilich ist meistens der Beitrag des Einzelnen so ins Ganze verschmolzen, daß er in seiner Besonderheit kaum mehr festgestellt werden kann.

5.11   Neuwesenschaffen in Staat und Politik (III)

Obwohl der Staat wesentlich Machtgebilde ist, hat viele auf Staatliches gerichtete Kreativität kaum oder gar nicht Machtdinge, sondern vorwiegend oder rein Sachliches zum Gegenstand. Dieses ist oft staatsspezifisch, nämlich aus seinem Wesen nur im Staat zu verwirklichen (so: Recht, Straßenwesen, Militär, öffentliche Finanzen, Außenpolitik), woraus die betreffende Neuwesensschaffung nur im Staat oder, etwa in der Leistung von postulierenden Publizisten und vorbereitenden Wissenschaftlern, auf den Staat hin möglich ist: unabdingbar ist hier, daß die Kreativ-Leistenden vor allem als hervorragende Fachleute überlegen, planen und handeln, — wenn sie dabei die politische Durchführbarkeit, also die politische Machtsituation berücksichtigen, wird das oft für den praktischen Erfolg förderlich sein, kann aber auch stören, indem es sachlich unerwünschten Kompromiß nahelegt. Manchmal ist das Im-Staate-Leisten dagegen nicht an sich staatsspezifisch, sondern gleich wie berufliche Leistung, die von andern außerhalb des Staates vollzogen wird (so haben, Gleichheit des Sachthemas vorausgesetzt, die Ingenieure der Staats- und der Privatbahnen, die Verkaufschefs der staatlichen und der privaten Automobilfabriken, die Chirurgen der öffentlichen und privaten Spitäler sachlich das gleiche zu leisten); die Kreativität steht hier ganz unter den Anforderungen und Möglichkeiten, die sich aus der Sache ergeben. Allerdings können sich, wenn im Staat an Sachlich-Neuem gearbeitet wird, gerade daraus, daß das im Staat geschieht, Hemmnisse ergeben: Bürokratismus und der Sache hinderliche Machteinwirkung, die bis zu machtmißbräuchlichem Verbot des Neuen gehen kann. Angesichts der ständigen Erweiterung der Staatstätigkeit ist es zunehmend wichtig, auf allen staatlichen Aktionsfeldern — in erster Linie natürlich denjenigen der Verwaltung, deren Aktionsfähigkeit und -freudigkeit sich direkt, durch die Durchführung der Staatsaufgaben, und indirekt, durch Einflußnahme auf Regierung und Gesetzgebung, in allen Sachbereichen der modernen Gesellschaft mehr oder weniger stark auswirkt — dem schöpferischen Denken, Planen und Handeln der Staatsfunktionäre freie Bahn zu schaffen.

Der im Staate Leistende steht immer in einer staatlichen Teilorganisation, die nach dem Aufgabenbereich mehr oder weniger weit und hierarchisch mehr oder weniger hoch ist und immer mit zumindest einigen, oft mit vielen andern Teilorganisationen zusammenwirkt, — inhaltlich bedingt dadurch, daß jede Teilorganisation ihre besonderen Aufgaben hat, deren Lösung einerseits von andern Bereichen her beeinflußt wird und anderseits in sachnahe und vielleicht sachfernere Bereiche ausstrahlt, hierarchisch bedingt dadurch, daß von oben nach unten Weisungen gehen, auf unterer Ebene also Anordnungen zu befolgen und die höheren Instanzen sowohl vorbereitend wie ausführend zu unterstützen sind. Schon hieraus ergeben sich Leistungsbeschränkungen, auf unterer Ebene durch Enge des Sachfeldes und der Befugnisse, auf oberer, wo zwar Sachfeld und Befugnis weit sind, dadurch, daß die Führenden richtigerweise nur das Allgemeine regeln, dagegen bewußt die Details den unteren Instanzen überlassen, was sich praktisch dahin auswirkt, daß die höchsten Behörden, vor allem die Regierung, vielen Dingen des konkreten Staatsalltags fern sind. — Was aber, wenn die Gesamtorganisation so groß geworden ist, daß die obersten Instanzen die für ihre Führungsentscheide nötigen Informationen von der Verwaltung nicht rasch und konzis genug erhalten? Dann werden vielleicht auf oberster Ebene, etwa als Beratungsstäbe der Regierung, Expertengremien gebildet, welche die von den Entscheidenden zu lösenden Probleme fachmännisch und in Freiheit studieren; es mögen sich so Sonderbereiche besonders intensiver staatsspezifischer Kreativität bilden. Das kann aber den Nachteil haben, daß die andern beratungsfähigen Instanzen, so die sachkundigen Abteilungen der Verwaltung, in der staatlichen Willensbildung zurückgedrängt werden: was den Spezialgremien an Leistungs- und insbesondere Kreativitätsgelegenheit zuwächst, wird der Verwaltung entzogen, und das kann fürs Ganze der Staatsorganisation einen Aktivitätsverlust bedeuten, weil die Impulse wegfallen, die sich aus der Mitwirkung von Angehörigen der Verwaltung bei der Vorbereitung der Regierungsentschlüsse ergeben würden. Wahrscheinlich ist es für die Gesamtkreativität günstigst, wenn möglichst ausgedehnt und intensiv die Spezial- und Chefbehörden der Verwaltung in die Vorbereitung der Regierungsentscheide einbezogen werden.

Wie in Technik und Wirtschaft, wie zunehmend in der Wissenschaft, sind auch im Staat die meisten Leistenden, und unter ihnen die Neuwesenschaffenden, in Arbeitsgesamtheiten einbezogen. Dies schon aus dem Instanzenzug der staatlichen Behörden: den meisten Leistenden ist eine Teilaufgabe übertragen, deren Lösung nicht nur linear an ein Früheres anschließt, damit eine Folge von Früherem fortsetzt, und durch ein Späteres weitergeführt wird, damit eine Folge von Späterem vorbereitet, sondern in einem vielfach verzweigten Leistungsnetz erfolgt, dadurch auf Parallelleistungen wirkend und von ihnen beeinflußt, und überdies, linear und netzartig, vielfache Rückwirkungen von Bewirktem her erfährt. Weiter in den je besonderen Arbeitseinheiten, hier indem der Einzelne seine Leistung in einer Gruppe, einem Team erbringt, das ihm eine Spezialaufgabe zuweist und hiedurch die Erfüllung der andern Inhalte der Gruppenaufgabe entzieht. Für die Kreativität, und das Neuwesenschaffen im besondern, bedeutet dies, daß sie in manchem Sachbereich weniger von einem Einzelnen als von einem viele Einzelne vereinigenden Leistungsgebilde ausgeübt wird, das sozusagen als soziales Subjekt der Initiant, Träger und Vollzieher des Schöpferischen ist. Für den im Staat Leistenden wird so das Individuelle der Leistung zweifach vermindert, aber anderseits die Wirksamkeit des Beitrages dank der Einbeziehung ins Kollektive gesteigert, — eine Tendenz, die sich im ganzen der modernen Kultur durchsetzt, hier aber besonders deutlich sichtbar wird. Darum mag man gerade im Zusammenhang mit der staatlich-kollektiven Leistung überlegen, was diese Tendenz für die moderne Kreativität und in ihr für das Neuwesenschaffen zu bedeuten hat, — wobei man zwischen den Auswirkungen auf die Einzelnen, das Individuelle des schöpferischen Tuns, und die überpersonalen Leistungsgebilde, das Gesellschaftliche und Gemeinschaftliche des Handelns unterscheiden muß. Als Beispiel sei die Schaffung einer in ihren Prinzipien und Durchführungsweisen wesentlich neuen Sozialversicherung genommen; wegen ihrer Kompliziertheit müssen in ihr Politiker, Verwaltungsbeamte und private Experten zusammenwirken, jeder auf seinem Teilfeld tätig (abgesehen von Regierungschef und zuständigem Minister, welche die allgemeinen Direktiven geben) und somit nur mit einem, vielleicht kleinen, Sonderproblem des Ganzen befaßt, aber dadurch, aus seiner Fachkenntnis und -erfahrung, schöpferischen Leistens fähig: so mögen etwa der Gewerkschaftler eine neuartige Einbeziehung von Berufsrisiken, der Versicherungsmathematiker eine neuartige Berechnung dieser Risiken, der Prämienexperte einen neuartigen Prämienmodus, der Spezialist für Kapitalanlagen eine neuartige Verwendung der auflaufenden Einnahmen, der Jurist eine neuartige Anstaltsform, der Organisationsfachmann eine neuartige Regionalorganisation ausarbeiten, — jeder auf sein Fachgebiet beschränkt, keiner das Ganze gestaltend, aber jeder ein Teilwesen der höchstkomplexen Ganzheit schaffend, das nur vom Spezialisten richtig geplant und zu Realisationsreife gebracht werden kann. — Freilich bedeutet das Beschränkung des Schöpferischen, vor allem in Hinsicht auf inhaltliche Vielfalt und soziale Auswirkung (wer die neue Sozialversicherung als Ganzes und damit in allen ihren Hauptteilen allein gestalten könnte, hätte persönlich eine ausgedehntere Wirkung als jeder der genannten Spezialisten), aber anderseits ermöglicht es Schöpferisches, das sonst ausgeschlossen wäre, nicht nur dadurch, daß jetzt statt nur einem mehrere eine schwierige Aufgabe selbständig zu lösen haben, sondern auch dadurch, daß die Konzentration auf das kleine Sondergebiet neue Ideen weckt (der Versicherungsmathematiker wäre wahrscheinlich nicht imstande, die neue Sozialversicherung als Ganzes zu schaffen, aber er kann einen sehr originellen versicherungsmathematischen Beitrag leisten). Die moderne Arbeitsteilung hat hierin eine Auswirkung, auf deren Wesen und Wert nachdrücklich hinzuweisen ist, schon wegen der modisch-kulturkritischen Ablehnung der modernen Verwirklichungsorganisation. Die die Arbeitsfelder der Einzelnen beschränkende Leistungspezialisierung wird kompensiert durch die Einbeziehung eben dieser Einzelnen in Leistungsgesamtheiten, sei es in Arbeitsgruppen, die nur für einen vorübergehenden Zweck gebildet sind und unorganisiert bleiben, vielleicht sogar, zumindest in den Randzonen, nur wenige Kontakte erfordern (wie bei mancher Expertenauskunft), sei es in organisierten, dauernden Gebilden, auf dem hier betrachteten Gebiet in Behörden, Institutionen, staatlichen Anstalten usw.; denkbar ist die Bildung von Organisationen eigens für die Anregung, Vorbereitung und Lenkung von schöpferischer Tätigkeit in mehr oder weniger weitem Sachbereich (so: Forschungsrat, Institut für pädagogische Forschung, landwirtschaftliche Versuchsanstalten). Diese Gesamtheiten lassen sich, obgleich das Schöpferische immer Qualität oder Leistung von Einzelnen ist (die sich jedoch im Zusammenwirken gegenseitig stimulieren), als kollektive Träger des schöpferischen Denkens und Tuns verstehen: die Beiträge der Einzelnen verschwinden im kollektiven Bemühen und noch mehr in dessen Ergebnis, so sehr, daß sogar bei bedeutenden Staatsleistungen (eben etwa bei der prinzipiell neuen Sozialversicherung) die Mitwirkenden namentlich kaum bekannt oder jedenfalls nicht lange erinnert werden. Wieweit ist das für den schöpferischen Einzelnen ein Verlust an persönlicher Erfüllung? Ein solcher tritt ein, wenn das Persönlich-Bekanntwerden als wichtig erfahren wird, und bei manchen trifft das zu. Aber das geistesmenschliche Wollen sollte in erster Linie auf die Leistung als solche gerichtet sein, und zwar auf das Leisten als an sich wertvolle innere und äußere Aktivität und das Leistungsergebnis um seines gesellschaftlich oder in allgemeinerem Sinne kulturell wertvollen Gehaltes willen: dieses Spezifisch-Spirituale kann durch die Arbeit in Leistungsgesamtheiten betont werden.

Zwar hat sich in der jüngeren und insbesondere in der letzten Zeit das allgemeine Interesse für die Religion durch den Aufschwung von Wissenschaft, Technik und Wirtschaft und auch durch den Ausbau der wohlfahrtsstaatlichen Vorsorge stark verringert, vor allem wegen des darin gegebenen Überganges zum kritischen Denken und zum autonomen, erfolgsgewissen Handeln, aber trotzdem ist auch jetzt noch religiöse Kreativität möglich und das insbesondere als religiöses Neuwesenschaffen. Ja gerade die allgemeine Abwendung von der Religion kann neues religiöses Denken auslösen: weil vielleicht von den nicht-mehr-religiösen Auffassungen und Handlungsweisen aus Fragen gestellt werden, auf die sich religiöse Antworten geben lassen, auch unorthodoxe Antworten (von den Traditionalisten zu tolerieren, weil jetzt die alten kirchlichen Machtstellungen abgebaut sind): es sind jetzt religiöse Aussagen aufstellbar und vertretbar, zu denen man erst von jüngsten Denkvoraussetzungen aus gelangen kann und deren Darlegung, hätte man sie inhaltlich fassen können, früher zumindest Diffamierung und vielleicht Verfolgung gebracht hätte, — tatsächlich besteht in den liberalen Demokratien eine größere Freiheit des religiösen Gestaltens als in allen früheren Kulturzuständen (man erinnere sich da nicht nur der Inquisition, sondern auch der Bedrängung der Abweichenden in den protestantischen Kirchen und der antiken Asebieprozesse, und nicht nur solcher Intoleranz und Verfolgung, sondern auch der mentalen Unmöglichkeit, Welt und Mensch anders als unter wenig differenzierten Kategorien, einerseits metaphysischen und anderseits alltagsbedingten, zu sehen). An dieses Prinzipielle läßt sich eine das Denkpraktische betreffende Unterscheidung zwischen der verbessernden und der neuwesenschaffenden religiösen Kreativität anschließen: die erste hält sich vorzugsweise im Rahmen der bisherigen, überlieferten Glaubenslehre und baut sie aus neuer, auch wissenschaftlicher Einsicht aus oder wendet sie im Sozialen wirkungsvoller an; die zweite verläßt Wesentliches des überlieferten Dogmas und schafft neue religiöse Aussage, ähnlich wie einst das aufgegebene Alte als ein Neues geschaffen wurde. Vielleicht führt solches Neuschaffen zu Glaubensinhalt zurück, der für die

Überlieferung eine Vorstufe war: Abbau des Spezifisch-Christlichen, indem man zu einem allgemeineren Monotheismus weitergeht und damit gleichzeitig in die Nähe des jüdischen Monotheismus gelangt, von dem einst die paulinische Christuslehre ausging, — aber diese Rückkehr wäre tatsächlich Schaffung neuen Glaubensinhaltes, da sie nach bald zweitausend Jahren Christentum erfolgen würde, also eine Denkgrundlage hätte, die wesentlich anders ist als die altjüdische. Oder sie begibt sich auf ein Anwendungsfeld, auf dem bisher das Religiöse nicht tätig war, vielleicht ein Feld, das erst in jüngster Zeit entstanden ist (so: religiöses Wirken in Zusammenhang mit Massenmedien, Umweltschutz, Unabhängigkeitsbewegungen).

Mit Bezug auf den sachlichen Gehalt einer neuen Aussage hat der religiöse Denker größere Freiheit als der Wissenschaftler, denn jener ist nicht wie dieser auf die in Kritik zu prüfende objektive Richtigkeit verpflichtet, er deutet das Transzendente, zu dessen Begriff das Der-Kritik-Entzogensein gehört (abgesehen von der innerhalb des Religiösen bleibenden Kritik), und wird sich daraus auf eine höhere Wahrheit oder wenigstens Wahrscheinlichkeit berufen, — immerhin wird man aus allgemeiner Denkmodernität von ihm verlangen dürfen, daß seine Aussage nicht dem Wissenschaftlich-Erwiesenen widerspreche, vielmehr nach Möglichkeit an es anschließe, die Linien des wissenschaftlichen Denkens ins Nichterkannte verlängernd, aber richtigerweise immer bereit, sich von der Wissenschaft her korrigieren zu lassen (so bei religiösen Neuideen, welche von wissenschaftlichen Einsichten ins Grundwesen der Materie, in die Geschichte des Universums, in die Entstehung der komplexeren, zumal der präbiotischen Stoffe, des Lebens, in die Evolution des Lebenden, in die Herausbildung des Menschen, in die Selbstlenkung der Organismen, ins Sonderwesen und die Überlegenheit des Psychischen und Geistigen ausgehen). Jedoch braucht der Religiös-Schöpferische das nicht anzunehmen, — es steht ihm frei, die Wissenschaft ausdrücklich abzulehnen, und das mit der Aussicht, Gefolgschaft zu finden.

Das jetzt weitverbreitete Interesse für östlichen Glauben, mag auch in ihm Mode beteiligt sein, zeigt vielleicht das allmähliche Entstehen eines sozialen Bedürfnisses nach neuer Glaubenslehre an, — die traditionelle, zumal die orthodoxe christliche Lehre genügt vielen nicht mehr, weil sie allzu konkret auf einen geschichtlichen Inhalt festgelegt ist, wogegen Brahmanismus und Buddhismus wenigstens soweit abstrakt und metaphysisch sind (einige und sogar erhebliche Abstraktheit ist unentbehrlich, nach zweieinhalb Jahrtausenden Philosophie, Jahrhunderten Wissenschaft und erst recht nach Jahrzehnten Relativitäts- und Quantentheorie), daß sich schon frühe Lehre zu Grundwesen von Welt und Mensch bekennt, das dem von der Kosmologie angenommenen nicht allzu fern ist und von dem aus der Gläubige durch eigenes, autonomes Tun das Höchstwertvolle, Eingehen ins Brahman oder Nirwana (aber diese beiden sind verwandten Wesens) verwirklichen kann: das neue Glaubenschaffen mag da in östlicher Grundeinstellung erfolgen. — Hinweis auf einen dem modernen wissenschaftlichen Denken nahen und vielleicht darum aussichtsreichen Religionstypus: die, von Nagarjuna begründete, Leerheitslehre, die dem Gläubigen ein Äußerstes an metaphysischer Selbstbehauptung und, im Praktischen, an autonomer Selbstgestaltung abverlangt; es gibt Gläubige (man findet sie in Zen-japanischen Zeichnungen nacherlebbar dargestellt), die fröhlich die Leerheit als kosmische Heimat bejahen. Kann Leerheitsreligion, nämlich auf der angenommenen Grundtatsache der Leerheit aufbauendes, dem Menschen inmitten der Leere Sinn gebendes Selbst- und Weltverständnis eine überzeugende Antwort auf das neue religiöse Fragen sein (um so mehr als, wie aus der Geschichte des Mahayana ersichtlich, die Leerheit doch wieder mit einem transzendenten Seinsgrund verbunden und ein meditationspraktischer Zugang zu diesem ist)?

Die religiöse Neuwesensschaffung kann auch die gesellschaftliche Glaubensanwendung zum Gegenstand haben: politische Anwendung, dadurch charakterisiert, daß der Anwendende entweder selbst politische Befugnis hat oder Politisch-Tätige zu religionsentsprechendem Handeln bringt, anderseits nichtpolitische Anwendung, vor allem in dem Sinne, daß der Anwendende in seinem persönlichen Tun oder durch eine von ihm beeinflußte Institution glaubensgerecht ins Soziale eingreift. Inhaltsfeld ist wohl vor allem die Innenpolitik oder die unpolitische Gestaltung von Dingen des eigenen Landes, von der allgemeinen Politik einer religiös bestimmten Partei bis zu Detailfragen, mitunter erstreckt es sich aber auch auf die Außenbeziehungen oder auf Probleme, die von vornherein nur ausländisches Soziales betreffen (dabei entsteht vielleicht ein außenpolitischer Aspekt daraus, daß vom Ausland her die Befassung mit solchen Problemen als Einmischung verstanden werden kann, — der Anwendende hat das unvoreingenommen zu bedenken, aber er wird sich, wenn er die Sache aus seinem Glauben für sehr wichtig hält, nicht daran hindern lassen, sich für sie einzusetzen). Was ist konkreter Inhalt? Dinge der Sozialpolitik, der Wirtschaftspolitik und der außerstaatlichen Sozialreform und Wirtschaftsgestaltung, des Bildungswesens, der Entwicklungshilfe für rückständige Länder, der Entkolonialisierung, der Rassenbeziehungen und -politik, — aber was konkret unternommen wird, läßt sich nicht voraussagen, jedenfalls nicht in seinen praktischen Einzelheiten, denn das Neuwesen des Zuschaffenden liegt eben darin, daß es erst vom Schöpferischen als erstrebenswert und realisierbar erkannt wird.

Religiöse Kreativität hat schließlich ein Hauptgebiet in den religiösen Organisationen, den Kirchen und kirchlichen Nebengebilden, in den mehrere oder viele Kirchen umfassenden, vielleicht internationalen Kirchengemeinschaften: um sozial wirksam zu sein, muß die Religion von ausgedehnten, leistungsfähigen und sogar mächtigen Funktionsgebilden vertreten und angewandt werden; diese sind großenteils als altüberliefert vorhanden, — aber sind sie unter den gegenwärtigen Verhältnissen und in Hinsicht auf die voraussehbaren Wandlungen bestgeeignet? Das ist nicht nur von den bisherigen religiösen Auffassungen aus zu beurteilen, sondern auch, und sogar vorwiegend, von gewandelten aus: Glaubenswandel kann Kirchenwandel erfordern. Der Neuwesenschaffende erbringt seine schöpferische Leistung wohl meistens innerhalb der eigenen Kirche: erhebliche Organisationsänderung, Aufnahme prinzipiell neuer Tätigkeit und entsprechende Neuorganisierung, wesentliche Änderung der Liturgie; vor allem die großen Kirchen stehen jetzt vielfach vor Aufgaben, welche sich nur in neuwesensschöpferischer Aktion befriedigend lösen lassen. Vielleicht aber übergreift das kreative Wirken mehrerer Kirchen, mit dem Ziel, sie organisatorisch zu vereinigen oder wenigstens zu unorganisiert-wirksamer Zusammenarbeit zu bringen (Beispiel: Ökumenische Bewegung).

Auch das religiöse Neuwesenschaffen ist nur zum Teil so ausgeprägt individuell, daß es als persönliche Leistung eines Einzelnen bezeichnet werden darf, am ehesten in der Schaffung neuer Doktrin, die gemessen an bisheriger außenseiterisch ist; früher wäre sie als häretisch verfolgt worden, aber davor schützt jetzt der liberale Ideenpluralismus (im Verein mit der weitverbreiteten Gleichgültigkeit den religiösen Prinzipienfragen gegenüber). Sobald das Neue ein innerkirchliches oder mehrere Kirchen übergreifendes Organisatorisches betrifft, ist der Einzelne, abgesehen vom vorbereitenden Postulieren (in Büchern, Artikeln, Vorträgen, Diskussionen), in eine mehr oder weniger deutlich institutionalisierte Personengesamtheit einbezogen, in welcher er seinen Beitrag leistet, damit das Ziel kollektiv verwirklicht werde, — wer aus seinem Glauben schafft, ist vielleicht stärker als andere Leistende bereit, sein Persönliches dem Überpersönlichen unterzuordnen.

5.13   Philosophisches Neuwesenschaffen

Philosophisches Neuwesenschaffen war früher, als die metaphysische Spekulation wenigstens innerhalb der Philosophie unangefochten war, ein weites und offenes Feld: es war dem Denker erlaubt, aus seinem spekulierenden, nicht auf wissenschaftliche Einsichten abstellenden Denken, das man für zu den letzten Seinsgeheimnissen zuganggebend hielt (dies aus dem metaphysischen Wesen und Rang der Seele, aus ihrer Verbindung mit dem innersten Wesen des Seienden, mit Weltseele und Weltgeist oder, bei religiöser Bindung, mit Gott), Feststellungen zu treffen, die zwar dem überlieferten philosophischen Fragen entsprechen und zudem logisch richtig sein mußten, aber der Phantasie und auch der Originalitätsfreude, dem Wunsch nach Überbietung früherer Thesen weiten Raum ließen, — wer ausreichend denkbegabt war, konnte sich »seine« Metaphysik schaffen (sie brauchte ja nicht veröffentlicht zu werden). Solches ist jetzt zwar nicht ausgeschlossen, man kann auch jetzt noch nach Herzenslust Metaphysik treiben und es mag sogar die Neigung dazu wieder stärker werden (etwa unter dem Einfluß von weltanschaulichem Konservatismus oder Romantizismus, der sich gegen die ständig abstrakter und damit lebensfremder werdende Wissenschaft, ja gegen die Rationalität und Objektivität an sich wendet, und insbesondere gegen Verwissenschaftlichung und Technisierung). Aber die objektive Richtigkeit ist jetzt doch so verpflichtend, daß für Spekulation und ihre Ergebnisse nicht mehr der Anspruch auf allgemeine Anerkennung oder auch nur Beachtung und Diskussion erhoben werden kann: daraus sollte neue Metaphysik an die Wissenschaft anschließen, genauer an die Wissenschaften, von denen jede auch das Prinzipielle der behandelten fachgebietlichen Soseinsarten zu erhellen hat. Gerade hieraus entstehen Aufgaben, welche, wenn sie nicht voll metaphysisch sind, doch in die Nähe der Metaphysik führen: Herausarbeitung des gesamthaften und allgemeinen Grundwesens der Wirklichkeit, ja des Seienden überhaupt: philosophisches Denken in Richtung auf Gesamt- und Allgemeinwissenschaft, oder umgekehrt gesamt- und allgemeinwissenschaftliches Denken in Richtung auf Philosophie und insbesondere Metaphysik; daß der Sinn solcher umfassender Wissenschaft von Wissenschaftlern, und mit Grund, bestritten wird, eröffnet vielleicht neue philosophische Thematik, die von schöpferischen Denkern zuerst zu formulieren und dann im konkreten Untersuchen zu befolgen ist.

Indessen ist die Metaphysik für viele nicht das wichtigste Teilgebiet der Philosophie, und manche lehnen sie als durch die moderne Wissenschaft überholt oder sogar als aus prinzipiell unzulässigem, weil in seinem Wesen irreführendem Fragen kommend ab. Es werden ihr andere Philosophiezweige vorgezogen, als höheren Wertes verstanden, weil sie entweder das Formale des wissenschaftlichen Untersuchens klären: Logik, Logistik, Philosophie der Mathematik, Sprachphilosophie, Wissenschaftstheorie, oder die Feststellungen von je fachbesonderen Wissenschaften und Wissenschaftengruppen auf die formalen und materialen Typen, Prinzipien, Strukturen, Gesetze, Systeme hin durcharbeiten. Jede größere Wissenschaft kann so eine fachgebietliche Sonderphilosophie begründen. So wird auf Naturwissenschaft die Philosophie von der (wissenschaftlich erforschten) Natur aufgebaut; im engeren Sinn: Philosophie der unbelebten Natur, der belebten Natur, auch Philosophie der Physik, der Chemie, der Astronomie, der Biologie, die letzten vier sowohl die Ergebnisse als auch die Begriffssysteme, Kategorien, Methoden, Modelle der betreffenden Wissenschaften philosophisch durcharbeitend. Und ähnlich für die Kulturwissenschaften. Die genannten Beispiele lassen eine mögliche Zweischichtigkeit des sachgebietlichen Philosophierens erkennen: dieses kann primär auf den Sachbereich gehen oder aber indirekt, indem es die fachwissenschaftlichen Aussagen als Material verwendet: das erste hat den Vorzug der unmittelbaren Begegnung mit dem Gegenstandsfeld, aber manchmal auch den Nachteil, daß Fachwissen und -denken nicht genügen (Wer schon hat den direkten Zugang zum Weltall, zu den Molekülen und Atomen, zum Lebenswesen?); das zweite hat den Vorzug der sachlichen Vollständigkeit, der begrifflich durchdifferenzierten Erhellung, der Erfassung des für gewöhnlich nicht Beobachtbaren, aber vielleicht den Nachteil, daß Abstraktion von der Soseinsfülle des Realen wegführt, um so mehr als der Philosophierende seinen Gegenstand nicht immer auch als Fachwissenschafter kennt (für einige mag es leichter sein, über das Leben, das sie in ihrem Alltag beobachten, philosophisch zu denken als über die biologischen, biochemischen, biophysikalischen, entwicklungsgeschichtlichen, ethologischen Feststellungen, Beschreibungen, Hypothesen, Theorien, von denen sie lesen).

Gibt es so auch mancherlei Erschwerendes, so enthält doch jede Spezialphilosophie die Möglichkeit, bekannte Frage neu zu beantworten und neue Fragen zu stellen, — manches dieses Neuen wird bisherige Einsicht verbessern, anderes wird neuartige schaffen oder wenigstens neuartiges Überlegen auslösen und damit philosophische Neuwesenskreativität sein. Was in der Sonderphilosophie das konkrete, einzelinhaltliche Neuwesenschaffen sein wird, läßt sich nicht zum voraus bestimmen: die Kreativität besteht ja vor allem darin, daß neuartig, also in noch nicht bekannter und vielleicht noch nicht vorstellbarer Weise, gedacht und gefragt wird, — der wissenschaftliche Pionier stellt oft Überlegungen an und wirft Fragen auf, die von seinen konservativeren Fachkollegen als ausgefallen oder sogar abstrus verurteilt werden. Aber gibt es da nicht eine Vorbereitung, indem man über die theoretisch möglichen und insbesondere über die aus der Idee der Wissenschaft zu bevorzugenden Typen und Methoden des schöpferischen Philosophierens philosophiert?; es könnten so die schöpferisch begabten Wissenschaftler zu wirksamerer, erfolgreicherer Kreativität angeregt werden. — Wieweit bliebe das im Allgemeinwissenschaftlichen, wieweit wenigstens im Allgemeinen der Hauptwissenschaften, so der Naturwissenschaft oder der Materie- und Lebenswissenschaften je als Ganzen, der Kultur- und Sozialwissenschaften, der Geisteswissenschaften, der Geschichtswissenschaften; wieweit müßte es von Besonderem der Einzelwissenschaften ausgehen, etwa von speziellen Themen, Denkweisen und Feststellungen der Physik oder enger gefaßt der Biophysik, der Biologie oder enger gefaßt der Mikrobiologie, der Psychologie oder enger gefaßt der Intelligenzlehre, der Mathematik oder enger gefaßt der Topologie? Vorfragen, die ebenfalls im vorbereitenden Philosophieren, und zwar dieses einleitend, zu beantworten wären.

In den bisher diskutierten Typen hat die Philosophie Objektives oder auf Objektives gerichtetes Denken zum Gegenstand; die in ihr mögliche Kreativität ist stark durch den Bezug auf Objektives bestimmt: der schöpferische Denker ist hier aus der Idee seines Denkens verpflichtet, das Gegebene, vom Weltganzen und allenfalls vom Transzendenten bis zum Kleinsten, und die aus ihm bestimmten Denkerfordernisse strengstens zu beachten. Aber es gibt neben diesem ersten einen von ihm prinzipiell verschiedenen zweiten Typus des Philosophierens: seine Besonderheit ist das Werten, Zielsetzen, das Vertreten und Anwenden von Werten und Zielen, die wertende Kritik. In solchem schafft der Philosophierende den wesentlichen Inhalt seiner Aussagen selbst; an Objektives gebunden ist er dabei zwar in der Feststellung der Dinge, denen Wertqualität zugeschrieben wird, und der Möglichkeiten, innerhalb welcher die Ziele gesetzt werden: aber welches Ding wertvoll ist und welches nicht, welcher Wert dem Wertvollen zukommt, wie stark er ist und wie er zu andern Werten steht, welche Zielmöglichkeiten durch einen tatsächlichen Zielgehalt auszufüllen sind, weches dieser sein und wie er zu andern Zielen stehen soll, welche Wert- und Zielempfehlungen, ja -gebote (aber was wäre der Wert des Gebietenwollens?), Geltung verlangen dürfen, das alles wird nicht objektiv ermittelt — es sei denn, Wert und Ziel würden aus einem für verbindlich gehaltenen Vorgegebenen, vor allem einer Wert- und Zieldoktrin abgeleitet, damit wäre das Denken objektiv-interpretierend —, sondern aus subjektivem Fürrichtighalten oder Zu-Fürrichtighalten-Gelangen ausgesagt, gesetzt, behauptet.

Woher nimmt der Philosophierende das Recht, so zu denken und geistig zu handeln? Vor allem aus der im menschlichen Denken liegenden Möglichkeit: der Denkende hat die subjektive Fähigkeit, zu werten und Ziele zu setzen, auch beides nach außen zu vertreten (das ist eine objektive Tatsache, wissenschaftlich und objektivistisch-philosophisch festzustellen). Aber nicht nur der Philosoph hat diese Fähigkeit, vielmehr besitzt sie jeder entsprechend Fähige, das heißt Begabte und Geschulte, und tatsächlich finden sich Wert- und Zielsetzende, -anwendende, -vertretende auch in Politik, Wirtschaft, Technik, Religion, Dichtung, bildender Kunst, Wissenschaft (auch die streng aufs Objektive gehende Wissenschaft hat ihre Werte und Ziele, das Prinzip Objektivität gehört dazu). Hieraus ist, ebenfalls wert- und zielhaft, zu folgern, daß der so denkende Philosoph nicht den Anspruch erheben darf, andern sein Werten und Zielhaben aufzuzwingen oder andere in ihrem eigenen Werten, Zielsuchen, -finden, -haben und -anwenden zu hindern, wohl aber das Recht und, weil in der Gesellschaft die Wert- und Zielbesinnung wertvoll ist und Ziel bilden soll, sogar die Pflicht hat, lehrend und veröffentlichend in einem weiten Kreise Rat zu geben. Sodann stützt sich der Ratgebende auf in der Kultur anerkannte Wert- und Zielüberlieferungen: rein-philosophische, das heißt aus autonomem philosophischem Denken kommende, religiöse und an sie anschließende religiös-philosophische, ideologische und ideologisch-philosophische, in der Gesellschaft tatsächlich geltende (es gibt hier Selbstverständliches, das nicht abstrakt-lehrhaft formuliert ist), — und wohl auch, ihm selbst mehr oder weniger klar bewußt, auf Wert- und Zielauffassungen, die erst in jüngerer und jüngster Zeit, vor allem im Zusammenhang mit wissenschaftlichen, technischen, wirtschaftlichen, politischen und staatlichen Entwicklungen und auch mit solchen in der Kunst, im Sport, in den allgemeinen Lebensverhältnissen (so: Einfluß der Berichtsmedien, des Tourismus) entstanden sind.

Im traditionellen Bereich bleibt das Prinzipielle meistens unangefochten, was aber nicht neue Kombinationen, neue Interpretationen und die Heranziehung neuen Denkgutes ausschließt; Neuwesenschaffen ist trotz jener Bejahung möglich, und zwar entweder dadurch, daß Altes des eigenen Kulturkreises in neuer Sicht verstanden wird (so läßt sich aus moraltheoretischen Ideen der Antike

Einsicht gewinnen, die für moderne Menschen aktuell werden kann), oder dadurch, daß ins eigene Wert- und Zielbestimmen fremde Ideen aufgenommen werden (wohl vor allem indische und fernöstliche, vielleicht aber auch, und das zunehmend, solche aus der kommunistischen Welt, die zwar im geistigen Grundwesen europäisch ist, aber den Westeuropäern sehr fremd geworden ist). Geht der Wert- und Zielphilosoph ganz oder überwiegend von in der modernen Gesellschaft ausgebildeten Wert- und Zielhaltungen aus, so hat er in der Regel größere Freiheit und zahlreichere Möglichkeiten, selbständig Thesen über das Anzuerkennende und Zuerstrebende aufzustellen, zumal Thesen, die aus dem modernen Selbstverständnis kommen und es anderseits klären helfen. — Das freie Setzen von Werten und Zielen ist in der praktischen Denkarbeit meistens mit dem Abstellen auf Überliefertes oder in der modernen Kultur Neuentstandenes schon daraus verbunden, daß der Denkende philosophisch geschult und interessiert ist, also sich wahrscheinlich schon lange zu erfahren bemüht, wie andere Denker, zumal Denker anderer Zeiten und Kulturen, gedacht haben oder jetzt denken und welches die in der eigenen Kultur tatsächlich geltenden Wert- und Zielauffassungen sind. In der Gegenrichtung beeinflußt das in Freiheit setzende Denken die Auffassung des in der Kultur Gegebenen, unmittelbar praktisch wirksam beim Aktuell-Geltenden und mittelbar, indem Altes unter neue Perspektive gebracht, neuinterpretiert und vielleicht bis in die Grundbegriffe, -bilder und -ideen neuverstanden wird. Daß bei dieser besonderen Kreativität allgemeine und spezielle philosophische Fähigkeit verlangt ist, braucht nicht im einzelnen beschrieben zu werden; zu betonen ist aber die Wichtigkeit zweier ergänzender Momente: Unabhängigkeit gegenüber dem Geltenden, sei es überliefert oder neuentstanden, — und Mut gegenüber Tradition und Gesellschaft und auch gegenüber dem eigenen Meinen, dem eigenen Fürrichtighalten.

Neuwesensschaffung in der Kunst bezieht sich vor allem auf das Künstlerisch-Gestaltete, in zweiter Linie auf das Gestalten als solches: in beidem kann der schöpferisch begabte Künstler — und allenfalls der Kunstorganisator, Kunstkaufmann, Kunsttechniker — Wesentlich-Neues ausdenken und verwirklichen (»schöpferisch begabt«: nicht jeder Künstler hat neuwesenschöpferische Begabung, denn bei manchem bleibt die Fähigkeit, auch wenn aus ihr wertvolle Werke geschaffen werden, im Hergebrachten oder überschreitet es nur verbesserungskreativ). Das Wesentlich-Neusein des Gestalteten bedeutet, daß das Ergebnis des künstlerischen Tuns ein Sosein hat, welches vom Sosein des Bisher-Gestalteten — nicht nur des betreffenden Künstlers, sondern allgemein, das heißt auf dem Gesamtgebiet der Kunst — erheblich verschieden ist, und zwar, da ästhetische Werte entscheiden, es unter einem Wertgesichtspunkt übertrifft, was einsichtig macht, daß das Neuwesenschaffen sich auch auf die Werte als solche richten kann. Aber zumeist bezieht sich dieses auf den Sachgehalt des Werkes oder der Darbietung, wobei es sich in bereits bekanntem, vielfach bearbeitetem oder in neuem Themenkreis bewegen kann (hier ist der Begriff »Thema« in weitestem Sinne zu verstehen, nämlich sowohl auf das Inhaltliche wie auf das Formhafte gehend: so kann Thema etwa die im Bild darzustellende Menschengruppe als solche, aber auch das Besondere ihrer plastischen, lichthaften, farbigen Erscheinung sein, und das erste, Inhaltliche, kann sich auch auf soziale, politische, religiöse Bezüge erstrecken).

Neues künstlerisches Wesen in der Gestaltung bekannten Inhaltes: das schon oft gestaltete Inhaltsthema wird formal anders aufgefaßt und daraus gestaltet als bisher: am deutlichsten zeigt sich das in der Anwendung neuen Stiles auf konventionelle Inhalte (vor allem in der religiösen Malerei und Plastik, deren Inhalte vorgegeben sind, aber für neue Formprinzipien Raum lassen, auch in der Porträt-, Blumen-, Tier-, Landschaftsmalerei, im Gedicht und Roman traditionellen Inhaltes), beschränkter, weil oft kaum die Trennlinie zwischen Verbesserungs- und Neuwesenskreativität überschreitend, im neuen Formhaften der aufführenden Künste (wahrscheinlich hat hier das Theater die reichsten Möglichkeiten: es ist nicht nur werkgebundene, sondern in erheblichem Umfange auch selbständige, eben theatralische Kunst).

Neues künstlerisches Wesen durch Gestaltung neuen Inhaltes: es wird ein Darzustellendes gewählt, das in der Themengesamtheit neu ist, sei es eines, das seit langem bekannt ist, aber bisher nicht gestaltet wurde (so: das niedere Volk in der höfischen, das sinnlich ansprechende Irdische in der religiösen Kunst), sei es eines, dessen Typus erst in jüngster Zeit bekannt wurde, obwohl er seit langem vorhanden ist (so: Natur- und Kulturdinge fremder Länder, Tatsachen der Biologie, Astronomie, Physik, Mineralogie, Geologie), oder erst in der modernen Kultur entstanden ist oder geschaffen wurde (so vor allem: modernes Soziales und Politisches, modernes Technisches). In der Formgebung mag der Künstler traditionell bleiben (ein in seinem Thema neuartiges Maschinenführerbild kann erheblich wesensneu sein, auch wenn es sich formal im Bekannten hält) oder aber zu neuem Stil vorstoßen, — gerade aus der Befassung mit dem neuen Inhalt kann neues Formgefühl kommen. Das Neuwesenschaffen solcher Art erfolgt größtenteils in Kunst, die schon seit langem geübt wird, in Malerei und Zeichnung, Skulptur und Architektur, in Lyrik, Dramatik und Romandichtung, — zum Teil aber auf Kunstgebieten, die erst in der modernen Kultur, durch Bereitstellung neuartiger technischer Mittel und Verfahren des Gestaltens, erschlossen wurden: Photographie, Film, Hörfunk, Fernsehen, elektronische Musik (die letztere ist überwiegend formal-neu). Wahrscheinlich ist das Gestaltungsfeld um so offener und bietet um so mehr Möglichkeiten des Neuen, je breiter das von der Technik geschaffene Instrumentarium ist und je mehr es von ihr weiter ausgebaut wird.

In die technikbedingten neuen Kunstarten werden vielfach Themen der traditionellen aufgenommen, aber dann ergibt sich aus den Besonderheiten jedes der neuen Medien neue Anforderung ans Gestalten (so sind Verfilmung, Fernseh- und Hörfunkdarbietung eines Dramas ästhetisch und kunsttechnisch anders als die Theateraufführung), und hieraus kann die Entwicklung entsprechender Gestaltungsprinzipien und -muster eine eigenständige, die späteren Einzelleistungen vorbereitende kunstschöpferische Allgemeinleistung werden. Die Eigenart jedes neuen Mediums legt aber zudem die Aufnahme neuer Themen, inhaltlicher und formaler, nahe: es gibt Themen — und neue werden erkannt werden —, für die sich die neuen Medien besser eignen als die alten, und auch solche, die sich erst in den neuen Medien gestalten lassen (so: Selbstgesprächs-drama, Spiel mit Gespräch und gedachtem Kommentar, Spiel mit häufig wechselnden Schauplätzen, mit Wechsel zwischen Gesamt- und Detailaufnahmen, Ballett mit schwerkraftwidriger, traumhaf-ter Bewegung oder mit elektronischer Bildverfremdung, elektroni-sche Musik als Begleitung solcher Aufführungen oder als selbstän-dige Tondarbietung, allenfalls in Verbindung mit gegenstandslosen visuellen Bewegungsgebilden).

Von Wesen und Prinzipien der künstlerischen Neuwesensschaf-fung aus ist insbesondere die moderne Kunst, als Ganzes und in ihren besonderen Ausprägungen auf den verschiedenen Teilfeldern, in den einzelnen Künsten, zu betrachten. Viele Kunstfreunde haben kaum Zugang zu den modernsten Kunstleistungen, und manche dieser Leistungen sind für fast alle Kunstfreunde (alle, mit Aus-nahme eines kleinen Kreises mehr oder weniger sektiererischer Anhänger) befremdend. Kommt diese Diskrepanz nicht auch dar-aus, daß man, von traditioneller Kunstauffassung geprägt, allzusehr aufs Werk oder die Aufführung als einen in sich geschlossenen, selbständigen oder selbständigsein-sollenden Inhaltskomplex geht und hieraus das Geschaffene oder Dargebotene verurteilt, wenn es dem Anspruch auf In-sich-selbst-Wertvollsein nicht genügt? Man erwartet und verlangt, daß das Werk oder die Aufführung an sich und sozusagen zeitlos gefalle, ja bei hohem Anspruch mit den auf dem betreffenden Kunstfeld maßgebenden älteren Leistungen gleichrangig werde. Wahrscheinlich geht das oft am Wesentlichen des Neuen vorbei: Ziel des modern-künstlerischen Bemühens ist nicht immer ein an sich und in sich wertvolles Gestaltetes, sondern oft die künstlerische Exploration eines neuen Themas oder The-menfeldes oder einer neuen Gestaltungsweise, — von vornherein kann das nur mit Versuch-und-Irrtum gelingen, weshalb Endgül-tig-Wertvolles erst nach einer langen Reihe vorläufiger Mißerfolge zu erwarten ist. So erschließt die biologische Mikroskopie neue Themen der zeichnerischen, die Elektronik neue Typen der Klang-erzeugung und damit der musikalischen Gestaltung. Aber welches neue Anschaubare und welches neue Hörbare, unter dem vielen, das so neu zugänglich wird, bietet tatsächlich neue künstlerische

Chancen? Und die Distanzierung vom realen oder ideellen Inhaltlichen ermöglicht die gegenstandslose, rein aufs Optische gehende Graphik, Malerei und Skulptur: Welche der gestaltbaren neuen Formen werden künstlerisches Gewicht erhalten und welche werden künstlerisch belanglos bleiben? Solche konkrete Überlegung zeigt, daß auch in der modernen Kunst das Experimentieren unentbehrlich ist; zum Experimentieren aber gehört immer die Bereitschaft zum Vorläufig-Besten, zum nur schrittweisen Aufbau, zum teilweisen oder auch völligen Scheitern, — und beim Einzelnen: zum Dienst an einem Wertvollen, das erst später gewonnen sein wird, zu künstlerischem Gestalten, für welche erst Spätere die volle Fähigkeit haben werden. Denkbar ist bedeutendes künstlerisches Leisten, das ganz in der Schaffung von neuer künstlerischer Möglichkeit besteht, ohne daß in ihm ein einziges großes, bleibendes Werk geschaffen würde (es könnte etwa ein theoretisch interessierter Musiker ein neues Kompositionssystem ausarbeiten und lehren, das dann von einem seiner Nachfolger zu meisterlicher Anwendung gebracht wird). — Solche Feststellungen mögen vor allem dem Kunstbetrachter eine sachlich richtigere und persönlich gerechtere Beurteilung modernsten Kunstschaffens nahelegen, sie haben Wert aber auch für den Künstler selbst (und den Kunsttheoretiker, -wissenschaftler, -kritiker), indem sie ihn die Eigenständigkeit des künstlerischen Neuwesenschaffens erkennen lassen.

5.15   Neuwesenschaffen in Sport und Unterhaltung

Neuwesensoffen ist der Sport, — der zwar in der modernen Leistungswelt nur ein Nebenfeld, aber doch, in Hinsicht auf Freizeitaktivität und wegen des großen Zuschauerinteresses, kulturell einigermaßen wichtig ist. Sport ist körperliches oder intellektuelles Sich-spielerisch-Betätigen um des reinen Tuns willen und als Meisterung von Schwierigkeiten oder Sieg über Wettbewerbsgegner: in jedem Sport, auch im seit langem bekannten, ist hieraus jederzeit Neuwesensschaffung in dem Sinne möglich, daß einigermaßen tiefgreifend die bisherige Betätigungsart, und damit sowohl die Art des reinen Tuns, wie die der Schwierigkeitenmeisterung, wie die des Wettkampfes verändert und insbesondere zu größerer

Erfolgskraft gebracht werden; zum Teil wird das von aktiven Sportlern ausgehen, zum Teil aber von Trainern, Sportlehrern, Sportwissenschaftlern. Allerdings wird solches Neuern zumeist auf der Verbesserungsebene liegen, aber es ist auch der Vorstoß zu Wesentlich-Neuem denkbar (etwa in der Leichtathletik, im Fußball, im Alpinismus); ergänzt wird dieses Kreative durch Schaffung von wesentlich-neuem Sportgerät, womit es mit technischer Neuleistung verbunden wird, von Wesentlich-Neuem in den Sportanlagen, in den Organisationen und Veranstaltungen, weiter in den Regeln, allgemeiner in den Zielauffassungen (wie etwa in der Idee der volkssportlichen Großwettkämpfe).

Kann Neuwesen schon in den bekannten Sportarten Ziel des Handelns sein, so erst recht in der Schaffung und Ausarbeitung neuer, — dies in weitestem Sinne verstanden, bis zur Erfindung und Lancierung neuer Unterhaltungsspiele. Dabei kann der Anstoß von denen ausgehen, die den neuen Sport an sich suchen und erst anschließend die nötigen Geräte und Einrichtungen entwerfen (wie bei neuen Sportvarianten für die abwechslungsreichere Freizeit- und Ferienbetätigung), oder von solchen, die primär gegebenes oder zumindest mögliches Technisches auf den Sport übertragen (so: Auto- und Motorsport, Modellflug, Segelfliegen).

Die Ergebnisse dieses Bemühens gehen, sozialökonomisch gesehen, in die Konsumsphäre ein, nicht wie viel Technisches in die Produktionssphäre (wobei immerhin im des Publikumserfolges bedürfenden Schausport ein Produktionselement steckt: Großwettkämpfe und Großtheater haben einige Ähnlichkeit), — aber auch das kann sozial wertvoll sein, gleich etwa wie die Schaffung arbeitserleichternder Haushaltgeräte und komfortsichernder Wohnungseinrichtungen, ja noch mehr, wenn die durch sie ermöglichte Sportausübung als unmittelbar freudegebend erlebt wird, also zum Selbstzweckhaften des Menschseins gehört.

Erster Hinweis. Gleich wie die Verbesserungs- ist die Neuwesensschöpfung nicht auf die hier gesondert behandelten Sachgebiete
beschränkt: es kann einer neuwesenschaffend auch in anderer
Verwirklichung werden, in anderer Leistung, beruflicher und
außerberuflicher, oder, und wohl häufiger, in persönlich-originel-
ler Betrachtung, im Fragen nach bisher nicht oder zuwenig beachteten Zusammenhängen, in der Suche nach dem neuartigen prinzipiellen Gehalt des Aktuellen, von dem man in den Nachrichten und
Kommentaren erfährt, schließlich in neuartiger Auffassung der
objektiv-wirklichen Gemeinschaften und des subjektiven In-
Gemeinschaft-Seins und -Wirkens. Jedoch werden für die meisten
die Gelegenheiten zum, anspruchsniedrigeren, Verbessern zahlreicher sein als diejenigen zum, anspruchshöheren, Neuwesenschaffen.

Zweiter Hinweis. Ist schon das Verbesserungsschaffen eine an
sich wertvolle geistige — somit, wenn die Voraussetzungen erfüllt
sind, eine geistesmenschliche — Betätigung, so noch mehr das
Neuwesenschaffen. Hieraus wird derjenige, für den beide Kreativitätsweisen ernstlich in Betracht kommen, geneigt sein, sich für die
zweite zu entscheiden. Aber es sind in diesem Zusammenhang
einige Zweifelsfälle zu bedenken. Erstens können Unterschiede in
der Erreichnisqualität bestehen: vielleicht bezöge sich das Verbessern auf einen Gegenstand höheren, das Neuwesenschaffen auf
einen Gegenstand niedrigeren Ranges (etwa für einen Betriebsingenieur: Straffung einer Großorganisation gegen Ausarbeitung eines
neuen Arbeitsverfahrens in einer Nebenabteilung), — möglicherweise wäre der Gesamtwert der Verwirklichung höher, wenn jenes,
obwohl der Idee nach weniger ausgeprägt kreativ, diesem vorgezogen würde. Zweitens mag der Verwirklicher rein persönlich (auch
aus Rücksicht auf nichtkreative Verwirklichung oder auf Kreativität auf anderm Inhaltsfeld) das Verbessern für ansprechender halten
als das Neuwesenschaffen, obwohl er diesem durchaus den höheren
sachlichen Wert zuerkennt: er hat die Freiheit und das Recht, über
die praktischen Konsequenzen dieser subjektiven Einschätzung
selbst zu entscheiden, — es gibt keine objektive Pflicht zur
Höchstkreativität. Drittens mag das Verbesserungsschaffen aus

äußeren Gründen, wie Produktions- und Absatzbedingungen, vorzuziehen sein. Und natürlich läßt sich in solchen Zweifelsfällen nicht immer klar entscheiden, ob Verbesserungs- oder Neuwesensschaffung vorliegt; in vielen Leistungsbereichen gibt es breite Felder des Schaffens, das zwar nach der leitenden Absicht verbessernd ist, aber doch erhebliche Neuwesensmomente enthält, oder umgekehrt als Neukreation gedacht ist (und in der Werbung ausgegeben wird), aber jedenfalls im Praktischen überwiegend Verbesserung von Bisherigem ist.

Dritter Hinweis. Gesamtgesellschaftlich bestehen zwischen den Kulturen sehr erhebliche Unterschiede in Hinsicht auf die Kreativität, und zwar sowohl auf das Verbesserungs- wie auf das Neuwesenschaffen: in den traditionalistischen Kulturen wird nur verhältnismäßig wenig verbessert und noch weniger neugeschaffen; in den fortschrittlichen, ausbaufreudigen wird viel verbessert und auch viel neugeschaffen. Zum ersten Typus gehören sehr ausgeprägt die Primitivkulturen: in ihnen ist, obwohl ihre Gesellschaft, Wirtschaft und Technik erheblich entfaltet sein können, das Neuschaffen einigermaßen langsam; zu diesem Typus gehören aber auch die nicht-neuzeitlich-abendländischen Hochkulturen, diejenigen des Altertums und Mittelalters und unter den neueren diejenigen außerhalb des abendländischen Kulturbereiches, soweit sie nicht von der abendländischen Kultur erheblich beeinflußt sind (unter solchem Einfluß gibt es auch in an sich traditionalistischer, vormoderner Kultur der Gegenwart mehr oder weniger ausgedehnte Modernitätsbereiche, in denen das Neuschaffen vielfältig und intensiv ist). Aber trotz gesamthaft seltenerer Kreativität sind in den alten Hochkulturen Leistungen von singulärem Rang erreicht worden, singulär auch von den modernen Erreichnissen aus beurteilt. Sehr viel zahlreicher und variierter aber sind die Kreativitätsmöglichkeiten und die tatsächlichen kreativen Verwirklichungen in der modernen Kultur, als dem zweiten Haupttypus, und das zunehmend mit der Entfaltung der modernen Wissenschaft, Technik und Wirtschaft; und je stärker die Kreativität wurde, desto ausgeprägter modern wurde die Kultur. Man mag an der modernen Kultur vieles rügen und beklagen, aber man müßte als einen ihrer positiven Wesenszüge herausheben, daß jetzt viele Kreative sind (absolut, relativ zur Bevölkerungszahl, dazu viele nach den verschiedenen Leistungsinhalten), gegenüber nur wenigen in den vormodernen Kulturen.

5.17 Ontologische Thematik

Kreativität im allgemeinen und Neuwesenschaffen im besondern sind von den sich für Gesamtzusammenhänge interessierenden Philosophierenden ontologisch zu betrachten, und das dreifach: erstens als besondere Seinsart, als spezifische, nur ihnen, nicht aber anderm, also nicht dem Nichtkreativen zukommende Seinsqualität; zweitens im Zusammenhang mit dem physischen, psychischen, geistigen Wesen des kreativen Menschen und mit den ihn beeinflussenden oder gar bestimmenden religiösen, philosophischen, ideologischen, wissenschaftlichen, technischen, wirtschaftlichen, gesellschaftlichen, rechtlichen (usw.) Gegebenheiten; drittens im Zusammenhang mit dem den tatsächlichen Erfolg des schöpferischen Tuns bedingenden Wesen der Zielbereiche, nämlich der Naturwirklichkeit und des physischen Kulturwirklichen, auf die sich technisches Handeln, der Gesellschaft, auf die sich das organisierende Tun, und des Einzelnen, auf den sich erzieherisches und sonstwie bildendes Bemühen richtet.

Zum ersten: Das Schöpferische ist zwar ein Menschliches, aber es ist ein Qualitatives in der Welt, ein Soseinstypus, in der Menschenwelt wirklich geworden, weil er in der Gesamtwelt möglich ist, — möglich zwar nicht überall in der Welt, aber in einigen Weltbezirken unter bestimmten Voraussetzungen, vor allem derjenigen, daß Leben vorhanden ist und in diesem sich geistig begabte Lebensarten entwickelt haben, was in engerem Sinne entsprechende Entfaltungsmöglichkeiten des Lebens und in weiterem die allgemeine Lebensentstehungsmöglichkeit als Grundwesenszug der Materie und also des Kosmos voraussetzt. Das inhaltliche Wesen der im Menschlichen wirklich gewordenen, aber nur aus den Weltbedingungen möglichen Kreativität zeigt sich am deutlichsten in der Neuwesensschaffung, welche die Kraft ist, außerhalb und, nach Qualitätsrang, oft oberhalb des bisherigen Wirklichen neuartiges entstehen zu lassen (was sowohl beim Verbesserungs- wie beim, im folgenden zu diskutierenden, Werkschaffen weniger scharf ausgeprägt ist).

Zum zweiten: Die Kreativität, und das Neuwesenschaffen im besondern, ist zwar, ganz abstrakt aufgefaßt, ein Allgemeinmenschliches, ist aber in seinem konkreten Inhalt, in den verfolgbaren Zielen und in den tatsächlichen Verwirklichungen geschichtlich bedingt, nämlich von den zeitgenössischen Kulturgegebenheiten abhängig, von denen aus das eine erstrebt und verwirklicht werden kann, anderes dagegen nicht (und vielleicht ist das in einer Kultur oder Kulturepoche Gewollte in einer andern nicht einmal vorstellbar, vor allem nicht das spätere Mögliche zu früherer Zeit, und mitunter auch nicht das frühere, etwa religiöse, Hoffen von späterer Weltsicht aus). In der modernen Kultur, und damit in Hinsicht auf die moderne Kreativität, ist dieses Zeitgenössische einerseits durch die Höhe und Breite von Wissenschaft, Technik, Wirtschaft und Staat, anderseits durch die Zurückdrängung von Religion, Philosophie (diese beschäftigte und beeinflußte aber nie mehr als eine kleine Minderheit), handwerklichen und bäuerlichen Arbeitsweisen, dazu der feudalistischen Sozialordnung gekennzeichnet. Hieraus besitzen jetzt die allgemeinen Kreativitätsmöglichkeiten eine in der Menschheitsgeschichte erstmalige kulturspezifische Sonderart. — Beurteilt man diese in aufs Kosmische gehender Sicht, so kann man vermuten, daß sie im Weltganzen ein Seltenes ist: weil es auf unserm Planeten eine sehr lange Entwicklungszeit erforderte, bis die Menschheit entstand, weil die moderne Kultur in der gesamten Erdzeit ein Allerjüngstes ist und weil sie, selbst bei sehr langem zukünftigen Bestehen, in der Gesamtzukunft des Kosmos sehr kurz sein wird; da kann man folgern, daß es im gegenwärtigen Gedankenaugenblick nur wenige Raumstellen gibt, an denen gleiche Kreativitätshöhe wirklich ist, — relativ wenige, absolut kann diese Zahl auch so in die Milliarden gehen.

Zum dritten: Die Kultur, wie sie zu irgendwelcher geschichtlicher Zeit besteht, ist kulturhaft in allem Wesen, das anders ist als das auf das Naturhafte des Menschen zurückführbare (der bloße Vergleich mit den Primitiven würde da immerhin nicht ausreichen, denn es kann individuelles und kollektives Naturhaftes geben, das erst auftritt, wenn Gesellschaft und Kultur auf hohen, vielleicht auch jetzt noch nicht erreichten Stand gebracht sind: die Auflehnung von Dissidenten gegen die moderne Kultur dürfte hierin einige ihrer Wurzeln haben), und indem die Kultur dank der

Kreativität so ist, wie sie ist, ist im Weltganzen ein Bezirk besonderen Wesens und ist somit das Weltganze in seinen Soseinsarten gegenüber dem früheren Zustand verändert. Dieses neue Wesen ist zunächst als solches zu sehen, sodann durch kritische Menschen zu werten, — hieraus ergeben sich neue Ziele für die Einsetzung der Kreativität (die durch die jüngsten Kulturerreichnisse vielfältiger und stärker sein wird als früher) und auch für den Ausbau des schöpferischen Könnens der Einzelnen, Gesamtheiten und insbesondere der Leistungsorganisationen (die Kreativität ist hierin sowohl bedingt als bedingend, — sie baut sich indirekt selbst auf, und das wiederum ist, weil ein Geistiges betreffend, seinsmäßig von höchstem Rang).

6. WERKSCHAFFEN

6.1 Inhalte und Weisen

Verbesserungs- und Neuwesensschöpfung gehen auf Inhalt, welche jedenfalls bei höherem Anspruch weiter ist als sein Gegenstand als solcher: die Dinge, Verfahren, Normen, Modelle usw., die verbessert oder neugeschaffen werden, sind eher Muster für weiteres Verwirklichen als in sich selbst abgeschlossene, endzweckhafte Erreichnisse (so: wenn ein an sich bewährter Automotor verbessert oder ein neuer Motortyp entwickelt wird, so in Hinsicht auf die anschließende Großproduktion; wenn der Systemtheoretiker ein neues Modell für die Beschreibung der Marktwirtschaft entwirft, dann weil er ein Denkinstrument schaffen will, das in der nationalökonomischen Forschung vielfach angewandt werden soll). Im Unterschied dazu ist Ziel der Werkschöpfung ein Erreichnis, das, obwohl fast immer auf Aufnehmende bezogen und oft auch Nutzzweck habend, ein in sich geschlossenes, selbstzweckhaftes Kulturobjektives sein soll, — weshalb dieses, wird es benützt, gebraucht oder kritisch durchgearbeitet, doch immer als ein Einmaliges zu respektieren und in möglichst intensiver Teilhabe zu vergegenwärtigen ist (z. B. muß der fromme Besucher des

Petersdomes diesen auch als ein Höchsterreichnis der Baukunst, der lernende Leser der Dialoge Platons diese auch in ihrer gedanklichen und sprachlichen Komponiertheit, in ihrer dichterischen Vollendung erfassen). Natürlich ist diese dritte Kreativitätsart von den beiden andern nicht immer scharf zu trennen, vielmehr gibt es mancherlei Verbindungen von Verbessern oder Neuwesenschaffen mit Werkschaffen, und das unter zwei Typen: erstens indem das Verbessern oder Neuwesenschaffen zu einem Ergebnis führt, das vom Betrachter aus gesehen stark ausgeprägt werkhaft ist; zweitens indem der Werkschöpfer, obwohl ganz auf sein Werk konzentriert, in einer Weise vorgeht, die fachlich neu ist und damit für Spätere neue Schaffensweise eröffnet (so: das Maltechnisch-Neue im Schaffen der Impressionisten und Expressionisten).

Bei solchem Unterscheiden hängt viel davon ab, was man unter dem Begriff »Werk« versteht: nur etwas, das isoliert besteht und durch einen besondersartigen hohen Wertrang ausgezeichnet ist (wie: Bild, Statue, Tempel, Schloß, Gedicht, Drama, Symphonie, Geschichtsdarstellung, Staatsverfassung, großer Straßentunnel); oder auch etwas, das isoliert besteht, aber ohne hohen Wertrang ist (wie: Plakat, Zeitungsbericht, statistisches Jahrbuch, Unterhaltungsmusik, Kriminalhörspiel); vielleicht auch etwas, das zwar aus der es bestimmenden Idee, aber kaum in der äußeren Erscheinung inhaltlich geschlossen und damit von allem andern abhebbar, zudem unter einem anzuerkennenden Wertgesichtspunkt wertvoll ist (wie: neues Stadtquartier, die Elektrizitätsversorgung einer Region, Autobahn und Autobahnnetz, Fabrikanlage, Großbank, das Ganze der Zivilgesetze eines Landes); ergänzend zu bemerken ist, daß die Feststellung des hohen Wertranges häufig eine unsichere Sache ist, indem das Geschaffene vom einen für sehr-wertvoll, vom andern für ziemlich, aber nicht sehr wertvoll, vom dritten für wertneutral, vom vierten für unwert gehalten wird (wofür etwa die Werke der Existenzphilosophie, der gegenstandslosen Malerei, der modernen Musik Beispiele bieten). Der Betrachtung der Werkschöpfung am ehesten angemessen ist wohl die folgende Definition: als Werk verstanden sei hier das Geschaffene, Einzelding oder Dingekomplex, das — Werk im engeren Sinne — als Isoliertes faßbar ist oder — Werk im weiteren Sinne — zwar der Idee nach, aber kaum in der tatsächlichen Erscheinung inhaltlich in sich

geschlossen ist, und dabei unter einem in der Gesellschaft anerkannten oder vom Wertenden bewußt postulierten Wertstand-
punkt als hohen Wert habend einzustufen ist. (Dieser Werkbegriff
ist weiter als derjenige, der sich ergibt, wenn man das Werkschaffen
auf die »Kultur« im Gegensatz zur »Zivilisation«, somit auf
Religion, Philosophie, Kunst und allenfalls noch die Geisteswissenschaften bezieht, aber enger als die umgangssprachliche Wortbe-
deutung, die sich auch auf Einrichtungen und Erzeugnisse ohne
ihnen eigenen hohen Sonderwert erstreckt.)

Gleich wie das Verbessern und die Neuwesensschaffung
geschieht das Werkschaffen in den der menschlichen Gestaltung
zugänglichen Seinsbereichen; es ist aber jenen gegenüber dadurch
eingeschränkt, daß ein In-sich-Geschlossenes, sei es isolierbar oder
wenigstens der Idee nach von anderm abgrenzbar, entstehen soll,
wogegen jene auch in den Gegenstandsbereichen möglich sind, in
denen sich ein so geschlossenes Neues nicht ergeben kann. Hieraus
besitzen das Werkschaffen als Aktivität und das Werk als Aktivi-
tätserfolg besonderes Sosein: das Werk steht einigermaßen selbständig im Ganzen des Kulturellen, und für das Werkschaffen
gelten besondere Anforderungen eben in dem Sinne, daß ein solches
Selbständiges bewirkt werden soll. Aus letzterem kann sich ergeben, daß ein verhältnismäßig großer Teil der Schaffenskraft an die
Verwirklichung der Selbständigkeitsqualität gewandt wird, ja vielleicht der Hauptteil, und daß somit für die Schaffung neuen
Wesens, wie sie eingeschränkt schon im Verbessern und ausgedehnt
im Neuwesenschaffen erfolgt, nur wenig Interesse besteht und nur
geringe Energie verfügbar ist (es kann etwa mit der verbesserten
Wirksamkeit eines Vitaminpräparates mehr Neuwesen erreicht sein
als in einem zwar künstlerisch gelungenen, doch konventionellen
Gemälde, Gedicht oder Musikstück). Selbst dann kann aber das
Schöpferische hohen Rang haben, denn Maßstab für seine Beurteilung ist in erster Linie nicht der Grad der Neuheit des Ergebnisses
oder allenfalls des Vollzuges (der sich wiederum als Ergebnis
verstehen läßt, wenn nicht des Leistens, so des auf dieses gerichteten Wollens, etwa desjenigen, das auf Neues in einem agrartechnischen Verfahren geht, anzuwenden zunächst nur vom Wollenden
selbst, aber auf andere Handelnde übertragbar), sondern der Grad
des Werkhaftseins als solchen, damit des In-sich-geschlossen-Seins,

der wesens- und werthaften Eigenständigkeit innerhalb des Kulturwirklichen. Wenn ein Geschaffenes ganz in sich geschlossen ist, für sich besteht, als solches aus dem andern herausgehoben ist oder werden kann, und dabei allerdings auch den auf dem betreffenden Sachgebiet zu erfüllenden sachlichen, ästhetischen oder sonstwie werthaften Anforderungen entspricht, dann hat und behält es Rang, selbst wenn es sich ganz im Rahmen des Bekannten hält oder bei der, zeitlich weit zurückliegenden, Schaffung gehalten hat (so ist eine formvollendete griechische Vase des geometrischen Stils ein hochrangiges Werk, auch wenn sich nachweisen läßt, daß ihre Schöpfer, Töpfer und Maler, nicht in einem einzigen Punkt originell waren). Hieraus ist zu folgern, daß im Werkschaffen, als der Schaffung des Werkes und hierin verschieden vom Verbessern und Neuwesenschaffen, ein spezifisches Wesen ist, welches inhaltlichen Bezug auf das Fürsichbestehen und Bestandbehalten des Ergebnisses hat.

Am deutlichsten erkennbar ist das Besondere von Werk und Werkschaffen dort, wo der Schaffende, indem er das Werk gestaltet, ein Bekanntes verbessert oder ein Neuwesenhabendes zustandebringt, oder wo er, nachdem er zunächst außerhalb des Werkschaffens das Verbesserte oder Neuwesenhabende gefunden, ausgearbeitet hat, diesem nachträglich Werkgestalt gibt: es kann ein Künstler, indem er einfach eine weitere Arbeit beginnt und nur an die richtige Form denkt, zu neuem Gestaltungsprinzip vordringen und es kann der Philosoph, indem er seine inhaltliche neue Lehre darlegt, eine schriftstellerische Meisterleistung verwirklichen, — und in beiden Fällen sind das Gestalten als solches und die Werkgestalt als solche von besonderer Qualität, die von der materialen oder formalen Neuheit zu unterscheiden ist. Durch dieses Werkspezifische ist auch bedingt, daß ein als Werk hochrangiges, erst recht das als Werk vollkommene Erreichnis, mag es auch inhaltlich überholt sein, seinen Werkwert und -rang behält, also als Kulturgut bestehen bleibt, wogegen das, was nur aus besserem oder neuem Inhalt wertvoll ist, seinen aktuellen Wert verliert und ins Nur-historisch-Interessante absinkt, wenn es seinerseits verbessert oder durch ein Neues ersetzt wird. Am deutlichsten sichtbar wird das im Gegensatz zwischen der Verdrängung jedes zu seiner Zeit für vortrefflich gehaltenen Technischen durch raffinierter und komple-

xer durchgearbeitetes, leistungsfähigeres, rationelleres, ertragsgün-
stigeres, in neuerer Sicht zweckmäßigeres — und der Erhaltung von
Rang und Wert der Kunstwerke (nicht nur des kunstgeschichtli-
chen Wertes, sondern auch des gegenwärtig tatsächlichen, künstlerischen und finanziellen). Geht man mehr ins einzelne, so sieht man
allerdings, daß die Verschiedenheit zwischen dem Künstlerischen
und dem Praktischen nicht absolut ist, sondern diese doch auch
Gleichartiges haben, und zwar vor allem daraus, daß manches
Technische (im weitesten Sinne, etwa auch die Bauten aller Art, die
Rüstungen und Waffen, die Kleider usw. einschließend) Werkcharakter besitzt; zumeist wird dabei die Isolierbarkeit eines Einzel-
dinges (immerhin bis zur Großbaute gehend) vorausgesetzt. Insbesondere kann für sich bestehendes altes und längst überholtes
Technisches über seine fach- und kulturgeschichtliche Bedeutung
hinaus für sich ein wertvolles Werk sein, ja es zunehmend werden,
je weiter der Zeit- und Könnensabstand zu seinem Ursprung wird.
Anderseits verliert manches Werkhafte seinen Wert nach einiger
Zeit, weil der Rang seines Inhaltes an sich nicht sehr hoch ist (wie
bei vielen Werken der Gebrauchskunst, der Unterhaltungsliteratur
und -musik) oder weil ein Gebrauchswert im Vordergrund steht,
der allmählich abnimmt (wie bei einem wissenschaftlichen Lehr-
buch, das anfänglich ein hervorragendes Werk ist, dann aber in
Inhalt und Lehrart veraltet).

Aber ist es überhaupt richtig, den Aspekt der Dauer, der
Unvergänglichkeit, gar des durch größeres Alter bedingten Wert-
vollerwerdens in den Vordergrund zu stellen oder auch nur für sehr
wichtig zu halten? Das Werk wird ja für Gegenwärtige und
Nahzukünftige geschaffen, oder allenfalls aus einer Idee, in der auf
die Zeit des Aufgenommenwerdens und Erfolgfindens nicht Rücksicht genommen ist, aus einer zeitlosen oder überzeitlichen Idee, —
freilich wird das Werk auch im zweiten Fall in die Kultur und damit
in den Zeitstrom eingebracht, was dort mit ihm geschehen wird,
entzieht sich der möglichen Voraussicht seines Schöpfers — und
sollte gerade den, der aus zeitloser, überzeitlicher Idee werkschaffend ist, nur wenig interessieren. Und in jeder dieser beiden
Einstellungen kann eine über das eigentlich Gestalterische hinausgehende Zweckabsicht mehr oder weniger gewichtig sein: daß das
Werk in der Gesellschaft, sei es in der engeren Umwelt des

Schaffenden oder irgendwo in der Menschenwelt, als ein Verwendbares, als ein in speziellem Sinne Praktisch-Wertvolles aufgenommen werden solle, — das aber nähert das Werk dem Erreichnis von Verbesserungs- und Neuwesensschöpfung an. Anderseits gibt es breite Felder, auf denen die in erster Linie auf Verbessertes oder, wohl eher, auf Neuwesen hinzielende Kreativität nur in zweiter Linie und im Interesse des Schaffenden untergeordnet werkschöpferisch ist (so in der Architektur, die primär kaum je Bau»kunst«, vielmehr meistens einfach Bautenerstellung ist, in der Maschinen- und Apparatetechnik, in der Erstellung von großen Industrieanlagen, Kraftwerken, Straßen, Brücken, Tunnels, im Eisenbahnbau, — auf ganz anderm Gebiet in der Abfassung von Lehrbüchern, Lexika usw.); der Werkcharakter wird sich bei solchem um so deutlicher ausprägen, je größer das Zuschaffende ist (so sind die neue Autobahn, das neue Kraftwerk, die neue großindustrielle Anlage nach Größe und technisch-wirtschaftlicher Bedeutung »Werke« im hier angewandten Wortsinn und werden als solche sowohl von den Schaffenden wie auch in der Öffentlichkeit aufgefaßt). Es lohnt sich — vor allem für die Schaffenden selbst, aber auch für die Auftraggeber, Politiker, Publizisten — sich diese Zusammenhänge und Abgrenzungen zu verdeutlichen: in unserer Zeit, mit ihrem stark ausgeprägten Nützlichkeits- und Zweckmäßigkeitsdenken, ihrer vorherrschenden Rationalität, mag das die in weiterer Sicht des Modern-Kulturellen sehr erwünschte Hervorhebung der dem Werk als solchem eigenen Momente und Qualitäten, damit wohl immer auch der ästhetischen und gesamthaften Kulturwirkungen auslösen oder verstärken.

6.2   Transzendenzbegründete Werke

Das Werk ist, wie das Verbesserte oder das geschaffene Neuwesen, ein Wirkliches im Großbereich dessen, was dem menschlichen Gestalten zugänglich ist. Diese Feststellung erhält speziellere Bedeutung, wenn man im Werk auch das untersucht, was seine metaphysische oder religiöse Begründung, Bezogenheit, Auswirkung und Nützlichkeit ausmacht. Religionsstifter, -ausleger und -lehrer, das Transzendente aufweisende Philosophen, religiöse

Künstler (aller Gebiete der Kunst: Maler, Bildhauer, Architekten und Baumeister, Dichter, Musiker, zudem Festveranstalter, Gestalter von Aufführungen): sie gestalten zwar durchaus reale Werke, dies aber in der Gewißheit, Jenseitigem oder Transzendentem Ausdruck zu geben, ja sein selbständiges Sichausdrücken zu vermitteln (indem der Schaffende inspiriert sei), oder anderseits die menschliche Beeinflussung des Jenseitigen zu ermöglichen (indem das Werk eine religiös-technische Kraft besitze, wie der heilige Text oder das Ritual und in weiterem Sinne jede Kirche und jeder Tempel, jedes Altarbild und jede Götterstatue, alle heilig auch daraus, daß der Gläubige durch sie die Jenseitsmacht freundlich stimmt, zu Hilfsbereitschaft bringt und sogar verpflichtet). Solches Werkschaffen hat, vom Schöpferischen wie vom aufnehmenden, das Geschaffene religiös gebrauchenden Gläubigen aus gesehen, eine übernatürliche und zugleich übermenschliche und überkulturhafte, somit, geht man von wissenschaftlichem Wirklichkeitsbegriff aus, überwirkliche Komponente, mögen auch die Gläubigen selbst ihre Annahmen als in höherem Sinne wirklich oder als das Wirklichkeitszentrale aufschließend verstehen, — eine Dimension, welche dem nichtgläubigen Betrachter oder Erforscher zwar nicht fremd zu bleiben braucht (er kann den Glauben nachvollziehen, er kann hypothetisch denken, als lebe er selbst im betreffenden Glaubenskreis), aber doch nicht als in strengem Sinne realistisch erscheinen darf (wohl dagegen als realistisch in übertragenem, etwa auf die Erhellung des Hinter- und Untergründigen und von Lebenspraktischem gehendem Sinne).

Von hier aus wird ein inhaltlicher Gegensatz einsichtig: das Werk, das im vollen Glaubensgehalt für den Schaffenden und die aufnehmenden Gläubigen wirklichkeitsgemäß ist, ist es nicht für den Nichtgläubigen und auch nicht für den sich streng im Rahmen des wissenschaftlichen Erkennens haltenden Wissenschaftler, womit sich für diese beiden die Frage stellt, ob und wieweit im Werk selbst oder im Zusammenhang mit ihm eine Gestaltungsmöglichkeit vorausgesetzt sei, die es tatsächlich nicht gibt. Weiter läßt sich fragen, ob nicht durch solche Werke, somit auch durch das auf sie gerichtete Werkschaffen und vielleicht gerade durch die Meisterschaft der Schöpfer, denen natürlich beste Absicht zuzubilligen ist, Kulturenergien an Irreales gewandt werden oder gebunden bleiben, die im kulturellen Gesamtinteresse besser vom Jenseitigen oder Transzendenten weg- und Diesseitigem zugeleitet worden wären (bei Altem) oder würden (bei Jetzigem, — zwar übt das Religiöse jetzt kaum solche ablenkende Kraft aus, aber es kann, etwa in Minderheitsgruppen, eine Rückwendung eintreten, und für die Philosophie läßt sich Neubeginn der transzendenzsuchenden und -behauptenden Metaphysik vorstellen). Wäre dies zu bejahen — und von diesseitsrealistischer Lebensphilosophie aus ist es zu bejahen —, so erkennte man eine Grenze des Werkschaffens und käme wohl zu etwelcher Zurückhaltung gegenüber der, üblicherweise unbedingten, Hochschätzung des Kreativen. — Wegen der grundsätzlichen Bedeutung dieses Fragens sei es an einigen kulturhistorischen, zumal religions-, kunst- und philosophiegeschichtlichen Beispielen verdeutlicht. (1.) Die Bhagavad Gita ist ein denkerisches und dazu ein literarisches Meisterwerk, faszinierend aus ihrer gedanklichen Durcharbeitung (bei aller durch den Zusammenfassungscharakter bedingten Widersprüchlichkeit), aus dem großen Bild des Avatars, der einem ausgewählten Menschen zugleich Helfer im Krieg und höchstphilosophischer Ratgeber ist, aus der sprachlichen Form, faszinierend für die Gläubigen und sogar für Nichtgläubige, — hat nicht gerade die Eindrücklichkeit dieser Gestaltung manchen Aufnehmenden daran gehindert, sich von Krishna und der Brahman-Atman-Maya-Lehre zu lösen? (2) Die Tausende und Zehntausende von je besondersartigen, künstlerisch eigenständigen und eigengewichtigen Christusbildern und -statuen sind einzeln Erreichnisse persönlicher Kreativität und zusammen das Kollektivwerk vieler nebeneinanderwirkender und aufeinanderfolgender christlicher Künstler, jene Einzelerreichnisse und dieses Allgemeinwerk haben, von der frühen Christenzeit bis in die Gegenwart, das abendländische Fühlen, Erleben, Denken und Wollen zutiefst beeinflußt, — wurden nicht damit das Visuelle und das von ihm beeinflußte Mentale lange und vielleicht allzulange in christlicher Einseitigkeit gehalten (was auch der fragen mag, der den hohen Rang der christlichen Bilder durchaus anerkennt)? (3.) Platons Ideenlehre ist eines der größten Denkwerke, klar durchgebildet und in sich selbst geschlossen, für viele Aufnehmende überzeugend, zumal für solche, die unter religiöser Tradition oder metaphysischer Geneigtheit stehen, — aber hatte sie nicht in der

Geistesgeschichte die nachteilige Wirkung, daß viele Denkende von der Befassung mit der realen Welt abgehalten wurden?

6.3   Zustand im Dienste von Prozeß

Werk als ein In-sich-Geschlossenes ist ein Zustandshaftes oder mit einem solchen eng verbunden, — letzteres, wenn der Hauptinhalt des Erreichnisses ein Prozeß ist (so ist Ziel beim Kraftwerk die Stromerzeugung, bei der Hochspannungsleitung der Energietransport, bei der Bewässerungsanlage die Herbeileitung und Verteilung von Wasser, in allen drei Fällen ein Prozeßhaftes, aber für den schöpferischen Ingenieur ist Werk das Zuständliche, das den Zielprozeß ermöglicht). Jedoch ist auch der zunächst ganz als zuständlich erscheinende Werkinhalt in seinem innersten Wesen mehr oder weniger stark auf Prozeß gerichtet, zumindest auf inneren, seelischen, geistigen Prozeß der werkaufnehmenden Betrachter: das Kunstwerk soll den Teilhabenden zu bestimmtem Erleben und vielleicht Verhalten bringen (die beide innere Prozesse sind und überdies durch mental-aktive Befassung mit dem Werk eingeleitet werden); das Bauwerk hat seinen Nutzsinn in den gesellschaftlichen Vorgängen, für die es Gehäuse sein wird; die Produktionsanlagen dienen der Produktion, die Maschinen den durch sie ermöglichten Leistungen; die wissenschaftlichen Darlegungen sollen Belehrte zu neuem Wissen und Können bringen; religiöse und philosophische Werke stellen weltanschauliche Fragen und helfen sie beantworten. Sogar das ganz im Ideellen, Formalen bleibende Werk, nämlich dasjenige begrifflichen, logischen, mathematischen oder auch bildhaften Inhaltes ist auf Prozeß bezogen: indem es (so das Begriffssystem, das logische Modell, das mathematische Gesetz, der mythische Bilderkomplex) im Ideellen eine Folge von Gedanken oder Vorstellungsinhalten begründet und indem seine psychisch-reale Gegenwärtigkeit eine Folge von Denk- und Vorstellungsakten auslöst.

Hieraus kommt für den Werkschaffenden eine Verpflichtung auf eben solches Prozeßhaftes, individuelles und soziales, solches nur des näheren Umkreises oder eines weiteren, vielleicht globalen Wirkungsfeldes, gegenwärtiges und zukünftiges, und in jedem dieser Sonderfälle auf fachlich besonderes, durch die Eigenart des Arbeitsfeldes bestimmtes; der Schaffende muß daran denken, was das Werk für die Menschen, die es betrachten, aufnehmen, anwenden, benützen werden, bedeuten soll. Freilich ist dieses Klarwerden des Schaffenden oft nicht oder nur wenig rational, vielmehr gefühlshaft, und oft in Fürrichtighalten verborgen, das in erster Linie auf den Werkgehalt geht; aber auch in der ganz das Werk betreffenden Zielvorstellung ist eine Komponente, welche diejenigen einbezieht, für die das Werk bestimmt ist (Beispiel: verträte ein Künstler die Auffassung, daß Ziel der Kunstgestaltung jetzt die gegenstandslos-formale Vollkommenheit sein müsse, so läge darin auch ein Postulat in Hinsicht auf das Sehen der Kunstbetrachter, ja des jetzigen Menschen überhaupt). Wenn aber der Antrieb zur Werkschaffung nur aus dem egoistischen Interesse des Schaffenden kommt, dem es letztlich nur um Reichtum, Macht und Ruhm geht? Auch dann ist das Werk tatsächlich auf Prozeßhaftes im Leben der Aufnehmenden gerichtet: es soll diese zu bestimmtem Verhalten, Handeln, Erleben bringen, im Privaten und im Öffentlichen, von Haushaltsarbeit und Unterhaltung über zweckmäßigere Berufsleistung zur politischen Stellungnahme und allenfalls zur Mitwirkung in Parteien und Verbänden, — und gerade dadurch, daß Aufnehmende in ihrer Aktivität angesprochen werden, erhalten die Schaffenden ihre Erfolgschance.

6.4 Ziel und Verfahren

Auch mit Bezug auf das Werkschaffen läßt sich nach dem Unterschied zwischen Zielhaftem und Verfahren fragen. Dem Werkschaffenden geht es um die Schaffung eines Werkes, zu dessen Wesen das In-sich-Geschlossensein und meistens auch die Übertragbarkeit auf andere und die gesellschaftliche Nützlichkeit gehören: damit erfüllt das Werk meistens die Bedingungen dessen, was hier als zielhaft verstanden wird, und zwar auch dann, wenn es Verfahrensmäßiges zum Inhalt hat (wie ein Obstbau-Lehrbuch, ein Analyseapparat oder ein Prozeßrechner). Eben die Werkschaffung als solche ist immer auch Verfahrensanwendung, als solche vom Werkschaffenden gekonnt, gewollt und vollzogen; das Schaffungsverfahren ist dem Werk logisch vorgeordnet (angewandt wird es nur auf das Werk hin). Aber gerade hierin zeigt sich, daß der Werkschaffende unter Umständen nicht nur, vielleicht nicht einmal in erster Linie, in seinem Werk, das heißt in dessen Gestalt und Inhalt als solchen, schöpferisch wird, sondern eher oder sogar nur durch die Art, wie er das Werk schafft: er könnte ein Werk schaffen, das als solches kaum höheren Rang hat, aber in einigem das Ergebnis schöpferisch-neuen Verfahrens ist (etwa: der Graphiker, der mikroorganismische Formen verwendet und sie darum studiert und bearbeitet; der Komponist, der mit Hilfe elektronischer Tonerzeugung neue Klangwirkungen findet; der Konstrukteur, der für eine Spezialaufgabe erstmals einen Computer einsetzt), — solche Verfahrenskreativität wäre eher dem Verbessern oder Neuwesenschaffen zuzurechnen, ist aber daraus besonders, daß sie der Werkgestaltung dient.

6.5 Leistungssinn

Werkschaffen mag vom Schaffenden selbst als besonders befriedigend erfahren werden, weil es ein kulturell oder gesellschaftlich Dauerndes zum Ergebnis hat oder wenigstens zu haben scheint: solches entspricht einer starken Sondertendenz innerhalb des allgemeineren Leistenwollens, — bei vielen ist es vom Wunsch getragen, dem eigenen vergänglichen Leben ein Bleibendes abzuringen. Von diesem Persönlichen des Werkschaffens aus sind aber einige Fragen zu stellen. Wird oder würde, erstens, das Ergebnis wirklich während langer oder jedenfalls längerer Zeit Bestand haben? Die Zukunft läßt sich nicht mit Sicherheit voraussehen, man kann darum diese Frage nur mit dem Hinweis auf das Wahrscheinliche beantworten, — aber auch so ist gewiß, daß manches jetzt neue Werk schon bald durch Noch-Neueres überholt und verdrängt sein wird, daß das meiste Jetzt-Neue das Schicksal haben wird, nach nicht sehr langer Zeit ins Frühere, Nicht-mehr-Aktuelle abzusinken. Nicht daß deswegen das jetzige Werkschaffen sinnlos wäre und sich nicht lohnen würde: es hat ja seinen ideellen und praktischen Wert für die Gegenwart und die nahe Zukunft; manches Geschaffene wird wenigstens während einiger Jahrzehnte oder auch nur während einiger Jahre, und mitunter nach einem Abfall auch später wieder, hochgeschätzt, leistet seinen Dienst und erbringt dadurch dem Schaffenden den Erfolg, den er erhofft (so: Filme sind im großen ganzen kurzlebig, — trotzdem hat es vollen Sinn, erfolgreiche und sogar gute Filme zu machen; eine geologisch-geophysikalische Darlegung über die Entstehung der Kontinente, die bei der Plattenbewegung wirkenden Kräfte und die allenfalls mit ihr verbundene Gebirgsbildung wird kaum mehr als einige Jahre auf diesem Fachgebiet ein Standardwerk sein, also ziemlich bald ins Überholte absinken, — aber jetzt und eben für einige Jahre ist sie vielleicht das führende Fachbuch und schafft, im Persönlichen, dem Verfasser hohes Ansehen).

Was geht, zweitens, von einem Werk, das durch Neueres überholt wird, in Späteres ein, so daß von ihm wenigstens einiges erhalten bleibt? Jedes Werk, das gesellschaftlichen Erfolg hat, beeinflußt das Denken und Fürrichtighalten der Aufnehmenden, und daraus kommen vielleicht Wünsche, die von andern Schaffenden zu berücksichtigen sind; weiter beeinflußt es Späteres dadurch, daß es fachlich studiert, vielleicht imitiert wird, jedenfalls aber aus Fachinteresse zur Kenntnis genommen wird. Letzteres ist auch bei Werken möglich, die keinen oder nur geringen Erfolg haben: vielleicht wird ein solches von einigen wenigen studiert, die seinen Impuls in ihrem eigenen Wirken aktiv werden lassen. Dazu kommen als große und kulturell sehr wichtige Sondergruppe alle die Werke, die von vornherein als der zukünftigen Ausgestaltung offen, ja bedürftig verstanden sind: wissenschaftliche, technische, wirtschaftliche, solche der Staatsorganisation, der Kirchenorganisation, juristische usw.; hier weiß der klar denkende Schöpfer von vornherein, daß nach mehr oder weniger langer Zeit andere sein Werk umgestalten werden, — aber auch im Blick auf solche Änderungen kann er sein Schaffen für wertvoll halten und sogar gerade im Blick auf sie, die sie das jetzt Geschaffene wirkungsstark und lebendig halten werden: aus dem, was er jetzt tut, entstehen Grundlage und Rahmen für das Spätere (deutlichst wird das im Werk der politische Organisationen und Institutionen Schaffenden und der Industriegründer sichtbar).

Versperrt aber nicht, drittens, das was jetzt geschaffen wird, wenn und indem es weiterwirkt, einem Besseren den Weg, wird nicht vielleicht durch das Gegenwärtige, gerade weil es Erfolg hat und sich als sachrichtig bewährt, das Zukünftige allzu starr festgelegt? Wenn immer ein gefestigtes Werk durch Um- und Ausbau neue Erfolgskraft erhält, ist anzunehmen, daß der Dingekomplex, der so entsteht, inhaltlich anders ist als das, was geschaffen würde, wenn man nicht von jenem Bisherigen ausginge: daß man ein Bisheriges besitzt, bestimmt die Richtung des weiteren Bemühens und gibt den Vorteil, daß man nicht von Anfang an aufbauen muß, — es kann aber auch den Nachteil haben, daß eine andere Richtung sachlich zweckmäßiger wäre und das Von-Anfang-an-Aufbauen vielleicht zu einem Leistungsstärkeren führte (etwa: ein Land mit alter, bewährter, sogar höchst renommierter Hotellerie, die gesamthaft das volkswirtschaftlich sehr wertvolle Werk einer aktiven Gründergeneration ist, hätte vielleicht in der internationalen Touristik eine stärkere Stellung, wenn seine Kurorte und in ihnen die einzelnen Hotels unter moderneren Auffassungen errichtet worden wären). Zumindest ist hieraus zu postulieren, daß die Jetzt-Schaffenden gegenüber dem Prinzipiellen und Praktischen offen sein sollen, das in anderm, ihnen wegen der Art ihres Besitzes nicht zugänglichem Verwirklichungsinhalt des betreffenden Sachgebietes entweder bereits erreicht ist oder doch in naher Zukunft erreicht werden könnte, — und vielleicht ist ein Postulat auch an die Pioniere zu richten, natürlich nicht die früheren, deren Werkvermächtnis jetzt allzusehr festlegend ist, wohl aber an die jetzigen und zukünftigen: daß sie, soweit möglich, ihren Werken von vornherein Offenheit für anderes, und in diesem Sinne sachliche Elastizität geben.

Und diese letzten Überlegungen lassen, viertens, fragen, ob nicht einige Werkschöpfer, unter starkem Leistungtrieb und Erfolgsstreben, schon zu ihrer Zeit das betreffende Leistungsfeld allzusehr dominieren und so für ihr Tun allzuviel von den gesellschaftlich verfügbaren Energien und Mitteln in Anspruch nehmen: es gibt Dauerndes, an dessen Stelle besser ein, leichter zu ersetzendes, Mittelfristiges geschaffen worden wäre. Man mag von hier aus weiter überlegen, ob nicht unter solchen Gesichtspunkten das Verbesserungs- und Neuwesenschaffen gegenüber dem Werkschaffen allgemeine Vorzüge haben: wenn und soweit sie das Zukünftige weniger stark festlegen und von den jetzt verfügbaren Leistungsmitteln einen geringeren Teil beanspruchen, — indem sie dem zukünftigen Handeln größere Wahlmöglichkeiten offenhalten und vielleicht schon dem jetzigen eine größere Inhaltsvielfalt erlauben (Beispiel: die Ausgestaltung des Straßennetzes einer Großstadt kann auf lange Sicht und mit großem Aufwand betrieben werden oder mit kleinerem Aufwand und auf kürzere Sicht, im ersten Fall wird eine viel großzügigere Lösung verwirklicht als im zweiten, dafür bleiben in diesem Möglichkeiten des Sichneueinstellens erhalten, die wichtig werden können, wenn sich die Verkehrsverhältnisse anders als jetzt angenommen entwickeln oder das Zuerstrebende anders beurteilt wird, — was man jetzt für die ideale Lösung hält, etwa die innerstädtischen Expreßstraßen, kann sich in zehn oder zwanzig Jahren als problematisch erweisen).

6.6 Kollektivwerke

In unserer Zeit erfolgt auch das Werkschaffen, ähnlich wie das Verbesserungs- und Neuwesenschaffen, großenteils in Arbeitsgruppen und ist somit kollektive Leistung. Nicht daß diese gänzlich neu wäre, denn Kollektivwerke gibt es in allen Hochkulturen: in Großbauten und -anlagen (Pyramiden, Burgen, Schlösser, Tempel, Bewässerungsanlagen), Staatsorganisation, Gesetzen; mag auch in solchem ein Führender das Ganze konzipiert und in den großen Linien geplant haben, so erforderten das Entwerfen der Teile und Einzelheiten die Mitwirkung anderer Hochqualifizierter und der planausführende Aufbau diejenige von erfahrenen Praktikern. In der jüngeren und jüngsten Zeit hat sich die kollektive Kreativität in mehreren Richtungen verstärkt und hieraus ist jetzt manches, das früher von Einzelnen geleistet wurde, in Gruppenfunktion gebracht. Schon die Ideenkonzeption für den Großbau oder die Großanlage (eben etwa das innerstädtische Straßennetz oder die Untergrundbahn) ist jetzt weitgehend Aufgabe eines Gremiums, das, zwar gestützt auf Expertenvorschläge, über die Ziele und Möglichkeiten berät und sich, oft im Kompromiß zwischen gegensätzlichen Auffassungen, auf ein Praktisch-Bestes einigt; oft ist der so gewonnene Vorschlag an eine zweite Instanz weiterzuleiten (im Staat an die Regierung, in der Privatwirtschaft an die Entscheidungsinstanz der Unternehmung, des Konsortiums usw.), die, noch andere, etwa politische oder großwirtschaftliche Gesichtspunkte in die abschließende Diskussion einbeziehend, den materiellen Beschluß zu fassen hat, dessen endgültige Gutheißung aber allenfalls nochmals von anderer Instanz (so dem Parlament) abhängt, die ihrerseits die Berücksichtigung von wichtig scheinenden Momenten veranlassen oder sogar erzwingen kann, womit weitere Einzelne und allenfalls Untergremien (etwa Parteivorstände und -komitees) am kreativen Prozeß mitwirken (die »Ideenkonzeption«, in solchem Vorgehen ausgeübt, wird wahrscheinlich stark ins Konkrete gehen, also etwa bei einer großen Verkehrsanlage sachlich genau den technischen Typus, die Trasseeführung usw. festlegen, — ein modernes Großwerk ist erst nach detaillierter Festlegung alles Prinzipiellen abschließend konzipiert, schon darum, weil bei manchem ein Zweitrangiges, wie etwa die Stromzuleitung bei einer neuen Traktionsart, das Ganze in Frage stellen kann). Erst recht erfordern bei Großwerken die Detailplanung, die Arbeitsorganisation und die eigentliche Ausführung das Wirken von Gruppen, von denen jede ein Sonderfeld zugewiesen erhält, auf dem sie einigermaßen selbständig und vollverantwortlich ist, dabei aber mit andern Gruppen, gleich-, unter- und übergeordneten, zusammenwirkt und natürlich ständig von den obersten Organisationsinstanzen überwacht wird.

Schöpferische Leistung ist in einem so organisierten Leistungsgebilde auf vielen Ebenen und in vielen Sonderbereichen möglich, — das, was in ihm geschaffen wird, das Großwerk, ist damit Werk vieler Schöpferischer (dies am ausgeprägtesten wohl im Großtechnischen, wogegen die Schaffung einer neuen Großinstitution, eines Großwerkes der Gesetzgebung eher von einer kleinen Expertengruppe bis ins Detail entworfen, endgültig festgelegt und auch verwirklicht werden kann).

Das Sachfeld mit den tatsächlich zahlreichsten und vielfältigsten werkschaffenden Leistungen ist in unserer Zeit, gleich wie mit Bezug auf das Verbesserungs- und das Neuwesenschaffen, die — weitgehend von der Wirtschaft getragene, angeregte und bestimmte — Technik: die meisten, die in der modernen Kultur schöpferisch tätig sind, arbeiten an Technisch-Neuem. War das früher, in den vormodernen abendländischen oder außerabendländischen, oder ist es jetzt in den noch-nicht-modernen Kulturen anders? War oder ist im Nichtmodernen nicht das Künstlerische das verbreitetste Kreative? Die vormoderne, geschichtliche oder gegenwärtige, Kultur ist im Technischen einigermaßen stabil: zwar wird Neues erfunden, aber seltener als in der modernen, mit geringerer Vielfalt, mit geringerem Abstand des Neuen vom Alten, inhaltlich vorwiegend an Bisheriges anschließend, kaum dagegen zu grundsätzlich Neuem vorstoßend (in der Landwirtschaft, dem wichtigsten Berufsbereich, gab es während Jahrhunderten keine wesentliche technische Neuerung; die Handwerke erzielten einige Fortschritte, die am Heraufkommen der Industrie und damit der neuzeitlichen Industriekultur beteiligt waren, aber auch das war ein im ganzen wenig vielfältiger, wenig intensiver Prozeß), und in allem eher dem Verbessern des Gegebenen als dem technischen Neuwesens- oder Werkschaffen nahe.

War die technische Kreativität der vormodernen Menschen und ist sie bei den Menschen der jetzigen noch-nicht-modernen Kulturen geringer? Vielleicht nicht in der Anlage, aber sicherlich nach der Ausbildung, der Erfahrung und dem Interesse, dies vor allem im Zusammenhang mit dem sehr geringen Bestand an wissenschaftlichem und technologischem Wissen und Können, mit dem Fehlen von Schulen der wissenschaftlich-technischen Richtung (abgesehen von der Ausbildung der Ärzte, die aber im Altertum und Mittelalter noch sehr weit von der modernen Wissenschaftlichkeit entfernt war) und von Gelegenheiten zu technischer Betätigung, mit dem geringen Ansehen der aufs Praktische gehenden Berufe (begleitet von der hohen Einschätzung des Religiösen und Philosophischen, wobei die Philosophie jedenfalls im Mittelalter religiös gebunden war und blieb und also nicht von sich aus den Weg zur kritischrealistischen Wissenschaft und zur in Diesseitsbejahung gegründeten Technik aufschließen konnte). Kreativität, soweit sie anlagemäßig gegeben ist und nach ihrer Ausbildung wirksam werden kann, geht da in der Tat stark ins Künstlerische, — aber, sieht man es genauer, nur zum geringeren Teil ins Reinkünstlerische in dem Sinne, daß Werke von erheblichem künstlerischem Eigengewicht geschaffen würden, zum größeren Teil dagegen ins Kunsthandwerkliche, in die Herstellung von Künstlerisch-Gestaltetem, das Verwendungszweck hat und für das hieraus in der Gesellschaft Bedarf besteht (so: Tempel, Kirchenbau, Klostergebäude, Rathaus, Festung, Schloß, Theater, Arena, Wasserleitung, Bürgerhaus, Villa, Park, Möbel aller Art, Wandschmuck, Gewebe, Kleid, Waffen, Rüstung, Fahrzeuge). An Güter dieser Hauptkategorie und ihrer zahlreichen Untergruppen wird viel schöpferisches Können gewandt, dessen Hauptaufgabe überwiegend die Formgebung ist, welche die Sachstruktur und Nutzfunktion unverändert läßt; natürlich gilt das nicht absolut, denn es werden auch Fortschritte im Konstruktiven erzielt (so: Tempel-, Kathedralenbau, Brückentechnik), aber verglichen mit denjenigen der modernen Technik sind sie relativ selten.

Unzweifelhaft gingen im Altertum, im Mittelalter und in den ersten Jahrhunderten der Neuzeit in solches Kunsthandwerkliches starke und mannigfaltige geistige Energien ein, und man darf überlegen, was mit diesen hätte erreicht werden können, wenn sie von einer diesseitszugewandten, wissenschaftlich und technisch sowohl interessierten als auch kenntnisreichen und scharf geschulten, Fortschritt und Wohlstandsaufbau erstrebenden Elite auf den Sach- und Nutzgehalt der materiellen Dinge gelenkt worden wären (so: statt einer Prunkkutsche ein rein zweckmäßig geformter, den landwirtschaftlichen Ertrag steigernder Eisenpflug, statt dem kunsthandwerklich überreichen gotischen Rathaus eine städtische Wasserversorgung, statt der mit raffinierten Reliefs geschmückten Eisentruhe ein rationell arbeitender Eisenofen), — vielleicht hätte rational-technisches Denken sehr lange vor der Neuzeit nicht nur Grundlagen eines Prinzipiell-Neuen legen, sondern auch dieses auf höhere Stufe, etwa bis zu neuartiger Energienutzung gehend und an sie anschließende Arbeitsgeräte entwickelnd, bringen können.

Aber gewährt nicht gerade das künstlerische oder auch nur

kunsthandwerkliche Wesen seiner Leistung dem Tätigen die klar ausgeprägte Werkhaftigkeit sowohl der Arbeit als solcher wie des Arbeitserzeugnisses?: das als Einzelwerk entworfene, ausgeführte und kunsthandwerklich verzierte Bürgerhaus etwa in einer reichen spätmittelalterlichen Stadt ist doch viel mehr »Werk« als der moderne Wohnblock, in dem ein bekanntes Muster wiederholt ist; jedes einzeln angefertigte antike Möbel hat mehr Werkcharakter als ein Produkt der Möbelindustrie. Das läßt sich nicht bestreiten, — aber es zeigt die Begrenztheit der die Sonderwerte von werkschaffender Leistung und ihrer Erzeugnisse hervorhebenden Überlegung. Diese Leistung erfolgt im sozialen Ganzen und hat durch ihre Ergebnisse meistens — jedoch nicht immer, und das ist für die ergänzende Prüfung wichtig — sozialen Charakter, dadurch, daß das Hergestellte von einem Auftraggeber oder Käufer übernommen (und bezahlt) wird und ihm den erwarteten Dienst leisten soll, — zu dem allerdings auch gehören kann, daß es dank der künstlerischen oder kunsthandwerklichen Form erfreut. Hier nun kann in der Gesellschaft eine Spannung entstehen: es kann sich erweisen, daß der verlangte Nutzen der Werkhaftigkeit und insbesondere der Formschönheit des Gegenstandes nicht bedarf, ja sogar durch diese behindert wird, jedenfalls durch Verteuerung, die sich durch Verzicht auf das Kunsthandwerkliche abbauen läßt. In vielem kommt es den Gebrauchern vor allem oder nur auf den Sachnutzen an, kaum oder nicht dagegen auf die Form, zumindest dann, wenn sie sich über ihre Bedürfnisse in kühler Sachlichkeit klarwerden, — vielleicht tun sie das anfänglich nicht und lehnen es sogar ab, können jedoch mit der Zeit dazu veranlaßt werden, schon durch die Verbilligung des Nur-Nützlichen und auch durch Erziehung, öffentliche Meinung und Geschäftswerbung. Das Gebraucherinteresse geht hieraus — und ging von Anfang an, nur wurde das nicht erkannt und konnte sich, wäre es erkannt worden, nicht durchsetzen — auf die allmähliche Abkehr vom Kunsthandwerklichen und auf die Zuwendung zum einfacheren Gleichnützlichen, zum Gebrauchsding, dessen Nützlichkeit mit günstigstem Fertigungsaufwand zustandegebracht ist. Daß dieses Interesse bewußt und kulturell wirksam werden kann, hat mehrere Voraussetzungen: erstens das entsprechende Bewußtwerden in ausreichender gesellschaftlicher Breite (dieses hat Ansatzpunkte in den Städten des

Hoch- und noch mehr des Spätmittelalters und der frühen Neuzeit: Aufkommen und allmähliches Starkwerden der städtischen Bürgerschaft, getragen von Handwerkern und Händlern, also von einem Mittelstand, der hart arbeitete und auf sparsame Verwendung des Erworbenen bedacht sein mußte); zweitens Möglichkeiten der produktionstechnischen Änderung (sie traten mit dem Aufkommen des Manufaktursystems ein und wurden mit dessen Verbreitung und Ausbau stärker); drittens die prinzipielle, nämlich religiös begründete sozialmoralische, Verneinung des Wunsches und Bedürfnisses, den Familien-, Bürgerschafts-, Kirchen- und Fürstenreichtum zur Schau zu stellen (dieses Bedürfnis blieb bis ins 18. Jahrhundert hinein sehr ausgeprägt, vor allem in den katholisch-absolutistischen Ländern, aber Gegenkräfte erheben sich mit der Reformation, stärkst mit dem Kalvinismus, und verbreiten sich mit dem Rationalismus, der den Menschen in einer kahlen Welt befindlich versteht und zu scharf begrifflichem Denken, dem eine asketische Haltung eigen ist, verpflichtet).

Diese Wandlung bereitet den Übergang zur modernen sachnützlichkeitsbestimmten nicht-mehr-künstlerischen, jedenfalls in der Übergangszeit vor dem Häßlichen nicht zurückschreckenden Güterherstellung und Bedürfnisbefriedigung vor, zu einem sozialpraktischen Utilitarismus, der über längere Zeit den Menschen im Technisch-Wirtschaftlichen reicher macht, allerdings ihm auch den Verzicht auf Schönes der früher zugänglichen Art auferlegt (zugänglich gewesen freilich nicht für sämtliche Gesellschaftskreise, sondern in etlichem nur für die Aristokratie und das gehobene städtische Bürgertum, so daß beim mittleren und unteren Bürgertum, bei den Bauern und Arbeitern der Zuwachs an Nützlichem kaum von Schönheitsverlust begleitet ist), — aber diese Beeinträchtigung ist nicht dauernd, denn allmählich wird die Schönheit der Industrieprodukte ausgebildet. Dauernd ist indessen die Abschnürung der Kunsthandwerke und damit der in ihnen während Jahrhunderten und sogar Jahrtausenden weitverbreiteten besonderen Kreativität und Leistungsbefriedigung, — wird in der Fabrik eine neue, industrielle Ästhetik angewandt, so von Gestaltern neuen Typs (Industrial Design und Kunsthandwerk sind sehr verschiedenen Wesens).

6.8 Technisches Werkschaffen (II)

Deutlich läßt sich im Zusammenhang mit der Ersetzung des Handwerks, zumal des Kunsthandwerks, durch die Industrie (der allmählichen, mehr oder weniger weitgehenden, aber doch nur teilweisen Ersetzung: es handelt sich nicht um einen totalen und absoluten Vorgang) ein prinzipieller Wandel in der technischen Kreativität feststellen: der Übergang vom einzelgegenständlichen zum typenhaften, modellhaften Werk, — Werk ist im ersten Fall der Gegenstand, der vom Schöpferischen in einiger Individualität hergestellt ist (dies selbst dann, wenn in einer spezialisierten Werkstätte ein Muster vielfach wiederholt wird), im zweiten Fall die detaillierte Idee, das Schema für die fabrikmäßige Produktion vieler genau gleicher oder doch sehr ähnlicher (vielleicht den besonderen Verbraucherbedürfnissen angepaßter) Einzelgegenstände, die weder für den Schöpfer noch den Gebraucher Werkcharakter haben, vielmehr bloße Gebrauchsgüter sind, die, ans Ende ihrer Nützlichkeit gelangt, als unnütz geworden beseitigt werden (es sei denn, sie hätten technikgeschichtlichen Kuriositäts- oder Anschauungswert). Begründet ist dies schon dadurch, daß in der Industrie die Produktion in mehr oder weniger zahlreiche Phasen mit je mehr oder weniger kompliziertem Teilfertigungsgang aufgegliedert ist, die mechanisiert sind, also die ständige Wiederholung genau gleicher Bewegungsfolgen verlangen, damit die Hauptleistung auf die technische Organisation verschieben, weiter dadurch, daß jedenfalls die komplexeren Industrieprodukte — und auch einfachere, in denen wissenschaftliche Spezialistenkenntnis oder spezifisch technische Ingeniosität praktisch wirksam wird — die entwerfende, experimentierende, planende, organisierende Leistung von Hochqualifizierten, die der eigentlichen Ausführung fern sind, erfordern: in der modern-arbeitsteiligen Industrie liegt die Kreativität überwiegend bei den Intellektuell-Tätigen, und nur noch zum kleinen Teil bei den Physisch-Tätigen (immerhin ist sie diesen nicht vollständig entzogen: es bleibt die schöpferische Mitwirkung bei der Arbeitsorganisation und vielleicht läßt sie sich sogar wieder verstärken).

Das verändert sehr tiefgehend auch den Charakter des Werkes, des Ergebnisses der schöpferischen Leistung: es ist mehr ein intellektuell-beschriebener und dank dieser Beschreibung physisch-ausführbarer Plan als das konkrete Einzelprodukt, oder es ist (dem Sinne nach mit dem ersten gleich) die eine gleiche, gemeinsame Idee aller Einzelexemplare des betreffenden Produktes (so: Werk ist nicht das einzelne, konkrete Flugzeug AX, das da vor dem Flughafengebäude auf Passagiere wartet, sondern der Flugzeugtypus AX als solcher, in seiner Abstraktheit, erfaßbar in Plan und Beschreibung, aber auch in generalisierender Betrachtung des einzelnen, konkreten Flugzeuges). Hieraus wird nun freilich die Erfassung des Werkcharakters des Industrieproduktes einigermaßen schwierig: wenn Werk das Intellektuell-Beschriebene oder -Zubeschreibende ist, dann kann sein Inhalt nur von Sachkundigen genauer eingesehen werden, von solchen, die fähig sind, das Denken und Vorstellen der Abstrakt-Kreativen wenigstens überblicksweise nachzuvollziehen (so braucht es erhebliche naturwissenschaftliche und technologische Kenntnis, wenn man sich das Prinzipielle von Aufbau und Wirkungsweise eines Verkehrsflugzeuges ins einzelne gehend vergegenwärtigen will), — da sogar viele Höhergeschulte diese Voraussetzung nicht mitbringen, ist technische Werkkenntnis nur beschränkt möglich, und weil dem so ist, ist auch das allgemeine Interesse für das tiefere Wesen des abstrakten technischen Werkschaffens nicht oft stark genug, um unter die Oberfläche des Anschaubaren, Praktisch-Wichtigen, Sensationellen oder zumindest Anekdotischen zu dringen (man reist in Strahlflugzeugen, liest und spricht über sie, aber man erfaßt nicht das Strahltriebwerk im besondern und das Passagierflugzeug im ganzen als die großartigen technischen Werke, die sie gemessen an den naturwirklichen Ausgangsgegebenheiten und auch nach ihrer Stellung in der Technik- und, wegen des ihnen eingebildeten Objektiv-Geistigen, in der allgemeineren Geistesgeschichte tatsächlich sind; man läßt sich von diesem Großartigen, weil man es nur unter mentaler Anstrengung einsehen könnte, durch allerlei Äußerlichkeiten, bis zur Wandbekleidung in der Kabine, ablenken). Da aber in der modernen Kultur die Technik eines der wichtigsten Kreativitätsfelder, ja nach Anzahl, Vielfalt und Schwierigkeit der Leistungen das wichtigste ist, werden die Technisch-Uninteressierten einem wesentlichen Kulturellen entfremdet, genauer: bemühen sie sich nicht, ihm näherzukommen, sich ihm zu öffnen, — und das mag eine gewichtige Ursache des modernen Unbehagens an der Kultur sein.

Besonders abstrakt ist das technische Werkschaffen dort, wo der Werkgehalt hauptsächlich ein Prozeß und anschließend die auf den Prozeß gerichtete, ihn ermöglichende Strukturanordnung ist. Allerdings liegt dieses Schaffen zumeist nahe dem wissenschaftlichen Untersuchen oder gehört in das breite Übergangsfeld zwischen der reinen Technik und der reinen Wissenschaft, das sowohl technisch als auch wissenschaftlich ist. Wissenschaftlich ist die Feststellung der in der Natur möglichen physikalischen, chemischen und biotischen Prozesse, ihrer Voraussetzungen, Bedingtheiten, Besonderheiten und Auswirkungen; wissenschaftlich kreativ sind schon das Fragen, die Themastellung, vor allem aber die Auswertung der Beobachtungen, die Bildung von Hypothese, Theorie, Gesetz, Modell, usw. Technisch ist die Auswahl des Wissenschaftlich-Erkannten in Hinsicht auf die praktische Zielverwirklichung; technisch kreativ ist insbesondere die abstrakte (sich allerdings oft auf konkrete Versuche stützende und erst deren konkrete Ergebnisse ins Abstrakte wendende) Formulierung der für das Konkret-Praktische bestgeeigneten Vorgänge und der sie zweckmäßigst herbeiführenden Anlagen, Einrichtungen, Maschinen und Apparate, vorläufig in ihrem prinzipiellen Inhaltlichen zu beschreiben (Beispiel: Chemie und Physik kennen und beschreiben viele Möglichkeiten der Herstellung von Wasserstoff aus Wasserstoffverbindungen, — Aufgabe des schöpferischen Technikers kann sein, das unter industriewirtschaftlich aktuellen Voraussetzungen und Zielen, etwa im Blick auf den erdölknappheitsbedingten Übergang zum Wasserstoffmotor, praktisch-beste Verfahren zu entwickeln und zur Anwendungsreife zu bringen: gelingt ihm das, so vollbringt er ein, zwar sehr abstraktes, Werk, das für die zukünftige Kultur vielleicht sehr wichtig ist).

Für den Betrachter des technischen Werkschaffens hat solche Abstraktheit oft den Vorzug der leichteren und klareren Einsichtigkeit: es ist einfacher und gesamthaft-aufschlußreicher, einen chemischen oder physikalischen Prozeß in seinem theoretisch dargelegten Grundgehalt zu erfassen als in der einigermaßen detaillierten Abfolge der durch je besondere Maschinen, Apparate und Aggregate bewirkten Teilvorgänge. Hieraus ist ein Postulat für die

Betrachtung der technischen Werke abzuleiten: wenn das, auch bloß schematisch beschriebene, praktische Technische allzu fachlich ist, so ist das Betrachtungsinteresse vorzugsweise dem Technisch-Theoretischen zuzuwenden, das für jenes die Grundlage ist und in ihm angewandt wird. — Diese Überlegungen beziehen sich direkt zwar nicht auf Kreativität und schöpferische Menschen, sondern auf Betrachtung und Betrachter des Schöpferischen, indirekt aber doch stark auch auf die ersten, indem vom Verstehen der technischen Kreativität die diese beeinflussende, entweder fördernde oder hindernde gesellschaftliche Einstellung, das geistige Klima, in welchem die technischen Schöpfer arbeiten, abhängt — und vielleicht auch die Selbstauffassung manches der Technisch-Leistenden bestimmt wird.

Jedoch gibt es in der Technik eine Kategorie von Erreichnissen, die in ihrer Konkretheit und Einzelnheit als solche werkhaft sind, — anders als die Erzeugnisse der ein von Technisch-Schöpferischen geschaffenes Muster in vielen Exemplaren wiederholenden mechanisierten Industrieproduktion. An erster Stelle zu erwähnen sind hier die technischen Großanlagen, die unter so speziellen Bedingungen stehen, so großen Aufwand erfordern und während so langer Zeit ihren Dienst leisten werden, daß jede von ihnen mit den in ihrem Fall bestgeeigneten Struktur- und Funktionseigenschaften zu versehen ist: wichtigst sind da die Großbauten (so: große Fabriken und Industrieeinrichtungen, Bergwerke, Kraftwerke, Eisenbahnen und Straßen und zu ihnen gehörend insbesondere die großen Kunstbauten wie Brücken und Tunnels, andere dem Verkehr dienende Großanlagen wie See- und Lufthäfen, Ölleitungen, Radio- und Fernsehsender für Direkt- und Satellitenübertragung), die einzeln geplanten Großmaschinen (so: Dampfkraftanlagen, Turbinen, Generatoren, Schiffsmotoren, Teilchenbeschleuniger, Radioteleskope), Großschiffe, weiter die Flußregulierungen, Dammbauten, Bewässerungs- und Entwässerungsanlagen, Kanalisationen, Umweltschutzanlagen, und vieles mehr, — auf allen diesen Leistungsfeldern wird in unserer Zeit Besondersartig-Werkhaftes geschaffen, das zumindest gleich wie etwa ein römisches Aquädukt als bedeutende Kulturleistung gewürdigt zu werden verdient, ja noch mehr, und das wegen des höheren Wissens- und Könnensniveaus (selbst wenn die jetzigen Leistenden ihr Ausgangsniveau relativ nicht stärker überträfen als ihre antiken Vorgänger, so ist doch das jetzige Gesamtniveau absolut, kulturgeschichtlich viel höher). Weil solches Technisches gegenwartsnah und gegenwärtig nützlich ist, wird oft sein Werkcharakter nicht klar genug eingesehen, auch unter dem Einfluß traditionell-humanistischer Ablehnung von Technik und Zivilisation, zudem aus ideologischer Kritik an der Leistungs- und Konsumgesellschaft. Aus zwei Gründen sollte dieses Hindernde überwunden werden: erstens um der objektiv-richtigen Erfassung eines wichtigsten Kulturellen, eben der Großwerke und der auf sie gerichteten Leistungen willen; zweitens aus dem praktischen Grund, daß die Leistenden und Leistungsfähigen den Wert ihres tatsächlichen oder möglichen technischen Schaffens erkennen sollen, dies im Hinblick auf ihre persönliche Selbstverwirklichung wie auf den Beitrag, den sie der Gesellschaft erbringen können, — die Schwierigkeiten innerhalb der modernen Kultur lassen sich nur durch Verstärkung der technischen Kreativität, insbesondere durch zahlreiche, zum Teil neuartige, neuzuentwickelnde Großleistungen und -werke lösen, nicht durch ihre Einschränkung und noch weniger durch Verzicht auf sie.

6.9   Technisches Werkschaffen (III)

Aufbau und Funktion des einigermaßen komplizierten und natürlich noch mehr des sehr komplexen technischen Erzeugnisses oder Werkes (Extremfälle sind da etwa die Automobilfabrik, das Kraftwerk, der Teilchenbeschleuniger, das Radioteleskop), dazu die wissenschaftliche Fundierung des Werkganzen und seiner Teile (bis hinunter etwa zur Erforschung von metallurgischen Eigenschaften und von Strömungsverhältnissen), der Zwang zur großen Leistungsorganisation bei jedem der Großwerke, aber auch in den Massengüter herstellenden Industrien, die Anpassung an die Käufer- und Kundenbedürfnisse, — das alles verlangt die Zusammenfassung und Organisation der kreativen technischen Leistung in Arbeitsgruppen, Teams: die einzelnen Schöpferisch-Tätigen haben in einem größeren, überindividuellen Leistungsgebilde ihre je individuelle Funktion zu übernehmen, wobei zwar die Leiter den

Blick aufs Ganze oder wenigstens einen Sektor haben, die Untergeordneten und viele Spezialisten dagegen hauptsächlich mit relativ und vielleicht auch absolut kleinen, engen Detailaufgaben betraut sind. Beispiele für technische Großleistungen, die an die technische Kreativität so hohe Ansprüche stellen, daß für sie umfangreiche und komplexe Kreativitätsorganisationen einzusetzen sind — und in Hinsicht auf die Einsetzung zu schaffen, aufzubauen sind, was wiederum schöpferisches Können, nämlich technisch-organisatorisches Können hoher Stufe erfordert —: Planung und Bau eines Stahlwerkes, einer petrochemischen Fabrik, eines Alpentunnels, einer Großbewässerungsanlage, eines großen Güterbahnhofes, Planung und Herstellung eines neuen Überschallflugzeuges, einer Bohrinsel, eines Kommunikationssatelliten und der entsprechenden Bodenanlagen, großindustrielle Herstellung von Heilmitteln, von konservierten Nahrungsmitteln. — Gerade dank solcher Organisation haben jetzt viele Einzelne die tatsächliche Möglichkeit, schöpferisch tätig zu werden. Auf niedrigerer Stufe der technischen Entwicklung hätte sie nicht bestanden, obwohl damals das technische Schaffen alltagsnäher war (vielleicht bot in der Frühzeit der Maschinentechnik die relativ einfache, aber gesamthafte Umgestaltung einer Dampfmaschine größere Schwierigkeiten als sie jetzt bei der technischen Anwendung eines höchst abstrakten physikalischen Zusammenhanges zu meistern sind): erst die moderne Technik ist, vor allem wegen der Entwicklung der Leistungskollektive, zum Großbereich intensivsten und vielfältigsten kreativen und insbesondere werkschaffenden Tuns geworden.

Freilich ist es immer nur eine Minderheit der Technisch-Leistenden, die, zumal unter höherem Sachanspruch und Erreichnisrang, werkschöpferisch aktiv sind. Die Mehrheit ist nicht-werkschöpferisch, weil in ihr der Großteil überhaupt unschöpferisch und eine zweite Minderheit mit anderm Ziel als einem technischen Werk schöpferisch ist. Die werkschaffenden Kreativen sind eine Elite, ausgezeichnet durch Begabung und Ausbildung, bevorzugt durch Leistungsplatz und -rang, aber belastet mit den besondern Schwierigkeiten eben des Werkschaffens: mancher Leistungsstarke und -freudige wird der Mühe des auf ein schwieriges, vielleicht erst nach Jahren oder sogar Jahrzehnten (wie etwa bei der Arbeit an Kernfusions- oder Sonnenenergietechnik) erfolgreichen Werkschaffens diejenige vorziehen, die durch Verbesserungs- oder nichtwerkhaftes Neuwesenschaffen rascher zu einem greifbaren Ergebnis gelangt, und dies vielleicht auch mit geringerer Einengung durch unvermeidliche Großorganisation, also auf einem breiteren, mehr Selbständigkeit gewährenden Arbeitsfeld (der Betriebsingenieur, der kreativ die Betriebsorganisation seiner Abteilung umformt, kann mehr Berufsbefriedigung haben als der hochqualifizierte Physiker-Techniker, der unter einem Fusionsreaktor-Programm am Problem der magnetischen Wände arbeitet). — Würde man von hier aus überlegen, ob das Bestehen einer die Technisch-Werkschöpferischen umfassenden Elite nicht aus sozialmoralischen Gründen zu kritisieren sei, so wären zwei Gesichtspunkte wesentlich: erstens das tatsächliche Zahlenverhältnis zwischen den Werkschaffungsfähigen und -willigen und den in der technischen Gesamtorganisation des betreffenden Landes oder Großgebietes angebotenen oder in naher Zukunft anzubietenden Leistungsplätzen mit werkkreativem Auftrag, zweitens die ebenfalls zahlenmäßig zu erfassenden Möglichkeiten, allfällig überzählige Kreativitätsuchende auf andere technisch-schöpferische Leistung zu lenken. Zum ersten: geprüft werden muß die Verfügbarkeit von Leistungsmöglichkeiten einigermaßen allgemeinen Inhaltes, denn der kreative Einzelne ist meistens nicht schon aus seinem Wesen auf ein enges Sondergebiet festgelegt (so haben der Festkörperphysiker und der Elektronikingenieur je ein zwar beschränktes, aber doch viele Teilfelder umfassendes Großfach); immerhin zeigt sich hier die praktische Wichtigkeit einer Ausbildungsberatung, welche die Lernenden vor allzu früher Spezialisierung bewahrt. Zum zweiten: sind in der Gesellschaft mehr Technisch-Kreative, als im technischen Werkschaffen benötigt werden, so können manche von ihnen auf die andern, vielleicht raschere und größere Berufsbefriedigung bietenden Kreativitätsweisen gelenkt werden.

Jedoch sind solche Gedankengänge erst dann praktisch schlüssig, wenn sie sich auf statistisches Material stützen, dieses aber ist schwer zu gewinnen. Überdies sind die beiden Bestände, Schöpferisch-Fähige und Kreativitätsplätze (hier insbesondere solche der Werkkreativität), bestenfalls für den Erhebungsmoment festgelegt, nicht aber für die Zukunft, jedenfalls nicht für die fernere: die Kreativitätsfähigkeit hängt ab von Begabung und Ausbildung und sogar die Begabung wird sozial beeinflußt (durch den tatsächlichen Entwicklungsstand und die gesellschaftliche Einschätzung der Technik), anderseits verändert sich die Zahl der Kreativitätsplätze mit den sich wandelnden technischen Gegebenheiten, besonders stark mit den Aufwendungen für technische (industrielle und andere) Forschung und Entwicklung. Dieses auf das Quantitative Bezügliche kann wiederum zum Qualitativen zurückführen. Bejaht man die Kreativität im allgemeinen und die technische Kreativität im besondern; bejaht man, noch enger fassend, die technische Werkkreativität; bejaht man im Persönlichen das schöpferische Handeln als wertvolle, zielhafte, zumal geistesmenschliche Selbstverwirklichung der Schaffensfähigen; bejaht man im gesellschaftlichen Kulturellen den Ausbau der technischen Zivilisation, also auch den technischen Fortschritt und insbesondere den Willen zur technischen Meisterung der sich jetzt zeigenden Schwierigkeiten: dann sind sie alle wegen ihres qualitativen Positiven zu fördern und sind die sie hindernden quantitativen Ungleichgewichte zu vermindern, ja zu beseitigen. Und dann erscheint das Entstehen einer Leistungselite, obwohl sie dem alten und jetzt erneuerten Egalitarismus widerspricht, als eine Nebenerscheinung, die hingenommen werden muß.

Aber zeigen sich nicht in der modernen Technik und insbesondere in ihren neuen Werken, seien sie Typen und Muster neuer Produkte oder Bauten, Anlagen, Einrichtungen oder Organisationen, bei allem Wert des Schöpferischseins als solchen und der schöpferischen Selbstverwirklichung der Leistenden, zeigen sich da nicht große Nachteile, ja Bedrohungen, welche für die Zukunft der Kultur und sogar der Menschheit fürchten lassen? Das läßt sich nicht bestreiten, und selbst wenn man geneigt ist, auf Übertreibungen hinzuweisen, wird man sich mit diesen Warnungen ernsthaft auseinandersetzen müssen, — zumindest wird das die Berücksichtigung von Zuwenigbeachtetem veranlassen. Praktisch verfehlt wäre die prinzipielle Verwerfung der modernen Technik, denn die Größe der jetzigen Weltbevölkerung erlaubt nicht den Verzicht auf die mit wissenschaftlich-technischen Methoden erreichte Wohlstands- oder wenigstens Überlebenssicherung: es kann sich somit nur darum handeln, bestehende Mängel zu beheben, neue Fehler zu vermeiden und, vor allem, mit den schwindenden Rohstoffvorräten global möglichst haushälterisch zu verfahren. — Behebung von

Mängeln. Das, was sich jetzt als gefährdend oder jedenfalls als sehr belastend erweist, ist so umzuformen, daß sein Nachteiliges ausreichend gemildert, wenn nicht völlig beseitigt wird (im Grenzfall mag die Aufhebung nötig sein, praktisch die Ersetzung des Bisherigen durch ein Neues, das gleichen oder größeren Nutzen erbringt, aber das Nachteilige des Alten vermeidet). Hieraus werden dem technischen Werkschaffen mannigfach neue Aufgaben gestellt, oft auch dort, wo es sich nur um die Verbesserung eines Bestehenden zu handeln scheint, denn diese kann die Schaffung eines neuen Werkhaften erfordern (so: Verminderung des Rauchausstoßes einer Fabrik ist gesamthaft gesehen eine Verbesserung, die hiefür nötige Konstruktion eines Rauchabscheiders ist Werkschaffen). — Vermeidung neuer Fehler. Sie bezieht sich sowohl auf Mängel der bekannten wie auf solche neuer Art; beides kann die Schaffung von neuartigem technischem Werk und damit die Erweiterung des technischen Schaffens erfordern (so: vielleicht wird ein neues Stahlwerk, weil man die von den alten Typen her bekannten Umweltbelastungen ausschließen will, in wesentlichen Teilen anders geplant und ausgeführt, als bisher üblich; gänzlich neuartige Vorsorge gegen Umweltbelastung veranlaßt bei den Atomkraftwerken entsprechend neuartige Schutzwerke). — Haushälterische Verwendung der Rohstoffe. Bereits in den technischen Stoffumlauf einbezogene Stoffe sind in ihm zu halten (Wiederverwendung der Altstoffe); die neugewonnenen Rohstoffe sind möglichst rationell und sparsam zu gebrauchen (das gilt sowohl für die zu verarbeitenden Stoffe wie für die Energieträger); aus endverbrauchsfernen, aber reichlich vorhandenen Grundstoffen sind Kunststoffe zu schaffen, welche die endverbrauchsnäheren Rohstoffe ersetzen können (so: Kunststoffe in der Maschinen-, Fahrzeug-, Hochbautechnik); es sind die bisher nicht abbauwürdigen Kohlen- und Erdöllager auszubeuten und in Zukunft vielleicht neuartige Energieträger zu gewinnen (so: Deuterium und Tritium); und all das von Anfang an in möglichst haushälterischer Weise, denn es gibt auf der Erde nichts, das nicht schließlich knapp werden könnte. Dabei müssen die Technisch-Schöpferischen grundsätzlich an die ganze Menschheitszukunft denken, — das ist erst recht ein Großbereich, in welchem der Ausbau des technischen Schaffens unerläßlich und für den dieser somit nachdrücklich zu fordern ist.

Gesamthaft gesehen lassen sich die unbestreitbaren Schwierigkeiten, vor die sich die moderne wissenschaftlich-technische Zivilisation gestellt sieht, und in die sie eben wegen ihres wissenschaftlich-technischen Wesens geraten ist, nicht durch Abbau, sondern nur durch klug geplanten und zielbewußten Ausbau und weiteren Aufbau der Technik, zumal des technischen Werkschaffens, meistern, — klarere Zielbewußtheit wird den Gemeinschaftsaspekten größeres Gewicht geben, dagegen das bisher vorherrschende Rentabilitätsstreben in den zweiten Rang verweisen müssen.

6.10   Wirtschaftliches Werkschaffen (I)

Im technischen Verbesserungs- und Neuwesenschaffen ist wohl die wirtschaftliche Komponente jedenfalls dann einigermaßen stark, wenn es auf Kostenersparnis oder Verkaufssteigerung angelegt ist; anderseits wird das wirtschaftliche Bemühen um bessere oder neuartige betriebliche Leistung häufig seinen praktischen Inhalt in Technischem haben. Im Vergleich dazu ist wohl das Werkschaffen eher auf sein spezifisches Feld, dasjenige der Technik oder aber der Wirtschaft, beschränkt, auch wenn jedes technische Werk seine wirtschaftliche Seite hat und manches wirtschaftliche Werk sich im Technischen auswirkt. Viele werkschaffende Techniker handeln unter einem Auftrag und in einer Leistungsorganisation, die dem Praktischen der Wirtschaft um so ferner sind, je ausgeprägteren Werkcharakter die Leistung hat (so: ein Kleinwagen prinzipiell neuen Typs ist als solcher ein technisches Werk, nämlich Erreichnis von technischer, dabei Wissenschaftlich-Technisches anwendender, Entwicklung und Planung — die immerhin die Fabrikationsplanung einbezieht —; dagegen kümmern sich die bearbeitenden Ingenieure und Techniker nicht um den wirtschaftlichen Bedarf, den er, und zwar für den Produzenten rentabel, decken soll); vor allem gilt das in den großen Leistungsorganisationen mit stark durchgebildeter Funktionstrennung. Immerhin gibt es, etwa in mittleren und kleineren Industrieunternehmungen die Verbindung von technischem und wirtschaftlichem Werkschaffen (so: Erfindung eines ingeniösen neuen Haushaltungsapparates und Aufbau der ihn herstellenden und mit Gewinn vertreibenden

Fabrik); bei großem wirtschaftlichem Erfolg ist wahrscheinlich, daß die wirtschaftliche Leitung und die technische Kreation getrennt werden (der Erfinder-Gründer wird zum Fabrikleiter, der zwar noch technische Direktiven festlegt, deren Ausführung aber an hochqualifizierte Nur-Techniker überträgt). Anderseits steht das wirtschaftliche Werkschaffen, auch wenn es mit einem technischen Werk verbunden ist oder werden soll, ja in diesem seinen sozialen Sinn hat oder erhalten wird, einigermaßen oder sogar ganz für sich, — dies aus seinem eigenen, spezifischen Sosein, seinen Strukturen und Gesetzmäßigkeiten, auch seine sozialen Funktionen.

Das Wesenseigene des wirtschaftlichen Werkschaffens ruht auf dem Spezifischen des Wirtschaftlichen überhaupt: organisierter, rationeller Einsatz der knappen Güter und Produktionskräfte zur gesellschaftlichen Bedürfnisbefriedigung. Darin zeigen sich vier allgemeine Richtungen des wirtschaftlichen Ausbaues, sowohl des Verbesserungs- und des Neuwesenschaffens als auch, hier besonders interessierend, des Werkschaffens: Vervollkommnung der Organisation, der Rationalität, der Bedürfnisgemäßheit, dazu Erweiterung und Differenzierung der Bedürfnisbewußtheit, des wirtschaftlich wirksamen Bedürfnishabens; die entsprechenden Bemühungen folgen entweder nur einer dieser Linien oder gleichzeitig mehr als nur einer. — Vervollkommnung der Organisation. Das wirtschaftliche Handeln geschieht in Betrieb, Unternehmung, Staatsverwaltung (im weitesten Sinne, das heißt Gliedstaatliches, Kommunales, usw. einschließend), Gruppe von Unternehmungen und wirtschaftlich tätigen Verwaltungen, Wirtschaftsverband, öffentlicher Körperschaft mit wirtschaftlichem Auftrag, dazu wird sie durch die staatliche und zunehmend durch überstaatliche Wirtschaftspolitik beeinflußt, überwacht, mitunter eigentlich gelenkt, — bei all diesen Organisationen und Maßnahmen können von Wirtschaftlich- oder Wirtschaftspolitisch-Schöpferischen neue Typen geschaffen werden, die in sich abgeschlossene und in ihrem theoretischen Gehalt übertragbare Modelle sind, also Werkcharakter haben (so: neuer, werkhafter Typus für Montagegruppen in der Geräteindustrie, für die Belieferung von selbständigen Detailhändlern, für die international einheitliche Führung von Hotels, für die Zusammenarbeit von Industrien sozialistischer und kapitalistischer

Länder, für die Kartellüberwachung in einem mehrere Staaten umfassenden Großwirtschaftsgebiet). Und Vervollkommnung ist schon die Schaffung von neuen, aber nicht neuartigen volkswirtschaftlich wichtigen Organisationen dieser Arten, als Vervollkommnung nicht des Bestandes an Organisationsmodellen, sondern an in der nationalen oder übernationalen Gesellschaft tatsächlich arbeitenden Organisationen (wirtschaftlich schöpferisch in diesem Sinne sind etwa die Gründer und Organisatoren neuer Industrie-, Bank-, Versicherungsunternehmungen, die das landwirtschaftliche Genossenschaftswesen ausbauenden Agrarspezialisten, die den internationalen Handel durch Handels- und Zahlungsverträge fördernden und sichernden Wirtschaftspolitiker). — Aber natürlich findet sich Werkhaft-Organisatorisches nicht nur im volkswirtschaftlich Großen, vielmehr auch im Mittleren und Kleinen: das Modell, das Werk ist, kann sich auch auf kleinere Fabrikations-, Dienstleistungs- oder Handelsbetriebe beziehen, ja großen volkswirtschaftlichen Wert gerade darum haben, weil es die Lebensfähigkeit nichtgroßer Betriebe und Unternehmungen stärkt, und im auf den tatsächlichen Organisationenbestand gerichteten Bemühen kann Werkschaffen auch im Aufbau einer verhältnismäßig kleinen, aber gesunden und erfolgreichen Industrie- oder Dienstleistungsunternehmung gesehen werden, — zu beurteilen ist solches immer auch unter dem Gesichtspunkt der Existenzsicherung für die Arbeitnehmer und ihre Familien (Respekt und Dank verdienen da insbesondere die Gründer und Leiter der Industrien in an sich standortungünstigen Gegenden).

Vervollkommnung der Rationalität. Das wirtschaftliche Handeln setzt wirtschaftliches Zweckdienliches so ein, daß der maßgebende Zweck verwirklicht wird, dabei bedeutet Rationalität das günstige Verhältnis zwischen Aufwand und Ergebnis, das heißt meistens zwischen Kosten und Ertrag, — Vervollkommnung der Rationalität ist entsprechend die Verbesserung dieses Verhältnisses, unter der Grundhaltung, daß das kostengünstigere Wirtschaftliche dem weniger kostengünstigen vorzuziehen ist. Größere Rationalität wird sich oft durch Verbesserung des Gegebenen, oft durch Neuwesenschaffen (etwa durch ein neues Moment in der Kostenplanung), mitunter aber durch eigentliches Werkschaffen erzielen lassen, das dritte vor allem durch ein in sich abgeschlossenes und durchgebildetes, damit übertragbares, von andern übernehmbares, vielleicht verkäufliches Modellverfahren (dargelegt in Büchern und Kursen oder eingeführt und angewandt von beratenden Betriebswirtschaftlern) oder im Zusammenhang mit dem Aufbau eines tatsächlichen Leistungsgebildes (so: neues Kostenplanungssystem als Sonderwerk innerhalb einer neuen, ein Gesamtwerk bildenden, Industrieunternehmung).

Vervollkommnung der Bedürfnisgemäßheit. Das Wirtschaftsgut (im allgemeinsten Begriff, alles Wirtschaftlich-Wertvolle einschließend) hat seine Wertqualität daraus, daß es ein Bedürfnis befriedigt oder wenigstens zur Befriedigung eines Bedürfnisses beiträgt, — hieraus läßt sich die, vom Bedürfnis aus zu beurteilende, Angemessenheit des Gutes, seine Zweckmäßigkeit und Nützlichkeit prüfen, wobei eine bessere Entsprechung oft zumindest vorstellbar, wenn nicht praktisch erreichbar sein wird. Erstrebt werden kann das Bessergeeignete sowohl im Verbesserungs- und Neuwesenschaffen als auch im eigentlichen Werkschaffen, bei diesem so, daß sich das Bemühen entweder auf ein neues, werkhaftes Modell (Beispiele: Modell und Typus der Cafeteria, des Motels, des Containertransportes, der Konferenztelephonverbindung) oder auf ein konkret auszuführendes, vielleicht großes Werk (so: Gründung und Aufbau eines Altershotels, einer Frachtfluggesellschaft, einer Unternehmung für Kabelfernsehen) richtet.

Erweiterung und Differenzierung des Bedürfnishabens. Die zu befriedigenden Bedürfnisse haben zwar einen festen Grundbestand im naturhaften Wesen des Menschen und auch im allgemeineren und für selbstverständlich gehaltenen sozialen, — aber schon die Grundbedürfnisse lassen sich verändern (wirtschaftswichtig ist vor allem die Verstärkung und die einem Angebot entsprechende Verfeinerung und Intensivierung, etwa der Bedürfnisse, die im Zusammenhang mit Tafelgenüssen befriedigt werden) und überdies können andere, entwicklungsgeschichtliche spätere Bedürfnisse geweckt und herangebildet werden; diese sind gesamthaft gesehen Kulturbedürfnisse, indem sie erst in der (höheren) Kultur entstanden, — die meisten auf naturhafter Grundlage (so: Ernährung, Wohnkomfort, Sport betreffende), einige aber ganz im Spirituellen (etwa die Teilhabe an Philosophie, Astronomie, Mathematik, moderner Kunst). Auch hier kann der Wirtschaftlich-Schöpferische eingreifen: er kann auf die Einzelnen und die Gesellschaft so einwirken (oder durch Beauftragte einwirken lassen), daß auf dem ihn interessierenden Sachgebiet die Abnehmer, private Käufer und Verbraucher oder die öffentliche Hand, anderes verlangen als ihre Vorgänger, daß also schließlich andere, neuartige Bedürfnisse zu befriedigen sind (so: Weckung des privaten Bedürfnisses nach verfeinerten Speisen und Getränken, nach Reisen ins ferne Ausland, nach Kunstbüchern, Schallplatten und Farbfernsehgeräten, — oder des öffentlichen Bedürfnisses nach moderneren Schulgeräten, wirksameren Waffen, nach einem Kurzwellen-Informationsdienst). Solches Bedürfnisschaffen wird, und in manchem mit Recht, kritisiert, — doch ist auch einzusehen und anzuerkennen, daß die spirituell wichtige Bedürfnisintensität und -vielfalt des modernen Menschen jedenfalls in den kapitalistischen Ländern zu einem erheblichen Teil Werk von bedürfnisschaffenden Wirtschaftlern ist (in den sozialistischen Ländern fehlt die Reklame der Privatunternehmungen, aber trotzdem werden auch in ihr die Ansprüche erweitert und differenziert, dies schon durch den tatsächlichen Inhalt des Waren- und Dienstleistungsangebotes, weiter durch Empfehlungen seitens der Partei, der Gewerkschaften, Schulen, Medien usw.).

Auch in der modernen Wirtschaft, ähnlich wie in der Technik unserer Zeit, ist die schöpferische Leistung großenteils, und zunehmend, Arbeitsgruppen oder -gesamtheiten anvertraut. Nur-individuell schöpferisch mögen zwar kleinere und mittlere Unternehmer und die auf einem engen Fachfeld arbeitenden hochqualifizierten Spezialisten sein, aber schon der Chef der Großunternehmung oder -verwaltung ist in seinen Entscheidungen stark von vorbereitenden Gremien abhängig, in deren Vorschläge die schöpferischen Fähigkeiten und Leistungen der Beteiligten eingehen, und an Weisungen gebunden sind aus dem Organisationsaufbau die Chefs unteren Ranges (so: Leiter von Konzernfabriken und Tochtergesellschaften, Abteilungs-, Planungs-, Finanzchefs) und erst recht die Sachbearbeiter, die zwar, vielleicht in hohem Maße, kreativ sind, aber nur eine ihnen zugewiesene, inhaltlich mehr oder weniger genau festgelegte und abgegrenzte Aufgabe zu erfüllen haben (so: der Bahntarifspezialist, der Versicherungsmathematiker, der Managementberater). Wiederum mag es scheinen, daß die moderne Zivili-

sation die Kreativität, hier insbesondere die wirtschaftliche, ein-
engt, aber tatsächlich regt sie diese auch an, eröffnet ihr neue Felder
und Weisen, und das aus zwei Gründen: erstens wegen der großen
Vielfalt und Beweglichkeit der Leistungsinhalte und damit der
Leistungsaufgaben, der an die führenden und hochqualifizierten
Leistenden gestellten Anforderungen, zweitens gerade wegen
Organisation und Aufteilung der Leistungen und insbesondere des
Werkschaffens, dank welcher der einzelne Mitarbeitende auf sei-
nem, tiefdringend erfaßten, Spezialgebiet einen originellen Beitrag
ans Ganze leisten kann (wahrscheinlich wäre er bei größerer
Leistungsweite überfordert).

6.11   Wirtschaftliches Werkschaffen (II)

Herauszuheben ist das wirtschaftliche Werkschaffen, das sich
stark aufs Technische auswirkt, indem es ein technisches Werk
voraussetzt, welches den erstrebten sachlichen Nutzen erbringen
soll, — oder indem es das volkswirtschaftliche Rahmenwerk ausbaut, in welches ein primär wichtiges Technisches einzubeziehen
ist: jede gesellschaftlich wichtige, weil unentbehrliche oder wohl-
standsfördernde Großproduktion erfordert eine wirtschaftlich-
rechtliche Leistungsorganisation, die sie rationell ins volkswirtschaftliche Ganze einfügt (Beispiel: wegen des steigenden Energie-
bedarfes muß ein neues Wasserkraftwerk gebaut werden, — es wird
von den Technisch-Schöpferischen meisterlich geplant und verwirklicht, aber ihre Arbeit ist durch diejenige der Wirtschaftlich-
Schöpferischen zu ergänzen, die, ebenfalls meisterlich, die Erstellung und den Betrieb wirtschaftlich richtig planen, organisieren,
finanzieren, kalkulieren, sichern). In mancher solcher Verbindung
ist das Technische primär und das Wirtschaftliche sekundär; aber
auch in diesem Falle ist das zweite eigenen Ranges, denn von ihm
hängt ab, ob das erste ein sozial Bestgeeignetes sein wird, — ein an
sich vortreffliches Technisches kann sich als sozial belastend erweisen, weil seine wirtschaftliche Seite mangelhaft durchdacht und
organisiert ist (Beispiele für Negatives: wirtschaftliche Mängel bei
der Errichtung und im Betrieb von staatlichen Industrien, Fehler in
Organisation und Finanzierung von Entwicklungsprojekten),

anderseits kann sich technische Vortrefflichkeit gerade dadurch voll auswirken, daß sie von hochrangigem Wirtschaftlichem getragen ist (so diejenige eines mit wirtschaftlicher Meisterschaft geführten Energieproduktions- und -versorgungsunternehmens).

Oft ist dagegen das Wirtschaftliche primär und das Technische sekundär: dann ist das erste Ziel der Aufbau einer rentierenden Unternehmung, im Höchstfall eines Unternehmungskomplexes, eines wirtschaftlichen Imperiums (womit gesagt ist, daß hier auch der Wille zu Großleistung und Macht eine bestimmende Kraft sein kann). Der zweite Typ ist zu vermuten, wenn der Aufbau hauptsächlich aus der Absicht, ein gut rentierendes Unternehmen zu schaffen, erfolgt, betätige sich dieses rein wirtschaftlich (so: Bank, Versicherungsgesellschaft, Handelshaus) oder in technischer Produktion, die nicht (wie etwa Energieversorgung, Eisenbahn, Post, Telegraph und Telephon) einem primären technischen Bedürfnis entspricht, sondern eher einem solchen, in welchem der sachkundig-phantasievolle Wirtschafter für die Zukunft große Gewinnchancen erwartet, wahrscheinlich unter der Annahme, daß dieses Bedürfnis sich steigern und, vor allem durch Übertragung auf die Bevölkerungsschichten, denen es vorläufig noch fremd ist, ausweiten läßt. In diesem Zusammenhang ist zu überlegen, welche Bedeutung das egoistische — Erwerbs-, Einfluß- und sogar Machtstreben des Wirtschaftlich-Tätigen und insbesondere des Wirtschaftlich-Schöpferischen tatsächlich habe und richtigerweise haben dürfe oder solle, — wobei man bedenken wird, daß Ähnliches auch in der technischen Leistung wirksam ist und wahrscheinlich wirksam sein muß: beide, der Techniker und der Wirtschaftler, können gleichzeitig und gleich stark von den Sachproblemen wie von ihrem Eigeninteresse bestimmt sein. Im rückblickendem Philosophieren mag man fragen, ob nicht die alten ethischen und religiösen Thesen, daß man nur um der Aufgabe und nicht um des persönlichen Erfolges willen tätig werden solle, auch jetzt noch anzuerkennen sind, — was sich mit moderner Auffassung verbinden ließe, etwa der den reinen Dienst fürs gesellschaftliche Ganze befürwortenden (insbesondere den Dienst technischen und wirtschaftlichen Inhaltes, als stärkst Nützlichkeit schaffend).

Positive Stellungnahme zu jenem Egoismus ergibt sich in zunächst nur pragmatischer Sicht daraus, daß er eine menschliche

Gegebenheit ist, schon im Vitaltriebhaften begründet, aber kulturell so verstärkt und speziell gefaßt, daß er in jeder Kultur das Verhalten der Leistungsstarken mitbestimmt und auch das Streben nach höheren Verwirklichungen mitträgt. Positiv zu werten ist er aber auch in der Sicht aufs Spirituale, darum nämlich, weil der Einzelne den Anspruch erheben darf und somit berechtigt sein muß, für sich selbst und seine Familie, sei es auch egoistisch, einen Verwirklichungsbereich zu schaffen für das, was er und seine Angehörigen für das Persönlich-Beste halten: gerade die hochrangige Verwirklichung und insbesondere die hochrangige Leistung (da diese nach außen wirkt, sich also nicht verbergen läßt wie die vom Üblichen abweichende Kontemplation) wird oft auf Unverständnis und sogar Ablehnung stoßen, — da braucht der Leistende ein Eigenfeld, auf dem er selbst entscheiden, Ziele setzen, anordnen und Risiken eingehen kann. Noch wichtiger ist wohl dieses: Hat die Kreativität als solche in Hinsicht auf das Individuelle wie auf das Soziale hohen Wert, so ist alles, was sie weckt, anregt, steigert, erhält und zum Erfolg bringt, als ein ihr Dienendes ebenfalls zu bejahen und praktisch zu erhalten und zu fördern, dies freilich immer unter dem Vorbehalt, daß das gesellschaftliche Ganze hiedurch nicht zu sehr belastet werden darf. Das letztere kann zu einer eher negativen Wertung überleiten: wenn der Leistungsegoismus das Soziale stark belastet, so ist er in geeigneter Weise zu beschränken, aber immer so, daß der Leistungswille der Leistungsfähigen, und sei es unter einer erheblichen Egoismustoleranz, aktiv bleibe: die Kreativen sollen auch in Zukunft voll kreativ sein (man ist geneigt zu sagen: sie sollen voll kreativ sein können, — aber es kommt hier in erster Linie aufs tatsächliche Sosein an, und wenn dieses davon abhängt, daß den egoistischen Tendenzen einiger Raum gewährt wird, so betrifft das mehr die Auswirkung gegebenen Könnens als neuaufzubauende Fähigkeit).

Einwendungen gegen das, was als Privilegierung der Schöpferischen erscheinen mag, sind insbesondere in egalitärer Ideologie begründet; von dieser aus erscheint es verwerflich, daß den Schöpferischen um ihres schöpferischen Handelns willen die Durchsetzung persönlicher Wirtschaftsinteressen gestattet wird. Jedoch ist auch hier zu bezweifeln, daß die Gleichheit in einer stagnierenden Wirtschaft der Ungleichheit in einer aktiven, aufbaufreudigen, die

allen Volksschichten mehr gibt als eine egalitär-passive, vorzuziehen sei. — Man mag da auch die praktischen Erfolge jener alten und
neuen Antiegoismus-Thesen prüfen. Das (indische) religiöse
Gebot, daß die Leistung nur um ihrer selbst willen zu erbringen sei,
wurde von vielen Hochgesinnten befolgt, aber nicht von allen
Leistenden der Völker, die sich zu ihm bekennen (auch in Indien
gab und gibt es intensiven Egoismus), und es ist zu fragen, ob nicht
gerade die Ablehnung des Aus-Egoismus-Handelns nicht das Handeln überhaupt und damit seine nichtegoistische, sozialnützliche
Komponente, also den technischen und wirtschaftlichen Aufbau
des gesellschaftlichen Ganzen beeinträchtigt habe. Und der sozialistische Egalitarismus, verbunden mit dem Mißtrauen gegen den
wirtschaftlich aktiven Einzelnen, hat doch auch soviel Lähmendes
zur Folge gehabt, daß schließlich die praktische Abwendung —
durch Bildung einer neuen technokratischen Elite, ja Klasse —
nötig oder jedenfalls zugelassen wurde.

6.12   Wissenschaftliches Werkschaffen

Für die schöpferische Wissenschaft sind das Verbesserungs- und
das Neuwesenschaffen (die sich konkret oft nicht auseinanderhal-
ten lassen) die wichtigsten Kreativitätstypen: der schöpferische
Wissenschaftler arbeitet meistens von gegebenem, übernommenem
Wissen aus, das er, unter einem bestimmenden Interesse und
hieraus wahrscheinlich einseitig, ausbaut, vertieft, vervollkommnet, so einen Beitrag ans Wissensganze, das heißt praktisch an den
Wissensbestand seines Faches leistend. Zum Grundwesen der
Wissenschaft gehört, daß alles einigermaßen aktuelle, nämlich in
Hinsicht auf Forschung, Lehre oder Anwendung wichtige Wissen
Gegenstand weiteren wissenschaftlichen Bemühens — von Forschung, Bearbeitung, Darlegung, Lehre, neuartiger Anwendung —
ist: hieraus haben sehr viele Beiträge der einzelnen Wissenschaftler
kaum Aussicht, als in-sich-geschlossene Leistungen einigermaßen
klar herausgehoben zu werden und große Geltungsdauer zu erlangen. Unmöglich ist das aber nicht, denn es gibt doch auch wissenschaftliche Leistung, deren Ergebnis werkhaft und die somit als
Werkschaffen zu verstehen ist.

Am klarsten ist der Werkcharakter beim wissenschaftlichen Buch (ein solches wird schon in der Alltagssprache als »wissenschaftliches Werk« bezeichnet), — man wird diesen Begriff hier so erweitern, daß man jede größere gedruckte Arbeit als Werk auffaßt: weil im jetzigen Wissenschaftsbetrieb diese Publikationsform vorzüglich für die konzentrierte Darlegung neuen Fachwissens geeignet ist. Stärkst ausgeprägt ist der Werkcharakter der wissenschaftlichen Veröffentlichung dann, wenn der Verfasser die Ergebnisse seines eigenen Forschens (im weitesten Sinne: Beobachten, Untersuchen, Analysieren, Systematisieren, kritisches Sichauseinandersetzen einschließend) den Lesern zugänglich macht. Geht man ins einzelne, so erkennt man, daß die wissenschaftliche Kreativität hier drei verschiedene Ebenen hat: erstens die eigentliche wissenschaftliche Arbeit, eben das im weitesten Sinne verstandene Forschen; zweitens die Auswahl des für die Darlegung wichtigen Inhaltlichen (vom erarbeiteten Wissen mag einiges allgemeinwichtig, anderes fachwichtig sein, aber manches ist wohl kaum mehr als Material, das die gezogenen Folgerungen rechtfertigt und also nur in Beispielen beschrieben zu werden braucht) und die fachmännische Formulierung des Ausgewählten, Formulierung unter anerkannten oder neuen wissenschaftlichen Gesichtspunkten, aber immer unter strengster Anforderung der wissenschaftlichen Richtigkeit (aus dem Respekt vor der wissenschaftlichen Richtigkeit muß sich der Darlegende im Zweifel asketisch des Erfolgsgemäßen enthalten, aber anderseits will und soll er sein Wissen verbreiten, und das verlangt eben doch Erfolgsgemäßheit: intellektuelle Redlichkeit und wissenschaftlich-gestalterisches Können müssen sich vereinen); drittens die sprachliche Fassung als solche, nach allgemeinen Prinzipien der Sprachwerkgestaltung, — hat ein wissenschaftliches Werk auch unter diesem dritten Gesichtspunkt hohen Rang, so mag es seine Bedeutung behalten, selbst wenn es inhaltlich überholt ist: es gibt wohl in jeder älteren Wissenschaft solche von der Wissenschaftsgeschichte als grundlegend anerkannte Meisterwerke. — Oft aber legt der Autor nicht oder nur zum Teil Ergebnisse eigenen Forschens dar, sondern sieht seine Aufgabe in der zusammenfassenden Darstellung seines Sachgebietes, das heißt des von der jetzigen Fachwissenschaft erarbeiteten und als richtig anerkannten Fachwissens, wobei er immerhin aus eigener Kompetenz zwischen

Zutreffendem und Weniger- oder Nichtzutreffendem und zwischen Wichtigem und Weniger- oder Unwichtigem unterscheiden muß. Auch solches Beurteilen kann, und zwar als Moment des wissenschaftlichen Werkschaffens, kreativ sein, aber sehr viel wichtiger ist hier das Schöpferische, das sich in der fachmännischen Durchdringung und Beschreibung des Inhaltsgebietes auswirkt. Wiederum kann die sprachliche Gestaltung als solche hervorragend sein, wenn auch kaum so ausgeprägt, daß das Werk aus ihr hohen Rang behält, nachdem es inhaltlich überholt ist.

Als Werk aufgefaßt werden kann weiter, in abstrakterem Sinne, die neue wissenschaftliche Aussage, sofern sie inhaltlich und begrifflich in-sich-geschlossen und damit übertragbar, lehr- und lernbar ist: Einzelsatz (etwa über das prinzipielle Wesen der Pulsare, der Proteine, der Bevölkerungsexplosion, des gegenstandslosen Kunstwerkes, des Musikempfindens), Gesetz (etwa Sternentwicklung, Radioaktivität, Atomfission und -fusion, Vererbung, Mutation, soziale Wandlungen in den Industrieländern, neuerkannte mathematische Zusammenhänge betreffend), Hypothese und Theorie (etwa über Gravitation, Quanten, Relativität, Lebensentstehung, Wesen der Sprache, Beziehungen zwischen Staatsausgaben und Produktionsvolumen), Modell (etwa über Galaxien, Atome und Moleküle, Stoffwechsel, Sinnesfunktionen, Biotope, Marktwirtschaft, Planwirtschaft), Systeme (etwa die Klassifikation der anorganischen und organischen Stoffe, der Mineralien, der Pflanzen und Tiere, der Gesellschaftstypen und Institutionen, weiter die durch eine Grundeinstellung bedingte und aus ihr gestaltete Sonderrichtung einer Einzelwissenschaft wie Ganzheitspsychologie, strukturale Anthropologie, Behaviorismus, vergleichende Literaturwissenschaft, materialistische Soziologie) und schließlich Voraussagen (wie über die Zukunft des Universums, der Industriekultur, der Erdölversorgung, der Beziehungen zwischen den Menschenrassen). Die wissenschaftlichen Aussagen, die solcherweise in-sich-geschlossen und übertragbar sind, lassen sich für jede Einzelwissenschaft und das Wissenschaftenganze als begriffliche, mentale Werke, gesamthaft als ein entsprechender Werkebestand verstehen. Somit schafft der Wissenschaftler, der solches Neues formuliert, ein neues mentales Werk und leistet seinen Beitrag an die Werkegesamtheit, der zumindest fachwissenschaftlich, dagegen wohl nur selten gesamtwissenschaftlich, einige und vielleicht erhebliche Bedeutung hat (aber die Wissenschaftsgeschichte zeigt, daß gesamtwissenschaftlich wichtiges Aussagenschaffen möglich ist). — Zu überlegen ist wiederum, wo zwischen Verbesserungs- und Neuwesenschaffen einerseits, Werkschaffen anderseits die Grenze zu ziehen sei. Das verbessernde Aussagenschaffen bezieht sich so stark auf Bisheriges, daß keine in-sich-geschlossene und als solche übertragbare Aussage entsteht; das Neuwesenschaffen ist oft ebenfalls stark auf Bisheriges bezogen oder ist, obwohl relativ unabhängig, so speziell, daß es kaum als ein übertragbares In-sich-Geschlossenes aufzufassen ist (so: an sich neuartige, aber nur durch eine Spezialaufgabe bedingte spezialwissenschaftliche Untersuchung wie etwa diejenige, eine Satellitenbahn so zu berechnen und für die praktische Ausführung zu planen, daß sie möglichst lange nicht durch den Erdschatten führt): es gibt somit viel wissenschaftliche Kreativität außerhalb des Werkschaffens. Anderseits ist manches Verbesserungs- oder Neuwesenschaffen höheren Ranges als das Werkschaffen, etwa als einfacheres Klassifizieren oder Sachbuchverfassen.

Wissenschaftliches Werk ist schließlich, im Übergangsfeld zu Technik, Wirtschaft und auch Politik, der vom Wissenschaftler ausgedachte und mehr oder weniger weitgehend ausgearbeitete Anwendungsvorschlag, wobei das Wesentliche und Originelle des Anwendungsinhaltes vorwiegend wissenschaftlich ist: das trifft dann zu, wenn eine wissenschaftliche Erkenntnis oder Beschreibung sich so konkret und präzis auf einen realen Gegenstand bezieht, daß er schon in dieser wissenschaftlichen Sicht als in ihr vorgezeichneter Weise umformbar erscheint, — der Techniker, Wirtschaftler, Politiker ist hier eher ausführend als selber schöpferisch, und ist er schöpferisch, so in der vom Wissenschaftler bestimmten Richtung. Ein Hauptgebiet solchen Schaffens ist die Medizin (in ihrem weitesten Sinne, die Arzneimittelkunde einschließend): Aufgabe des Forschens ist es, Tatsachen von Gesundheit und Gesundhaltung, Krankheit, Krankheitsvermeidung und Heilung wissenschaftlich festzustellen und daraus zumindest Hinweise auf mögliche Anwendung abzuleiten, vielleicht auch präzis formuliertes Eingreifen vorzuschlagen (Beispiel: daß eine bestimmte seelische Störung durch einen bestimmten, aus der organischen Chemie bekannten Stoff unter genau feststellbaren Bedingungen gemildert, eingedämmt und vielleicht sogar geheilt wird, ist wissenschaftlich zu erforschen, — der Wissenschaftler übergibt seine Ergebnisse dem Pharmakologen, der die technische Seite der Herstellung studiert und, zusammen mit dem Betriebschemiker, organisiert; als Werk zu verstehen ist hier die rein begrifflich gefaßte und in diesem Sinne abstrakte, nach dem psychotherapeutischen und pharmakologischen Inhalt jedoch sehr konkrete Erkenntnis, daß die Krankheit A unter den Voraussetzungen a durch den Stoff B unter den Bedingungen b gemildert oder geheilt wird). Die Elektronik ist ein zweites, praktisch sehr wichtiges Hauptfeld der anwendungswichtige Erkenntniswerke schaffenden Wissenschaft: die Forschung erbringt neue physikalische Erkenntnisse über Festkörpertypen und -strukturen, damit verbundene Effekte und Wirkungsmöglichkeiten, zu berücksichtigende physikalische Bedingungen (usw.), und das ist das grundlegende Wissenswerk, sosehr die anschließende technische Anwendung eigenständig sein und besonderen Werkcharakter haben kann (so: die wissenschaftlichen Erkenntnisse über Halbleitertriode und Transistor sind als solche bedeutende, ja große Erkenntniswerke, — was natürlich den technischen Werkcharakter des Prinzipiellen der verschiedenen Arten von Transistorgeräten nicht beeinträchtigt). Ähnlich in der wissenschaftlichen Forschung, deren Erfolg im Flugzeug-, Raketen- und Satellitenbau sichtbar wird: die Erforschung der Aerodynamik, des Strahl- und Raketenantriebes, der beim Weltraumflug zu berücksichtigenden Himmelsmechanik, der anzuwendenden kybernetischen Systeme, der materialkundlichen Anforderungen und der realen Möglichkeiten, ihnen zu entsprechen, solche Forschung hat als wissenschaftliches Werkschaffen und ihre Ergebnisse haben als Erkenntniswerke Eigenrang (man müßte sich bemühen, den die Satellitentechnik begründenden und praktisch ermöglichenden Erkenntniswerken — von denen leider zuwenig bekannt wird und die überdies für den Laien schwierig zu erfassen sind — intensive Aufmerksamkeit zuzuwenden, wenn man sich mit den großartigen technischen Leistungen der Mondlandung und der Planetennahbeobachtung, der die Erde umkreisenden Forschungslaboratorien, der Nachrichten- und insbesondere der Synchronsatelliten befaßt). Ähnlich grundlegendes wissenschaftliches Erkenntniswerkschaffen gibt es auch auf den andern Teilfeldern der modernen Technik, — der mental-aktive Kulturbeobachter wird sich bemühen, nach Möglichkeit wenigstens die Haupttypen zu erkennen (zweckmäßig ist, hiebei einerseits an Alltagserfahrung und -beobachtung, anderseits an Berichte über neues Technisches, Produkte und Leistungen, anzuknüpfen).

Oft steht der vom Wissenschaftler kommende abstrakt-werkhafte Anwendungsvorschlag, obwohl er an sich technischen Inhalt hat, über das Technische hinaus unter wirtschaftlichem oder politischem Ziel: die für das praktische Handeln der Ärzte und Gesundheitsbehörden grundlegenden Erkenntnisse der wissenschaftlichen Medizin werden nicht nur medizintechnisch angewandt, sondern haben auch ihre, vielleicht große (wie in der Bekämpfung der Kinderkrankheiten, der Tuberkulose, des Rheumatismus, der Alterskrankheiten), soziale Bedeutung und eben diese ist ein Hauptgrund, jene medizinische Technik und die auf sie gerichtete wissenschaftliche Forschung anzutreiben; die Elektronik, wissenschaftlich begründet und durch technische Meisterschaft zu einem höchst subtilen Leistungsganzen ausgebildet, konnte ihre Großentwicklung nur darum erfahren, weil sie für die Wirtschaft (so: Nachrichtenwesen, Computer in Industrie und Dienstleistungsbetrieben, Haushaltsgeräte, Rundfunk und Fernsehen) und Staat (in den staatlichen Verwaltungen und Betrieben, vor allem aber im Militär) große Wichtigkeit erlangt hat und überdies zukünftige Neuerfolge verspricht; ähnliches gilt auf manchem andern Feld der technischen Wissenschaftsanwendung. Dazu kommt die direkte wirtschaftliche, staatliche oder politische Verwirklichung von wissenschaftlich-werkhaften Anwendungsvorschlägen: nationalökonomischen, juristischen, soziologischen, sozialpsychologischen, politologischen, pädagogischen usw. (nationalökonomische: z. B. Theorie und Modell einer der modernen, hochkomplexen Industriewirtschaft bestentsprechenden Konjunkturpolitik; juristische: z. B. Vorschläge zur Strafrechtsreform; soziologische und sozialpsychologische: z. B. Vorschläge im Zusammenhang mit der Verstädterung, der Berufsarbeit der Frauen, den Freizeitproblemen, der Lebenshilfe für Alte; politologische: z. B. Modell für die Demokratisierung der Willensbildung in Parteien und Wirtschaftsverbänden; pädagogische: z. B. Modell einer Schulorganisation, welche zugleich die Allgemeinverbreitung und damit die Popularisierung des Wissens und Könnens, und die spezialisierte Heranbildung der in Technik, Wirtschaft und Staat benötigten hochqualifizierten Führungskräfte und Experten sichert).

Je stärker eine Verwirklichung und das sie vorbereitende wissenschaftliche Denken und Vorschlagen von gesellschaftlichen Bedürfnissen her bestimmt sind, desto gewichtiger werden in ihnen Zielsetzen und Werten, desto mehr tritt der Wissenschaftlich-Vorschlagende unter Vorstellungen von sozialer Richtigkeit, die sein Arbeitsprogramm prägen soll, desto weniger ist er wertneutral. Keineswegs ist der kreative Wissenschaftler immer nur an der Forschungssache allein interessiert; vielmehr ist sehr oft für ihn die Anwendung oder jedenfalls eine zunächst nur allgemein gefaßte Aktionsaufgabe das Primäre (so: Kampf gegen die Karies, Maßnahmen gegen die Mangelernährung in den Entwicklungsländern, gegen die Übervölkerung, gegen die Benachteiligung der Frauen, gegen die Verbürokratisierung von Verwaltung und Wirtschaft, gegen die Wirtschaftsmacht der Größtunternehmungen, gegen Umweltbelastung und -verschmutzung). Das Komplexerwerden der Wissenschaft macht es praktisch unvermeidlich, daß die über die Forschungsprogramme Entscheidenden die Berechtigung, also den sozialen Wert der sich stellenden Möglichkeiten prüfen: das Wertvolle wird zur Aufgabe konkreter Wissenschaftsarbeit und die entsprechende Ausarbeitung von Thesen, Modellen, Vorschlägen wird ein wichtiger Zweig der wissenschaftlichen Kreativität. Dazu kommt, daß manche Wissenschaftler unabhängig von Organisationen sozial wichtige Fragen aufgreifen und von sich aus auf sie hin vorschlagsschöpferisch werden, — wenigstens indem sie die konkrete wissenschaftliche Ausarbeitung von Problemlösungen postulieren (das wissenschaftliche Vorschlagen kann zwei- oder mehrstufig sein: vielleicht wird zunächst allgemein vorgeschlagen, auf einem Sachgebiet sei zu studieren, welche Detailforschungen in Hinsicht auf konkrete Ausführungsvorschläge als dringlich vorzuschlagen seien).

In Staat und Politik ist das Werkschaffen aus zwei Gründen
weniger reich ausgebildet als in Technik, Wirtschaft und Wissenschaft: erstens wegen der inhaltlich geringeren Vielfalt des Staatlichen, Politischen und allgemeiner des Gesellschaftlichen, zweitens
wegen der geringeren Möglichkeit, auf diesen Feldern in-sich-
geschlossene, vom andern Wirklichen deutlich abgegrenzte
Erreichnisse zu verwirklichen; immerhin werden ständig dem Staat
neue Sachaufgaben zugewiesen, das staatliche Handeln erstreckt
sich damit jetzt auf eine große Zahl von Inhaltsgebieten und diese
werden sich in Zukunft noch mehr erweitern. Ausgedehnt und
intensiv bestimmend sind hiebei die gesellschaftlich wichtigen
wirtschaftlichen und technischen Probleme; das ermöglicht und
verlangt im Staate ein Werkschaffen, das demjenigen der privaten
Wirtschaft und Technik inhaltlich gleich oder wenigstens sehr
ähnlich ist. Dies gilt um so mehr, je stärker im gegebenen Staatssy-
stem die staatliche Lenkung der Gesellschaft ist.

Der Staat ist in seinem Grundwesen ein Normgebensmacht
besitzendes Organisationenganzes: Haupttypen der staatsspezifischen Werke sind damit die staatliche Organisation, hier aufgefaßt
als ein für sich bestehendes, aber zum staatlichen Ganzen gehören-
des Sozialgebilde, und die rechtlich formulierte Norm oder, praktisch vorwiegend, Normengesamtheit, durch welche ein staatlicher
oder privater Gesellschaftsbereich geordnet wird. Die staatliche
Organisation ist der Idee nach ein Geschaffenes, in dem Sinne, daß
es eine Zeit gab, da sie nicht bestand, eine Zeit, da sie (nach
politischer und administrativer Vorbereitung) verwirklicht wird,
eine Zeit, da sie besteht. Die Gegenwart, in welcher der staatlich
oder politisch Aktive tatsächlich handelt, gehört, urteilt man von
den für ihn maßgebenden staatlichen Organisationen aus, größtenteils zum dritten Zeittypus: das erlaubt allerdings das organisatorische Verbessern und sogar Neuwesenschaffen, schließt jedoch die
Planung, Vorbereitung und Verwirklichung neuer Staatsorganisation weitgehend aus: der begabte Politiker mag vielleicht eine neue
Regierung als eine neue Gruppe von Regierungsmitgliedern bilden,
aber meistens ist ihm die Regierung als organisierte Institution
gegeben, ist er an die von Früheren geschaffene Organisation

gebunden, — außer, er gebe ihr eine neue formale Struktur, aber auch dann wird er nach Möglichkeit im Rahmen des Bisherigen bleiben (der Politiker hat hierin geringere Schaffensmöglichkeit als der Wirtschaftsführer, dem die Gründung einer neuen Großunternehmung, damit eines neuen wirtschaftlichen Großwerkes möglich ist); gleiches gilt für die Verwaltungsbehörden und -organisationen, die Gerichte, das Militär, — allerdings sind mitunter neue Teil- und Sonderorganisationen zu schaffen und gibt es entsprechende Werkkreativität, dies vor allem für neu aufgenommene Staatsleistungen (so: neue Behörden oder halbstaatliche Organisationen für die Förderung der wissenschaftlichen Forschung, der Atomenergieproduktion, der Raumfahrt, der wirtschaftlichen Zusammenarbeit mit den Entwicklungsländern, weiter für den Umweltschutz, die Satellitenkommunikation, die Eindämmung des Rauschgiftkonsums, den Kampf gegen die Wirtschaftskriminalität: in jedem dieser Fälle ist eine dem spezifischen Bedürfnis angemessene neue Organisation, damit ein neues Organisationswerk gesellschaftlich erwünscht und politisch zu fordern).

Weniger festgelegt ist das Recht, denn im gesellschaftlichen Leben treten immer wieder neue Problemkomplexe hervor, für welche sich das normierende Eingreifen des Staates empfiehlt oder sogar aufdrängt: oft wird dafür das Verbessern und Neuwesenschaffen im Zusammenhang mit dem geltenden Recht genügen (durch solches Neuwesenschaffen wird etwa ein geltendes Gesetz durch Aufnahme einer neuen Rechtsidee, z. B. die Mitbestimmung der Arbeiter in der Unternehmungsleitung betreffend, reformiert), in manchem aber ist die Schaffung eines neuen Normenkomplexes (Gesetz, Verordnung usw.) nötig und das stellt die beteiligten Juristen und Sachexperten vor eine Werkschaffungsaufgabe. — Je stärker der Staat sich mit der technischen Ausstattung des Landes (so: Eisenbahnen, Kraftwerke, neuerdings Atomkraftwerke, Flugverkehr), der Wirtschaft (so: staatliche Industrieunternehmungen und Banken, Mineralölgewinnung, Modernisierung der Landwirtschaft), Gesundheitswesen (so: staatliche und kommunale Krankenhäuser, Hygienedienste) und Erziehungswesen (so: Universitäten, technische Hoch- und Fachschulen) befaßt, desto mehr sind unter der staatlichen Zielsetzung Werke an sich nicht-staatsspezifischen Inhaltes zu verwirklichen; am ausgeprägtesten ist diese

Vielfalt in den Staaten, welche das kollektive Gesellschaftswichtige verstaatlichen oder in anderer Art so sozialisieren, daß es dauernd unter staatlicher Überwachung und Lenkung bleibt. Eine Sondersorge muß hier sein, die schöpferischen Fachleute nicht durch staatliche Bürokratie und ideologisierte Politik an ihrer besten, zumal ihrer hochrangig-werkschaffenden Fachleistung zu hindern (der Leiter einer Staatsunternehmung soll unter jeder Sozialordnung ein kreativer Unternehmungsleiter sein und sein dürfen).

Auf den Staat hin tätig sind die Parteien, Wirtschaftsverbände, auch Studiengruppen, wissenschaftliche und humanitäre Organisationen, Kirchen usw.: Werkschaffen bedeutet hier zunächst und hauptsächlich den Aufbau eben des auf den Staat hin wirkenden Leistungsgebildes. Wiederum steht der Leistende vor einer mehr oder weniger großen Gesamtheit gegebener Organisationen, die in der Gesellschaft Gefolgschaft und Einfluß haben; er muß sich darüber klarwerden, ob sie das Organisations- und Handlungsmonopol besitzen oder neuen Organisationen Raum lassen. Das erste gilt schon rein rechtlich in den autoritären Staaten (soweit sie die Gründung neuer staatsbeeinflussender Organisationen verbieten), zwar nicht rechtlich, wohl aber tatsächlich auch in liberalen Staaten, deren Partei- und Verbandswesen in konservativer Haltung so durchstrukturiert ist, daß ein neues Gebilde kaum mehr als eine einflußlose politische Sekte werden kann; das zweite ist wohl nur in Ländern zu finden, deren Organisationen- und insbesondere Parteienrecht freiheitlich, deren vorherrschende Geistigkeit offen und deren materielle Kultur forschrittlich, also durch Reform und Ausbau charakterisiert ist.

In den Parteien und andern politischen Organisationen, aber natürlich auch in den staatlichen Behörden, von Regierung und Verwaltung, werden Ideen vertreten, die zunächst als solche zu fassen und auszuarbeiten (in einigem Detail auszuarbeiten wären etwa die Mitbestimmungs-, Altersversicherungs-, Gewässerschutzidee) und allenfalls anschließend in einem sachlich präzisen Programm zu formulieren sind (so: bis in die juristischen, wirtschaftlichen und versicherungstechnischen Einzelheiten ausgeführtes Projekt der vorgeschlagenen Altersversicherung): schon die Ideen als solche und in ihrer ausgearbeiteteren Form, sodann, und stärker, weil ausgedehntere, schärfere Denkarbeit verlangend, die ausführlichen Programme und Projekte sind politische Werke (den wissenschaftlichen Denkwerken wesensverwandt, — aber diese sollen das Seiende erhellen, wogegen jene, die politischen, auf ein Zuerreichendes gerichtet sind; es gibt auch die sachliche Verbindung zwischen beiden Typen: wenn der Wissenschaftler sich, aus eigenem Fürwichtighalten oder aus Auftrag, mit einem Gegenstand befaßt, dessen wissenschaftliche Bearbeitung ein politisches Handeln einleiten oder fördern soll, — man mag sogar fragen, ob nicht in der politisch bestimmten selbständigen Themawahl des Wissenschaftlers ein politisches Werkmoment sei, also mancher Wissenschaftler die Möglichkeit habe, das Reinwissenschaftliche seiner Kreativität vom Politischen her zu ergänzen, dies freilich richtigerweise nur unter strengster Einhaltung der Wissenschaftlichkeitsgebote).

6.14 Philosophisches Werkschaffen

Im Prinzip gleich wie in der Wissenschaft ist das Werkschaffen in der Philosophie, soweit diese auf sachlich (damit in kritischem Denken als gegeben erweisbar) festgestelltes oder festzustellendes Objektives geht, — auf reales oder ideelles Objektives, auf Natur, Mensch und Kultur, je in ihrem allgemeinen Wesen und in speziellen Ausprägungen (so: Natur als Wirklichkeitsganzes, Reich des Unbelebten und Reich des Lebenden als Großgebiete der Natur, Tierreich und insbesondere Reich der höheren Tiere als große Teilreiche, beschränkter die Primaten; aber auch Sonderprobleme wie Kausalität und Wahrscheinlichkeit, organismische Finalität, Psyche der höheren Tiere), auf das Ideelle überhaupt, seine Hauptfelder (so: Logik, Wertphilosopie) und Sonderprobleme; maßgebend ist dabei die Verpflichtung des Denkenden, seine Aussagen und Auffassungen wissenschaftlich bewährter Verifikation oder wenigstens Falsifikation zu unterziehen (und auch die in diesen beiden angewandten Verfahren sind kritisch zu prüfen). Gleich wie Wissenschaftler schreiben Philosophen Bücher und andere Publikationen, formulieren sie Aussagen, die in sich geschlossen, übertragbar, lehr- und lernbar sind, und mitunter Anwendungsvorschläge (etwa in bezug auf Wissenschaftsmethoden, Erziehung, künstlerisches Schaffen, Politik).
Neben der wissenschaftlichen Philosophie die nicht-wissen-

schaftliche, nicht-wissenschaftlich jedenfalls in der Fassung der grundlegenden Inhalte, wogegen wahrscheinlich die Bearbeitung begrifflich sauber ist und in diesem Sinne wissenschaftlicher Anforderung entspricht: Metaphysik, Wertsetzung und -anwendung, Zielsetzung und -anwendung, — drei Gebiete, von denen jedes sein Eigenwesen und damit seine eigenen Probleme und Aufgaben hat, aber auch mit jedem der beiden andern verbunden ist: aus der Metaphysik ergeben sich Ziel- und Wertvorstellungen und aus der Wert- und Zielphilosophie zumindest Fragen, die in metaphysischer Richtung gehen (aber vielleicht nicht metaphysisch beantwortet werden, dann nicht, wenn entweder der betreffende Inhalt für nicht erhellbar oder die Metaphysik gesamthaft für bedenklich gehalten wird); aus den Zielen sind Werte abzuleiten, die ihnen entsprechen, und gesellschaftlich anerkannte Werte zu kritisieren, und aus den Werten, positiven wie negativen, wird die Zielsetzung beeinflußt (zu verwirklichen ist, was Wertvolles, zu vermeiden, was Unwertes bringt); in Dreiecksbeziehungen werden etwa von Metaphysik Ziele (oder Werte) und von diesen aus abgeleitete Werte (oder Ziele) gesetzt, von Zielen (oder Werten) aus einerseits Werte (oder Ziele) und anderseits metaphysische Annahmen postuliert. In solchem Philosophieren ist das Ideenfassen freier, origineller und stärker schöpferisch als im wissenschaftlichen; damit erhalten seine Aussagen oft besonders einprägsamen Werkcharakter und entsprechend die Bücher, in denen sie niedergelegt sind, dauernden Bestand. Kulturell gewichtige Werke können auch die Anwendungsempfehlungen und -modelle werden: prinzipiell lassen sich alle, mithin auch die metaphysisch begründeten Ziel- und Wertauffassungen in praktischer Lebens- oder Soziallehre konkretisieren (so: biologistische Metaphysik läßt sich über für natur- und damit lebensgerecht gehaltene Ziel- und Wertauffassung in naturalistische Moral und Sozialideologie überleiten, — aber auch die spiritualistische Metaphysik über ziel- und werthafte Geistigkeitsbejahung in lebens- und sozialpraktischen Spiritualismus, und die metaphysische Bejahung der Freiheit über die Ziele und Werte der Autonomie in praktische Verwirklichung von Freiheit, Toleranz und Kulturpluralismus; weiter: die philosophisch gesetzten oder auch nur befürworteten Ziele und Werte sollen verwirklicht werden und auch das verlangt Ausführungsempfehlungen und -anleitungen).

Dem philosophischen Werkschaffen in den Verfahren und zum Teil auch in den Inhalten ähnlich ist das religiöse, — genauer: das theologische (sich mit dem Dogma und den kanonischen Schriften befassende oder zumindest von ihnen ausgehende und sie als richtig anerkennende), das religiös-philosophische oder philosophisch-religiöse (in religiöser Grundhaltung philosophierende oder die religiösen Annahmen philosophisch behandelnde, im zweiten Fall ist das religiöse Moment stärker ausgeprägt und wird das Interesse schärfer auf das Religiöse konzentriert) und das von eher vorstellender, gefühlshafter, also weniger rationaler Bewußtheit ausgehende (wie es einerseits in der Mystik und anderseits in der religiös bestimmten Sozialarbeit hochausgebildet sein kann). Als Werkschaffen, wenn auch geschichtliches und großenteils in ferner Vergangenheit erfolgtes, zu verstehen ist schon die Schaffung der Grundlehren, Dogmen und theologischen oder religiös-philosophischen Gedankensysteme der großen Religionen und innerhalb dieser der Konfessionen und Glaubensrichtungen (zu letzteren: im Christentum Katholizismus, Protestantismus und Ostkirche, diese beiden mit mancherlei Richtungen und selbständigen Kirchen; dogmatisch oder sonstwie nach der Grundlehre verschiedene Richtungen im Islam, Hinduismus, Buddhismus): die vom Glaubensstifter oder den Glauben ausarbeitenden religiösen Denker oder Führer verkündete Lehre ist ein in-sich-geschlossenes, übertragbares, lehr- und lernbares Ideenganzes, das als solches, rein im geistigen Gehalt werkhaft ist (werkhaft schon darum, weil es den Kerngehalt für viele anschließende theologische und religiös-wissenschaftliche Lehrwerke bildet). Fragt man sich, ob in der modernen Wissenschaftskultur noch religiöses Werkschaffen dieser besonderen Art möglich sei, so mag man zum Schluß kommen, daß dies in der Tat zutrifft, indem gerade die jetzt vorherrschende rationale Sachlichkeit den Wunsch nach neuer religiöser Imagination wecken und dieser gruppenbildend wirken kann (der geistige Pluralismus der modernen Kultur geht auch dahin, daß keiner zu wissenschaftlicher Rationalität gezwungen ist und auch nicht gezwungen werden soll; ein moderner Glaubenskünder könnte sich sogar grundsätzlich gegen die Wissenschaft wenden, das weitverbreitete Fremdheitsgefühl ihr gegenüber mobilisierend, freilich würde ihn das ins Sektiererische bringen, — Aussicht auf breiten Erfolg hätte er wohl eher, wenn er von Wissenschaftlich-Festgestelltem aus postulierte).

Ans, jedenfalls in rein-spiritualem Sinne werkhafte, Glaubenschaffen schließt das Werkschaffen an, das in der schriftstellerischen Glaubensdarlegung besteht: religiöses »Werk« als religiöses Buch. Ist die Darlegung theologisch oder religiös-philosophisch, so steht sie unter ähnlichen Anforderungen wie die wissenschaftliche (denn die Theologie ist wenigstens in ihrer Begrifflichkeit wissenschaftlich) oder philosophische, — letzteres um so mehr, je stärker das philosophisch-religiöse Moment ist, je mehr also das Denken ins Rein-Philosophische führt, — was oft auf die zunächst unbezweifelt maßgebende religiöse Grundauffassung zurückwirkt, indem die philosophische Denkarbeit die Glaubensaussagen unter neue Perspektiven stellt. Ist sie eher kirchlich, seelsorgerisch, erbauend, so mögen besondere religiöse Kriterien anzuwenden sein. Der Buchinhalt ist werkhaft vor allem als ein Ganzes, mit allen Einzelinhalten und Inhaltsbeziehungen; aber Werk kann in einem abstrakteren Sinne auch die dieses Ganze tragende Hauptidee sein, — dies dann, wenn der Verfasser sie selbst schafft, also nicht nur das Dogma oder eine sonstwie bekannte und anerkannte Lehre darlegt: der Theologe, der religiöse Philosoph, der Mystiker kommt vielleicht zu einer neuen These, die als solche ein wichtigeres Werk ist als das Aussagenganze, in welchem er sie darlegt. — Und stark ausgeprägt kann das besondere Werkhafte der Anwendungslehre sein: denn das Religiöse hat vor allem lebens- und sozialpraktischen Sinn und daraus werden dem religiösen Denken Aufgaben gestellt, welche über die Erhellung des Menschlichen hinaus seine aktive Gestaltung zum Inhalt haben; allerdings besteht ein enger Zusammenhang zwischen Erhellung und Gestaltung: die Gestaltungsthesen müssen den Erhellungsaussagen entsprechen und diese müssen als wirklichkeitsgemäß anerkannt sein, also anerkannt werden können, — mit der Kritik an der religiösen Wirklichkeitsdeutung werden auch die glaubensbegründeten Wertannahmen, Zielvorstellungen und Gebote bezweifelt, es sei denn, sie ließen sich unter neuer Wirklichkeitsauffassung beibehalten (was Anpassungen erfordert). Zweifler mögen hieraus zu nicht-mehr-religiöser, diesseitspraktischer Zielhaltung kommen, die entweder sozialideologisch bestimmt ist oder von autonomen Einzelnen und Gruppen auf Grund philosophischer Lehre oder aus eigener Weltsicht festgelegt wird (die Philosophie kann den nicht-mehr-religiösen Suchern helfen, aber viele beanspruchen diese Hilfe nicht: mit der Sozialfunktion der Religion ist auch diejenige der Philosophie eingeschränkt worden — und damit das soziale, kulturelle Gewicht sowohl des religiösen wie des philosophischen Werkschaffens).

Der Religion ist ein Schaffensfeld eigen, das der Philosophie fehlt, dagegen in der Politik gegeben ist: Gründung, Aufbau und Führung von Institutionen und Organisationen. Als vorwiegend lebens- und sozialpraktisches Denk- und Aktionsfeld bedarf die Religion eines ausgedehnten Funktionsgebildes, in das sich die Gläubigen einfügen, ja das für sie selbstverständlich die geistige Heimat ist, und das ihnen gegenüber lehrend, führend, helfend ist oder zumindest, bei Bedarf, werden kann; Kirche, Glaubensgemeinschaft, Sekte sind daraus sowohl Ziel als auch tragendes Gefüge des religiösen Schaffens und des religiösen Werkschaffens im besondern. Daraus kann der Religiös-Aktive vor ähnliche Aufgaben gestellt werden, oder sie aus eigener Entscheidung wählen, wie der Politiker oder der im Staate tätige Organisator: der in Kirche oder Glaubensgemeinschaft führend oder als Experte tätige Leistungsstarke kann Schöpfer von, religiös bedingtem und religiösen Zwecken dienendem, Institutionellem, damit von sozialrealem Werk werden. Konkrete Aufgabe ist da zunächst die Schaffung neuer oder die Umgestaltung, als Umbau oder Ausbau, bestehender Organisation: die Geschichte der religiösen Institutionen zeigt das in vielen Beispielen — und vielleicht gibt ihm jetzt die allgemeine Abschwächung des Religiösen neue Wichtigkeit, denn gerade die moderne Religionskrise muß einige glaubensstarke Schöpferische veranlassen, den Glauben, vielleicht unter doktrinaler Neufassung, auf die neuen geistigen und sozialen Tatsachen zu richten und daraus das sich aufdrängende neue Institutionelle vorzuschlagen, zu planen, aufzubauen, zu führen (so: sozialreformerische Organisationen der Kirchen, ökumenische Organisation, protestantische Klöster). Schaffung religiös-sozialen Werkes ist sodann die Gestaltung der organisationsinternen Normen: des

Rituals, der Hierarchie, des Kirchenrechtes (geschichtlich: die Ordensregeln der Benediktiner, der Franziskaner, der Jesuiten, in Süd- und Ostasien der Buddhisten, das Organisationssystem der Katholischen Kirche, protestantische Kirchenverfassungen; jetzt: neue Grundsätze und Weisungen des Zweiten Vaticanums, neue Formen der Zusammenarbeit der christlichen Kirchen und sogar der christlichen und anderer monotheistischen Gemeinschaften).

Aus dem Glauben werkschaffend werden sodann jene, welche religiös bestimmte Sozialleistungsgebilde aufbauen, ausbauen, umgestalten: Schulen, Krankenhäuser, Hilfsorganisationen, — bis zu technisch-wirtschaftlichen Unternehmungen (so mag in einem Entwicklungsland die kirchliche Aufbauleistung auch in der Organisierung der Verarbeitung landwirtschaftlicher Produkte, in der Förderung der Dorfgewerbe und in der Gründung von Kleinindustrien bestehen). Und eine letzte Art des religiös fundierten Werkschaffens richtet sich auf die politischen Parteien, die Gewerkschaften und wirtschaftlichen Vereinigungen: wenn in der Gesellschaft die religiösen Prinzipien in einigem Umfange durchgesetzt werden sollen, so müssen sie aktiver und fachmännischer vertreten werden, als das in der allgemeinen Kirchenorganisation und -tätigkeit möglich ist.

6.16 Künstlerisches Werkschaffen

Wohl am direktesten zugänglich sind Werk und Werkschaffen in der Kunst: »Werk« wird denn auch nach dem allgemeinen Sprachgebrauch am ehesten als Kunstwerk, »Werkschaffen« als künstlerisches Schaffen, »der Werkschaffende« als Künstler verstanden; daß dies allzu einengend ist, ja wichtigste Werktypen unbeachtet läßt, ergibt sich aus den vorstehenden Darlegungen, — aber natürlich kann das die Bedeutung dieses besonderen Kreativitätsfeldes nicht beeinträchtigen.

Stärker ausgeprägt als bei den andern Werken, die großen philosophischen und religiösen ausgenommen, ist bei den künstlerischen der Bestand über lange Zeit hinweg: das Kunstwerk, einmal geschaffen, hat seine endgültige Gestalt und ist als solches nicht durch ein besseres, zweckmäßigeres neueres zu ersetzen (wie etwa eine Industrieanlage oder eine Staatsverfassung), — das Kunstschaffen ist fortschreitender Kulturprozeß, in dem nicht nur immer wieder Neues, sondern auch manchmal, häufiger in dynamischer, modernistischer und seltener in statischer, traditionalistischer Kultur, Neuartiges entsteht, von welchem aus die früheren Werke als veraltet, als nicht mehr interessant erscheinen mögen, das sie aber nicht widerlegen kann, nicht verhindern kann, daß sie ihr Werkwesen und ihren Werkwert behalten und darin vielleicht später das Modernere übertreffen werden, das sie zeitweilig verdrängte. Zumal für den kunstgeschichtlich und -wissenschaftlich geschulten Kunstfreund ist jedes Kunstwerk, entstamme es auch alter oder fremder Kultur, ein aktuelles Werk, — für ihn ist das Kunstmuseum, sosehr es geschichtlichen Einblick vermittelt, eine Sammlung von Gegenwärtig-Wirkendem, anders als das technische Museum, das zeigt wie man früher an die Sachaufgaben heranging, die man jetzt viel besser zu lösen vermag, und für ihn können die alten und fremdländischen Werke der Dichtung (manche in Übersetzung) und der Musik unmittelbar zu seiner Werkumwelt gehören.

Die meisten werkschaffenden Künstler sind weniger stark durch das Objektive des Inhaltlichen, von welchem das Gestalten ausgeht und auf das es sich bezieht, und des Zweckes, dem das Gestalten dienen wird, gebunden als die werkschaffenden Techniker und Wissenschaftler, Politiker und Staatsspezifisch-Leistenden, auch als die religiösen Denker und die Metaphysiker, sofern man die Glaubensinhalte, von denen sie ausgehen, für wirklichkeitsgemäß hält; eine Ausnahme bilden hier aber die Baumeister (in Altertum und Mittelalter) und die Architekten (in der Neuzeit und insbesondere in der Gegenwart), denn für ihr Schaffen gelten technische Bedingungen, die unbedingt einzuhalten sind. Der Zeichner, Maler, Bildhauer, der Lyriker, Novellist, Romancier, Dramatiker, der Lieder-, Kammermusik-, Opernkomponist, der Symphoniker, der Filmschöpfer und auch der Photograph, der Choreograph: jeder kann sein Thema frei wählen, in ihm Sonderinhalte herausheben oder aber als für die verfolgte künstlerische Absicht unwichtig vernachlässigen, sich auch im Herauszuhebenden nicht an die objektive Gegebenheit halten, ja sich gegen sie wenden, und er kann aus eigenem subjektivem Vorstellen einen in Hauptwesen neuen Werkinhalt schaffen und auf dem betreffenden Feld (etwa in der

Lyrik, in der Romankunst, in der Malerei) dem Bisherigen als höherwertig entgegenstellen, — die Entwicklung des Inhaltlichen der Kunst erfolgt großenteils in solchem subjektivem Anderswollen (das viele Zeitgenossen für anmaßend und jedenfalls für verfehlt halten). Jeder kann auch die bisher übliche Gestaltungsweise und in diesem Sinne das Formale seiner Kunst umbilden (richtigerweise aber immer von hohem Stand der bisherigen Gestaltungsmöglichkeit aus, die dann durch das Neue erweitert wird, — formale Freiheit, mit der mangelndes Können überspielt würde, wäre kaum künstlerisch fruchtbar, immerhin gibt es da den Zöllner Rousseau und die peintres naïfs), er kann jedenfalls in Zweitrangigem neue Formart anwenden und der Besonders-Begabte mag ein Werk schaffen, das sowohl als solches bedeutend und zugleich durch zentrales neues Formwesen richtungweisend ist (so: von den frühgriechischen Vasenmalern bis zu den Biennale-Ausstellern, von den antiken Tempelbaumeistern bis zu führenden Geschäftshausarchitekten unserer Zeit, von Aeschylos bis zum modernen Theaterneuerer, von Palestrina bis zum experimentierenden Gestalter elektronischer Musik).

Im Kunstwerk ist ein Konkretes gestaltet, sei es ein Einzelgegenstand oder ein Kleinkomplex (wie im Bildnis, im Stilleben, im gegenstandslosen Gemälde, im Gedicht, in der Kurzgeschichte, im Lied, in der Sonate), sei es ein inhaltsreicher, im Wesen sehr vielschichtiger und vielfältiger, vielleicht ein gesellschaftliches oder geschichtliches Großgebiet umfassender Großkomplex (die größte Inhaltsfülle hat der Großroman; inhaltlich reich und vielfältig sind aber auch, je in ihrer besonderen Weise, das Landschaftsbild, das Geschichtliches oder Soziales darstellende Gemälde, das große Bauwerk, das historische Drama, die Oper, die Symphonie, der Großfilm, — immer vorausgesetzt, daß im Werk viele verschiedenartige Gegenstände, materiale und formale, gestaltet sind); aber auch das einen Großkomplex bildende Kunstwerk hat Einzel- und Kleinkomplex-Konkretheit in dem Sinne, daß es in allen seinen Teilen sinnlich-erfaßbar oder erlebbar sein muß. An sich wesensfremd sind der Kunst, und den einzelnen Kunstwerken, die Abstraktheit von Theologie, Philosophie und Wissenschaft, auch der ideologischen Gesellschaftslehren, — aber es gibt hier Übergänge: vor allem, den, daß im Kunstwerk einem Religiösen,

Philosophischen, Wissenschaftlichen oder Ideologischen anschaubare und erlebbare Konkretheit gegeben ist (stärkste Wirkung erhält diese, wenn das Gestaltete ein Ideenhaftes symbolisiert), und auch den, daß der in allgemeinen Kategorien denkende oder wenigstens empfindende, fühlende Künstler das gestaltete Konkrete von diesem Allgemeinen her und auf es hin einsichtig macht, so daß der Betrachter gerade durch die Konkretheit der Darstellung zur Abstraktheit des allgemeinen Inhaltes gebracht wird (so: sozialkritische Romane, Dramen, Zeichnungen, Bilder). — Konkret ist das Kunstwerk in den gestalteten Inhalten: der Betrachter muß ihnen begegnen können, als seien sie ihm in seiner eigenen Umwelt gegeben, — was allerdings auch künstlerische Erfahrung, Phantasie und Eingehensfreude eben des Betrachters verlangt: man muß fähig sein, die Inhalte alter (etwa den Aristophanes) und exotischer (etwa den Genji-Roman, tibetische Thankas und chinesische Opern), aber auch befremdender modern-westlicher Werke (etwa diejenigen von Joyce und Picasso) in seine eigene Welt, ja in seinen Alltag einzubeziehen. — Und konkret ist das Kunstwerk in seiner Formgestalt: der Betrachter erfährt diese als eigenständigen Formkomplex, der als solcher nicht einfach kulturwirklich, sondern auch, beim hohen Kunstwerk, kulturell bedeutend ist. Wiederum setzt das Aufnehmen entsprechendes Können und Wollen voraus: das Verstehen der Formwerte ergibt sich bei Schwierigerem nur aus der mental aktiven Auseinandersetzung des Kunstfreundes mit dem Werk (was sich anhand der Formseite der genannten alten, exotischen und modern-befremdenden Werke, zudem durch alle Arten der nicht ohne weiteres eingänglichen Musik, etwa von japanisch-buddhistischen Gesängen oder elektronischen Tonexperimenten, verdeutlichen läßt).

Die materiale und formale Konkretheit verstärkt das In-sich-Geschlossensein, das zum Wesen jedes Werkes gehört: das Kunstwerk ist als Typus das festest und vollständigst in sich geschlossene Werk; eben daraus erhält es seine Unvergänglichkeit, Nichtaufhebbarkeit, Nichtwiderlegbarkeit. Anderseits wirken Konkretheit und Insichgeschlossenheit auch isolierend: das Kunstwerk bleibt zwar für die ganze Zeit seines Bestehens unwiderlegbar, aber damit kann es auch nicht in ein Späteres, das es widerlegt, eingehen. Immerhin gibt es den Übergang des konkreten Alten in konkretes Neues in der Architektur: wenn ein altes Bauwerk umgestaltet wird, damit es seiner Bestimmung unter neuen Bedingungen besser diene oder auch nur neuer ästhetischer Auffassung entspreche, — und in Theaterliteratur und Musik: Neugestaltung eines antiken Stoffes (etwa der Antigone), Orchestrierung eines Klavierwerkes (»Bilder einer Ausstellung«).

Trotz seiner in sich geschlossenen Gestalt und trotzdem es weder in ein anderes Werk aufnehmbar noch widerlegbar ist, kann das Kunstwerk das Gestalten anderer Künstler ähnlich anregen wie das philosophische oder wissenschaftliche Werk das Denken und Schaffen von Beeinflußten, seien sie zu ihm positiv oder negativ eingestellt. Unmittelbar ist diese Wirkung dort, wo das Werk als vorbildlich und somit als zu Nachahmung und Weiterführung auffordernd verstanden wird: das kann zur Bildung von Kunstrichtungen, Schulen, Gesinnungsgruppen führen (so: Naturalismus, Impressionismus, Expressionismus; Schule von Barbizon, Blauer Reiter); mittelbar ist sie, wenn die Inhalts- und Formtypen abgelehnt werden, aber gerade dadurch können die Diskutierenden klarere Bewußtheit gewinnen (so: Ablehnung der ungegenständlichen Malerei kann einen neuen Zugang zur Gegenständlichkeit bewirken).

Das künstlerische Werkschaffen setzt eine spezifische, eben künstlerische Fähigkeit voraus, und das heißt praktisch eine speziell-spezifische, nämlich die zeichnerische, malerische, bildhauerische, baukünstlerische, dichterische und im engeren Sinne lyrische, epische, dramatische, weiter die musikalische, theatralische, choreographische (usw.): die meisten werkschaffenden Künstler sind begabt und geschult nur auf einem, mehr oder weniger weiten, Sonderfeld. Die Fähigkeit zum künstlerischen Werk ist, obwohl verhältnismäßig häufig, von derjenigen zum wirtschaftlichen, technischen oder staatsspezifischen darin verschieden, daß in jener eine scharfe Grenze zum Dilettantischen besteht, wogegen in diesen die Begabungsvoraussetzungen allgemeiner sind: wenn Wirtschaft und Technik das Leistungsfeld für die meisten Berufstätigen bilden, so ist auf ihm sehr vielen ein Handeln möglich, dessen Ergebnis einigermaßen klar Werkcharakter hat: jeder Betrieb, jede Unternehmung und oft innerhalb von Betrieb oder Unternehmung die Abteilung läßt sich als werkhaft verstehen, und werkhaft ist jedes

Produkt, das in einem Wesentlichen erheblich neuartig ist, — und wenn man sagt, das Amt gebe den Verstand, so heißt das auch, daß der Amtsinhaber mit seinem alltagspraktischen Verstand ein für das Gemeinwesen wichtiges Werk anregen und politisch durchsetzen kann (etwa ein Jugendhaus oder eine Umfahrungsstraße, wobei für die Vorbereitung und Ausführung natürlich Fachleute beizuziehen sind).

Da das künstlerische Schaffen eben den Besonders-Fähigen vorbehalten ist, lassen sich aus den es erhellenden Überlegungen, so wichtig sie an sich sind, kaum Schlüsse auf das Allgemeine von Kreativität und Kreativitätsförderung ziehen. Die Kunst im ganzen und die einzelnen Künste sind ein Bereich, an welchem die Kunstfreunde zwar intensiv teilhaben können, aus dem sie aber, wenn sie nicht selbst Künstler sind, nur wenige Hinweise zum Ausbau ihres eigenen schöpferischen Wollens und Tuns erhalten, — im Unterschied zur Befassung mit dem Schöpferischen der Wirtschaftler, Techniker, Im-Staat-Handelnden und, obwohl meistens durch strenge fachspezifische Anforderungen eingeengt, der Wissenschaftler. Man wird sich in diesem Zusammenhang fragen, ob nicht die Diskussion der Voraussetzungen, Gegebenheiten und Möglichkeiten des Schöpferischen, so wie sie üblicherweise betrieben wird (zumal auf der Populärstufe), allzu einseitig ihre Aufmerksamkeit der Kunst und den Künstlern zuwende, zuwenig dagegen den außerkünstlerischen Kreativitätsarten und damit zuwenig denen, die den meisten Leistungsfreudigen am ehesten zugänglich sind. Freilich dürfte die stärkere Betonung des außerkünstlerischen Schöpferischen nicht das Interesse für das künstlerische erlahmen lassen oder auch nur vermindern: dieses ist und bleibt eine Hauptweise der Kreativität.

6.17   Dauer der Werke

Ist das Werk, wie hier umschrieben, ein in-sich-geschlossenes Kulturobjektives, so gehört zu ihm wesensnotwendig die erhebliche Dauer, eben solche, während welcher das Werk sein Insichgeschlossensein hat und behält, — Veränderung mag zwar auch innerhalb eines Insichgeschlossenen vorgehen, aber dann ist dieses, verändert, nicht mehr das, was es vorher war (es könnten etwa die Formen und Farben, die sich im Kaleidoskop zeigen, in ein gegenstandsloses Gemälde übertragen werden: dann würde sich aus dem durch Drehung veränderten Form-und-Farb-Komplex ein neues Gemälde, ein neues Werk ergeben). Was bedeutet Dauer in diesem Zusammenhang? Bestand, bleibende Geltung, sei es in der Einmaligkeit des Gestalteten (wie beim Staat-als-Werk, bei der Großunternehmung-als-Werk, beim Bauwerk, auch beim Gemälde), sei es im Sinne der Übertragbarkeit, der Vervielfältigungs- oder Aufnahmeeignung (wie bei werkhaftem wissenschaftlichem, technologischem, wirtschaftspraktischem, gesetzgeberischem Erreichnis und wie in den Werken von Musik und Dichtung), auch der Übersetzbarkeit (so bei allem Sprachlichen, künstlerischem und nichtkünstlerischem). Alle diese Qualitäten sind zeitlich begrenzt, es gibt im Kulturellen keine Ewigkeit; trotzdem sind manche Werke praktisch, nämlich während langer Kulturzeit sehr-lange-dauernd (so: antike Bauten, Kunstwerke, religiöse und philosophische Werke, auch wissenschaftliche Werke, die zwar überholt sind, aber als Dokumente der Wissenschaftsgeschichte wichtig bleiben). Jedoch gibt es auch solche, deren Dauer nur kurz ist, aus physischen Gründen (so die Gebäude einer Weltausstellung), wegen der Anlage auf ein Ausnahmebedürfnis hin (so eine kriegswirtschaftliche Notverordnung, die vielleicht meisterlich konzipiert und formuliert ist), oder weil das Geschaffene schon bald durch ein Geeigneteres verdrängt wird (wie das mechanische Rechengerät durch das elektronische). Hier wird man das Erreichnis dann voll als Werk anerkennen, wenn die kurze Bestandsdauer von seinem Wesen aus als nebensächlich erscheint (wie beim Überholtwerden durch Geeigneteres); nur bedingt kann diese Anerkennung anderseits sein, wenn die kurze Dauer schon in der Leistungsaufgabe liegt (etwa beim Ausstellungsbau und bei der Notverordnung).

Sodann gibt es als ausgedehnte Gruppe von in sich geschlossenen Leistungserreichnissen, die große Schaffenskraft erfordern, aber von vornherein kurze Dauer haben: die Veranstaltungen, Aufführungen, Feste. Manche von diesen sind Werkaufführungen, erfordern somit ihren Text, die Noten und insbesondere die Partitur oder sonstwie eine Unterlage, — ein Zuinterpretierendes, durch das der Interpret mehr oder weniger eng gebunden ist, dem gegenüber er jedoch auch einige und vielleicht große Freiheit hat (oder sie sich nimmt). Wenn hier auch der Aufführende, eben der Interpret, vom Zuinterpretierenden abhängig ist, ja sich in künstlerischer Redlichkeit zu Werktreue verpflichtet hält, also ihm gegenüber der Schöpfer des aufzuführenden Werkes durchaus den Vorrang hat, so ist doch dieses auf die Aufführung hin angelegt und ihrer bedürftig: das Ganze von Werk und Aufführung ist Ergebnis zweischichtigen Schaffens, des grundlegenden des Textschöpfers oder Komponisten (auch des ein Ballett festlegenden Choreographen, dessen Arbeit von andern Interpreten übernommen wird) und des anschließenden, das vom Aufführenden zu leisten ist und das, wenn auch auf die Aufführung (praktisch meistens auf eine Serie von Aufführungen) beschränkt, jenes Grundlegende erst zum vollen Ausdruck, zu reicher Ausstrahlung bringt, vielleicht auch und gerade durch Wesentliches, das der Interpret von sich aus beiträgt, oft durch solches, das vom Werkschöpfer nicht bedacht wurde, ja gar nicht vorausgesehen werden konnte. Erweist sich der Aufführende als nachgeordnet, so hat er doch seine eigenständige Schaffenskraft und wird die Beschränktheit seines Nur-Interpretierens dadurch wettgemacht, daß er Interpret vieler Werke, auch verschiedener Stiltypen, sein kann und damit durch eben seine Darbietungskreativität die werkschaffende Kreativität vieler Werkschöpfer zum von ihnen gewollten, erhofften Erfolg führt (erst dank der Leistung des Dirigenten begegnet der Musikfreund dem Werk des Komponisten; erst die Arbeit des Regisseurs macht das Drama voll kulturwirklich, mag auch hier das Lesen eine intensive Befassung erlauben). Bei all ihrer Wichtigkeit, ja Unentbehrlichkeit ist aber die Aufführungsleistung nur kurzdauernd, abgesehen vom Film, bei dem lange Dauer im technischen Wesen liegt oder zumindest aus ihm möglich ist; jedoch erlauben neue technische Verfahren, dem bisher und an sich Raschvergänglichen einigermaßen dauernden Bestand zu geben, — genauer die Wiederholbarkeit durch Schallplatte, Tonband, Film, Fernsehaufzeichnung und, mit geringerer Wirkung, die Erinnerbarkeit durch die Photographie. Stärker als früher werden dadurch die Werkinterpreten in dem Sinne zu Werkschöpfern, daß die Darbietung, als solche in sich geschlossen und vielleicht einzigartig, durch die neuen technischen Mittel ein

Dauerndes werden kann, das zumindest kulturgeschichtlich interessant ist und, auf höherer Stufe, während längerer Zeit als Meisterleistung aktuell bleibt (am meisten wohl die Schallplattenaufnahmen großer Dirigenten). Von vornherein kurzdauernd sind Ausstellung, Versammlung, Kongreß, Fest usw.: es kann für ihre Vorbereitung und Durchführung große — künstlerische, fachliche, organisatorische — Gestaltungskraft erforderlich sein, deren Erreichnis man ohne weiteres als Werk und sogar Großwerk anerkennte, wenn es nicht aus seiner Bestimmung mit dem Veranstaltungsende zum Vergangenen würde (das immerhin durch Film und Photographie erinnert wird). Wiederum erweist es sich als unzweckmäßig, den Werkbegriff nur auf Dauerndes anzuwenden: die beiden Momente des Insichgeschlossenseins und des sich aus dem kulturellen Wesen ergebenden, objektiven Selbstzweckhaftsein (ein Gelehrtenkongreß kann größeren kulturellen Wert haben als eine neue wissenschaftliche Monographie, ein Großfest kann künstlerisch gewichtiger sein als eine Gesamtheit neuer Bilder) erlauben, auch ein kurzdauerndes Meisterlich-Gestaltetes als Werk und das auf es gerichtete Gestalten als Werkschaffen aufzufassen.

6.18 Verbindung der Leistungsarten

In Hinsicht auf das Praktische des schöpferischen Handelns wird sich die Unterscheidung Verbesserungsschaffen-Neuwesenschaffen-Werkschaffen oft als allzu begrifflich erweisen, vor allem darum, weil zwei oder drei Typen miteinander verbunden sein können und sich dann vielleicht keiner als wichtigst herausheben läßt, auch darum, weil es häufig mehr auf das Allgemeinwesen der Kreativität als auf ihre Sonderart ankommt. Zum ersten: Das Werkschaffen als solches ist zwar auf vielen Leistungsfeldern deutlich erkennbar und damit von den andern Schaffenstypen unterscheidbar, aber das bedeutende Werk hat häufig eine Inhalts- und Formqualität, die es für einige Betrachter als das Bisherige verbessernd oder ihm gegenüber neuwesenshaft erscheinen läßt (so mag eine neue Fabrikanlage für die beteiligten Wirtschafter, Ingenieure und Wissenschaftler hauptsächlich ein Werk, »ihr Werk«

sein, für die außenstehenden Fachleute dagegen interessant fast nur wegen der richtungweisenden Neuerungen). Zum zweiten: Die Kreativität in ihrem bisher betrachteten Wesen, nämlich als andern Menschen zugängliches oder jedenfalls irgendwie dienendes Handeln, hat vor allem den Sinn, ein in der Gesellschaft wertvolles Kulturobjektives zu schaffen, und was wertvoll ist, hängt in erster Linie vom Inhalt des Geleisteten ab, — die Art der ihn zustande bringenden Leistung ist da meistens zweitrangig. Aber für die Schöpferischen selbst kann der Kreativitätstypus sehr wichtig sein: insbesondere wird mancher das Werkschaffen als die höchste und darum erstrebenswerteste Selbstverwirklichung verstehen.

Dritter Teil

SCHÖPFERISCHSEIN AUSSERHALB DER LEISTUNG

7. Schöpferisches Bewusstseiend-Teilhaben

7.1 *Bewußtheit als Feld des Schöpferischseins*

Kreativität als die Fähigkeit und Kraft, autonom ein Neuartiges zu gestalten, ist gesellschaftlich am wichtigsten und auch am vielfältigsten als Handeln, das nach außen wirkt und durch welches hieraus ein nach außen objektiviertes, in den Kulturgüterbestand eingehendes und in ihm für Interessenten verfügbares Erreichnis entsteht. Aber diese kulturgutschaffende Kreativität ist, obwohl die wichtigste, doch nicht die einzige, denn neben ihr ist und wirkt diejenige, welche als Aktivität und mit ihrem Ergebnis im Bereich des, schöpferischen, Einzelnen und allenfalls seiner Nahgemeinschaft bleibt. Schöpferisches Verwirklichen dieser andern Art gibt es vor allem im Auffassen, Inbeziehungbringen, Beurteilen, Werten, Kritisieren von dargelegtem oder sonstwie erfahrbarem Wissens- oder Glaubensgut (das erste ist objektiv-richtig oder sollte es zumindest sein, das zweite wird für objektiv-richtig gehalten, ist aber als solches nicht schlüssig erweisbar), von Künstlerischem, von Werkhaftem der Technik, Wirtschaft oder des Staates. Ausgedehnte Möglichkeiten hat es sodann im selbständigen Zielsetzen, Ideenfassen, Stellungnehmen. Und einen dritten Bereich bilden das Zusammensein und -wirken mit Andern (Einzelnen, Gruppen) und in der Beziehung zur Gesellschaft im weiteren Sinne.

In seinem Wissen und Glauben, damit in der Beziehung zum Wissens- und Glaubensgut steht der Einzelne zwar unter den objektiven Anforderungen der Tatsachen und der anerkannten

Denk- und Bearbeitungsprinzipien (auf dem Wissensfeld), der Dogmen und Glaubenspflichten (auf dem Glaubensfeld), — jedoch hat er an sich auch die Möglichkeit, durch eigenes Denken vom Fürrichtiggehaltenen abzuweichen, andere Inhalte zu behaupten und in anderen mentalen Verfahren vorzugehen: zumindest sind ihm fürs Inhaltliche die Phantasie und für Denkverfahren die Spekulation offen, und daß dies seit der Frühzeit der höheren geistigen Entfaltung gilt, zeigen die Märchen, Mythen, die religiösen und philosophischen Streitigkeiten, die Häresien aller Art, daß es auch jetzt noch zutrifft, wird durch Science-fiction und Pseudowissenschaft, Neureligion und Neuideologie, Ablehnung der Rationalität und eigentliche Antirationalität bewiesen. Besonders aufschlußreich ist das große Gewicht, das seit jeher dem Dogmatischen — in Religion, Ideologie, auch in der Wissenschaft — und, zumal in unserer Zeit, der religiösen und ideologischen Propaganda beigemessen wird: es hat seinen Grund nicht nur in der, allerdings weitverbreiteten, geistigen Trägheit, die es zu überwinden gilt (und die der natürlichen, urmenschlichen, urbiotischenTendenz zum optimal-niedrigen Energieaufwand entspricht, — selbzweckhafte geistige Aktivität ist an sich unnatürlich, sie kommt aus übernaturhaftem, spiritualem, rein kulturellem Kraftquell), sondern auch, und zwar auf höherer Ebene, in der Fähigkeit vieler Einzelner, somit auch von Gruppen, die durch solche Einzelne gebildet werden, eigene Bewußtseinsinhalte und -weisen zu setzen und in diesem besonderen Sinne schöpferisch zu werden. Sind aber nicht von der Kreativitätsidee aus Dogmatik und Propaganda von vornherein zu verurteilen? Nein: denn die, auch die schöpferische, Freiheit verdient gegenüber der, auch der dogmatischen, Festgelegtheit nicht unbedingt den Vorrang; kein Denken ist dann am produktivsten — und sei es auch nur für den Denkenden selbst und für ihn allein —, wenn es völlig ungebunden ist: verpflichtend sind in allem sachlichen, auf Reales oder Ideelles gehenden, Denken die Sachbedingungen und im spekulierenden oder phantasierenden Denken innere, objektive Sinnzusammenhänge und oft zudem Seelisches, für welches das schöpferisch ausgedachte Irreale steht und welches durch dieses gedeutet werden soll (wodurch sogar ein an sich sehr wirklichkeitsfremdes Phantasieren, nach seiner Art: von den Gestalten und Ereignissen von Tausend-und-eine-Nacht bis zu denen des modernen Grotesktheaters, einen Bezug zur Realität des Menschen bekommen kann). Anderseits kann das Denken nur dann voll produktiv werden, und dies insbesondere mit Bezug auf die wissenschaftlich und durch Erfahrung unbeantwortbaren Fragen, wenn es der Dogmatik gegenüber frei ist: der Denkende muß für sich das Recht beanspruchen und die richtig organisierte Gesellschaft muß es ihm gewähren, sich selbständig mit den dogmatischen Lehren, Ideen und Thesen auseinanderzusetzen, — würde behauptet, es fehlten dem Nichtgeschulten dazu die Voraussetzungen, so wäre zu entgegnen, daß Dogmatiker kaum je imstande sind, ihre Behauptungen zu beweisen, und daß sie das Praktische und oft auch das Theoretische ihrer Annahmen tatsächlich immer wieder den neuen Kulturentwicklungen und Sozialbedürfnissen anpassen, woraus sich der sachliche Wert gerade der Äußerungen auch aus breiteren Kreisen ergibt.

In allem, was rationale Aussage ist, sei sie realistisch im Sinne der Wissenschaften und auch der praktischen Tatsachenerfahrung, oder spekulativ im Sinne von Religion, Metaphysik und Ideologie, oder ziel- und wertsetzend im Sinne von Moral, Politik und Ästhetik, in alldem ist den einzelnen Denkenden, wenn auch praktisch nur Vereinzelten, möglich, erstens das Tatsächliche schärfer, genauer, klarer zu erfassen, zweitens die Gegenstände oder Gegenstandsfelder in neue, bisher nicht beachtete Beziehungen zu bringen (Beziehungen zwischen Wesensgleichem oder -verschiedenem, -verwandtem oder -fremdem, zwischen Gleich- oder Verschiedenstufigem), drittens die Tatsachen und Tatsachenbeziehungen neu zu werten oder wenigstens unter neue Wertfrage zu stellen. Solch selbständiges Denken erfordert in manchem freilich Fach- und sogar Spezialistenkenntnis, — kaum ein Laie wird etwa in der Mikrophysik oder -biologie neue Tatsachen oder neue Beziehungen feststellen können; andere Sachfelder jedoch sind leichter zugänglich, diejenigen, deren Dinghaftes für den durchschnittlichen Betrachter in der Größe angemessen, also weder zu groß noch zu klein, und nahe oder leichtzugänglich, also nicht allzufern oder sonstwie schwerzugänglich ist: sachgemäße und einigermaßen gründliche Kenntnis über Literatur und Kunst, Wirtschaft, Gesellschaft und Politik, Geschichte und insbesondere Zeitgeschichte, auch über Geographie und Mineralogie, über Teilgebiete der Botanik und Zoologie, der Physik und der Technik, der Mathematik (usw.) zu erwerben liegt in der Wissensmöglichkeit des Moderngeschulten, sofern er geistige Lebendigkeit hat, behält und sogar ausbaut, — und an Sachkenntnis dieser Arten kann ohne Schwierigkeit die Bemühung um neue, auch neuartige Einsicht anschließen. Darin aber werden oft schöpferische Momente wirksam: schon im Fragen, sodann im Fragebeantworten und im Antwortverarbeiten, wobei auch die Frage, die vom Fragenden selbst nicht befriedigend beantwortet werden kann, ihren Sinn hat, weil sie Offenheit des Denkens schafft und Erkenntnisstreben weckt. Wenn Betrachtung, zumal geistesmenschliches Bewußtseiend-Teilhaben höchstrangige Lebenserfüllung bietet, so eben auch darum, weil der Denkende in seinem eigenen Denkkreis schöpferisch werden kann. (Doch soll er nicht nur schöpferisch denken wollen, denn die Voraussetzungen dazu sind beschränkt, — das Kulturgutganze, an dem teilzuhaben Selbstzweck sein kann, ist sehr viel größer, und geistige Erfüllung wird, im Gegensatz zum eigenkreativen Denken, auch darin, daß der Betrachter an Ideen, Einsichten und Werken in mental-aktiver Rezeption, nämlich zwar nur-nachfolgend aufnehmend, aber das Aufgenommene hellst vergegenwärtigend teilhat, als einer der Träger des menschheitlichen Bewußtseins; man bedenke hier die, wenn auch beschränkte, Richtigkeit der religiösen Lehren, die vom Gläubigen die Einfügung ins Glaubensganze verlangen, — diese Grundeinstellung ist, in den gebotenen Grenzen, nämlich Selbständigkeit und Kreativität hochhaltend, auf das wissenschaftliche Betrachten zu übertragen.)

Wohl die reichsten Möglichkeiten bieten sich dem schöpferischen Selbstdenken in der Befassung mit dem in unserer Zeit neuentstandenen, ja eben jetzt neuentstehenden Sozialen und Kulturellen. Hier handelt es sich großenteils um Dinge, die, auch wenn sie (wie das meiste Technische, Juristische, Sozialpolitische) von wissenschaftlichem Erkennen getragen sind, Sosein neuer Art vertreten und in ihrer Bedeutung für Gesellschaft und Kultur weiter erforscht werden müssen (das Fernsehen als Beispiel: seine technische Vervollkommnung, sein darbietungspraktischer Ausbau, seine durch industrielle Großfertigung erreichte Verbilligung, all das ist in Erkenntnissen von Physik, Technologie und in auf die Programmgestaltung zielenden fachmännischen Überlegungen begründet, — aber was die kulturellen Folgen des Fernsehens schon jetzt sind und in Zukunft wahrscheinlich ausgedehnter sein werden, ist noch nicht wissenschaftlich erhellt: hier kann auch der Nichtspezialist, wenn er aufmerksam und kenntnisreich beobachtet und seine Schlüsse zieht, zu Feststellungen neuen Inhaltes kommen oder wenigstens neue Fragen aufwerfen, und darin erhält sein Denken ein schöpferisches Moment).

Kreativität dieser zwar nicht nach außen, dagegen innerhalb der persönlichen Bewußtheit produktiven Art findet im rationalen, zumal realistischen, das heißt auf Wirkliches gehenden Denken die meisten Gelegenheiten, ist jedoch nicht darauf beschränkt. Sie kann auch im mehr spekulativen, das erkennbare Wirkliche überschreitenden Denken, das immerhin auch sein Rationales hat, und im Fühlen und Erleben, und zwar dem Selbstfühlen wie dem Ein- und Mitfühlen, dem Selbsterleben wie dem Miterleben, im Verstehen, Formempfinden und Werten (auch diese drei sind teilweise rational, aber in ihrem Wesentlichen nicht-rational) werden und damit zu neuartiger Wesenserfassung führen, so, wichtigst, zu neuartigem Vergegenwärtigen von Wirklichem, in zweiter Linie von Ideellem und Formalen (etwa in ästhetischem Gefühl, das sich auf geometrische und algebraische Formen richtet), schließlich von Inhalten, denen man jenseitiges, überwirkliches, transzendentes Wesen beimißt.

Die auf diese verschiedenartigen Vermögen gegründete Kreativität innerhalb des Nur-Persönlichen hat zum Ergebnis vor allem Vergegenwärtigung, Bewußtwerden und -sein, Bewußtheit, je in inhaltlicher Besonderheit und Neuheit, oft aber auch, mit jenen verbunden oder für sich allein, neuen Inhalt der Einstellung zu Gesellschaft und Gemeinschaft, der Beziehung zu Einzelnen und Gruppen, nahen und fernen, der Wirheit. In all diesen Weisen der Selbstverwirklichung kann der Einzelne, Fähigkeit und Willen vorausgesetzt — und dieser ist so wichtig wie jene —, zu Inhaltlichem gelangen, das im Angebotenen, Übernehmbaren (Berichten, Werken, Darbietungen) noch nicht bearbeitet ist, also Gelegenheit zu selbständiger, vielleicht in-der-Kultur-erstmaliger, Befassung bietet; in diesem persönlichen, privaten Sinne darf mancher Einzelne als schöpferisch bezeichnet werden. Indessen mag man fragen, ob solches auch als Kreativität in öffentlichem, gesamtheitsbezogenem, der Gesamtheit dienendem Sinne anzuerkennen sei. Bleibt da der Einzelne nicht meistens doch nur im Rahmen dessen, was in der Gesellschaft zumindest ungefähr gewußt und verfolgt, wahrscheinlich auch von andern privat und persönlich Kreativen überlegt wird? Bei der Leistung tritt der Schöpferische aus seinem persönlichen, privaten Bereich hinaus in eine mehr oder weniger weite Öffentlichkeit, der er das Geleistete mitteilt oder anbietet, wodurch allenfalls dessen Neuheit in Wesen und Grad geprüft und darin erwiesen oder nicht anerkannt wird. Solches ist bei der privaten Kreativität der erwähnten Arten nicht möglich, denn das, was ihre inhaltliche Besonderheit ausmacht, tritt kaum in Auseinandersetzung mit dem geistigen Wollen und Erreichen anderer Privat-Kreativer. In diesem Sinne ist dieser besondere Kreativitätstypus von vornherein inhaltlich einzuschränken, — für die Wesensbestimmung muß genügen, daß der Privat-Schöpferische Persönliches verwirklicht, das für ihn selbst und gemessen an dem ihm Bekannten neuartig ist. (Würde er später feststellen, daß das, was er persönlich eingesehen, erfahren oder erlebt hat, in Werk oder Darbietung gestaltet ist, so dürfte er sich sagen, daß sein eigenes Denken auf der Linie lag, die in der gegenwärtigen Kultur zu Objektiv-Neuem führte, daß er an der geistigen Kraft, die sich in diesem verwirklicht, teilhat.)

7.2 Bewußtheitsförderndes Aktuelles

Für die nur-persönliche, private Kreativität bietet die zeitgenössische Gesellschaft, im weitesten Sinne aufgefaßt und damit alles jetzige Gesellschaftliche einschließend, die vielfältigsten und aktuellsten Gelegenheiten: und zwar in Hinsicht sowohl auf das Beobachten, Deuten, Betrachten, Werten, Bewußtseiend-Teilhaben als auch auf das innere Gemeinschaft schaffende Sichverbinden. Zeitgenössische Gesellschaft ist nicht nur die Gesellschaft, die eben jetzt, im gegenwärtigen Augenblick, praktisch in einem Zeitraum einiger Monate (über den etwa in aktuellen Kommentaren berichtet wird), gegeben ist; vielmehr muß der weitere und tiefere Einsicht Suchende sie auf mehrere Jahre und sogar Jahrzehnte erstrecken, vor allem die zurückliegenden, also in zeitgeschichtlicher Perspektive, und soweit möglich und mit der gebotenen Vorsicht auch auf die zukünftigen, also in futurologischem Interesse. Nicht bloß unvermeidlich, sondern eigentlich positiv ist dabei, daß der Betrachter sich auf Neuentwicklungen zu konzentrieren hat, denn diese sind es, welche ihn zu schöpferischem Erfassen und Sichverbinden in erster Linie anregen. Das Aktuelle ist aufmerksamst zu beobachten, zweifach: erstens aktuelle Ereignisse und Tendenzen, die rein sachlich festzustellen sind, und das selbst dann, wenn man sie mit Abneigung und Besorgnis betrachtet; zweitens die Wertungen, Kritiken und Diskussionen, durch welche zum Aktuell-Tatsächlichen Stellung bezogen wird (etwa: die Besorgnisse wegen der Bevölkerungsexplosion, die Umweltschutzbemühungen, der Kampf gegen die Inflation, gegen den Krebs, gegen die Drogensucht, gegen Atomkraftwerke), — gerade das Aktuelle bringt den Beobachter in unmittelbaren Kontakt mit der problemgeladenen, von Spannungen durchzogenen, sich wandelnden Gegenwartsgesellschaft.

Aktuell sind viele Tatsachen und insbesondere Ereignisse, allzu viele, und kein Beobachter kann von ihnen mehr als einen kleinen Teil erfahren, geschweige denn erfassen; auch der Interessierteste muß sich auf einige wenige beschränken. Aber eben damit kann seine innere Kreativität einsetzen: indem er unter dem Erfahrbaren auswählt und beim Ausgewählten nach Wichtigkeitsstufen unterscheidet, um sich anschließend dem Wichtigsten zuzuwenden. Jeder steht vor einem Riesenangebot von Nachrichten und Berichten, diese betreffen nahe und ferne, sachliche, gesellschaftliche und einzelmenschliche, auffällige, gar sensationelle, und unauffällige, doch vielleicht trotzdem gewichtige, weil Hauptentwicklungen anzeigende oder sogar beeinflussende Dinge. Der überlegene Beobachter wird das herauszuarbeiten suchen, was in Großzusammenhang als bedeutsam erscheint, — aber es gibt immer mehrere wichtige Großzusammenhänge und kaum je ist die Bedeutsamkeit des einzelnen von vornherein klar: fast immer ist Abwägen verlangt und das enthält Anspruch, aus dem vielleicht das schöpferisch Denken gesteigert wird. Unterstützen läßt er sich dabei von sachkundigen Beurteilern — er wird sie vor allem unter den Korrespondenten der Zeitungen und von Rundfunk und Fernsehen finden —, welche die Untergründe des Aktuellen herauszuarbeiten fähig sind; er wird unvoreingenommen entgegennehmen, was sie zu sagen haben, aber er wird ihre Deutungen, wenn mehrere Kommentatoren sich äußern, miteinander vergleichen und er wird sie am späteren Geschehen messen: vielleicht ergibt sich daraus eine eigene, sachlich richtigere Auffassung.

Für wirklich tiefdringende Einsicht ins Zeitgeschehen genügen jedoch die aktuellen Nachrichten und Kommentare nicht, es müssen außerdem die Großtatsachen und -tendenzen festgestellt werden, welche das allgemeinere, über-aktuelle Zeitgeschichtliche und sogar Großgeschichtliche bilden, und dazu wird man auf wissenschaftliche Analysen zurückgreifen (denen man in ähnlicher Selbständigkeit gegenüberzutreten hat wie den Kommentaren) oder, und das macht dieses Überlegen sehr anspruchsvoll, versuchen, selber die Großtendenzen zu erkennen (Beispiel: Nachrichten, die einen Interessengegensatz zwischen den rohstoffarmen und rohstofffreien Ländern erkennen lassen, Kommentare dazu: welche allgemeineren, langedauernden, zukünftiges Großgeschehen bestimmenden Tendenzen werden da allmählich sichtbar?). Ergebnis solchen selbständigen und sogar kreativen Eindringens ist natürlich vor allem das weitergreifende, tieferdringende, sachkundigere, stärker auf Zusammenhänge und insbesondere Verursachungen gehende, dabei klarere, hellere, gesamthaft interessantere Wissen, Kennen, Verstehen und, auf diese gestützt, Teilhaben. Aber das Interesse braucht nicht bei diesem Betrachtend-Beteiligtsein zu bleiben, vielmehr wird mancher, der seine gesellschaftliche Umwelt beobachtet und analysiert, entweder zu Leistung (etwa politischer) weitergehen oder sich in Gemeinschaftserleben mit menschlichen Gesamtheiten innerlich verbinden (wohl meistens nur in nicht von außen festzustellender, jedenfalls nicht nach außen wirkender Selbstauffassung).

Berichtet wird in den Nachrichtenmedien vorwiegend über politische, wirtschaftliche und die Wohlfahrt beeinflussende soziale Vorgänge und Ereignisse; in der Tat sind diese für die Lebensverhältnisse der Gruppen und Gesamtheiten, ja der Völker höchst wichtig, und das rechtfertigt ihre Bevorzugung durchaus. Aber neben ihnen gibt es die mehr das Geistige betreffenden Tatsachen und Entwicklungen: solche von Religion und Ideologie, Wissenschaft und Technik, Literatur und Kunst, wobei Beziehungen zu den bereits genannten Bereichen bestehen, so zwischen Ideologie und Politik und zwischen Technik (damit auch der sie beeinflussenden Wissenschaft) und Wirtschaft. Schon das Interesse am Aktuellen in dessen üblichem Inhalt müßte zur Befassung mit dem mehr Untergründigen, das ihn mit bedingt, nahelegen, aber außerdem verdienen viele der nach gängiger Auffassung weniger aktuellen Kulturberichte volle Aufmerksamkeit, denn auch in ihnen läßt sich wichtiges Soziales und Kulturelles einsehen und allenfalls von ihnen aus Gemeinschaft erfahren (so bei denen, die sich um neue religiöse, philosophische oder kulturelle Auffassung bemühen), — die schöpferische Befassung kann gerade hier zu wesentlichen Einsichten gelangen, die noch nicht allgemein bekannt sind (Beispiel: Worin zeigt sich in unserer Kultur der Abbau des religiösen Glaubens und wie wirkt er sich auf die Einstellung zur Kirche, zu den nichtchristlichen Religionen, zur Philosophie, zu den Ideologien, zur Wissenschaft, zur Kunst aus?).

Das leitet über zum Kulturellen, das sich zwar in der jetzigen Gesellschaft vollzieht, von ihr getragen wird und sie zum Rahmen hat, aber in seinem Wesen nicht-sozial ist und darum vor allem in seiner sachlichen Eigenart gesehen werden muß: Betrachtungs- und vielleicht auch Gemeinschaftsfeld ist hier ein mehr oder weniger großer Sachbereich vorwiegend oder ausschließlich in seinen fachlichen Aspekten (so: Technik im Technologischen, Wirtschaft im Spezifisch-Ökonomischen, Recht im Fachjuristischen, jede Wissenschaft unter ihrem Eigeninteresse, die moderne Malerei, Architektur, Musik, Dichtung je in ihrer inhaltlichen und formalen Neuheit). Der Interessierte hat hier Zugang auf drei Ebenen: erstens durch Kenntnisnahme von einzelnen, konkreten Tatsachen, Stellungnahmen, Zielen, Verwirklichungen (so: Gemälde, Graphik, Skulptur, Roman, Drama, Musikstück, Bauwerk, Maschine, wissenschaftliche Untersuchung und ihr Ergebnis, alle als einzelne); zweitens durch zusammenfassende Berichte über Entwicklungen auf Sondergebieten (so: über neue, damit in allgemeinerem Sinne aktuelle, Entwicklungen in bildender Kunst, Literatur, Musik, Architektur, Technik, Wissenschaft, bei den letzten beiden gesamthaft und nach Sondergebieten); drittens durch kulturphilosophische Darstellungen, welche die prinzipiell wichtigen, dabei teils gleichlaufenden und teils gegensätzlichen Tendenzen der modernen Kultur und ihrer Wandlungen herausarbeiten (so modernes Geistigkeitswesen, das sich sowohl in der Wissenschaft als auch in der Kunst ausprägt). Darlegungen der zweiten und dritten Art entsprechen inhaltlich dem, was der aufs Prinzipielle gehende Betrachter des Einzeltatsächlichen selbständig erkennen möchte, sie entheben ihn dieses Bemühens und schmälern damit allerdings sein schöpferisches Deuten, das sich demnach andern Themen zuwenden muß, vielleicht schwierigeren, anspruchsvolleren, die eben dank jener Darlegungen ins Denkfeld kommen (so mag, wer über die Allgemeintendenzen der modernen Wissenschaft kulturphilosophisch orientiert ist, eigenschöpferisch und kompetent das Wesentliche eines neuen Typus der formalen Logik beurteilen). Aber auf allen drei Ebenen der Befassung mit modernen, zumal aktuellen Kulturtatsachen braucht sich die Vergegenwärtigung nicht auf das Jetzige in seinen modernen Aspekten zu beschränken, vielmehr kann gerade von Neuem aus das Frühere neu, das heißt differenzierter und damit richtiger, erfaßt werden, — und anderseits erstreckt sich die vollständige Einsicht ins Neue immer auch auf seine kulturgeschichtliche Bedingtheit.

7.3   Neuauffassung von Altem

Sosehr das Aktuelle wegen seines Gehaltes an Neuwesen dem schöpferischen Betrachten und vielleicht auch In-Gemeinschaft-Treten Ansatzpunkte und Themen bietet, es darf doch nicht seinetwegen das Ältere, an sich seit mehr oder weniger langer Zeit Bekannte, das wahrscheinlich schon gründlich durchforscht ist, vernachlässigt werden. Dies vor allem wegen der neuen Sichtweisen, die sich aus dem Späteren und Jetzigen ergeben und die im Alten Wesenszüge erscheinen lassen, die bisher kaum erkennbar waren, — neue Sichtweise aus historischem Denken, welches das Alte mit Späterem und Jetzigem in Beziehung setzt (etwa die Diesseitszuwendung der Renaissancekunst mit dem sich erst später entwickelnden und in der Gegenwart auf Höchststand gelangten wissenschaftlichen Realismus und Objektivismus), aus der vollständigeren Kenntnis der Zusammenhänge, in welchen das Alte zu seiner Zeit stand, auch der Zusammenhänge von seit langem

Bekanntem mit erst in jüngerer Zeit Entdecktem (etwa: Erweiterung des Wissens von der minoischen Kultur durch neue Funde), sodann, und allgemeiner, aus der Anwendung moderner, erst in jüngster Zeit herausgearbeiteter Thematik (so: modern-psychologische und -soziologische Analyse der antiken Epen und Dramen, Untersuchung der Wirtschaft Alt-Ägyptens in modern-nationalökonomischer Fragestellung), schließlich und gesamthaft aus unserem umfassenderen Wissen und Denken, aus dem ans Alte eine größere Vielfalt von Kategorien angelegt wird (man überlege sich etwa die Gesamtheit der Kategorien, unter denen das Urchristentum jetzt untersucht werden kann). Alle diese Sichterweiterungen, und stärkst die letztgenannte, geben dem modernen Betrachter die Möglichkeit selbständigen und sogar schöpferischen Denkens: weil die bekannten Tatsachen und die zwischen ihnen erstellbaren Beziehungen so zahlreich sind, daß nicht alle fachwissenschaftlich vollständig durchgearbeitet werden können, auch solche Durcharbeitung kaum immer sinnvoll wäre (so: man mag als Freund der frühgeschichtlichen Kunsthandwerke Besonderheiten, Gleichheiten und Verschiedenheiten von Gefäß- und Gerätformen, Mustern und Ornamenten feststellen, die im einzelnen zu beschreiben für Archäologie und Kunstgeschichte kaum in Frage kommt, schon weil die entsprechenden Publikationen viel zu teuer wären, — Feld spezialisierter Bemühung für kenntnisreiche Amateure).

Neben dem aufs Objektive gehenden Befassen mit Objektivem ist das prinzipiell andersartige möglich, welches den Gegenstand auf das Persönliche des Betrachters bezieht: das Jetzige, von dem aus man das Alte angeht, ist hier auf das Eigene des Betrachters beschränkt, auf eigenes Wesen, eigenes Fühlen, Denken, Sichsorgen, Wollen, Tun; es wird so einerseits das Alte vom Selbsterlebten her verlebendigt, anderseits, und oft intensiver, dieses von jenem her erhellt, wofür freilich das Alte in seinem vollen objektiven Gehalt verstanden werden muß (etwa: als Betrachterin im eigenen Wesen Athene, Aphrodite und Artemis, Penelope, Nausikaa und Arete, als Betrachter im eigenen Wesen Apollon, Hephaistos und Ares, Odysseus, Hektor und Alkinoos erfahren). Unmittelbar praktisch und damit in praktischem Sinne schöpferisch wird das Sich-in-Beziehung-Bringen, wenn das Alte auf Ziel und Richtung hin befragt werden soll, wenn von ihm Rat erwartet wird: im

Religiösen geschieht das vielfach (der Religionsstifter, große Jünger, geschichtliche Heilige als Vorbilder), möglich ist es aber auch gegenüber andern Großen der Geschichte (wiederum den Religionsstiftern, aber hier in ganz diesseitigem Interesse erfaßt, Philosophen und Wissenschaftlern, Dichtern und Künstlern, Politikern, Großen der Technik und der Wirtschaft) und möglich ist es in übertragenem Sinne gegenüber Gestalten von Mythus und Dichtung (manche der Gestalten der antiken Epen und Dramen sind auch jetzt noch nicht nur lebendig, sondern beispielhaft oder warnend). — Je mehr das Sichbefassen aufs Objektive seines Gegenstandes geht, desto mehr verlangt es wissenschaftliche Einstellung, Kenntnis und Fähigkeit (wenn sie auch nicht zu wissenschaftlicher Leistung führen sollen); je mehr es das Persönliche des Betrachters erhellen und vielleicht ihm Richtung weisen soll, desto stärker müssen das rein persönliche Verstehen, das seelische Mitschwingen werden, desto mehr muß der Betrachter mit dem Betrachteten in geistige Gemeinschaft treten.

7.4   Erfassung von Einzeldingen und Kleinfeldern

Erfassung, die zumindest für den Erfassenden selbst und vielleicht auch in allgemeinerem Sinne, also kulturobjektiv, Neues — Tatsache, Ähnlichkeit, Gleichheit oder Verschiedenheit, Ein- und Zuordnung, Bedingtheit und Auswirkung, usw. — einsehen läßt, ist wohl am ehesten im Zusammenhang mit Einzelgegenständen und Kleinfeldern möglich. Der Betrachter hat hier den direkten Zugang zum Konkreten, kann sich mit Einzelgehalten auseinandersetzen, Objektives selbständig erhellen; Großfelder dagegen sind zumeist nicht direkt zugänglich, sondern nur in zusammenfassender Beschreibung, bloß berichtender oder wissenschaftlich untersuchender, und oft hat der Betrachter einfach die Feststellungen der Darleger zur Kenntnis zu nehmen, — was jedoch nicht ausschließt, daß man auch zum Abstrakten einen Direktzugang bekommt: das Abstrakte läßt sich als Einzelgegenstand verstehen und als solcher denkend bearbeiten (so: Einzelgegenstand oder Kleinfeld sei ein Drama: der Leser oder Zuschauer kann das Werk als Ganzes erfassen und nachvollziehen, er kann sich in die handelnden

Personen, ihre Beziehungen und Konflikte, in Geschehensablauf und -lösung hineindenken und einfühlen, und dabei selbständig zu neuartiger konkreter Einsicht gelangen, — liest er dagegen ein literaturwissenschaftliches Werk über das Drama als Literaturgattung, so hat er sich den Feststellungen des Verfassers unterzuordnen, immerhin mag er ihnen für das eigene intellektuelle Weiterarbeiten einen Sonderinhalt, etwa die Katharsisidee, übernehmen und ihn mit anderm Abstraktem, etwa der These von der Identifikation des Lesers mit dem Gelesenen in Beziehung setzen; aber das zweite wird den meisten Literaturfreunden weniger konkrete Möglichkeiten bieten als das erste). Befassung mit Einzelgegenständen und Kleinfeldern hat dabei das Praktisch-Günstige, daß auf manchem großem und kulturwichtigem Gebiet keine spezialwissenschaftliche Vorkenntnis verlangt ist, nämlich bei allem, was für die anschauende oder miterlebende Aufnahme bestimmt ist, in allem Künstlerischen und insbesondere den Werken der bildenden Kunst und der Dichtung, dazu im zwar auch intellektuell zu erfassenden, aber einfachen und sich überdies ans Vorstellen und Einfühlen wendenden Religiösen (so: Roman, Drama, Gemälde, Statue, Musikstück, religiöses Dogma, heilige Geschichte, Gebet, sie alle erfordern vom modernen Gebildeten keine wissenschaftliche Sonderkenntnis oder -fähigkeit, wenn auch diese zum genaueren und feineren Aufnehmen beitragen können). Das gilt sowohl für Altes wie auch für Neues, wenn auch beim Alten wissenschaftliche Bearbeitung nötig sein kann, um die geschichtliche Stelle des Gegenstandes zu ermitteln (es ist etwa die Baugeschichte eines Großtempels, die literaturgeschichtliche Stellung eines frühen Dramas, der soziale Rahmen einer religiösen Lehre zu untersuchen, — das beeinträchtigt nicht die direkte Befassung mit dem Werk, vielmehr unterstützt es sie), und bei manchem Neuen das Verstehen durch fachwissenschaftliche Analyse vertieft und erweitert wird (so ein expressionistisches Bild durch Hinweise aus der Psychologie der neueren Kunst, ein russischer Roman durch Darlegung über den sozialistischen Realismus, eine moderne Komposition aus der Kompositionslehre).

Wenn ein Gegenstand oder ein Kleinfeld in seiner Besonderheit und vielleicht Einzigartigkeit erfaßt wird und dabei der Betrachter in mehr oder weniger ausgeprägt schöpferischem Bewußtwerden und -sein Neues — Neues für ihn subjektiv und vielleicht darüber hinaus auch in allgemeinerem, objektivem Sinne — erkennt, so ist das manchmal eine fachmännische, häufiger aber eine nichtfachmännische Teilhabe- und Denkverwirklichung. Im ersten Fall ist die Teilhabe oft mit beruflicher Tätigkeit verbunden, indem sie von ihr ausgeht, sie anregt oder mit ihr in Wechselwirkung steht: wer auf einem, notwendigerweise Sonderanforderungen stellenden, Sachfeld arbeitet, hat für dessen Tatsachen und Probleme auch als Betrachter fachmännische Voraussetzungen und Möglichkeiten; anderseits ist manche Berufsleistung so eng, daß die fachmännische Betrachtung eines die Leistungsthemen übergreifenden Größeren, Allgemeineren als wertvolle Ergänzung, ja als wertvollste Erfüllung verstanden und darum gesucht wird: hier wie dort hat der Betrachter aus seinem fachlichen Vorbereitetsein die Möglichkeit, selbständig und auch schöpferisch zu überlegen, zu fragen, zu erkennen, in Beziehung zu setzen, zu werten, zu postulieren. Für den Nichtfachmann ist die fachmännische Befassung schwierig und in manchem ausgeschlossen; trotzdem ist er fähig, manchen Gegenständen durchaus kompetent gegenüberzutreten, solchen, die weder auf Wissenschaft aufbauen noch ihrem Wesen nach wissenschaftlich aufzunehmen sind, also denjenigen, die sich an gläubige, verstehende, erlebende, einfühlende, wertende Betrachter oder an außerberuflich Aktive, zum Beispiel an Eltern, Gemeinschaftsangehörige, Staatsbürger wenden. Zwar gibt es auch hier die wissenschaftliche Befassung, aber sie ist eher ergänzend als grundlegend (so: wer sich mit der Bibel oder mit der Göttlichen Komödie befaßt, wird zwar durch fachwissenschaftliche Kenntnis in seinem Teilhaben unterstützt werden, aber dessen zentrales Wesen muß aus geistiglebendigem unmittelbarem Eingehen und Sichauseinandersetzen kommen), — und wenn das wissenschaftliche Denken primär ist, nämlich sowohl begründend als auch für die Übernahme unentbehrlich, so gibt es doch meistens auch die Befassung in allgemeinerer Wissenschaftlichkeit, die zwar weder im Einzel- und Sondergebietswissen noch in den spezialisierten Denkverfahren den fachwissenschaftlichen Anforderungen genügt, jedoch unter den allgemeiner wissenschaftlichen Geboten der Sachlichkeit, der Rationalität, des kritischen Realismus und, letztlich immer grundlegend und zugleich übergreifend, der intellektuellen Redlichkeit steht und erfolgt: mag sie dem Fachspezialisten auch als »Dilettieren« erscheinen, so ist sie jedenfalls in den Wissensgebieten als kulturwichtigst anzuerkennen, in denen die Forschung nur den Sinn haben kann, Erkenntnis um des selbstzweckhaften Kennens willen zu gewinnen (so: Großteil der Astronomie, Hauptgebiete der Geographie, Geologie, Biologie, praktisch ganz die Geschichte, Kunstwissenschaft, Literaturwissenschaft, Religionswissenschaft, Großteil der Philosophie, Psychologie, Soziologie), und in diesen Wissenschaften ist bestimmtest zu verlangen, daß sie nicht nur für kleine Spezialistengruppen arbeiten, sondern für die Gesamtheit der Sichinteressierenden (weshalb die fachwissenschaftliche Arbeit durch Popularisierung zu ergänzen ist, und oft durch Kunst der Wissenschaftspopularisierung, denn das Allgemeinverständlichmachen schwieriger wissenschaftlicher Einsichten kann ein dem künstlerischen verwandtes Gestalten erfordern).

7.5   Begegnung mit Dichtung

Dem gebildeten Interessierten wohl am unmittelbarsten zugänglich, nämlich durch Lesen, Zuhören und Zuschauen und darauf gegründetes Sprachlich-Erfassen, Einfühlen, Mit- und Nacherleben, Verstehen, dabei im Begrifflichen alltagsnah und somit kein Fachdenken erfordernd (wenn auch oft so komplex, wie der Alltag in seinen Außenfeldern und seinem Untergründigen ist), zudem ohne technische oder wirtschaftliche Schwierigkeiten verfügbar (Reichhaltigkeit und Billigkeit der Bücher und Medienprogramme) sind die dichterischen Werke und bevorzugt jene seines eigenen Sprachgebietes. Ihr Sinn ist, gelesen oder aufgeführt, also von Lesern, Zuhörern oder Zuschauern direkt aufgenommen zu werden, — die wissenschaftliche oder philosophische Bearbeitung geht am ursprünglichen Sinn vorbei, kann aber die Direkt-Erfassung vervollkommnen und hat darin ihren erfassungspraktischen Wert.

Das dichterische Werk als solches kann auf mehreren, verschiedenen Interessenebenen aufgenommen werden. Häufigst ist da wohl das Unterhaltungsuchen: man liest einen Roman, eine Kurzgeschichte, hört ein Hörspiel, sieht einen Film, ein Fernsehspiel, geht ins Theater, und das alles vielleicht nur, weil man Zeit hat und sie irgendwie anwenden will, oft weil man sich ohne diese Beschäftigung langweilen würde, — Interesse unter geringem Anspruch, was gegenüber einer Kritik damit verteidigt würde, daß man ausspannen, für das Wichtigere, nämlich Beruf oder Haushalt, neue Kraft gewinnen müsse, und das ist oft eine vertretbare Begründung. Auf dieser Interessenebene ist der Aufnehmende zumeist eher passiv, er läßt den Fluß des vom Dichter und vielleicht von den Darbietenden Gestalteten an sich vorübergehen, ohne innerlich stark beteiligt zu sein oder gar in heller Aufmerksamkeit Inhalt und Form zu analysieren, kritisch zu beurteilen und mit anderm Künstlerischem oder mit Außerkünstlerischem (z. B. Psychologischem, Sozialem) in Beziehung zu setzen: wahrscheinlich überwiegt das Interesse am Inhalt, wobei die Gebildeten an ihn wie an die Form höhere Ansprüche stellen. Unter diesen Voraussetzungen ist, wenn auch der Betrachter zu neuer Einsicht, neu jedenfalls für ihn persönlich, gelangen kann, der Wille zum schöpferischen Sichbefassen zumeist gering; oft wird er durch das reichliche Unterhaltungsangebot sogar behindert, denn er hängt davon ab, daß man beim Gegenstand längere Zeit verweilt und vielleicht nach Unterbrüchen zu ihm zurückkehrt (und das ist dem, der sich ständig neue Zeitschriftenerzählungen, Romane, Radio- und Fernsehstücke, Filme aufdrängen läßt, schon aus Zeitgründen nicht möglich).

Unter höherem, aber noch nicht höchsten, Anspruch mag sich der Betrachter stark für das Inhaltliche interessieren, weil er es als an sich wesentlich oder als für einen Wirklichkeitsbereich aufschlußreich oder richtungweisend versteht: als zentral und der Deutungsbemühung wert erscheinen dann seelische, religiöse, soziale, ideologische, politische Inhalte, und zwar solche der Gegenwart oder aber der Vergangenheit, — Gegenwartsroman und -drama einerseits, dichterische Gestaltung von Historischem, dazu alte Literatur (die als Ausdruck ihrer Zeit oder als allgemeinmenschlich und also auch die Gegenwart erhellend aufgefaßt werden kann). Ist dieses Interesse stark, so wird der Teilhabende zumindest veranlaßt, die wichtigsten, genauer: die ihm wichtigst scheinenden (aber meistens wird er sich dabei an die im Werk gegebene Wichtigkeitsabstufung halten) Personen, Ereignisse und Zustände in ihrem Hauptwesen, ihren Beziehungen, Bedingtheiten und Ausstrahlungen, auch in ihrem Werthaften zu verstehen. Und hier kann er schöpferisch

werden: erstens durch originelle Feststellung von im Werk gegebenem Inhaltlichem, zu dem er aus seiner individuellen Vorkenntnis
einen besonderen Zugang hat (es wird etwa ein Geschichtskundiger
in »Krieg und Frieden« seelisches und soziales Wesen erkennen, das
den meisten Lesern dieses großen Werkes verborgen bleibt); zweitens so, daß er Werkinhalt, auch an sich schwerzugänglichen, durch
persönliches Einfühlen in vielleicht erstmalig festgestellte Beziehung zu Wirklichkeit außerhalb des Werkes bringt, und zwar zu
mit dem Werk zeitgleicher, oder früherer, oder späterer (wieder
»Krieg und Frieden«: die Gestalten als russische Menschen ihrer
Zeit, aber auch in allgemeinerer Sicht, — und danach ohne Bezug
auf Rußland: die Personen in ihrem Allgemeinmenschlichen, die
Gemeinschaften und Gruppen, die Situationen, Spannungen und
Ereignisse in ihrem allgemeingesellschaftlichen Wesen); drittens so,
daß er in Werk oder Aufführung gestaltete Wesenszüge, Einstellungen und Erlebensweisen in seinem eigenen Persönlichen wiederer-
kennt, ja ihrer vielleicht erst dank dem dichterischen Werk inne
wird (»Krieg und Frieden«: Wesens und Erlebens wie desjenigen
von Pierre, Andrej, Nikolaj, Natascha, Helene, auch von Kutu-
sow); viertens so, daß er, und gerade vom intensivierten Selbstverstehen aus, die handelnden Personen, die Situationen und in ihnen
gegebenen Möglichkeiten wertet, um daraus Richtlinien für die
eigene Selbstgestaltung und auch für weitergreifende Beurteilung
zu gewinnen (»Krieg und Frieden«: das moralisch und, tieferdringend, lebens- und sozialphilosophisch Richtige oder Unrichtige,
vielleicht auch nur Zweifelhafte, der in verstehender Teilhabe
vergegenwärtigten Auffassungen, Einstellungen und Handlungen).
— Unter jedem dieser vier Aspekte (die einzeln oder in Verbindung
angewandt werden, letzteres wird in der Regel höheren Anspruch
stellen) kann der Betrachter zu Einsicht gelangen, die für ihn selber
wesentlich neu und zudem wichtig ist: darin wird Kreativität in
zumindest subjektivem Sinne wirksam, was aber sogleich fragen
läßt, wie es mit der objektiven Qualität dieses Subjektiv-Neuen
bestellt sei. Denkbar ist da, daß innere Klarheit gewonnen wird, die
zwar für den Klargewordenen selbst neu und wesentlich ist, aber
der von andern erreichten gleicht, so daß ihr keine objektive
Neuheit zukommt (»Krieg und Frieden« bewirkt wahrscheinlich in
vielen Lesern inhaltlich gleiche Verstehenserweiterung). Denkbar

ist aber auch, daß das Subjektiv-Neue objektive Neuheit hat, indem das, was der einzelne Betrachter erkennt, erstmals erkannt ist, also bisher von keinem andern erkannt wurde (etwa verborgenes Wesen Pierres oder Andrejs, Nataschas oder Helenes, das erst aus jetzigem Fragen erhellt werden kann, weil der moderne Leser an die zu erfassenden Personen mit neuartiger Auffassung des Menschlichen herantritt); trifft dies zu, so ist der Betrachter in seinem Subjektiv-Schöpferischen auch objektiv-kreativ, — aber freilich wird das nicht nach außen, für andere sichtbar oder höchstens für seine nächste Umgebung, es handelt sich, was das soziale Wesen anbelangt, um Kreativität, die im Individuellen eingeschlossen und isoliert bleibt. Ist sie darum kulturell »verloren«? Keineswegs: denn Sinn des dichterischen Werkes ist, von Einzelnen aufgenommen zu werden, und das heißt unter höherem Anspruch, in den Aufnehmenden Kreativität, und sei sie auch nur-individuell, auszulösen, — das dichterische Werk findet seine höchste Erfüllung im teilhabenden Schöpferischwerden verstehensfähigster Leser, Hörer, Zuschauer.

Aber solange die Werkerfassung überwiegend aufs Inhaltliche gerichtet ist, bleibt sie unvollständig. Das Werk als solches ist ein inhaltlich-und-formal Gestaltetes, Inhalt und Form machen gemeinsam sein Wesen aus, nicht nur so, daß sie zwei gleichberechtigte Erscheinungsweisen des Werkganzen bilden, vielmehr im Sinne der viel engeren Verbindung, daß das Werk als Ganzes und in jedem seiner Inhalte gestaltet und also formhaft ist, — nicht gestalteter und damit nicht dichterisch geformter Inhalt wäre nicht Inhalt eines dichterischen Werkes (aber vielleicht von Bericht, Reportage usw.). Vollständige Erfassung des dichterischen Werkes ist dessen Vergegenwärtigung als eines inhaltlich-formalen Ganzen, und damit muß das nur inhaltliche Interesse erweitert werden. Als ergänzende Themen sind hieraus gestellt: erstens, innerhalb des Werkes bleibend, Wesen und Besonderheit des Formalen als solchen, Beziehungen zwischen Formalem und Inhaltlichem (die Form ist vielleicht durch den Inhalt bedingt, so im sozialkritischen Roman, oder der Inhalt ist der gewollten Form angepaßt, so im Grotesktheater); zweitens die kulturelle Bedingtheit und Wirkung des betrachteten Formalen und inhaltlich-formalen Gesthaften (wie in der Literatur des 18. Jahrhunderts, im Sozialistischen

Realismus, im modern-religiösen Theater); drittens das Ästhetisch-Theoretische, das sich in der dichterischen Gesamtgestalt ausprägt (man mag da an Aristoteles anschließen); viertens Wert und Rang des betrachteten Werkes oder der Aufführung. Auch in diesem Gesamthafteren kann vom Teilhabenden Einsicht gewonnen werden, die wenigstens für ihn selbst, und vielleicht von den in der Gesellschaft gegebenen Auffassungen aus beurteilt, wesentlich neu und somit als Ergebnis kreativen — zumindest subjektiv- und vielleicht objektiv-kreativen — Erfassens anzuerkennen ist.

7.6 Begegnung mit bildender Kunst (I)

Ein zweites Hauptgebiet des Bewußtseiend-Teilhabens ist das Riesenreich der bildenden Kunst, von ihren vorgeschichtlichen Anfängen bis zu den neuesten Werken. Das in bildender Kunst Gestaltete — sei es ein eigentliches Kunstwerk, ein künstlerisch gestaltetes Bauwerk (in diesem hat der Benützungszweck notwendig großes Gewicht) oder ein kunsthandwerkliches Erzeugnis (Kunst und Kunsthandwerk lassen sich nicht immer scharf trennen) —, soweit es künstlerischen Wesens ist, soll in seiner anschaubaren Erscheinung schön sein oder, allgemeiner, den anerkannten Formprinzipien entsprechen, also ihnen gemäß wertvoll und im Endziel vollkommen sein; damit ist in ihm von vornherein das formale Wesen viel gewichtiger als in der, meistens stark inhaltlich bestimmten, Dichtung. Möglich ist indessen, daß Schönsein und Den-Formprinzipien-Entsprechen nicht gleichbedeutend sind: zwar wird, wenn Schönheit erstrebt wird, diese auch formprinzipgerecht sein, jedenfalls in der Auffassung des Künstlers (der sich aber vielleicht mit ihr gegen ein anerkanntes Formprinzip wendet, wie etwa der Vertreter akademischer Schönheit in einer die naturalistische Darstellung bevorzugenden Künstlergesamtheit), aber im anerkannten und befolgten Formprinzip hat nicht unbedingt die Schönheit den obersten Rang, sie kann sogar um einer Schockwirkung willen bewußt vermieden werden. Mithin empfiehlt sich, daß man sich bei der Betrachtung eines Kunstwerkes alle bestimmenden Formideen vergegenwärtige, — und darin kann ein erstes schöpferisches Moment liegen, sogar in dem Sinne, daß eine dem Künstler selbst nicht klar bewußte Tendenz erkannt wird. (Vertraten die zu neuen Formen vorstoßenden antiken Töpfer und Vasenmaler, hellenistischen Bildhauer, römischen Architekten, Renaissance- und Barockmaler, Klassizisten, Impressionisten und Expressionisten, vertreten jetzt die Vorkämpfer neuer und neuester Tendenzen der Malerei, Skulptur und Architektur die von ihnen angewandten Neuformen und die diese bestimmenden Formideen in klarer, zumal begrifflich gefaßter Formbewußtheit? Das mag für einige, stärkst für die Formtheoretiker unter den Künstlern, zutreffen, aber wahrscheinlich nicht für alle: es gab und gibt originelle, kreative Formgestaltung, die vorwiegend gefühls- und dranghaft erfolgt.)

Meistens allerdings begegnet der Kunstfreund den Werken der Maler, Bildhauer und Architekten und erst recht den kunsthandwerklichen Erzeugnissen auf niedrigerer Interessiertheitsstufe, nämlich auf ähnlicher wie der Literaturfreund, der sich durch das dichterische Werk oder die Aufführung einfach unterhalten läßt: das Künstlerisch-Geformte gehört zur als angenehm und vielleicht als gediegen empfundenen Nahumgebung oder wird etwa auf einer Reise einigermaßen allgemein und unpräzis als interessant empfunden. Manches und vielleicht das meiste Nahe wird dabei so sehr zur Selbstverständlichkeit, daß es kaum mehr, jedenfalls nicht mehr in schärfer Bewußtheit beachtet wird; größer ist in der Regel die Aufmerksamkeit für das Künstlerische, dem man in nicht-gewohnter Umgebung (auf Reisen) begegnet, und sie wird oft durch die Ansprüche des Photo- und Filmamateurs gesteigert: dieser mag kreativ in dem Sinne werden, daß er das aufzunehmende Kunstwerk unter besonderm Aspekt angeht.

Geistig lebendig wird auch hier die Teilhabe am Künstlerischen erst dann, wenn sie in intensiver und klarerer Bewußtheit erfolgt. Wiederum kann das Interesse sich zunächst vorwiegend auf das Inhaltliche richten, auf die dargestellten Götter und Menschen, Einzelfiguren und Gruppen, Naturdinge und Landschaften: solches Inhaltliche zu erfassen ist berechtigt, da es auch dem Künstler richtig schien. Erstrangig sind in der bildenden Kunst seit früher Zeit religiöse Inhalte: Götter und Geister, Heilige, mythische und heilige Geschichten, auch Priester und kirchliche Handlungen; solches nimmt in der abendländischen Kunst der Antike, des

Mittelalters und noch der frühen Neuzeit, weiter in der Kunst Asiens und der alten amerikanischen Hochkulturen einen breiten Raum ein, — es wird zwar jetzt, in der modernen Kultur, mehr und mehr zurückgedrängt, hat aber in den nichtkommunistischen Ländern noch immer ein gesichertes Feld. Wozu sich mit solchem Inhaltlichen befassen? Vor allem darum, weil es Zugang zu den religiösen Vorstellungen gibt, die für den Künstler und jedenfalls einen Teil seiner gesellschaftlichen Umwelt galten oder gelten: es ist damit ein unmittelbarer anschauliches Bild als Gedicht und Epos (die allerdings das Dargestellte feiner differenzieren können). Zeus, Apollon, Hermes, Herakles, Hera, Athene, Aphrodite, Artemis, Demeter; Gottvater, Christus, Maria, hohe und niedrigere Engelwesen, Augustinus, Benedikt, Franziskus, und als Gegensatz Satan und Dämonen; Vishnu, Shiva, Brahman, Lakshmi, Parvati (auch als Durga und Kali), Sarasvati, Krishna, Rama und Sita, vielleicht auch Gandhi als jüngste Vishnuinkarnation, Ganesh und Subramanya; Buddha nach Theravada- und die Buddhas und Bodhisattvas nach Mahayana-Auffassung, die Götter der Mayas, Azteken und Inkas: ihnen in ihrer künstlerischen Gestalt zu begegnen hat den engeren Sinn, die kulturell-konkreten Glaubensbilder, und den weiteren, die allgemeineren, und allgemeiner-menschlichen, Ideen vom Göttlichen, Heiligen und allenfalls vom Widergöttlichen, ja vielleicht das Numinose an sich durch künstlerische Anschauung anschauend-einfühlend zu erfahren. Aus diesem Inhaltlichen kann spezifisches, nämlich auf das Religiös-Künstlerische und durch dieses auf das Religiöse überhaupt gerichtetes, selbständiges und sogar schöpferisches Verstehen kommen, schöpferisch wohl vor allem dann, wenn der Betrachter in der alten Darstellung neue, erst aus dem modernen Denken begründbare Wesenszüge erkennt, und das heißt solche, die dem früheren Verstehen und Deuten fremd sein mußten.

Im zweiten großen Inhaltgebiet sind Gegenstand des künstlerischen Gestaltens der Mensch und besonderes Menschliches: Einzelne und Gruppen, je in ihrem dem Künstler als wichtig erscheinenden Wesen, Situationen und Ereignisse, Zeremonien. Diese Gestaltungsinhalte sind von denen des ersten, religiösen Feldes nicht streng getrennt, schon darum nicht, weil die Religionsstifter und Heiligen Menschen sind, und auch, weil die Götter meistens in

Menschengestalt dargestellt sind, in ihr Bild also die Vorstellung von höchstrangigem, idealem Menschlichem eingeht; diese Verbindung wirkt sich oft so aus, daß sich unter dem religiösen Thema das Menschliche, mit dem es gestaltet wird, verselbständigt, bis im Grenzfall etwa ein antiker Gott oder ein christlicher Heiliger hauptsächlich Vorwand zur Darstellung menschlicher Vollkommenheit oder interessanten sozialen Geschehens ist. Aber das Zentrale ist im zweiten Hauptbereich der Mensch in seiner Diesseitigkeit; der Künstler kann ihn unter drei Aspekten bildnerisch gestalten: Porträt, das heißt realistische Darstellung einer Person oder Gruppe; Typus, ebenfalls eines Einzelnen oder einer Gruppe (so: der Bauer, der Ritter, der Arbeiter, der Gelehrte, Gruppe von Bergleuten, Fischern, Schülern, Nonnen); Bilderzählung (so: Ernte, Volksfest, Szene aus der Industriearbeit, Kriegsszene). Solches gibt dem sich in die Darstellung hineinschauenden Betrachter Einblick in Wesen, das der Darstellung wert erachtet wurde, wohl am nachhaltigsten in typisches Wesen (auch Porträt und Bilderzählung haben oft typisches Gegenständliches), aber auch in individuelles (so: Bildnisse und Porträtskulpturen von Philosophen, Dichtern, Künstlern, Kaisern und Königen, Staatsmännern, Feldherren, Päpsten, — etwa von Sokrates, Euripides, Platon, Aristoteles, Epikur, Cäsar, Augustus, Hadrian, Michelangelo, Wallenstein, Rembrandt, Goethe, Napoleon, Bismarck, den beiden Roosevelts, Pius XII., Johannes XXIII., Adenauer: in jedem macht künstlerische Meisterschaft das besondere, große Wesen einer überragenden Persönlichkeit sichtbar und damit einfühlbar, verstehbar), schließlich in einzelmenschliche und kollektive Situationen (so: Mann und Frau, Mutter und Kind, Familie, Freundschaft und Streit, Zusammensein in Gemeinschaft, Stellung in der Hierarchie). Wenn auch dieser Einblick nach Art und Inhalt durch das Kunstwerk weitgehend vorgegeben ist, so kann doch der hellsinnige Betrachter Wesenszüge erkennen oder, weniger klar bewußt, herausfühlen, die von andern nicht gesehen werden, wobei freilich fraglich ist, ob seine Neudeutung objektiv berechtigt ist; der so originelle und vielleicht kreative Betrachter berücksichtigt wahrscheinlich Persönliches, Kulturelles und Soziales, dem er in seinem Erleben und Denken begegnet: daraus hat er modern-neuartigen Zugang auch zu Altem (so kann ein psychologisch geschulter

Kunstfreund römische Porträtbüsten tieferdringend erfassen als alle Früheren).

Das dritte Gebiet von Inhalten der Kunstdarstellung, mit denen sich viele Kunstfreunde in selbstzweckhafter Teilhabe befassen, ist dasjenige der Naturwirklichkeit: Pflanzen und Tiere, einzeln oder in Gesamtheiten, Landschaften, diese oft in Verbindung mit Motiven aus Flora und vielleicht auch Fauna (aber nicht immer: Meer-, Hochgebirgs- und Wüstenbilder). Künstlerisch-Gestaltetes dieser Art läßt durch seinen Inhalt den Betrachter Naturzuständlichem und -geschehenshaftem begegnen, das ihm erst dank des Künstlers einigermaßen deutlich erfahrbar wird; vielleicht trägt er selbst ans Werk ein persönlich-lebendiges Interesse heran, aus dem sich originelles, ja schöpferisches Werkverstehen erheben kann: Einsicht ins objektive Wesen des Dargestellten (ins anschaubare Wesen von Pflanzen, Tieren, Landschaften), Einfühlung in die Naturauffassung des Künstlers (etwa in die verborgene Naturmystik eines mit der Natur besonders intensiv verbundenen Gestalters von Naturthemen), klareres Verstehen der eigenen Einstellung zu den künstlerischen Naturthemen und durch diese zu den Naturformen und dem Naturwesen.

Ähnliches, auf dem vierten Themengebiet, mit Bezug auf die künstlerisch dargestellten Kulturdinge: Stadt, Dom, Palast, Industriewerk, Maschine, Gerät, je als künstlerisch darzustellender und dargestellter Inhalt, entweder für sich allein oder in Verbindung mit Menschen oder Naturdingen. — Sodann fünftens die reinen Formen, soweit sie Gegenstände des Gestaltens sind: Flächen, Körper, Linien, Farbkomplexe, Strukturen und Texturen, je als Thema der Gestaltung und dank der Gestaltung dem Betrachter Einblick in formales Sosein gebend (und ihn dadurch auf die moderne formalistische Rationalität hin stimmend, — Entsachlichung des künstlerischen Sehens kann die Entsachlichung des wissenschaftlichen und auch des philosophischen Denkens erweitern und verstärken, umgekehrt schafft die zweite Voraussetzungen für die positive Aufnahme der ersten). Und das künstlerische Interesse an den reinen Formen wirkt auf die Gestaltung von Dinghaftem zurück, indem die Sachobjekte ausgeprägt als Formträger gesehen werden; auch solche Kunst kann den Betrachter inhaltlich zum Formabstrakten führen (so: an sich aufs Dinghafte gehende, aber an diesem stark das Abstrakte der Formerscheinung hervorhebende Gestaltung von Pflanzen, Mikroorganismen, biologischen und mineralogischen Strukturen, Kristallen, Geräten, Gebäuden, Gebäudekomplexen). Für manchen Kunstliebhaber mag die Begegnung mit den Forminhalten, weil sie immer auch das Intellektuelle anspricht, stärkst anregend sein.

7.7 Begegnung mit bildender Kunst (II)

Für den Betrachter sehr viel differenzierter und deutlicher erfaßbar als bei den Werken der Dichter ist in denen der Maler und Bildhauer die Gestaltungsform, die Erscheinungsweise, in welche der Künstler den gestalteten Inhalt bringt, im Unterschied zum Sachlich-Formalen, das Inhalt ist (möglich ist somit Form als Gestaltungsweise von Form als Inhalt, etwa die Gestaltungsform, in welcher der Künstler eine sein Thema bildende Raumform darstellt). Dies hat seinen Grund vor allem darin, daß die Gestaltungsform in der bildenden Kunst tragend ist: das Gemälde, die Zeichnung, die Skulptur, das Bauwerk, sie sind Linien-, Flächen-, Raum- und vielleicht Farbgebilde, die als solche, aus ihrem Formalen ansprechen müssen, um als Kunstwerke zu wirken, — es gibt hieraus die nicht oder nur wenig gegenständliche Gestaltung von Erscheinungsform (ohne erhebliches Gewicht als Forminhalt, das heißt als geometrisches oder sonstwie formal singuläres, stark eigengewichtiges Formwesen), so allgemein in aller vorwiegend ornamentalen Kunst, und insbesondere in der Bau- und Innenraumornamentik, bei Geräte- und Möbelverzierungen, Stoff- und Teppichdessins usw. (am reichsten ausgebildet unter dem islamischen Verbot der figuralen Darstellung), dazu in der Architektur. Der Formenreichtum kann den Betrachter veranlassen, sich hauptsächlich mit der formalen Seite der Kunstwerke zu befassen: es geht dann darum, die Formart von einzelnen Werken (einer mykenischen Vase, des Parthenons, der Laokoon-Gruppe, der Sainte-Chapelle, der Sixtinischen Madonna, eines Tiepolo-Deckengemäldes, einer Rodin-Plastik, eines modernen Bankgebäudes) in ihrer singulären Besonderheit, weiter den Formtypus und damit die Formgleichheiten von Werkgruppen (Gesamtwerk eines Künstlers, etwa Giottos, Michelangelos, Tizians, Poussins, Manets, Picassos; Gesamtheit der Werke eines Stiltypus, so griechische Tempel, frühchristliche Basiliken, romanische Kirchen, gotische Kathedralen, Renaissance-Paläste, klassizistische Bauten in Frankreich, Bilder des deutschen Expressionismus), schließlich die Formmöglichkeiten von umfassenden Werkkategorien (so: der Zeichnung, des Aquarells, des Gemäldes, der Graphik, der Kirche, des Geschäftshauses, der Fabrik, des Schulgebäudes, auch des Stadtkerns, der Satellitenstadt, je als nach ihren Gestaltungsbedingungen besondere Art des Kunstwerkes oder, in weiterem Sinne, des Künstlerisch-Gestalteten verstanden) zu vergegenwärtigen.

Auch die Nichtkünstler und unter ihnen die nicht fachwissenschaftlich geschulten Betrachter können in der anschauenden Befassung mit Werken der bildenden Kunst selbständige Einsicht gewinnen: bezüglich einer einzelnen Formbesonderheit (etwa eine spezielle Art der Raumstrukturierung bei Poussin oder Cézanne, des Farbenspiels in Monets Folge »Kathedrale von Rouen«), der persönlichen Stilart eines einzelnen Künstlers (so: das Persönlich-Eigene von Carpaccio, Dürer, Rubens, van Dyck, Vermeer, Liebermann, Modigliani), der Formelemente und Gestaltungsprinzipien einer Stilgruppe (so: geometrischer Charakter der Kurvenornamentik in der minoischen Vasenmalerei, besondere Arten der Raumauflösung in der Architektur des Spätbarocks, Wiederaufnahme von gegenständlichen Motiven in an sich gegenstandsloser moderner Malerei, Aufnahme von Elementen der modernen Kunst in die Werbegraphik). Der Betrachter wird hiebei durch Darlegungen von Kunstwissenschaftlern und Kritikern angeregt werden, braucht aber diesen nicht einfach zu folgen, sondern kann durchaus zu eigenem und sogar in weiterem Sinne kreativem Feststellen kommen. Der Idee nach mag das letztere sich auch auf Allgemein-Formales der einzelnen bildenden Kunst (eben der Malerei, Skulptur, Architektur, Graphik usw.) richten, aber praktisch wäre da doch wohl meistens der Kenntnisbestand des Laien überfordert; das Allgemeine der bildenden Künste, der Künste überhaupt und der Kunst gesamthaft in schöpferischem Denken zu bearbeiten ist Fachmannsleistung.

Vollständig erfaßt ist ein Werk der bildenden Kunst erst, wenn es als Gesamtgestalt verstanden ist. Zu betrachten ist dann beim gegenständlichen Werk das Inhalt-Form-Ganze, in dem der Inhalt nur als formhabend und die Form nur als inhaltsbezogen zu sehen ist, beim ungegenständlichen Werk zwar nur das Formganze, jedoch unter Vergegenwärtigung des Rein-Form-Seins (im Keinen-Inhalt-Haben kann man ein inhaltliches Moment sehen). Als Gesamtgestalt ist das Werk stärker in-sich-geschlossen denn als Inhalt oder als Form, die beide nach außen führen, nämlich zu Inhalts- oder Formverwandtem; von diesen aber ist die Gesamtgestalt getrennt, weil zum Inhalt die besondere Geformtheit und zur Form die besondere Inhaltsbezogenheit tritt. Hieraus wird der Betrachter verpflichtet, sich dem Werk als einem einzigartigen zuzuwenden, wobei er sich auch bewußt sein muß, daß nur hochrangige Werke solch intensiver Aufmerksamkeit wert sind. Kreative Einsicht auf dieser Stufe kann sich beziehen auf: die Geformtheit und damit die Formbeeinflußtheit des Inhaltlichen (so: Carpaccios Geschichte der heiligen Ursula, Goyas Bildnisse und Radierungen); die Inhaltsbezogenheit und -beeinflußtheit des Formalen (so: bei Rubens und Rembrandt, wieder bei Goya, und bei Cézanne, van Gogh, Matisse, Kirchner); die künstlerische und allgemein kulturelle Bedingtheit und Stellung des, zumal des bedeutenden, Werkes als solchen, als inhaltlich-formal Gestalteten (so: des Hera-Tempels in Paestum, von S. Apollinare in Classe, der Alhambra, eines Palladio-Baues, des Abendmahles von Leonardo da Vinci, einer Landschaft von Claude Lorrain, eines Tahiti-Bildes von Gauguin); die künstlerischen und allgemein kulturellen Auswirkungen bedeutender Kunst, den von ihr ausgehenden Einfluß auf die zeitgenössische und spätere Geistigkeit: jedes große Kunstwerk wird zum Kraftquell im Kulturprozeß (auch das läßt sich mit Hilfe der zuletzt erwähnten Beispiele vergegenwärtigen); schließlich das Beeinflußtwerden des Betrachters selbst, woraus sich die persönliche Seite der Teilhabe an Kunstwerken überlegen läßt.

Inhaltliches in der Musik? Allgemeinere Inhaltsbestimmtheit kommt daraus, daß die Musik ursprünglich zu einem erheblichen Teil zweckbestimmt ist, also einem Übergeordnetem als Untergeordnetes dient. Auch in unserer Kultur zeigen sich noch vier Arten solcher dienstinhaltlicher Musik: religiöse Musik, patriotische Musik, Tanzmusik, Unterhaltungsmusik; in einfacheren Kulturen ist dazu das Arbeitslied von einiger Bedeutung, vielleicht spaltet sich jetzt von der modernen Unterhaltungsmusik so etwas wie neue (arbeitspsychologisch geprüfte und empfohlene) Arbeitsmusik ab (auch, als neueste Dienstinhaltskategorie, eine Kaufs- und Verbrauchsanregungsmusik, zu verwenden etwa in Warenhäusern, Supermärkten, Gaststätten usw.?). Und weiter gibt es die inhaltliche Bestimmtheit der Musik dann, wenn ein Außermusikalisch-Künstlerisches musikalisch erweitert wird: Lied, Musiktheater, — oder wenn die Musik als Grundlage für ein in seinem Hauptwesen Nichtmusikalisches gedacht ist (Bühnentanz, also Ballett und Ausdruckstanz, im Unterschied zu den bereits erwähnten allgemeineren Arten des Tanzes) oder ein an sich Nichtmusikalisches unterstützt und von ihm her im musikalischen Gehalt bestimmt wird (Musik für Schauspiel, Film, Hörspiel, Fernsehspiel). Schließlich die ausgeprägte Inhaltsbezogenheit der Programmusik: Musik soll dem Hörer außermusikalisches Wesen nahebringen. In allen diesen Fällen könnte man von »Inhalt der Musik« sprechen, aber es würde sich dabei genauer gefaßt um außermusikalischen Inhalt handeln, im Unterschied zum musikalischen, als den man Melodie, Rhythmus und Klang verstehen wird. Daß man diese drei auch als Form bezeichnen kann, zeigt die Grenzen der sich mit Musik befassenden Begrifflichkeit.

Worin besteht die, eben außermusikalische, Inhaltlichkeit von Musik der genannten Arten? Allgemein darin, daß sie klar erlebbar auf den maßgebenden Inhalt bezogen ist, indem sowohl ihr Schöpfer wie die Aufführenden und Hörer (die zum Teil, so in der Tanz- und Arbeitsmusik, hörend-aktiv sind) sie gefühlshaft als zumindest inhaltsgemäß, vielleicht aber auch als zum Inhalt hinlenkend und ihn fördernd erleben. So in der religiösen Musik: der Komponist schafft als Gläubiger (zumindest als während des Schaffens hypothetisch Gläubiger), und was er gestaltet, soll Ausdruck nicht nur seiner persönlichen Gläubigkeit sein, sondern auch einer allgemeineren, von Gläubigkeit überhaupt, denn er ist im Glauben mit dem Heiligen verbunden, das heilig auch für die andern Menschen ist und sein soll. Der gläubige Komponist dient musikschaffend dem Heiligen und dem religiös geprägten Sozialen, er steht als ein Schöpferischer in der großen Gemeinschaft der Gläubigen, — jedoch stellt er, ungleich dem Dichter, Maler oder Bildhauer, den heiligen Gegenstand nicht in Wortbeschreibung (aber er mag einen religiösen Text vertonen) oder anschaulichem Bild vor die Aufnehmenden, vielmehr macht er ihn für diese einfühlbar, miterlebbar dadurch, daß die Musik in ihnen Seelisches aufschließt, ja vielleicht in sie Seelisches bisher nicht erfahrener Art einbringt, und möglich ist dies in mehreren Grundhaltungen und auf mehreren Stufen, von der einfachen, kindlich-vertrauenden Frömmigkeit, die es zufrieden ist, unter Gottes Wohlwollen zu sein, über Problembewußheit und sogar selbstquälerische Auseinandersetzung mit dem Heiligen bis zur fordernden Selbstbehauptung des Gläubigen (so vielleicht in der Glagolithischen Messe von Janacek). Hieraus kann ein inhaltliches Interesse am musikalisch gestalteten Religiösen, erfaßbar im Werk als solchen und in der je besonderen Aufführung, kommen. das Interesse für die Religiositätstypen, in die sich der Hörer eben dank ihres musikalischen Ausdrucks einfühlen kann, vielleicht in spezifischerer und intensiverer Vergegenwärtigung als bei anderer Erfassungsweise, etwa bei religiösen Texten, Bildern, Skulpturen und Bauten; unter diesem inhaltlichen, an sich außerkünstlerischen Interesse erfaßt der fürs Religiöse sensible Musikhörer (er muß nicht unbedingt selbst gläubig sein, es ist sogar günstig, wenn er aus Ungläubigkeit für alle Arten des Religiösen offen ist, also keine aus seinem eigenen Glauben als unrichtig ablehnt) vielleicht religiöses Wesen, das ihm bisher fremd war, ja im Extremfall: das bisher allen Betrachtern fremd war. Solche als Erschließung religiösen Wesens zumindest subjektiv und darüber hinaus mitunter auch objektiv schöpferische Befassung kann und sollte sich auf alle Typen der religiösen Musik richten, vor allem natürlich diejenigen des eigenen Kulturkreises, vom einfachen Kirchenlied und Orgelstück bis zu den, gegen Theatralik und Opernhaftigkeit gehenden, Großwerken (so: h-Moll-Messe, Missa solemnis, Deutsches Requiem, Verdi-

Requiem und eben die Janacek-Messe), wobei die letzteren wahrscheinlich religiös-inhaltlich komplexer sind als die einfacheren und damit den einfühlenden Hörer zu vielfältigerem Verstehen bringen. Schon im Christlichen gibt es die Glaubenshaltungen, die dem konkret-einzelnen Hörer fremd sind, katholische Gläubigkeit für den Protestanten und protestantische für den Katholiken, orthodoxe für Katholiken und Protestanten: in jedem dieser Fälle mag die konfessionell geprägte Musik das innere Glaubenswesen erhellen. Religiöse Musik (etwa hinduistische, lamaistische, japanisch-buddhistische Gesänge, ceylonesisch-buddhistische Instrumentalmusik) gibt aber auch Zugang zu innerstem Wesen fremder Religion, nämlich zu deren seelischer Grundstimmung, die in der Dogmatik und im Bildhaften zumindest nicht voll zum Ausdruck kommt, zum Verzicht auf die äußere Aktivität und die Weltlichkeit überhaupt, zur Hinwendung zu Gott, Göttern oder dem Erhabenen, zur Annahme der religiösen Gebote, zum Streben nach Befreiung und Erlösung; religiöse Spiritualität wird eben dank der Gefühlswerte der Musik auch dem Religionsfremden einfühlbar und ermöglicht ihm durch diese Teilhabe das klarere Verstehen der rationalen Lehre und der bildhaften Darstellungen.

Weniger subtil, weniger ins Spirituale führend, robuster, stärker im Vitalen und im Einfacher-Kulturellen verankert als die religiöse Musik, jedenfalls die höhere und anspruchsvollere, ist die patriotische: ihre Leitidee und ihr sozialer Zweck ist, den Einzelnen und die Kleingemeinschaft mit der nationalen Großgesamtheit und -gemeinschaft zu verbinden; auch das fordert zur Überwindung von Vereinzelung und sozialer Enge auf, jedoch in vorwiegend diesseitigem, sozial-realistischem Sinne, wobei aber, zumal in Notzeiten, die patriotische Hingabe als mit der religiösen Erfüllung gleichrangig verstanden werden kann, nämlich als Weitergehen im Überindividuellen von Volk und Vaterland. Patriotische Musik ist zunächst diejenige, die von vornherein als solche gekennzeichnet oder eingestuft ist: Nationalhymnen und andere einigermaßen offizielle vaterländische, auch regional-vaterländische, Gesänge, patriotische Festmusik, ihr Zweck ist, den Aufführenden und Hörern die vaterländische Verbundenheit bewußtzumachen und in ihnen dieses Gefühl zu intensivieren. Zur patriotischen Musik gehört weiter die Militärmusik, schon weil das Militär Staatssache ist und viele den Militärdienst als wichtige Bürgerpflicht hochschätzen, sodann weil die Militärmusik durch ihre einfache, straffe, grob-laute Form dem Hörer die Einfügung in eine Gesamtheit suggeriert (darin liegt eine Kollektivierungstendenz, die der im Religiösen gegebenen Individualisierungstendenz entgegengesetzt ist: man stelle sich einen Militärmarsch auf der Kirchenorgel gespielt vor). Zumindest im allgemeinen Wesen, wenn auch nicht scharf gefaßt, patriotisch ist manche traditionell volkstümliche Musik, indem sie den Einzelnen, der ihr seine Zeit widmet, auf die nationale oder regionale Gesamtheit bezieht, diese für ihn zur Gemeinschaft erhebt und ihn mit ihr verbindet (daß dabei die nichtvolkstümlichen Musikformen zurückgedrängt werden, ist nicht nur äußerlich unvermeidlich, sondern gehört zum inneren Wesen solcher Musik: wer sich in eine völkische Gemeinschaft einfügt, muß für die Zeit, in der das für ihn wichtig sein soll, auf das ihn vereinzelnde Minderheitenwesen, im Musikalischen auf volksfremde, etwa elitär-modernistische oder exotische Formen der Musik verzichten). Aber patriotische Musik braucht sich nicht im Formal-Einfachen, -Anspruchslosen zu halten: es gibt Musik hohen künstlerischen Ranges, die ihre patriotische Wertseite daraus hat, daß sie in einem Land zumindest bei den Gebildeten als nationales Kulturgut verehrt (so: Wiener Klassik und deutsche Romantik in Deutschland und Österreich, französische Opern in Frankreich, italienische, vor allem Rossini und Verdi, in Italien, Grieg und Sibelius im Norden, Mussorgski, Borodin, Tschaikowski in Rußland) und durch sie nationales Selbstverstehen mit der Vergegenwärtigung von musikalischen Meisterwerken verbunden wird. Bei den ersten drei Typen, der hymnischen, militärischen und volkstümlichen Musik, sind die musikalisch erschließbaren Inhalte spiritual meistens sehr viel einfacher als diejenigen der hohen religiösen Musik, immerhin nicht primitiv im Sinne eines biologistischen Kollektivismus, denn das Nationale ist, obwohl im Naturhaft-Sozialen wurzelnd, immer kulturhaft, nämlich in allem, was ein Kulturvolk, zumal ein modernes, von den Primitivstämmen (die überdies auch schon ihr, wenn auch erst wenig entfaltetes, Kulturelles haben) unterscheidet: es kann für den Musikfreund verstehenschaffend sein, sich auf Grund dieser drei Musiktypen in nationale Seelenlagen einzufühlen (etwa die italienische, französische, deutsche, englische, russische, chinesische). Beim vierten Typus, den als nationales Gut verehrten Werken der Musik hohen künstlerischen Ranges kann als Aufgabe verstanden werden, daß man in ihnen typisch nationales Wesen erfasse, Wesen, das in ihnen gestaltet ist, aber vielleicht auch Wesen, das durch die musikalischen Werke begründet oder jedenfalls beeinflußt, in seiner Besonderheit verstärkt wurde (in einigen Ländern wohl mehr als in anderen, in Deutschland, Frankreich, Italien, Rußland, Spanien mehr als in England und in den Vereinigten Staaten).

Inhaltliches der Tanzmusik: Spezifisches der Musik, die auf den Tanz als eine ursprüngliche und noch immer wichtige individuelle und kollektive Betätigung bezogen ist, beginnend mit der reinen Bewegungsfreude des Kindes, weiterführend über das im Tanz aktivierte Erotische und Kleingemeinschaftliche (letzteres in volkstümlichen Gruppentänzen) zum bewegungsrhythmisch verfeinerten Gesellschaftstanz, aber auch zum rituellen, kultischen Tanz, aufsteigend schließlich zum künstlerischen Tanz und zur Tanzkunst (Ausdruckstanz und Ballett, je mit entsprechender Tanzmusik, vom einfachsten Tanzliedchen über volkstümliche Tanzweisen (dargeboten von Vokal- und Instrumentalensembles) und sakrale Tanzmusik (wie indische und tibetische) zu professionell raffinierten Kompositionen (so: höfische Tanzmusik im 18. Jahrhundert) und schließlich zum hochkünstlerischen Ballett (etwa zu Tschaikowski, Prokofjew, Bartók, Strawinsky); Musik dieser Art läßt sich immer auch vom Inhaltlichen des Tanzes her verstehen (würde man sich musikhörend mit Aufführenden identifizieren, dann mit den Tänzern, nicht mit den begleitenden Musikern oder Sängern), und das wäre wertvoll als einfühlendes Erleben des tänzerisch ausgedrückten Menschlichen. — Unterhaltungsmusik ist inhaltlich bezogen auf das Unterhaltungsbedürfnis der Hörer und bestimmt durch die musikeigenen Möglichkeiten, es zu befriedigen; das läßt von vornherein, was das Spirituelle anbelangt, niedrigen Rang erwarten, denn während man sich mit einiger Aufmerksamkeit von Unterhaltungsmusik einnehmen läßt, beschäftigt man sich nicht mit Anspruchsvollem (benützt man sie als Hintergrundsmusik, so braucht das nicht zu gelten, aber dann fehlt die Aufmerksamkeit). Will man ihr Menschliches erhellen, so muß sich das auf Dinge der Unterhaltungsschicht richten, der gehobeneren und der trivialen:

242

zu ihnen kann insbesondere die Schlager-, Operetten- und Musicalmusik direkten Zugang geben; freilich ist das meiste davon so anspruchslos und manches so trivial, daß es sich nicht lohnt, daran viel Zeit zu wenden.

Auf jedem der vier Felder, also bei der religiösen und der patriotischen, bei der Tanz- und der Unterhaltungsmusik, kommt es für den das Inhaltliche erhellenden Hörer vor allem darauf an, sich in dieses als in ein maßgebendes, bestimmendes Menschliches einzufühlen und eben so zu erfahren, daß es im Ganzen des Menschlichen zumindest einige und vielleicht große (das gilt sogar für die Unterhaltung), ja hohe (Religion, Vaterland) Bedeutung hat. Aber die Beziehung zwischen der Musik und dem Menschlichen, dessen Ausdruck sie ist, wird selbst bei der hier vergegenwärtigten Geprägtheit kaum je so klar sein wie die Inhaltlichkeit der Dichtung und der bildenden Kunst: der Hörer hat für sein Sicheinfühlen und Deuten erheblichen Spielraum. Zwar ist er der Idee nach ans Objektive gebunden, nämlich an die bei den Komponisten und Darbietern aktiven und bei den Gutheißend-Aufnehmenden angesprochenen Einstellungen, aber diese sind ihren Trägern nicht immer klar und machmal gar nicht bewußt, auch sind sie kaum je scharf von Wesensnahem, gleichartigem oder verschiedenem, sogar widersprechendem, abgegrenzt. Vielleicht versteht der hellsinnige Hörer von den inhaltlichen Hintergründen solcher Musik mehr als die an ihr aktiv Beteiligten, und eben daraus kann ihm Deutungskreativität möglich werden.

7.9   Begegnung mit Musik (II)

Der (außermusikalische) Inhalt der Musik von Lied und Musiktheater ist in Text und Geschehensablauf, und tiefer in dem von diesen ausgedrückten Menschlichen gegeben: auf hoher Stufe von Anspruch und Können schaffen der Komponist und die Darbieter für die Aufnehmenden zusätzliche Dimensionen des Einfühlens, Miterlebens und Verstehens. Im Lied ist der Inhalt allgemein ein sprachlicher Text (abgesehen von Lautgebilden, die ohne sprachlichen Inhalt, also bloß lautlich-akustisch sind), meistens ein Gedicht; Aufgabe des Komponisten ist, die im Text gestalteten

Vorgänge und seelischen Gehalte — jeder Vorgang ist mit seelischem Gehalt verbunden, aber nicht jeder seelische Gehalt mit einem Vorgang — musikalisch so zu gestalten, daß ihre Gefühlswirklichkeit klarer, vielschichtiger, tieferdringend herausgearbeitet und an ihnen tieferdringende Teilhabe ermöglicht wird. Freilich wird das Inhaltsfeld praktisch dadurch beschränkt, daß zumeist ein einfacheres, vor allem naturhaftes Gefühlswesen musikalisch gestaltet ist: Liebesfreud und -leid, Lebenslust, Trauer, Melancholie, Sehnsucht, Heimweh und Fernweh, Erleben von Wald und Feld, Gebirge und Meer, jahreszeitliche Stimmungen (und manches mehr). Immerhin gibt es als gewichtigen Liedinhalt auch Religiöses und Patriotisches (damit gehen die Teilfelder des Liedes und der religiösen und patriotischen Musik ineinander über); das Intellektuelle hingegen fehlt fast ganz (schwer vorzustellen ist zum Beispiel ein Lied, in dem die Klarheitsfreude des Mathematikers einfühlbar würde). Aus dem Vorherrschen des Einfacheren kommt auch, daß viele Lieder der Unterhaltung dienen und ein großer Teil der Unterhaltungsmusik liedhaft ist: Gebrauchslied auf oft niedriger Stufe des dichterischen und musikalischen Anspruchs. Die einfühlende Befassung mit Liedern kann so gleichbedeutend sein mit der auf die genannten Großgebiete gerichteten und entsprechendes selbständiges Vergegenwärtigen ermöglichenden (also bezüglich des Religiösen, Patriotischen, der Unterhaltungsbedürfnisse und -einstellungen); aber bedeutet sie auch Selbständigkeit und sogar Kreativität im Eigenbereich des Liedes, nämlich in der verstehenden Erhellung des Gefühlshaften? Indem der Hörer hörend teilhat, läßt er sich von Dichter, Komponist und Darbieter leiten, und da ist es wohl selten, daß er zu Inhaltlichem vorstößt, das nicht schon diesen bewußt wäre; zumeist wird es für ihn Ziel sein, daß er auf ihre Einfühlungshöhe gelange. Ausgeschlossen sind Selbständigkeit und Kreativität trotzdem nicht, insbesondere mag er das, was für jene in ihrer künstlerischen Bewußtheit gegenwärtig ist, rational und sogar wissenschaftlich feststellen und damit in zunächst nur ihm bewußten Sachzusammenhang bringen (in psychologische und auch soziologische Aussagen fassen ließen sich etwa die Lieder von Schubert, Schumann, Brahms und Wolf, von Smetana und Dvořák, von Tschaikowski und Mussorgski, von Debussy und de Falla). Und bei den modernen Liedern mit aktuellem gesellschaftlichem

Gehalt läßt sich die rationale Erfassung gegen das Politische hin erweitern; diese Liederkategorie (vor allem die Protestsongs, aber auch andere Typen) verdient die volle Aufmerksamkeit des kreatives Verstehen suchenden Musikfreundes.

Im Musiktheater ist der außermusikalische Gehalt das Geschehen zwischen den Personen des Stückes, erfahrbar vor allem in den sprachlichen, daneben in Bewegungsäußerungen; die musikalische Erweiterung erfolgt in Gesang und orchestraler Begleitung: es hängt dabei vom Willen des Komponisten und wohl noch mehr von den vorherrschenden Stilauffassungen ab, ob er sich nur einigermaßen lose oder aber eng an den literarischen und theatralischen Inhalt anschließt. Im ersten Fall hat der musikalische Gehalt den Vorrang, im zweiten ist das Ideal das sowohl literarisch als auch musikalisch zu Höchstrang gebrachte Musikdrama (so: einerseits Mozart, die frühen Italiener, bis zum frühen Verdi; anderseits Wagner, der späte Verdi, Mussorgski, Debussy, R. Strauss, Berg).

Die musikalische Gestaltung des Inhaltlichen erschließt dem Zuschauer-Hörer Seelisches, das ihm durch die nur-sprachliche nicht in gleicher Feinheit zugänglich wäre; allerdings ist dieses Seelische zumeist, ähnlich wie im Lied, von eher einfacher, im Naturhaften wurzelnder Wesensart, darum das Vorwiegen von Mann-Frau-Beziehungen in der Oper; es gibt aber auch Musiktheater mit ausgeprägt kulturhafter und sogar rein-geistiger Inhaltsthematik (Wagners Parsifal, Pfitzners Palestrina und Hindemiths Mathis der Maler), zu religiösem, kulturethischem und vielleicht philosophischem Bewußtwerden überleitend. Hat in letzterem das Musiktheater seine Möglichkeiten voll wahrgenommen, gar erschöpft? Doch wohl nicht: man versuche sich vorzustellen, wie etwa der Prozeß gegen Galilei, das Alter Rembrandts, Nietzsche-Zarathustra, das humanitäre Wirken Albert Schweitzers, der 20. Juli, die Präsidentschaft Kennedys als Musikdramen gestaltet werden könnten. — Je tieferdringend, je mehr Subtiles erhellend die Musik den dramatischen Werkgehalt mit ihren Ausdrucksmitteln deutet und damit ein-erlebbar macht, desto mehr wird der Zuschauer-Hörer sich auf die möglichst vollständige Erfassung des Gesamtwerkes konzentrieren. Jedoch ist ihm, was die musikalische Seite anbelangt, in der Regel das begriffliche Denken nicht gleich ausgedehnt verfügbar wie bei der Analyse des in Sprache gefaßten

Inhaltes (so: für die meisten Opernbesucher werden Leonore und Florestan viel eher aus dem Text als aus der Musik faßbar): es sollte darum als Selbstbildungsaufgabe verstanden werden, daß man lerne, sich über Musik, zumal Musiktheater in begrifflich durchgeformter Sprache auszudrücken (ähnliches gilt für die Erhellung von Werken der bildenden Kunst, die aber für die meisten leichter zu beschreiben sind als Musikalisches, dies schon wegen der Zuständlichkeit und Räumlichkeit von Bild, Skulptur und Bauwerk). Zumindest aber können die Laien, die beim Musiktheater ganz auf Zuschauend-Hören angewiesen sind (die Schallplatte mag ihnen zu genauerem Hören verhelfen), sich das musikalisch gestaltete Außermusikalische selbständig und sogar schöpferisch vergegenwärtigen: vor allem durch zunächst intensiv-persönliche und zugleich selbstbeobachtende Einfühlung, die sie anschließend zu, jedenfalls teilweise begrifflichem, Verstehen von Allgemeinmenschlichem erweitern, vielleicht Wesenszüge erhellend, die von vielen andern nicht gleich oder gar nicht gesehen werden (etwa die Leonore, den Florestan hellst nacherleben, um sie allgemeiner als Menschseinstypen zu erfahren, und gleicherweise Isolde und Tristan, Mélisande und Pelléas, Marie und Wozzek, die Figuren von Brittens Sommernachtstraum).

Das leitet über zur eigentlichen Programmusik, hier zu verstehen als von außermusikalischem Thema getragene Instrumentalmusik (im Unterschied zur textbestimmten Vokalmusik), die Naturhaftes oder Menschliches von anderer als einer der bisher betrachteten Arten (also nicht religiöse, patriotische, tänzerische, auch bloß unterhaltende Inhalte) musikalisch gestalten und dadurch dem Fühlen des Hörers nahebringen soll. Maßgebend für die Abgrenzung dieser Kategorie ist die Absicht des Komponisten, und da ist erstens möglich, daß er sich ein außermusikalisches Thema klar bewußt vornimmt (so: Beethoven in der Pastorale, Berlioz in der Symphonie fantastique, Mussorgski in der Nacht auf dem kahlen Berg, Debussy in La mer, R. Strauss in seinen symphonischen Dichtungen): der Hörer wird sich dadurch zur musikerlebendeinfühlenden Vergegenwärtigung eben dieses Außermusikalischen verpflichten lassen, denn was für den Komponisten wichtig war, soll es auch für den Hörer sein. Möglich ist aber zweitens, daß der Komponist eher aus einer allgemeinen Idee oder Grundstimmung sich ein Thema oder eine Themenfolge vornimmt (so: Beethovens Eroica, Sibelius-Symphonien); man wird bei solchen Werken ein »Programm« nur mit Vorsicht annehmen. Dort wie hier, und dort stärker als hier, kann sich der aufgeschlossene Hörer zu musikgeleitetem Ein-Erleben in Natur- und Humanwesen bringen lassen, und das vielleicht in einer Weise, die nicht nur für ihn persönlich, sondern auch von der Gesellschaft aus gesehen neu ist (denkbar ist etwa, daß sogar ein so populäres Werk wie Tschaikowskis Pathétique einen suchend-eindringenden und dabei sich-selbst-erfahrenden Hörer zu schöpferisch-neuem Sicheinfühlen führt, indem sie ihn einer modern-aktuellen Situation modern-spirituell begegnen läßt). Indessen zeigt gerade die programmbestimmte Musik, und stärkst diejenige, bei welcher die Programmidee eher zu vermuten als bekannt ist, einen möglichen Nachteil der Befassung mit dem außermusikalischen Inhalt, und sei sie auch schöpferisch, also nach ihrer geistigen Qualität von hohem Rang: der Hörer kann dem Außermusikalischen allzu großes Gewicht beimessen und sich dadurch vom Rein-Musikalischen ablenken lassen (suchte man in der Eroica hauptsächlich den Helden, in Sibelius' Fünfter Symphonie die nordische Naturmystik, so verfehlte man ihre rein-musikalische Größe). Daraus kommt eine Warnung, die auf alle bisher genannten Arten des auf außermusikalische Inhalte gehenden Musikhörens zu erstrecken ist: bei aller Wichtigkeit dieses Inhaltlichen und seiner, zumal schöpferischen, musikalischen Erhellung muß sich das Hörerinteresse doch in erster Linie, und zwar möglichst anspruchsvoll und intensiv, dem Rein-Musikalischen, dem Musikgehalt als solchen zuwenden.

Musikgehalt als solcher ist, allgemeinst umschrieben, das Wesen, welches die Eigenart der Musik ausmacht, der Musik als bewußt gestalteter Tonerscheinung, somit abzugrenzen von der nicht gestalteten Tonerscheinung (wie sie in naturhaften und technischen Tönen, im Sprechen, Rufen, Schreien vorliegt) und von den gestalteten Erscheinungen, die nicht tonhaft sind. Aus dieser Definition werden Grenzgebiete der Musik erkennbar: erstens Sprache (im weitesten Sinne: Rufen, Schreien, Flüstern einschließend), sofern sie wie in Rezitation und Rhetorik bewußt auf Tonerscheinung hin gestaltet wird (daraus ist das rhythmisierte Sprechen, Einzelner oder von Gruppen, das Außenfeld des Gesanges), zweitens naturhafte und technische Töne, wenn sie, genau wie sie sind oder zumindest ähnlich, in ein gestaltetes Tonhaftes einbezogen werden (der Ton einer Schiffssirene als Untermalung von Filmgeschehen ist Musik); es kann für den Musikschaffenden künstlerischen Sinn haben, auf einem Grenzgebiet zu arbeiten, dadurch wird das Ganze der Musik erweitert und bereichert. Zumeist aber bewegt sich das Musikschaffen auf einem Feld, dessen Musikcharakter allgemein anerkannt ist: Vokal- und Instrumentalmusik, gekennzeichnet durch den Typus des einzelnen Werkes, seine Gesamtgestalt und seinen inneren Aufbau, in speziellerem Sinne durch Melodie, Rhythmus und Harmonie (die letztere allgemein als Zusammenklang gleichzeitiger oder rasch aufeinanderfolgender Töne verstanden), wobei, und das macht die Lebendigkeit und den Reichtum der Musik aus, Auffassungsverschiedenheiten darüber bestehen, wie diese Wesensmomente richtigerweise gestaltet sein sollen, Auffassungsverschiedenheiten zwischen Künstlern der gleichen Zeit oder verschiedenen Stilepochen, des gleichen oder verschiedener Kulturkreise. Es ergeben sich daraus Typen des musikalischen Stils, und zwar bezogen auf die gesamthafte Werkgestalt wie auf die einzelnen Gestaltelemente; dies ermöglicht dem für den Musikgehalt offenen Betrachter die selbständige, vielleicht sogar die schöpferische Vergegenwärtigung und Diskussion von Rein-Musikalischem.

Typus des einzelnen Werkes. Der Komponist schafft ein einzelnes Musikstück (so: Lied, Sonate, Kammermusik- oder Orchesterstück) oder ein aus mehreren oder vielen kleineren, das heißt immer auch kürzeren, Stücken gebildetes Ganzes (so: Liederzyklus, mehrsätziges Kammermusikwerk, Symphonie, Oper, Ballettmusik); es bestehen hieraus viele Werktypen, die allerdings nicht scharf gegeneinander abzugrenzen sind (so wird man eine mehrsätzige Sonate kaum als Einzelstück bezeichnen können, aber natürlich ist sie kein Großgebilde wie Symphonie oder Oper): den je vorliegenden Typus analysieren und durch Vergleich mit andern, verwandten und andersartigen, Typen herauszuarbeiten kann zu Einsicht führen, die in gleichem Sinne eigenwert ist wie das Verstehen der literarischen und malerischen Formgebilde als solcher. Es mag dabei ein besonders aufgeschlossener Musikbeobachter als erster einen neuen Gestalttypus erkennen und ihn sachlich richtig ins

Ganze der bekannten Typen einordnen (diese Einordnung ergibt zusätzliche Kenntnis): Kreativität in Hinsicht auf die kategoriale Durchdringung des neuesten Musikschaffens und damit der Neubereiche des sich ständig erweiternden Werkbestandes; freilich ist sie nur dem möglich, der sich intensiv auch mit der zeitgenössischen Musik befaßt, aber natürlich nicht nur mit ihr, denn er muß das Neue vielfach mit Älterem in Beziehung setzen und dadurch kann dieses in neue Perspektiven gebracht werden (so läßt sich vielleicht von einem neuesten politischen Propagandalied das Wesen des alten Chansons und des Chansons überhaupt, von elektronischer Musik für ein Fernsehballett das Wesen der Ballettmusik des 18. Jahrhunderts und der Ballettmusik überhaupt besser verstehen; vorausgesetzt ist dabei eine ausreichende Kenntnis auch der älteren Musik, Kenntnis nicht nur als Wissen, sondern auch und vor allem als Musikalisch-Erfaßthaben, Musikalisch-Gegenwärtighaben).

7.10 Begegnung mit Musik (III)

Jedes musikalische Werk ist eine besondere Ausprägung seines Allgemeintypus, jedes bedeutende Werk ist in diesem seinem Besonderssein einzigartig: tiefdringendes Erfassen muß diese Besonderheit und, bei hohem Rang des Werkes, Einzigartigkeit herausarbeiten, indem der Betrachter das Werk in dessen gesamthafter Gestaltetheit und Durchgebildetheit erfährt und es als Gleichzeitiggegebenes bewußt hält, was nur in der nachvollziehenden Erinnerung möglich ist, also die Übertragung des in der Zeit ablaufenden Hörens in nicht-mehr-zeitliche Gegenwärtigkeit erfordert: das ist einfach etwa bei einem Lied, anspruchsvoller bei einer Sonate, Serenade oder Suite, noch schwieriger bei einer Symphonie, einem großen Chorwerk, einer Oper. Die simultane Vergegenwärtigung eines großen Werkes ist oft zweischichtig, indem zunächst jeder seiner Teile ein In-der-Zeit-Ablaufendes ist, das zu Gleichzeitigkeit gebracht werden muß, und schon das schwierig sein kann (so etwa die Simultanerfassung der einzelnen Sätze der neunten Bruckner-Symphonie oder der einzelnen Akte von Bergs Wozzek); die Gesamtvergegenwärtigung erfolgt dann erst auf einer höheren Stufe. Gibt es hiebei für den Musikfreund kreatives Betrachten?

Und wenn ja: Ist dieses nicht auf diejenigen beschränkt, welche die Musiktechnik einigermaßen beherrschen? Natürlich hat der Musikgeschulte feinere Einsicht aus seiner größeren Werkkenntnis, aus dem Zugang zu den gedruckten Originalwerken und Auszügen, aus seiner Kenntnis des Begriffssystems und der Terminologie von Musiktheorie und -ästhetik, vielleicht der eigentlichen Musikwissenschaft: viele Fragen werden sich nur auf dieser Grundlage beantworten, einige werden sich nur von ihr aus stellen lassen. Trotzdem mag auch der, der einfach Hörer ist, Gestaltwesens einigermaßen selbständig bewußt werden, das andere und sogar Fachkundigere bisher nicht beachteten, etwa aus einer Gestaltidee, die sich für ihn aus einer allgemeineren, nicht nur musikalischen Formproblematik oder aus dem Bezug zu außerkünstlerischem Kulturellem ergibt (so in der, unvollendeten, neunten Bruckner-Symphonie: allgemeine Großformidee und -problematik der spätromantischen Kunst und des ausgehenden 19. Jahrhunderts überhaupt, dazu Gestaltbeeinflussung durch zeitbedingte religiöse Problematik, insbesondere den Widerstreit zwischen Katholizismus und aufsteigendem Diesseitsmodernismus; im Wozzek: Verbindung der Oper als überlieferter Theaterform mit revolutionär neuem Musiktypus, hohe Eignung dieses Musiktypus [Anwendungsmeisterschaft vorausgesetzt] für die musikalische und insbesondere musiktheatralische Darstellung von Spannung und Leid, Sichfügen und Auflehnung).

Von hier aus ist die Beziehung zwischen dem Bedeutendsein und der Gestaltbesonderheit, zumal der Einzigartigkeit, des musikalischen Werkes genauer zu überlegen. Man wird formale Gesamtqualität zunächst in Werken zu erhellen suchen, deren künstlerische Bedeutung feststeht, man wird sich dabei auf gängige Auffassungen verlassen und soll es jedenfalls aus Zeitgründen; aber gerade die Befassung mit der Gesamtgestalt des Werkes läßt erkennen, daß als bedeutend anerkannt eben die Werke von hoher Qualität der Gesamtgestalt und des inneren Aufbaues, der musikalischen Architektur sind und daß also die Befassung mit bedeutenden Musikwerken an Gesamtgestaltwertung anschließt, die in der Kultur früher unternommen wurde und deren Ergebnis allgemeine Anerkennung gefunden hat: hieraus kann der Selbständigdenkende folgern, daß sich sein eigenes Gesamtgestaltinteresse nicht ans Anerkannte zu halten braucht, vielmehr auch auf Werke richten kann, die zumindest im öffentlichen Musikbetrieb wenig beachtet werden, auf alte Musik, die jetzt vernachlässigt ist, auf fremdländische Musik, die, weil fremdartig, nur beschränkt zugänglich ist, auf neuere Musik (sie kann schon etliche Jahrzehnte alt sein), die allzu selten aufgeführt wird, auf neueste Musik, solche die eben erst geschaffen wurde: bei jedem dieser Werktypen kann der Gesamtgestaltvergegenwärtiger in dem Sinne selbständig erfassen und darin, auf sein eigenes Einsichtsfeld beschränkt, schöpferisch werden, daß er künstlerisches Wesen und Werkränge feststellt, nachvollziehend ausbreitet, differenziert, vergleicht, einstuft. Am vielfältigsten und, weil auf künstlerisch und gesamtkulturell Aktuelles zielend, am lebendigsten wird diese geistige Aktivität wohl in der Befassung mit der zeitgenössischen Musik: schon der spirituale Egoismus, der um das Freudvolle der Betrachtungskreativität weiß, sollte die Musikfreunde zur entsprechenden Teilhabebemühung veranlassen.

Melodie, Rhythmus, Harmonie — auch mit Gegen- und Antiformen — sind die je wesensbesondern, dabei in ihrem konkretmusikalischen Gehalt fast ins Unendliche variierbaren Strukturelemente des musikalischen Werkes und also das Material des musikalischen Schaffens. Melodie: das Liedhafte, Singbare der Tonfolge; Rhythmus: das einigermaßen klare und scharfe, in der Tonwirkung eigengewichtige Zeitlich-Unterteiltsein der Tonfolge; Harmonie: wie erwähnt, Zusammenklang gleichzeitiger oder rasch aufeinanderfolgender Töne, auch solcher, der von einigen oder vielen Hörern als disharmonisch empfunden wird. Zur Melodie gehört der Rhythmus, wenn auch dieser hier oft als untergeordnet erscheint; der Rhythmus kann durch Melodie hervorgehoben und faßbar gemacht werden, bedarf ihrer aber nicht notwendig (so Trommel-, Schlagzeugrhythmus). Die Melodie wird von Harmonie getragen und trägt sie, blüht in ihr auf und bringt sie zum Aufblühen, trotzdem bleiben beide spezifische Formweisen; der Rhythmus wird durch die Harmonie und die Harmonie wird durch den Rhythmus verfeinert und ins Zweischichtige gehoben, und gerade so gelangen sie zu ihrer Besonderheit. Rhythmisierte, in reiche Harmonie gehobene Melodie; von Melodie und Harmonie getragener Rhythmus; melodisch und rhythmisch durchgebildete Harmonie: sie sind komplexere, dreischichtige Gestaltelemente, und wiederum wird das Einfachere dank der Verbindung ausdrucksstärker, subtiler. — Jedoch gibt es da auch das Gegen-und-Anti. Warum und mit welchem Recht? Schon weil mit der Zeit das Bekannte, auch wenn es an sich hochgeschätzt ist und bleibt, seine stimulierende Kraft verliert; selbst das Vollkommene wird schließlich zum Gewohnten, zu Routine, die nicht mehr weiterführt. Aber es gibt da noch komplexere Gründe: aktuell-aktive Kunst, und in ihr die Musik, ist Teil des kulturellen Ganzen, das sich ständig wandelt, vor allem weil in ihm neues Bewußtseinswesen entsteht und ausgebildet wird; die einzelnen Kulturgebiete sind da sowohl Ursprungs- als auch Beeinflussungsbereiche. Die Musik im besondern erfährt Wirkungen der Bewußtseinswandlungen von Wissenschaft, Technik, Wirtschaft und Politik, von Religion und Philosophie, der andern Künste, der Gesellschaft überhaupt: man empfindet und denkt als moderner Mensch auch im Musikalischen anders als der vormoderne. So erschließen manche der modernen Komponisten neue Musikart, -form und -gestalt; sie werden dabei unterstützt von den dieses Neue Aufführenden und finden Hörergefolgschaft bei einem (anfänglich nicht großen, aber mit der Zeit wachsenden) Teil, und zwar wahrscheinlich dem innerlich-aktiveren, problemfreudigeren, interessierteren Teil, des Konzert-, Opern- und Medienpublikums. Wo bis in die jüngere Zeit Liedhaftes, Singbares (genauer: Gehörtes, das man hört als sei es singbar, gar als sei man mitsingend beteiligt) war, ist jetzt rhythmischer, raffiniert-besonderer Klang um seiner selbst willen, manchmal Exotisches übernehmend, Elektronik verwendend, Sprache einbeziehend, sich ins Geräuschhafte erweiternd. Wo die Kunst früher, bei aller Neuerungsfreude, traditioneller Gestaltungsweise verpflichtet war, ist sie jetzt allem Noch-nicht-Bekannten, Noch-nicht-Versuchten und damit dem bewußten Experimentieren offen. Damit aber, und vielleicht erst damit, gibt die Musik dem aufgeschlossenen Hörer sehr weite Gelegenheit zu selbständiger und sogar schöpferischer Vergegenwärtigung, fordert ihn, und das zunehmend, zu Eigenschöpferisch-Hören auf.

In den meisten, am ausgeprägtesten natürlich in den langen, musikalischen Werken sind mehrere und in manchen sind viele aufeinanderfolgende Teilformen verwendet: eine symphonische Dichtung, jeder Satz einer Symphonie und diese als Ganzes, das große Chorwerk, jeder Akt einer Oper und wiederum diese als Ganzes, sie sind komplexe Folgen von Melodien, Rhythmen und Harmonien (oder von Formelementen neuerer Art). Aufgabe für den Musikerfasser wird daraus, sich erstens diese Elemente einzeln, jedes in seiner Besonderheit, zweitens ihr Eine-Folge-Sein, ihr Eine-Gestalt-Bilden zu vergegenwärtigen und sich drittens von den Teilgestalten (und Gestaltteilen) zur Gesamtgestalt leiten zu lassen. Hilfreich ist, daß man sich hiebei um eine Methode bemüht, die man Simultanvergegenwärtigung nennen könnte: bei jedem momentanen Hören das Vorhergehende erinnernd nach-hören, und kennt man das Werk bereits, gleichzeitig das noch Kommende vor-hören, so sich nach Möglichkeit ständig des ganzen Werkes bewußt sein (man versuche etwa, in diese Weise die vierte Bruckner-Symphonie oder Cosi-fan-tutte hörend durchzuarbeiten). — Wieweit ist unter solcher Thematik dem nicht fachlich geschulten Musikfreund das selbständige Erkennen von Neuem möglich? Gar so, daß er in gesellschaftlichem Sinne der erste Hörer wäre? Er wird wohl kaum je zu Musikwesen vorstoßen, das den Fachmusikern unbekannt ist, abgesehen vielleicht von Vergleichen zwischen Altem und Sehr-Neuem oder zwischen Fremdländischem und Europäisch-Amerikanischem (Schallplatte und Tonband erlauben Gegenüberstellung, die bisher von den Fachleuten unterlassen wurde). Eher wahrscheinlich ist, daß er innerhalb der großen Gesamtheit der Hörenden der ist, der eines Neuen als erster inne wird; diese Chance hat er wohl vor allem dann, wenn er intensiv und mit breitem Interesse an neuer Musik teilhat.

Wenn in dieser Darlegung die Musik und das auf sie bezügliche selbständige und sogar schöpferische Erfassen einigermaßen ausführlich behandelt werden, so erstens wegen der Schwierigkeit, vom weder in Worten noch in anschaulichen Bildern Dargestellten zu begrifflich erfaßbaren oder zumindest umschreibbaren Inhalten vorzustoßen, zweitens wegen der in der Musik gegebenen Beziehungen zwischen Künstlerisch-Gestaltetem und außerkünstlerischem Sozialem und Kulturellem, Beziehungen, wie sie zwar auch in den andern Künsten bestehen, in der Musik aber unmittelbarer aufs Gefühlhafte gehen und damit klare Einsicht in ein in den andern Künsten eher verborgenes Sonderwesen ermöglichen, drittens wegen der im Vergleich zu den andern Künsten größeren

Bedeutung oder zumindest größeren Klarheit der Formgehalte. Vom zweiten und dritten aus lassen sich Parallelen für die Betrachtung der andern Künste gewinnen. Gleich oder ähnlich wie in der Musik gibt es in Dichtung und bildender Kunst die Beziehungen von Werken besonderen oder auch allgemeineren Typs zum Religiösen, Patriotischen, zum Unterhaltungsuchen (Werke allgemeineren Typs: auch an sich durchaus nicht-patriotische dichterische Werke, etwa Shakespeares, Molières, Schillers, Ibsens, Tolstois können dank ihrer Stellung im nationalen Kulturgut der Heimatländer ihrer Schöpfer jetzt eine nationale Komponente haben, ebenso Bauten wie Dome und Paläste, Bilder wie etwa diejenigen von Michelangelo, Raffael, Rubens, der Holländer des 17. Jahrhunderts, der Franzosen des 19. Jahrhunderts): nachdem man diese Beziehungen im Musikalischen festgestellt hat, gelangt man vielleicht für die andern Künste zu weiterem, tieferem, feinerem, klarerem Verstehen. Und ähnlich wie die Musik haben auch, zwar zumeist weniger deutlich ausgeprägt, die Werke der Dichtung und der bildenden Künste ihr Formwesen, das zu analysieren gerade durch die Beschäftigung mit Musik angeregt werden kann.

7.11 Begegnung mit Wissenschaft (I)

In Hinsicht auf die betrachtende, teilhabende Befassung mit Wissenschaft, und zwar mit Wissenschaft im allgemeinen oder einzelnen Wissenschaften oder konkreten wissenschaftlichen Darlegungen, läßt sich nach den Möglichkeiten des selbständigen, zumal des schöpferischen Vergegenwärtigens erstens und hauptsächlich unter inhaltlichen, zweitens und in der Wichtigkeit nachgeordnet unter die sozialen und kulturellen Bezüge betreffenden, drittens und meistens nur eingeschränkt unter formalen Gesichtspunkten fragen. Die wissenschaftliche Aussage beschreibt einen wissenschaftlichen Inhalt: eine einzelne Tatsache (so: die chemische Natur eines Enzyms, das interstellare Magnetfeld, den Geburtenüberschuß in China, die Abhängigkeit der Preise von der Geldmenge), eine Tatsachengesamtheit und damit ihren Aufbau, ihre inneren Beziehungen (so: die Feinstruktur und die Lebensvorgänge in der Pflanzenzelle, Aufbau und Dynamik des Sonnensystems, die

Geschichte der Juden, die Wirtschafts- und Sozialprobleme Indiens), reale und begriffliche Beziehungen zwischen Gegenständen (Einzelgegenständen und Gegenstandsfeldern, bis zu Größtgebieten), insbesondere Gleichheiten und Ähnlichkeiten, Sach- und Wirkungszusammenhänge, Notwendigkeiten und Wahrscheinlichkeiten, auch Verschiedenheiten, Gegensätze (so: die lebende Zelle als System, hieraus Wesensverwandtschaft mit dem mehrzelligen Organismus, mit dem kybernetischen Apparat, die Linnésche Systematik der Pflanzen, die Keplerschen Gesetze, Wahrscheinlichkeiten aus der Bevölkerungsstatistik, Verschiedenheiten und Gegensätze zwischen lebender und toter Materie, zwischen Vitaltrieben und intellektuellem Wollen), auch Ungewißheiten, die sich erst durch weitere Forschung lösen lassen (so: Entstehung des Lebens, allgemein und unter irdischen Bedingungen, Geschichte und Wesen der Mayakultur, Beziehungen zwischen Religion und Wirtschaft bei der Entstehung des Kapitalismus, Wesen und Ausmaß der Freiheit des Denkens und Wollens), und hieraus Fragen, die ebenfalls in wissenschaftlichen Sätzen zu formulieren sind. Zum großen Teil betreffen diese Aussagen Reales, und zwar als solches, in seiner Konkretheit (so in den Feststellungen über konkret gegebene Tatsachen und Möglichkeiten) oder als Gegenstand von Abstraktem, das an sich begrifflich ist (so in Aussagen über Einteilungsprinzipien, Wesensgleichheiten, -ähnlichkeiten und -verschiedenheiten); zum andern Teil betreffen sie Ideelles: auch bei diesem gibt es Einzeltatsachen, auf die sich das wissenschaftliche Denken richten kann (so: das Wesen der Zahl, die Zahl Pi, das Wesen des Begriffes, des Urteils, der Hypothese, der Theorie, des Gesetzes, weiter das Wesen des Substantivs, des Verbs), Gruppen von Gegenständen (so: die Gesamtheit der Arten von Zahlen, Wörtern, Begriffen, Urteilsschemata, Typen von Hypothesen und Gesetzen, Wortarten), Beziehungen zwischen den Gegenständen (ähnlich wie die das Reale betreffenden).

Wieweit kann der Aufnehmende die Inhalte solcher wissenschaftlicher Aussagen selbständig und sogar schöpferisch bearbeiten, und sei es auch nur innerhalb seines eigenen, persönlichen Denkens? Denkt er selbst wissenschaftlich und hat er ausreichende Kenntnisvoraussetzungen, so kann er es, und vielleicht unter erheblichem Anspruch, in dem Sinne, daß er von der Aussage zu

Neuem fortschreitet, das sich aus ihr ergibt oder mit ihr oder ihrem Gegenstand in Sachbeziehung steht (so mag auch ein Nichtbiologe aus der neuen Aussage, daß die mangelhafte Ernährung von Kleinkindern eine mangelhafte Ausbildung des Gehirns und damit der Intelligenz bedingt, selbständig folgern, daß es problematisch ist, die gemessene Intelligenzverschiedenheit von Angehörigen verschiedener Klassen ausschließlich auf genetische Ursachen oder auf Unterschiede im Sprachniveau zurückzuführen). Indessen ist wohl anzunehmen, daß in der Riesenfülle des Wissenschaftswissens, zumal der Neuaussagen, verhältnismäßig weniges ist, von dem aus Nichtfachleute selbständig zu sachverwandter Neueinsicht weitergehen können. Das hindert aber nicht eine zweite Art des selbständigen Denkend-Bearbeitens: Einordnung der neuen Erkenntnis oder Vermutung in den gegebenen Kenntnisbestand, Feststellung ihres sachlichen und begrifflichen Wesens (um beim letzten Beispiel zu bleiben: Einordnung einer neu-erfahrenen Beziehung Ernährung–Gehirnausbildung in die an sich bekannten Gesamtheiten der Wachstumsvorgänge, der Gehirnausbildung, der Ernährung und ihrer Auswirkungen, der das Individuum beeinflussenden Sozialverhältnisse; Feststellung des engeren Typus »Einfluß der Ernährung auf die Intelligenzausbildung« und des weiteren Typus »Abhängigkeit des Psychischen von Physischem«); freilich wird man hier kaum je zu Wesentlich-Neuem vorstoßen (was bei der ersten Art möglich ist) und insbesondere objektiv-schöpferisch werden, aber Selbstdenken ist erreichbar und damit die intensive Teilhabe an der betreffenden Wissenschaft und am sozialen Wissenschaftsprozeß, — beides ist an sich wertvoll, kann als selbstzweckhafte geistige Erfüllung verstanden werden. Eine Warnung, zu übertragen in nötige Selbstwarnung des aktivdenkenden Wissenschaftsfreundes, ist hier angezeigt: man muß sich, auch und gerade als Laie, in solchem Einordnen und Wesenfeststellen ans Sachliche halten, soll mithin nicht ins Unsachliche abschweifen, sich nicht mit, dann allerdings in negativem Sinne dilettantischem, Zuwenig-Kennen begnügen. Reichere, jedoch stark von wissenschaftlicher Vorkenntnis abhängige Gelegenheit, an wissenschaftliche Aussagen, insbesondere Neuaussagen anschließend selbständig zu denken, hat der Wissenschaftsfreund, der die neuen Inhalte auf seine Nah- und Umwelt anwendet, auf Dinge, die er unmittelbar erfährt oder auf die sich sein Handeln richtet: am ehesten ist dies von psychologischen, kultur- und sozialwissenschaftlichen Kenntnissen aus möglich (etwa: Anwendung eines kunstwissenschaftlichen Stiltypus auf ein Bild, das man im Museum betrachtend analysiert: man wird dabei jenen Typus zwar im allgemeinen Wesen, aber in besonderer Ausprägung vorfinden, auch mag das Bild in einigem von ihm abweichen, — das löst selbständiges Denken aus, in welchem man dank dem Abstrakt-Allgemeinen das Konkret-Besondere, und dank dem zweiten das erste und die Theorie, in welcher es dargelegt ist, besser versteht; Anwendung von technologischer Theorie auf die Berufserfahrungen, dadurch ebenfalls zweiseitige Anregung und Intensivierung des Denkend-Erfassens). — Solcherweise selbständiges Denken ist aber nicht auf die Nahdinge beschränkt, denn es wird jetzt so umfassend und vielfältig über die kulturellen und sozialen Entwicklungen berichtet, daß der aufmerksame Beobachter auch Fernes und Weiträumiges zum Gegenstand seines Theorie-Konkretisierens und seines Aus-Konkretem-Abstrahierens machen kann (etwa im Zusammenhang mit sozialwissenschaftlichen Thesen über die Tendenzen der jetzigen und zukünftigen Kulturentwicklung einerseits und aktuellen Berichten über Vorgänge in Süd- und Ostasien anderseits). Formuliert er dabei eine allgemeine Aussage (etwa, daß in China und Indien die Entwicklung der Landwirtschaft und der auf sie gestützten Dorfgewerbe und Kleinindustrien in einer ersten Entwicklungsphase den Vorrang haben soll), so wird sein Denken stellungnehmend, damit aktiver und vielleicht subjektiv-schöpferisch; aber unwahrscheinlich ist, daß er objektiv-schöpferisch werden kann, durch Gewinnung von Einsicht, die in der Gesellschaft neu wäre: was der Laie, und sei er der begabteste, erkennen kann, wird im jetzigen Wissenschaftsbetrieb von einem Fachmann früher festgestellt (und ließe sich damit in einer fachwissenschaftlichen Publikation als bereitsveröffentlicht nachweisen). Als allgemeinzutreffend ist festzustellen und als Beschränkung der möglichen geistigen Erfüllung ist hinzunehmen, daß die modernen Wissensfreunde dank den Wissenschaften weitgreifendes, tiefdringendes, intensives, hochanspruchsvolles Wissend-Teilhaben aufbauen, dabei manche von ihnen beim einen oder andern Thema subjektiv-schöpferisch, aber nur sehr wenige auch objektiv-schöpferisch werden können: darin liegt eine — schicksalshafte — Beschränkung des modernen Wissenschaftlich-Teilhabens.

Es gibt für den Wissenschaftlich-Interessierten in der sich auf Wissenschaftliches beziehenden Betrachtung aber nicht nur diejenige, die wissenschaftliches Kenntnisgut als solches zum Gegenstand hat. Ihr Thema kann auch der kulturelle Sinn des Wissenschaftlichen sein, und zwar der Wissenschaft überhaupt, der durch je besondere Ziele und Aufgaben bestimmten Fachwissenschaften, Teilwissenschaften, Unterdisziplinen, schließlich der einzelnen Erkenntnisziele und -leistungen (so: Sinn und Ziele der Naturwissenschaften im ganzen; der Physik, der Chemie, der Astronomie; der Festkörperphysik, der Biochemie, der Radioastronomie; der praktischen Untersuchung eines neuen Halbleiters, von Stoffwechselprozessen, eines neuartigen Galaxientypus); solches Überlegen stellt jeden seiner Gegenstände in Beziehung zu Menschlichem: die Wissenschaft und die einzelnen Wissenschaften, ihre Zielsetzungen und Bemühungen, ihre Forschungsergebnisse, die von ihnen entwickelten Denk- und Verfahrenstypen, weiter die einzelnen Wissenschaftler in je ihrer Leistungsbesonderheit, ihre Arbeiten und Erfolge, auch die vorläufigen Mißerfolge, schließlich die wissenschaftlichen Organisationen und Institutionen, die Lehr- und Forschungsanstalten, Vereinigungen und Kongresse, die wissenschaftlichen Publikationen und Bibliotheken usw. Natürlich sind hiefür ausgedehntes Wissen zumindest in einer Spezialwissenschaft und intensives Interesse für ihre Weiterentwicklung verlangt, aber die Vergegenwärtigung geht über sie hinaus, nämlich auf ihre gesellschaftliche Stellung und Bedeutung, die man eben von Gesellschaft und Kultur her zu erfassen hat, freilich nach Möglichkeit unterstützt durch Sozial- und Kulturwissenschaft. Das hier maßgebende Fragen gibt dem Betrachter in der Regel erhebliche Selbständigkeit, oft viel größere, als wenn er sich mit den Fachthemen der betreffenden Wissenschaft befaßt, — und für einige mag das Möglichkeiten der schöpferischen, und zwar auch der objektiv-schöpferischen, Einsicht eröffnen.

Über das Fachinhaltliche hinaus kann auch die Betrachtung der in den Wissenschaften angewandten Denkweisen führen. Das wissenschaftliche Denken steht unter Typen und Normen, die teils nur in der betreffenden Fachdisziplin (so: in der Archäologie, Religionssoziologie, Ökonometrie, Entomologie, Meteorologie, Topologie, Semantik), teils auf größeren Wissenschaftsfeldern (so: in der Geschichtswissenschaft, Soziologie, Nationalökonomie, Zoologie oder Biologie gesamthaft, Mathematik, Linguistik), teils in allen Wissenschaften eines Hauptgebietes (in allen Natur-, allen Sozial-, allen Geistes-, allen Formalwissenschaften), teils in der Wissenschaft überhaupt gelten. Die erste, auf Fachdisziplinen beschränkte Kategorie ist nur dem Spezialisten voll zugänglich und nur von ihm anzuwenden; immerhin kann der Betrachter Soseinsarten feststellen, welche die Fachwissenschaft und die in ihr arbeitenden Wissenschaftler als je besondere Ausprägungen von Wissenschaft und Wissenschaftlersein erscheinen lassen. Das erlaubt ihm vielleicht, sozusagen in Außenseitersicht das vergegenwärtigte Fachliche zu definieren, zu analysieren, zu differenzieren, zu relativieren (letzteres gegenüber andern Disziplinen) und es darnach sowohl mit Allgemeinerem wie auch mit anderm Fachbesonderem in materiale und formale Beziehung zu setzen (so: von der Informatik aus das moderne Wissenschaftswesen überhaupt bedenken und anderseits ihre Wichtigkeit für die Physik von Nervensystem und Gehirn verstehen). — Die zweite, auf die größeren Fachgebiete bezügliche Kategorie läßt sich in ihren fachlichen Gehalten ebenfalls nur fachwissenschaftlich erfassen, geht aber meistens, und unter der ständig weitergetriebenen Wissensspezialisierung zunehmend, über das Arbeitsfeld des einzelnen Wissenschaftlers hinaus, so daß von vornherein eine übergreifende Tendenz besteht. Auch hat hier der Betrachter, der selbst wissenschaftlich geschult ist, obwohl auf anderm Gebiet als dem betrachteten, eher die Möglichkeit des sachkundigen Vergleichens, und mancher mag danach die Denkweisen seines eigenen Gebietes klarer verstehen (so mag der Physiker das Grund- und Hauptwesen des biologischen oder psychologischen Denkens gerade darum tiefdringend erfassen, weil er als Fachmann anders denkt, anschließend aber die Besonderheiten und auch die Grenzen der Methoden der Physik deutlicher herauszuarbeiten befähigt sein, weil er sich mit jenen andern Disziplinen beschäftigt hat); dadurch werden die Themen des möglichen selbständigen und vielleicht sogar schöpferischen Inbeziehungbringens und Urteilens erheblich vermehrt. — Die dritte, die Hauptgebiete betreffende Kategorie veranlaßt den Betrachter, sich Denkprinzipien zu vergegenwärtigen, deren Geltungsbereich von vornherein weiter ist als das Sachfeld auch der größten Wissenschaft: dieses Weitreichen muß den Kulturbeobachter einerseits zu intensiver Aufmerksamkeit veranlassen, bringt aber anderseits die Denkproblematik auf eine so hohe Abstraktheitsstufe, daß ihm die selbständige Erhellung wahrscheinlich sehr schwierig wird (über das naturwissenschaftliche, sozialwissenschaftliche, geisteswissenschaftliche, kulturwissenschaftliche Denken als solches, über die allen auf Ideelles gerichteten Wissenschaften gemeinsamen Denktypen nachzudenken hat konkreten Sinn wohl nur unter wissenschaftstheoretischen, wissenschaftsphilosophischen Aspekten, — diese aber sind sehr schwierig und erfordern eine hoch-anspruchsvolle Denkspezialisierung). Ähnliches gilt für an die Wissenschaftsbetrachtung anschließende Überlegungen, die das wissenschaftliche Denken in seiner Gesamtheit und Allgemeinheit zum Gegenstand haben. Selbständige, zumal schöpferische Erhellung von Prinzipien und Methoden des wissenschaftlichen Denkens hat in der Regel wohl größte Erfolgsaussicht bei Groß- und Hauptwissenschaftlichem, weil der Gebildete dessen Prinzipien und Methoden wenigstens im allgemeinen kennt oder lernend erfahren kann, geringere beim Sonderwissenschaftlichen, weil es hier oft um die Anwendung von spezialisierten Denkweisen geht, und wohl noch geringere beim Gesamtwissenschaftlichen, weil hier eine umfassende wissenschaftsphilosophische Sicht verlangt ist.

Bei solchem Fragen und Fragebeantworten hat sich der Betrachter in die moderne Wissenschaftlichkeit nicht nur einzudenken, sondern auch einzufühlen. Vor allem muß er sich die Selbstauffassung, die Gefühlswelt sowohl des kritisch-rational denkenden als auch des zu neuer Einsicht vordringenden und darin schöpferisch handelnden Wissenschaftlers vergegenwärtigen, weiter diejenige des die wissenschaftlichen Lehren übernehmenden Betrachters des realen oder ideellen Erkannten und Gewußten: wer denkerisch aktiv oder wenigstens nachvollziehend-teilhabend in moderner Wissenschaft steht und darauf starke Bewußtheit aufgebaut hat, muß sich selbst anders verstehen und der Welt und dem Seienden überhaupt in anderer Gefühlseinstellung gegenübersein als der Nichtwissenschaftlich-Denkende, sei dieser religiös oder philosophisch gläubig, sozialideologisch oder politisch bestimmt oder einfach durch Alltagssorgen und -freuden gelenkt. Insofern die Wissenschaft von den Wissenschaftlern und auch den Wissenschaftlich-Interessierten mehr oder weniger anstrengende Hingabe verlangt, enthält sie Ausschließlichkeitsmomente und ist in diesem Sinne elitär: eben diese exklusive und elitäre Geistigkeit zu verstehen kann vom Betrachter für wichtig gehalten und in von ihm selbst sowohl gewollter als auch praktisch angelegter, aber natürlich durch das reale Psychische der Wissenschaftler und Wissenschaftsfreunde eingeschränkter Vergegenwärtigung erstrebt werden. Er braucht sich dabei nicht auf die Wissenschaften zu beschränken, ja soll es nicht einmal: die neuen Geistigkeitstypen, die mit moderner Wissenschaft verbunden sind, sie bedingen und von ihr bedingt werden, prägen sich auch in Technik, Staat und Gesellschaft, in Literatur, bildender Kunst und Musik, in Religion und Philosophie aus und das gibt dem Verstehensuchenden mannigfach Gelegenheit, selbständig nach Zusammenhängen zu fragen (etwa: Wieweit entsprechen sich in unserer Kultur: die robuste Diesseitigkeit der Technik und Politik und die Bevorzugung praktisch anwendbarer Erkenntnis und auch die Tendenz, Grundlagenforschung in Hinsicht auf spätere Anwendung zu betreiben und politisch zu rechtfertigen; der Relativismus der Wissenschaft und derjenige der modernen Literatur; die Abstraktheit der Wissenschaft und diejenige der modernen Malerei und Skulptur; die Konstruiertheit der wissenschaftlichen Aussagen und diejenige der modernen Musik? Wieweit läßt sich das Wesen der modernen Wissenschaftler und damit der modernen Wissenschaften von moderner Technik und Sozialorganisation, von moderner Dichtung, Malerei und Skulptur, Musik aus erhellen?).

Man mag von hier aus nach dem Allgemeineren und Umfassenderen einerseits in der Kultur- und Sozialbedingtheit der Wissenschaft und damit des Wissenschaftlerwesens, anderseits der Wissenschaftsbedingtheit von Kultur, Staat und Gesellschaft fragen. Die

Wissenschaft steht in der Kultur, ist Teil von ihr, sie ist von der Gesellschaft getragen und damit von gesellschaftlichen Bedingungen abhängig: die einzelnen, konkreten, besonderen Tatsachen, in denen sich diese allgemeinen Beziehungen ausprägen, zu erfassen kann vom Wissenschaftsbetrachter aus persönlichem Zielsetzen für wichtig gehalten werden; das Vergegenwärtigen ist natürlich auf objektive Richtigkeit verpflichtet, sein praktischer Vollzug bietet aber viele Möglichkeiten der selbständigen und sogar schöpferischen Wahl und Anwendung von Einzelzielen und -wegen. Kultur im ganzen und in ihren Einzelbereichen, und hier vor allem in Wirtschaft und Technik, wiederum gesamthaft und in Teilfeldern (so vor allem: Industrie, Verkehr und Transport, Landwirtschaft, je in ihrem Wirtschaftlichen und Technischen), sind von den Entwicklungen in der Wissenschaft bestimmt, und zwar von allgemeinwissenschaftlichen, verwirklicht in der Wissenschaftlichkeit als solcher, in der schärferen Durchbildung der Rationalität, im Vordringen der Mathematik, wie von spezialwissenschaftlichen, etwa denjenigen von Physik, Chemie, Biologie, Soziologie, Nationalökonomie; und das gleiche gilt in Hinsicht auf Staat und Gesellschaft im engeren Sinn: in der Wissenschaftskultur sind beide besonderen Wesens. Wiederum bieten sich dem kenntnisreichen Betrachter viele Themen an, unter denen er selbständig und sogar schöpferisch sachliche Zusammenhänge suchen und feststellen kann. Die auf die Beziehungen zwischen Wissenschaft und Gesellschaft gerichteten Überlegungen werden für manchen Mitdenker dann lebendigst, wenn ihr Gegenstand mehr das Dynamische als das Statische ist: herauszuarbeiten ist dann, welche Wandlungen der Wissenschaft durch diejenigen in Kultur und Gesellschaft bedingt sind, und umgekehrt; wer auf diesem Großgebiet zu Denkkreativität vorzustoßen bemüht ist, hat wahrscheinlich inneren Gewinn davon, sich intensiv mit den Veränderungen und den sie bewirkenden Kräften sowohl der Wissenschaften wie auch der wichtigen Felder von Kultur und Gesellschaft zu befassen, — am erfolgreichsten wird dieses Bemühen dann, wenn sich zwischen Wissenschaft einerseits und Kultur, Staat und Gesellschaft anderseits Wechselwirkungen feststellen lassen.

Zumeist richtet der Wissenschaftsfreund seine Betrachtung nur auf das Inhaltliche der wissenschaftlichen Darlegung: er will erfahren, was ist, wie dieses ist und warum und allenfalls wozu es ist, — die Art und Weise, wie das Inhaltliche dargelegt ist, ist dagegen zweitrangig. Aber wenn auch das Inhaltliche so im Vordergrund steht, ist doch die Formseite des wissenschaftlichen Darlegens zu beachten, erfolge dieses durch Veröffentlichung, im mündlichen Vortrag oder durch Mediendarstellung wie Film oder Fernsehproduktion: es gibt meisterliche Darlegungsleistungen, sogar Künstlerschaft im Wissenschaftlich-Darlegen. Freilich haben diese Leistungen kaum je die überzeitliche Geltung eines großen dichterischen Werkes, denn ihre Bedeutung hängt vom Inhaltlichen ab, und wenn dieses überholt ist, was bei allem Wissenschaftlichen früher oder später geschieht, so geht unvermeidlich das Interesse am Werk zurück, es handle sich denn um ein wissenschaftsgeschichtlich wichtiges Werk. Das darf nicht davon abhalten, daß man sich mit dem Formhaften der wissenschaftlichen Darlegungen, in allen ihren jetzt möglichen Arten, als solchem befaßt: erstens rein sachlich, das heißt die Art, die Elemente, den formalen Aufbau feststellend und analysierend, zweitens wertend und insbesondere das hervorhebend, was nach seiner Formqualität hohen Rang hat, drittens kritisch, das heißt auf unzulängliche Formqualität aufmerksam werdend und vielleicht andere aufmerksam machend.

Form des wissenschaftlichen Darlegens betrifft zunächst das Darlegungswerk als Ganzes: Buch, Aufsatz, Vortrag, Film, Hörfunk- und Fernsehproduktion; von ihnen haben die gedruckten Darlegungen die längste Dauer (Aufsätze und Vorträge erhalten sie oft durch Aufnahme in einem Sammelband), und sind sie formvollendet, so prägt sich in ihnen schriftstellerische Kunst aus, die vom Leser als solche zu erfassen und vielleicht nach ihren Momenten zu analysieren ist: der Leser wird dann zum Wissenschaftlich-Interessierten, dessen Interesse sich in der betreffenden Betrachtung auf die nichtwissenschaftliche, nämlich schriftstellerisch-formale Einkleidung des Wissenschaftlichen richtet; der Hörer oder Zuschauer erkennt den Formwert des Vortrages, Films, Radio- oder Fernsehbeitrages. Eine besondere Stellung kann in dieser Sicht den populärwissenschaftlichen Darlegungen gegeben werden: Aufgabe der Berichter und Gestalter ist hier, Nichtfachleuten Fachliches verständlich zu machen, das für sie mehr oder weniger schwierig ist, weshalb viel von der Darstellungskunst abhängt. In einer tieferen

Wesensschicht kann die Form aber auch auf die Fassung, Formulierung der wissenschaftlichen Aussagen gehen, sei sie allgemein und abstrakt wie ein physikalisches Gesetz oder eine soziologische Klassifikation (die sich in begrifflicher Eleganz formulieren lassen), sei sie speziell und konkret wie eine zoologische oder historische Einzelfeststellung (bei welcher jedenfalls in der sprachlichen Herausarbeitung des wesentlichen Inhaltes eine formale Aufgabe gestellt ist). In beiden Fällen kann der mit Sinn für die Form des wissenschaftlichen Feststellens und Beschreibens begabte Betrachter dem Wissenschaftlichen ziemlich weitreichend unabhängig gegenübertreten; die Wissenschaftsästhetik ist ein Sonderfeld, auf welchem der Wissenschaftler unter Beurteilung und sogar Kritik tritt, die auch von, allerdings kenntnisreichen, Nichtfachleuten ausgeübt werden kann.

7.13   Begegnung mit Philosophie (I)

Ein weiteres Groß- und Hauptfeld des potentiell selbständigen und sogar schöpferischen Teilhabens, Betrachtens und Sichauseinandersetzens ist die Philosophie. Sich mit ihr gründlich zu befassen verlangt zunächst, daß man sich über ihre Aufgaben klar wird, und da stellt man sogleich fest, daß sie mehrschichtig ist und sogar innere Widersprüche aufweist. Das ist durch ihre Geschichte bedingt, vor allem dadurch, daß sie ursprünglich auch die Sachfelder einschloß, die jetzt von den Wissenschaften bearbeitet werden; mit der modernen Entwicklung der Wissenschaften wurden von ihr viele ihrer Sachthemenbezirke abgetrennt und darnach zu besondern Wissenschaften ausgebaut, aber nicht alle: bei ihr blieb die Logik, und diese wurde innerhalb der modernen Philosophie eine anspruchsvolle Spezialdisziplin, vor allem durch die Logistik und die Semantik. Anderseits entstanden gerade im Zusammenhang mit den modernen Wissenschaften neue wissenschaftliche Zweige der Philosophie, hauptsächlich unter zwei Gesichtspunkten: erstens Untersuchung des Prinzipiellen der Frage-, Denk- und Aussageweisen der Hauptwissenschaften, zweitens Herausarbeitung der gesellschaftlichen Funktionen, Bedingtheiten und Auswirkungen des Sachlichen der von den Wissenschaften erforschten und bearbeiteten Inhaltsgebiete (so: Rechts-, Staats-, Wirtschaftsphilosophie, Philosophie der Technik), — auf höchster Stufe führt das erste zu einer allgemeinen, gesamthaften Wissenschaftsphilosophie oder -theorie (ihre Wissenschaftlichkeit zeigt sich darin, daß sie mitunter »Wissenschaftswissenschaft«, das heißt Wissenschaft von der Wissenschaft genannt wird), das zweite zu einer allgemeinen und umfassenden Kulturphilosophie (die eher von den modernen Philosophien über die einzelnen Kulturgebiete ausgehen müßte als von der geschichtlichen Kultur- und Geschichtsphilosophie). — Fraglich ist, wieweit unter der modernen Wissenschaftlichkeit die an die Naturwissenschaften anschließende Naturphilosophie noch eine selbständige und kulturell wichtige Erkenntnisaufgabe habe: im Unterschied zu den Kulturwissenschaften fehlt hier der Bezug zum Menschlichen, damit zum Wollen, zu Zielen und Werten, abgesehen davon, daß das erforschte Naturwirkliche unter menschlichen Zweck gestellt werden soll, womit es aber in die Kultur (vor allem Technik, Medizin, Wirtschaft) einbezogen wird; Naturphilosophie, die vom Wesen der Naturrealität (etwa der Materie, des Lebens, des Weltalls, des Raumes und der Zeit, der Naturkausalität, des Verhältnisses zwischen Physikalisch-Materiehaftem und Psychischem) über die Wissenschaften hinausgehend und deren gegenwärtige Erkenntnisgrenzen bewußt überschreitend neue Einsicht zu gewinnen sucht, gerät unvermeidlich ins Spekulieren, in dem Behauptungen aufgestellt werden, die prinzipiell der wissenschaftlichen Kritik unterstellt sind und damit erst dann als richtig anerkannt werden dürfen, wenn sie wissenschaftlich bestätigt sind (wogegen das kulturphilosophische Denken jedenfalls dann, wenn es sich postulierend und kritisierend um Sinn, Ziel und Wert, um das von den Einzelnen und Gesamtheiten zu erstrebende Seinsollende bemüht, außerhalb der Wissenschaft arbeitet).

Wie kann das an der Philosophie teilhabende Denken selbständig und schöpferisch werden? Zunächst gleich wie bei den Wissenschaften, dies dort, wo die Philosophie selbst wissenschaftlich ist, wie in Logik und Semantik, Wissenschaftstheorie, weiter im Rein-Sachlichen der Kulturphilosophie als Ganzen und der sich auf die einzelnen Kulturgebiete beziehenden Philosophien; zu diesem Sachlichen gehören auch Sinn, Ziel, Wert, Seinsollendes, sofern sie in ihrer sozialobjektiven Gegebenheit und Geltung erfaßt, also nicht in der Philosophie selbst postuliert oder kritisierend angewandt werden. Und im Zusammenhang mit der Kulturphilosophie bietet sich dem Interessierten eine Thematik an, unter welcher er als Nichtspezialist eher als in anderer Wissenschaft zu neuer Einsicht gelangen kann: indem er in der Gesellschaft steht und an vielem Kulturellen unmittelbar beteiligt ist, kennt er manche der gesellschaftlichen Funktionen, Bedingtheiten und Auswirkungen der wissenschaftlichen Erkenntnisse aus eigener Erfahrung und kann sich daraus als Kennender mit der Philosophie auseinandersetzen, vielleicht sogar Themen feststellen, die zu bearbeiten sie bisher unterlassen oder bei deren Bearbeitung sie nicht alle wichtigen Gesichtspunkte angewandt hat, — er tritt so in Diskussion mit den Philosophen ein, stellt sich dem philosophisch behandelten oder zu behandelnden Sachlichen in selbständigem Fragen und Fragebeantworten gegenüber, er wird so zwar nicht selber Philosoph (sofern man diese Bezeichnung denjenigen vorbehält, die die Philosophie als Fachleute betreiben), wohl aber ein Philosophierender.

An solche Selbständigkeit des auf Philosophie gerichteten und vielleicht selber philosophierenden Denkens schließt sich diejenige an, in welcher der Denkende einigermaßen direkt, das heißt nicht einfach eine ihm vorgegebene Lehre nachvollziehend, um die Erhellung von Sinn, Ziel und Wert, geltend für ihn selbst, eine Menschengesamtheit, den Menschen überhaupt, den eigenen Staat, die Staatengesamtheit, ein Hauptkulturfeld (wie Wissenschaft, Technik, Wirtschaft, Kunst) oder die Kultur überhaupt, bemüht: in solchem ist die Abgrenzung zwischen fachmännischem und nichtfachmännischem Denken weniger scharf als in den Wissenschaften (auch den philosophischen wie etwa Logistik und Philosophiegeschichte), ja es kann der philosophierende Nichtphilosoph unter Umständen zu praktisch richtigerer Einsicht kommen als ein stark auf alte Zielphilosophie oder die abstrakte Moraltheorie festgelegter Spezialist. Natürlich ist aus letzterem nicht zu folgern, die Beschäftigung mit der theoretischen Ethik und mit den positiven Lebens- und Staatsphilosophien sei unwichtig, vielmehr findet der Philosophierende in ihnen den Kenntnisrahmen für das eigene anspruchsvolle Denken und mannigfache Hinweise auf die sich auch ihm stellenden Probleme; aber produktiv wird er doch hauptsächlich durch die eigene Auseinandersetzung mit der menschlichen Wirklichkeit, welcher er in sich selbst, in der Umwelt und im aktuellen Großgeschehen begegnet.

Der Philosophisch-Interessierte beschäftigt sich weiter mit den philosophischen Lehren vom Seienden als solchen, in seiner Realität oder Idealität, und in seinen naturhaften und kulturhaften Ausprägungen, also mit den Gegenstandsfeldern von Ontologie und Metaphysik und mit diesen philosophischen Disziplinen in ihrem Fragen und Aussagen, weiter mit den philosophischen Lehren über das Denken, wie es in der Erkenntnistheorie (im Unterschied zur Logik) behandelt wird, und hier vorzugsweise mit den historischen Erkenntnisphilosophien (denn die moderne Untersuchung der Erkenntnismöglichkeiten ist jetzt vorzugsweise innerhalb der Sachwissenschaften — Physik, Chemie, Biologie, Geschichtswissenschaft, Soziologie, aber auch Mathematik — zu leisten). Das Betrachtungsinteresse ist dabei, analysiert man es genau, dreischichtig: es geht erstens auf den Gegenstand in seiner sachlichen Gegebenheit (so: das Sein, das Seiende, Wirklichkeit und das Wirkliche, Möglichkeit und das Mögliche, Idealität und das Ideelle, das Wesen des Unbelebten und das Unbelebte als Kategorie des Wirklichen, das Wesen des Lebens und das Lebende); zweitens auf die Thematik und Problematik, in welcher die Gegenstände gesehen werden (so: Was ist das Sein? Wie unterscheiden sich Sein und Nichtsein? Wie verhält sich das Wirkliche zum Seienden überhaupt, zum Möglichen, zum Ideellen? Was ist das allgemeine Wesen der Naturgesetze? Wie erkennen wir das Wirkliche? Was ist die Wirklichkeit dessen, das wir als ein Wirkliches erkannt zu haben gewiß sind?); drittens auf die philosophischen Lehren, in denen konkrete Lösungen für jene Themen und Probleme gegeben werden (von den Vorsokratikern und den alten Indern bis zu Ontologie, Erkenntnistheorie und vielleicht auch Metaphysik der Gegenwart). In jedem der drei Denkbereiche kann der Philosophisch-Interessierte sich darauf konzentrieren, die Fragestellungen, Denkweisen und konkreten Antworten der betrachteten Philosophien, wenn möglich in den Originalwerken, und das Neben- und Nacheinander der Philosophien, beschrieben in der Philosophiegeschichte, möglichst vollständig und genau zu erfahren: er steht dann unter dem Objektiven, und zwar demjenigen der Sachfelder, mit denen sich die Philosophie befaßt, und demjenigen der Philosophie als eines Kulturgebietes. Diesem Objektiven muß er sich unterordnen, doch ist er selbständig darin, daß er sich überlegen kann: erstens Wesen und Bedeutung der Gegenstände der Philosophie, dies auch im Zusammenhang mit den Gegenständen der Wissenschaften und den Erfahrungstatsachen; zweitens die Besonderheiten der einzelnen Philosophie in ihrem Fragen und Untersuchen; drittens die zwischen den Philosophien bestehenden Gleichheiten, Ähnlichkeiten, Abweichungen, Verschiedenheiten und Gegensätze, je in bezug auf die Inhaltsfelder, Fragestellungen und Interessen, Denkarten, Ergebnisse und ihre Anwendung.

Schon in dieser aufs Objektive gehenden Einstellung kann der Betrachter zu selbständigem und vielleicht sogar schöpferischem Denken gelangen: Werden die Gegenstände richtig erfaßt, richtig zumal nach den Kriterien, die aus der modernen Wissenschaft und Technik abzuleiten sind?; Sind die angewandten Kategorien richtig, ist die Argumentation einwandfrei?; Ist die Bearbeitung des Problembereiches sachlich vollständig?. Hiebei hat der Fragende größeren Spielraum, als wenn er sich direkt mit dem Wissenschaftlich-Erforschten beschäftigte: dieses ist in seiner Tatsächlichkeit nicht zu bezweifeln, jedenfalls nicht von einem Laien, — kritisch zu prüfen, und zwar auch vom Laien, kann aber sein, wie die Philosophie es behandelt und, allgemeiner, wie sie sich zum Seienden und dessen Teilgebieten einstellt.

7.14 Begegnung mit Philosophie (II)

Soweit die Philosophie, die sich mit dem Seienden befaßt, Themen hat, die auch dem Nichtphilosophen zugänglich sind, und sie unter allgemeinverständlichen Gesichtspunkten bearbeitet, lassen sich ihr Fragen, Überlegen, Antworten und Aussagen von einem größeren Interessentenkreis in einigermaßen aktivem Denken nachvollziehen und damit auch kritisch prüfen, als es mit Bezug auf Wissenschaftliches (auch Wissenschaftlich-Philosophisches wie Darlegungen über Logistik, Semantik usw.) möglich ist: das, was der Philosoph, zwar auf die Wissenschaft gestützt, aber über sie hinausgehend, fragt, kann häufig auch vom wissenschaftskundigen Nichtphilosophen, der durch solches Überlegen ein Philosophierender wird, gefragt werden (etwa: wie die Begriffe »Kausalität« und »Finalität« im Zusammenhang mit der Lebenswirklichkeit zu verstehen sind). Anregend für den solcherweise Philosophierenden ist, daß seitens der Philosophen für wohl alle wichtigen Themen mehrere in Wesentlichem gegensätzliche Auffassungen vertreten werden: was der Philosoph A lehrt, wird vom Philosophen B kritisiert und relativiert und vom Philosophen C abgelehnt, und das sowohl unter Zeitgenossen als auch um Jahrhunderte und sogar Jahrtausende, bis zu den Vorsokratikern und den alten Indern zurückgreifend. Und obgleich das jetzige Philosophieren in modernen Philosophien die aktuellsten Ansatzpunkte findet, kann es auch von alter Lehre ausgehen oder sie einbeziehen; insbesondere kann man überlegen, wie die alten Fragen vom jetzigen Wissen aus zu beantworten und, auf Grund der Beantwortbarkeit, zu werten sind, — was um so interessanter wird, je mehr man in den alten Frageformulierungen die prinzipiellen und zeitlosen Probleme herausarbeitet. Letzteres sei angesichts der sich aus ihm ergebenden Aktualität alter Philosophie an einigen Beispielen erläutert. Die drei großen Milesier, Thales, Anaximander und Anaximenes: Wieweit war und ist das Fragen nach dem einheitlichen, damit einfachsten, Grundwesen der Materie, des Materiellen, alles Wirklichen richtig?; Führte und führt es nicht zur Vernachlässigung der Komplexität, welche das hauptsächliche allgemeine Sosein alles Höheren ist?; Wieweit war Anaximanders Apeiron ein Fortschritt gegenüber Thales?; Wieweit ist Anaximanders Postulierung eines allgemeinen, inhaltlich nicht näher faßbaren, also im Grunde formalen und sogar leerformelhaften Prinzips richtig, und das gerade jetzt, unter der modernen Physik, welche die Inhalte mehr und mehr in nur noch mathematisch beschreibbare Beziehungen auflöst?; Wieweit war in Hinsicht auf die konkrete Erfassung der Materiewelt und der Naturwirklichkeit überhaupt die von Anaximenes postulierte Konkretisierung des Grundwesens ein Fortschritt gegenüber der Unbestimmtheit von Anaximanders Lehre?; Wie ist zu erklären, daß schon diese drei frühen Denker, wiewohl noch ganz ohne wissenschaftliche Kenntnisse, Fragen aufwerfen konnten, deren Thematik auch jetzt noch als nicht nur begründet, sondern als wertvoll und sogar in einigem als aktuell einzustufen ist?. Heraklit: die Welt als unaufhörlicher, wenn auch gesetzbestimmter Prozeß, als voll von

Gegensatz, Konflikt und Krieg, die aber doch in verborgene Harmonie eingehen: Wieweit ist darin eine moderne Wirklichkeitsauffassung vorweggenommen oder jedenfalls ein zu aller Zeit und also auch jetzt anwendbares Denkmuster ausgedrückt?; Wieweit prägt sich heraklitisches Denken in neuerer Philosophie aus (schließe es bewußt an Heraklit an oder stehe es einfach unter dem gleichen Denktypus wie er)?; Wieweit ist das heraklitische Denken gerade unter der modernen Wissenschaftlichkeit ein bestgeeigneter Auffassungstypus?. Parmenides: Herausarbeitung des Gedankens, daß das innerste Wesen des Wirklichen, des Seienden unveränderlich, dieses also ungeworden und unvergänglich ist, woraus sich Geschehen und Wandlungen als äußerer Schein erweisen: Wieweit ist die Annahme vom Seienden und Sein, zumal wenn diese mit der Vorstellung von innerster Unveränderlichkeit verbunden sind, richtig im Sinne der vollen Wirklichkeitsgemäßheit oder wenigstens als Erklärungsschema in einigem Umfange nützlich?; Stehen Parmenides und Heraklit in unlösbarem Gegensatz, oder richten sich ihre Lehren auf zwei verschiedene Erscheinungsweisen des in seinem Innersten sowohl statischen wie dynamischen Weltwesens?; Welche Auswirkungen hatte die Lehre des Parmenides in der antiken, mittelalterlichen und neuzeitlichen Philosophie, oder vorsichtiger: welche Parallelen zu ihr finden sich in diesen, und auch: welche Parallelen finden sich in der indischen Philosophie?; Wieweit bietet Parmenides ein Grundschema für die Erfassung des Allgemeinwesens der von den modernen Naturwissenschaften im einzelnen beschriebenen Naturgesetzlichkeit? — Solches Fragen und Antwortsuchen bringt den geistig-lebendigen Betrachter zu intensivem und vielleicht produktivem selbständigem Denken.

Erst recht selbständig kann das Philosophieren, als das philosophische Denken des philosophisch-interessierten Nichtphilosophen, in den Bereichen sein, in denen Ziele, Werte und Verwirklichungsweisen als solche, in ihrem Wesen, ihren Beziehungen und Rangverhältnissen, ihrer individualmenschlichen und soziokulturellen Möglichkeit (also nicht primär in ihrer sozialen Wirklichkeit wie in der Kulturphilosophie; aber im Zusammenhang mit der genannten Möglichkeit ist auch das entsprechende Soziale zu prüfen: das verbindet Ziel- und Wertphilosophie einerseits und Kulturphilosophie anderseits) untersucht, und vielleicht auch postuliert, vertreten und in Hinsicht auf konkrete Anwendung studiert werden. Die Ziele und Werte, mit denen sich die Fachphilosophie und an sie anschließend die Philosophierenden befassen, sind für die letzteren großenteils real erfahrbar und zudem zu konkretem Sicheinstellen auffordernd: beides kann den intensiv teilhabenden Philosophierenden zu besonders ausgeprägt selbständigem Denken bringen, ja dieses ihm als Pflicht auferlegen. Das gilt schon, wenn die Philosophie Ziele, Werte und Verwirklichungsweisen einfach beschreibt: Ist die Beschreibung richtig und vollständig, worin ist sie mangelhaft, wäre sie zu korrigieren, zu ergänzen?; der Philosophierende kann das beurteilen, wenn das Beschriebene das Allgemeinmenschliche oder Allgemeingesellschaftliche, oder Besonderes, zu dem er Zugang hat, betrifft. Es gilt, und zwar auf höherer Stufe und unter schärferem Anspruch, wenn die Philosophie Ziele, Werte oder Verwirklichungsweisen postuliert, das heißt neu aufstellt, aus Religion, Ideologie, mitunter auch aus dem praktischen Sozialleben, oder aus anderer, zumal früherer oder fremder Philosophie übernimmt und zur Verwirklichung oder Anwendung empfiehlt. Das bedeutet allgemeine oder spezielle Aufforderung, zu welcher der Philosophierende als direkt-betroffen oder aus aufs allgemeinere Menschliche gehender Überlegung selbständig, in seiner geistigen Autonomie, Stellung nehmen darf und soll (woraus sich die konkrete lebens- und staatsphilosophische Forderung ergibt, daß solches Stellungnehmen der Einzelnen gesellschaftlich und, vor allem, politisch gestattet sein muß. Zu fordern ist hieraus, daß der Philosophie das ungehinderte, völlig freie Postulieren erlaubt sei, denn nur dann gibt es in der Gesellschaft die Diskussion über alle Ziele, Werte und Verfahren, die tatsächlich möglich, und auch über diejenigen, die über das Mögliche hinaus vorstellbar sind): Ist das postulierte Ziel so, daß der philosophierende Beurteiler es gutheißen und annehmen, vielleicht andern empfehlen kann?; Enthält es Inhaltliches, das den Beurteiler zu Umstellung und Neueinstellung in seinem bisherigen Zielhaben auffordert?; Ist der postulierte Wert so, daß er als verpflichtender Maßstab verstanden werden kann, ja anerkannt werden muß?; Ergibt sich aus der neuen Lehre eine Relativierung der bisherigen Auffassungen und sogar die Abwendung von ihnen?. Solches Fragen kann aber auch, mehr oder weniger deutlich philosophisch begründet, direkt auf religiöse, ideologische, lebens- und sozialpraktische Ziele und Werte gehen, sogar auf solche, die von der Reklame propagiert werden: der Fragende wird dann zum Philosophierenden, der selbständig und vielleicht schöpferisch, dies wenigstens in seinem eigenen Denkbereich, das ziel- und werthafte Richtige herausarbeitet; hiezu bieten in unserer Gegenwart Kultur und Gesellschaft, Staat und Staatenverbände, Technik und Wirtschaft, je in ihrem Zuständlichen und Geschehenshaften, ihren Gegebenheiten und ihrer Problematik, vielfach aktuellen Anlaß.

Schließlich die Erfassung des Philosophischen in seiner Form und nach Formprinzipien. Der darlegende Philosoph soll dem, was er darlegen will, eine optimale Form geben; dabei steht er unter gleichen Bedingungen wie der Wissenschaftler, wenn es sich um Wissenschaftlich-Philosophisches handelt (so: Darlegung von Logik, Philosophiegeschichte, Ethik im Sinne der Untersuchung der Ziele, Werte und Normen in ihrem allgemeinen, in scharfer Begrifflichkeit zu erhellenden Sosein und Inbeziehungstehen), und unter ähnlichen Bedingungen bei den Themen, in denen zwar sein eigenes Fürrichtighalten ein größeres Gewicht hat (wie in allem, das sich auf zu postulierende oder zu vertretende Ziel- und Wertauffassungen bezieht), der Idee nach aber doch das Objektiv-Richtige zu beschreiben oder lehrend zu fördern ist. Im ganzen ist in der Philosophie wohl eher als in der Wissenschaft eine nach ihrer Form bleibende Gestaltung möglich, und das immer dann, wenn der dargelegte Inhalt, weil er metaphysisch oder werthaft ist, über lange Zeit interessiert, also das Gestaltete für den jetzigen Betrachter nicht nur geistesgeschichtlich, sondern unter aktueller Richtigkeitssuche Geltungsanspruch hat (so vielleicht die, oder eine, marxistische Philosophie, der dialektische Materialismus, die Existenzphilosophie, — oder in ganz anderer Richtung der Neuthomismus): selbständige, ja schöpferische Vergegenwärtigung der Form wird sich dann darauf richten, daß, wie und warum die betrachtete Aussagegestalt eben jetzt als meisterlich erscheint.

Von der Philosophie zur Religion. Auch sie ist ein System von Aussagen über Welt und Mensch, dazu über das Jenseitige, Himmlische (das man zur »Welt« jedenfalls dann rechnen wird, wenn man diese als das Wirklichkeitsganze versteht), auf anderer Ebene, doch mit der Lehre vom Seienden zusammenhängend, über das Seinsollende, über die für die zeitliche und ewige Erfüllung der Einzelnen und die Wohlfahrt des Ganzen richtigerweise anzuerkennenden Ziele, Werte, Gebote und Normen. Aber Philosophie und Religion sind wesentlich verschieden dadurch, daß in dieser der Glaube, das heißt die Hinnahme der von Begnadeten offenbarten und meistens anschließend dogmatisch festgelegten, oft verhärteten, Lehre, maßgebend ist, in jener dagegen das rationale Denken, und das selbst dann, wenn über ein Unerforschliches spekuliert wird (sauberes philosophisches Denken muß hier die Grenzen des realistischen Aussagens und die Unzulässigkeit konkreten Behauptens über Dinge jenseits dieser Grenze feststellen). Da so für jede Religion eine besondere Offenbarung oder ein besonderes Offenbarungen-Ganzes, damit ein besonderer, von den andern Religionen nicht oder nur unzulänglich erkannter Bestand von letzten Wahrheiten und einzigrichtigen Geboten angenommen werden, gibt es im Gesamtreich der Religionen nicht wie in demjenigen der Philosophien die wenigstens prinzipielle Möglichkeit, durch rationales Denken zum Letztlich-Richtigen vorzustoßen, dabei allerdings einige der geltenden Meinungen ausschaltend, andere relativierend, die meisten oder sogar alle übergreifend: wer richtig philosophiert, muß bereit sein, auch andere als nur die von ihm bisher vertretene Philosophie zu prüfen und allenfalls gutzuheißen, — dagegen muß, wer nach Glaubenswesen »richtig« glaubt, der Unantastbarkeit der offenbarten Lehre gewiß sein und darf darum, was das Grunddogma anbelangt, keine Zweifel und keine philosophische Kritik zulassen (nicht einmal dann, wenn unter Abwendung von den konkreten Dogmen der Einzelreligion etwa die »gemeinsame Wahrheit aller Religionen« gesucht wird: obgleich da das Grunddogma oder wenigstens die archetypische Grundvorstellung hochgehalten würde, daß ein Gott ist und er sich um den Menschen kümmert). Daraus ergibt sich als praktische Verschiedenheit zwischen Philosophie und Religion, daß der Betrachter wohl in jener, nicht aber in dieser auch zu den Grundfragen selbständig und sogar schöpferisch Stellung nehmen kann (bei der ersten immerhin mit der Einschränkung, daß solche Freiheit des Denkens nur in der voll autonomen Philosophie gestattet ist, dagegen nicht in der religiös oder ideologisch festgelegten).

Das schließt aber die Kreativität im religiösen Denken nicht aus: nicht das schöpferische Denken und, weiter als Denken, das schöpferische Bewußtsein, welches Vorstellen und Fühlen einschließt, auf der Grundlage und im Rahmen der Hauptdogmen und -bilder und gerichtet auf die Herausarbeitung von Aspekten, die bisher zuwenig beachtet wurden. Ein Blick auf die moderne Kulturproblematik zeigt die jetzt mögliche Vielfalt der Neudeutung von Grund- und der Neufassung von Sekundärinhalten. Neudeutung von Grundinhalten (und damit der Hauptdogmen): Teilnahme Gottes am Schicksal des modernen Menschen, Beteiligung des modernen Menschen am göttlichen Schöpfungswerk, die Evolution als von Gott angeordneter Weltprozeß. Neufassung von Sekundärinhalten: religiös bedingte, als praktische Anwendung der Glaubensprinzipien verstandene Stellungnahme zu sozialen und politischen Problemen des eigenen Landes oder fremder Länder, auch der Ländergesamtheit, etwa zu den Arbeits- und Einkommensverhältnissen in der Industrie, zur sozialen Sicherheit, zu Klassen- und Rassenproblemen, zur wissenschafts- und technikbedingten Weltanschauungs- und, spezieller, Religionskrise. Erkennbar wird dabei insbesondere, daß der selbständig denkende Gläubige sowohl die moderne Welt unter religiösem Aspekt beurteilen als auch vom gegebenen Modern-Weltlichen aus das, als solches nicht bezweifelte, überlieferte Glaubensgut in dessen praktischem Sinn neuverstehen kann. Läßt sich hieraus Rat für das Zielsetzen und -verwirklichen der Einzelnen und vielleicht auch von Gesamtheiten ableiten?

Religiöse Themen werden für viele die Anregung zu persönlichem Suchen, vor allem für Überzeugt-Gläubige, aber auch für Weniger-Überzeugte und sogar für Zweifelnde, da sie zumindest hypothetisch auf den Glauben, den sie ja nicht entschieden ablehnen, eingehen und fragen können, wie Gott, angenommen er existiere, zur Welt überhaupt und zur modernen Menschheit stehe:

es läßt sich in der beobachteten Wirklichkeit nach Anhaltspunkten für die moderne religiöse Problematik suchen, sei es auch so, daß der Fragende die Beantwortung durch die Theologen verlangt. So: A ist zwar nicht stark gläubig, aber auch nicht ungläubig, er kann also innerhalb des Glaubens, in dem er erzogen wurde, und als Mitglied der Kirche, aus der er nicht ausgetreten ist, fragen, wie Gott, seine Schöpfung, die Menschheit und der einzelne Mensch unter Berücksichtigung der modernen Wissenschaft und Sozialproblematik aufzufassen seien und welches Modern-Konkrete sich aus den Dogmen, ihre Wirklichkeitsgemäßheit vorausgesetzt, ableiten lasse; A mag hieraus selbst zu antworten versuchen, er kann aber auch überzeugt sein, daß er auf Kundigere abzustellen habe, und wird sich dann bemühen, von diesen belehrt zu werden. — Ergebnis wird zumindest ein intensiveres Interesse für die kirchlichen und theologischen Äußerungen sein und davon kann intensivere Überlegung über die Richtigkeit eben dieser Äußerungen, also innere Diskussion mit den Kirchenführern und religiösen Denkern ausgehen, dies vielleicht ganz innerhalb des Religiösen, ja des Theologischen, vielleicht aber ins Religiös-Philosophische und von da aus ins Autonom-Philosophische überleitend.

Solches Denken ermöglicht die Vertiefung in jegliche Religion: es kann vom Anhänger des einen Glaubens auf jeden andern Glauben (so: vom Christen auf buddhistischen und hinduistischen, auch auf antiken, jetzt nicht mehr lebendigen Glauben) und vom Nichtgläubigen auf alle Religionen angewandt werden. Erforderlich ist hiebei, daß die zu verstehenden Glaubenslehren und -bilder hypothetisch als zutreffend aufgefaßt, darum für einige Zeit weder bezweifelt noch auch nur diskutiert, vielmehr lebendig gegenwärtig gehalten werden, somit der Denkende wenigstens annähernd gleich wie ein kenntnisreicher Gläubiger der betreffenden Religion denken kann (auch der Atheist muß fähig sein, momentan vorauszusetzen, daß die christliche Schöpfungsgeschichte erstens wörtlich und zweitens in bildlichem Sinne richtig ist, weiter, daß Jesus der Christus im Sinne des frühchristlichen Heilsuchens und der anschließenden dogmatischen Formulierung war). Gerade der hypothetisch religiös-denkende Nichtgläubige kann zu den betrachteten Glaubensdingen selbständigen Zugang bekommen und von ihnen aus schöpferisch folgern, beides schon darum, weil er, bei aller Achtung, ihnen gegenüber distanziert bleibt und sie, obwohl sich intensivst einfühlend, immer auch rational und sogar kritisch betrachtet.

Dieses religiös-hypothetische Teilhaben leitet über zum auf die betreffende Religion bezogenen philosophischen, und zwar zum religiös-philosophischen, in welchem der Glaubensgehalt ebenfalls hypothetisch für richtig gehalten, aber in philosophischer Begrifflichkeit durchgearbeitet wird, oder zum religionsphilosophischen, in welchem der Betrachter als Material die im hypothetischen Glauben gewonnenen Einsichten verwendet, aber auf ihn verzichtet, um ganz unabhängig denken zu können. Man erkennt hieraus, daß es wohl keine vollkommene religionsphilosophische Erhellung eines Glaubensganzen geben kann, wenn sich nicht der Betrachter ihm zeitweilig als Hypothetisch-Gläubiger anschließt (so kann wohl kein Christ und kein Atheist den Brahmanismus ganz, oder wenigstens soweit als einem Europäer möglich, erfassen, wenn er nicht in einer geistigen Wesensschicht bereit und fähig ist, an Brahman, Vishnu und Shiva, an Parvati, Uma und Kali, an Krishna und Rama, an Ganesh und Subrahmanya zu glauben), — daß aber die philosophische Erhellung unter dieser Voraussetzung schärfer und klarer werden kann als innerhalb des betreffenden Glaubens (so mag der europäisch-atheistische Freund der indischen Götter in bezug auf sie Fragen stellen, die sowohl religionsphilosophisch als auch vom Standpunkt der Hindus aus neu und vielleicht kreativ sind, was freilich von den gläubigen Indern kaum erkannt und noch weniger anerkannt werden wird). Sodann leitet jene besondere Teilhabeweise über zum umfassenden religionswissenschaftlichen Denken; auch in ihm kann der Betrachter eben wegen seiner hypothetisch-gläubigen Vertiefung zu neuer Einsicht gelangen, deren innerer Wert nicht dadurch beeinträchtigt wird, daß sie nicht in den gesamtwissenschaftlichen Wissensbestand eingeht.

Intensivst kann das Interesse — dasjenige der Starkgläubigen, der Weniggläubigen und Gleichgültigen, und dasjenige der Nichtgläubigen — an der Religion überhaupt und an besonderer, konkreter Religion (für den Gläubigen: an der eigenen oder an fremder, für den Gleichgültigen: an für ihn an sich unverbindlicher, für den Atheisten: an solcher, die er als wissenschaftlicher Weltbetrachter in ihrer Wirklichkeitsaussage ablehnt) daraus, und darauf gerichtet,

276

werden, daß sie auch Ziel-, Wert- und Normenlehre ist: diese hat immer ihren von der religiösen Deutung von Welt und Mensch verschiedenen Eigengehalt, als Gebot und Empfehlung für die Lebensgestaltung der Einzelnen, die sozialen Beziehungen und Verhaltensweisen, die Ordnung und den Aufbau der Kultur, — somit, was die Einzelnen anbelangt, immer auch für ihr Verhalten zum Gesamtheitlichen, dem sie sich ein- und unterzuordnen haben (was als eigenwerte Erfüllung verstanden werden kann) und dem gegenüber sie anderseits Anspruch auf einen ausreichenden Raum des freien Verwirklichens erheben dürfen und sollen. Für denjenigen, der in festem Glauben in seiner Religion steht, sind ihre Gebote selbstverständlich gültig, wenn vielleicht auch allzu hohe Anforderung stellend und darum im Alltag nur teilweise befolgt; in diesem Falle werden die Gebote in ihrem Grund- und Hauptgehalt wohl kaum diskutiert (der Gläubige hat keinen Anlaß und auch nicht das Recht, sie in Frage zu stellen, — sie sind für ihn Teil der offenbarten ewigen Wahrheit), zu überlegen kann aber sein, wie sie richtigerweise unter den gegebenen Voraussetzungen anzuwenden, und, da die letzteren sich mit der Kulturentwicklung wandeln und zudem von persönlichen Auffassungen abhängen, allenfalls Neuem anzupassen seien: selbständige, ja schöpferische Stellungnahme ist da zumindest im zweiten möglich, denkbar ist sogar, daß der Gläubige in seinem Selbstverständnis sich als Mitarbeiter Gottes oder der Götter sieht.

Der Wenigggläubige und erst recht der Gleichgültige wird in der Regel kaum die innere Pflicht verspüren, sich streng an die religiösen Gebote zu halten oder sich intensiv mit ihnen auseinanderzusetzen, und das läßt nicht den starken Wunsch nach entsprechendem selbständigem Denken entstehen; immerhin ist letzteres dann möglich, wenn von vorwiegend lebens- und sozialpraktischem Orientierungsbedürfnis aus die Richtigkeit der von den Kirchen vertretenen Zielvorstellungen und Moralgebote geprüft und als richtig anerkannte Inhalte mit den zu lösenden Diesseitsproblemen verbunden werden (so mag sich auch der im Glauben laue Christ von kirchlichen Gemeinwohlpostulaten zu eigenem Denken über das beste Soziale anregen lassen). Und gleiches gilt für den Nichtgläubigen, sogar für den die Religion bewußt ablehnenden Atheisten, wenn er davon ausgeht, daß viel Denken über die Ziele und

Verhaltensweisen der Einzelnen und Gesamtheiten aus geschichtlicher Notwendigkeit religiös sein mußte: es kann eine höchst interessante Aufgabe sein, aus den religiös-ethischen Aussagen die rein diesseitigen, in ihrem Wesen nicht-religiösen herauszuarbeiten, interessant auch darum, weil sie das religiöse und das philosophische Denken einerseits zusammenführt und anderseits einander gegenüberstellt, weiter darum, weil sie das Ziel- und Wertsetzen und -lehren als solches zum Thema macht.

7.16 Begegnung mit Religion (II)

Befassung mit Religion bezieht sich meistens auf eine der konkreten geschichtlichen oder jetzigen Religionen (wobei jede jetzige an eine geschichtliche anschließt, aber von ihr, bei vielleicht gleichem dogmatischem Inhalt und, vor allem, unveränderter Ausdrucksweise, abweichen kann), seltener auf die Religion in ihrem abstrakten Sinne oder auf die Gesamtheit der geschichtlichen und gegenwärtigen Religionen. Gerade von jenem häufigeren Interesse aus eröffnen sich Möglichkeiten der selbständigen Erhellung der Religionen als solcher und des Religiösen im allgemeinen: Erhellung erstens durch Vergleich von Religionen, zweitens durch Herausarbeitung ihres Gemeinsamen und Abstrakten, — das aber verlangt, daß man sich für mehr als nur eine (zumal die eigene) Religion interessiere, nämlich zweckmäßigerweise mit dieser eine von ihr erheblich abweichende verbinde, eine auf anderm Dogma und anderer Gottes- und Göttervorstellung aufbauende (so: Ergänzung der christlichen durch die hinduistische oder buddhistische, — nicht nur durch die jüdische und islamische). Am fruchtbarsten wird das dann sein, wenn jede der so gemeinsam betrachteten, verglichenen, einander gegenübergestellten Religionen hohen geistigen Rang (dies ganz aus ihrem Inhalt, ohne Rücksicht auf ihr gesellschaftliches Gewicht) und überdies vielleicht große kulturgeschichtliche Bedeutung hat: der Betrachter wird dabei wohl immer Fragen aufwerfen können, die von der Religionsgeschichte noch nicht gestellt wurden. Erweiternd und vertiefend wirkt dabei das reichere Angebot an Originaltexten (wenn auch unvermeidlich meistens in Übersetzung), zumal solchen aus den östlichen Religionen, und an religionswissenschaftlichen und -psychologischen Darlegungen: wer an einer Religion selbständig teilhaben will, hat wohl immer von Wissenschaftlich-Festgestelltem auszugehen, vor allem was die Denkvoraussetzungen und Begriffsbedeutungen anbelangt, aber die Vergegenwärtigung der Gefühlsgehalte, der Ziele und Werte ist Sache eines persönlichen Einfühlens und Eindenkens. Hinsichtlich der Befassung mit fremder Religion (vom Gläubigen aus gesehen: mit anderer Religion als der eigenen, — vom Nichtgläubigen aus: mit Religion eines fremden Kulturkreises, denn selbst dem Atheisten ist die Religion der eigenen Umwelt ein Nahes) ist zwischen der Suche nach einem als richtungweisend anzuerkennenden Neuen und der rein aufs Objektive gehenden Betrachtung zu unterscheiden. Einerseits kann der Gläubige, obwohl in seinem Glauben bleibend, fremde Elemente in diesen übertragen, vielleicht nur nebensächliche (so: Angleichung des Heiligenwesens an dasjenige des Bodhisattvas), vielleicht aber hauptsächliche (so: Deutung des christlichen Heils vom buddhistischen Nirwana aus); der Zweifelnde kann sich in eine andere Glaubenswelt begeben und der Nichtgläubige kann dank fremdem Glauben die metaphysische Leere überwinden, unter der er leidet (aber natürlich sind bei weitem nicht alle Atheisten in dieser bedrückenden Situation). Andererseits kann dem Religionsbetrachter das Streben nach neuer Heilsgewißheit gleichgültig sein und vielleicht lehnt er es ab, nachdem er im fremden Glauben Heilsanbietern begegnet ist: dann ist für ihn die betrachtete Religion nur ein objektiv zu erhellendes Kulturfeld, das ihm erstens durch Inhaltsreichtum und -subtilität, zweitens durch Komplexität der Beziehungen nach außen, zu andern Religionen, zu Philosophien, zu Sozialauffassungen und den sie bedingenden gesellschaftlichen Umständen, Gelegenheit zu intensiver und vielleicht auch, wohl vor allem in bezug auf Spezialthemen, origineller Geistestätigkeit gibt.

Letzteres sei am Beispiel des Brahmanismus vergegenwärtigt, und zwar insbesondere soweit er in der Bhagavad Gita umschrieben ist: Was ist das Wesen Krishnas, gesamthaft und in den verschiedenen Erscheinungstypen?; Was ist das Wesen der Welt, erstens in der Sicht Prakriti-Gunas, zweitens in der Mayaauffassung?; Was ist der Mensch in seinem Gesamtwesen, in den verschiedenen Schichten

seiner Psyche, in seiner Karmabedingtheit, in seiner Gestaltungsfreiheit, in seiner Beziehung zu den einzelnen Göttern und zu dem
umfassenden Brahman, nach den Möglichkeiten der Vollendung in
zukünftigem Dasein?; Welches sind die Hauptweisen der religiös
gebotenen Selbstgestaltung, welche Techniken sind in jeder besonderen Yogaart empfohlen, welche Schwierigkeiten sind unter ihnen
zu überwinden?; Wie hat sich der Krishna-Nachfolger zu seinen
Mitmenschen, zu Gesellschaft und Staat, zu den Gemeinschaftsauf-
gaben einzustellen?; Welche allgemeinmenschliche Situation prägt
sich im Zweifeln und Belehrungsuchen des vor härteste Kampfauf-
gaben gestellten und sie (wie im Mahabharata berichtet) schließlich
siegreich erfüllenden Helden Arjuna, welches Existentielle prägt
sich in der Kampfsituation von Kurukshetra aus, modern gesehen:
was ist jetzt ein Kurukshetra, wer ist jetzt ein Arjuna, — wer aber ist
kein Arjuna?; Welche elitären Momente zeigen sich in der Bhagavad Gita, in welchem Sinne wird von Arjuna und würde von dem,
der ein jetziger Arjuna werden soll, die Loslösung aus dem
gewohnten und gewöhnlichen Gesellschaftlichen verlangt?. Diese
Fragen beziehen sich zwar auf wichtigste Inhalte des großen
Lehrgedichts, aber für den Leser, der dieses selbständig durchdringen will, wären sie wahrscheinlich nur eben der Anstoß zu langedauernder Beschäftigung, die schließlich die feinsten Denkverzwei-
gungen, bis zu den Tendenzverschiedenheiten und Widersprüchen
und den sich daraus ergebenden Verschiedenheiten im Praktischen
des jetzigen Arjuna-Werdens, herauszuarbeiten hätte.

Selbständige Befassung mit dem Formalen der religiösen Darlegung wird dadurch beeinflußt, daß manche, und zwar die wichtigsten, der religiösen Texte für heilig gehalten werden; wichtig ist das
vor allem für die Gläubigen der betreffenden oder einer mit ihr
verwandten Religion, oft aber auch für Anders- und Nichtgläubige,
indem die im betrachteten Kulturkreis geltende Heiligkeitsauffas-
sung sie zu respektvoller Scheu bringen kann. Praktisch wirkt sich
das erstens dahin aus, daß man der Formseite des Religiösen mit
besonderer Aufmerksamkeit begegnet, sie gerade wegen des religiösen Ranges auf sich wie ein hohes Kunstwerk wirken läßt und
verstehend als ein Ganzes erfaßt, auch sich ihre Gestaltungsprinzipien einzeln und in ihrem Zusammenwirken vergegenwärtigt (so:
einen Psalm, die Bergpredigt, eines der Evangelien, eine Buddha-

Rede, das Tao te king, die Bhagavad Gita, je auch als Heiligtext-Form). Eine zweite, und hindernde, Auswirkung kann aber sein, daß man wegen der Heiligkeit des Textes davor zurückscheut, ihm auch formerlebend, also ästhetisch, zu begegnen, daß die religiöse Verehrung, oder in weiterem Sinne die Verehrung des Religiösen, jene an sich außerreligiöse Weise des Bewußtwerdens zumindest einschränkt. Diese Überlegungen können den Betrachter veranlassen, die Berechtigung und darüber hinaus den Wert und darum die Erwünschtheit des auf das Religiöse gerichteten Formerlebens zu untersuchen: schon darin und natürlich auch, und wohl noch mehr, in der an die Bejahung anschließenden Einsicht ist geistige Kreativität möglich. — Anderes Religiöses, so Lehreinterpretation, theologische und religiös-philosophische Darlegung, ist als solches nicht geheiligt in dem Sinne, daß die ästhetisch-erlebende Erfassung, noch mehr die rational aufs Formhafte gehende Untersuchung als allzumenschlich und darum unerlaubt erschienen: hier besteht größere Freiheit, in selbständigem Denken aufs Formale zu gehen, und das kann an sich ein wertvolles Geistiges sein, obgleich es sich meistens auf ein Werk geringeren religiösen — aber nicht notwendig auch geringeren theologischen oder philosophischen, auch nicht, was das Formale anbelangt, geringeren schriftstellerischen — Ranges bezieht.

7.17 Begegnung mit Religion (III)

Vom Inhaltlichen und auch vom Formalen der religiösen Lehre, und zwar der zentralen Dogmen wie den an diese anschließenden Ausführungen, eröffnen sich Möglichkeiten des Verstehens der religiösen Kunst, wie es dem sich nur für das Künstlerische interessierenden Betrachter kaum zugänglich ist. Die religiöse Kunst ist Ausdruck der Glaubensinhalte, als solcher unmittelbar wirkend, und das um so mehr, je wichtiger er in der religiösen, kultischen Praxis ist: bildende Kunst vor allem, sodann (für Feste und auch für den einfacheren Gottesdienst) Musik und Lied- und Oratoriumstext, schließlich religiöse Dichtung für szenische Aufführung und für privates Lesen des einzelnen Gläubigen. Religiöse Malerei und Skulptur macht vor allem die heiligen Gestalten in ihrem zuständlichen Wesen und in der von ihnen auf die Gläubigen ausstrahlenden Kraft sichtbar und damit anschaulich erlebbar, — aber wohl immer ist das Verstehen und damit auch das rein künstlerische Einfühlend-Erleben des Betrachters klarer, feiner, tiefdringender, wenn er das Ideenganze kennt, das dem Werk seinen Sinngehalt und auch seine Sozialbezüge gibt: man muß wissen, was der Christus nach dem christlichen Glauben ist, wenn man eine malerische oder bildhauerische Christusdarstellung, was der Pantokrator ist, wenn man ein entsprechendes byzantinisches Mosaik, was nach dem katholischen Dogma die Gottesmutter ist, wenn man ein Marienbild sieht; man muß aber auch wissen, was Buddha nach dem Glauben der Buddhisten, und zwar der beiden Hauptrichtungen (Theravada und Mahayana) und vielleicht auch von enger gefaßten Gemeinschaften (etwa der Nara-Sekten), ist, wenn man eine Buddha-Statue, was Shiva, Vishnu und Brahma, Krishna und Rama, Parvathi, Lakshmi und Sarasvati nach dem Hinduglauben sind, wenn man indische Skulpturen und Bilder sieht. Auch die religiöse Dichtung bemüht sich um Erhellung des Wesens von Gott, Göttern und Heiligen, natürlich immer des Wesens, das der Dichter für wirklich hält, aber es ist ja vorausgesetzt, daß er ins Gestaltete den Einblick hat, aus dem er ein wahrheitsgetreues Bild schaffen kann; noch stärker und lebendiger aber wirkt die religiöse Dichtung — und wirken die religiösen Momente in an sich nicht religiöser Dichtung — dadurch, daß sie die Seelenwirklichkeit des Gläubigen verstehen lassen; und wiederum ist vorausgesetzt, daß der Leser (oder der Hörer bei der Rezitation eines religiösen Textes) die die Grundlage bildende Religion in ihrem dogmatischen Gehalt kenne. An die religiöse Dichtung schließen religiöses Theater und religiöser Tanz an: auch sie erhellen Konkretes des Glaubensinhaltes und der Gläubigenhaltung, und vielleicht bringen sie den sich intensiv einfühlenden Zuschauer zu Verstehen von Zusammenhängen, die bisher nicht beachtet wurden (so mag der Besucher einer Jedermann-Aufführung dank ihr Wesentliches der menschlichen Existenz erkennen, und das sogar, wenn er nichtgläubig ist). Und viertens die religiöse Musik: sie macht zunächst, eher an der Oberfläche, die religiösen Stimmungen, sodann und tieferdringend das Gefühlshafte — in Wesen und Wert — von Glaubensgewißheit, von Jenseitssehnsucht und Gotteskindschaft, von Hingabe ans Heilige, weiter und aufs Objektive gehend die Vorstellung vom Gottesreich erlebbar: der eine oder andere Einfühlungsstarke mag sich durch die Musik religiöse Momente vergegenwärtigen, die bisher kaum oder gar nicht herausgehört und -gefühlt wurden; vorausgesetzt wird aber auch hier die einigermaßen klare Kenntnis der betreffenden Religion (mit Bezug auf abendländische religiöse Musik: des Christentums allgemein und des katholischen oder protestantischen Glaubens im besondern, mit Bezug auf indische oder japanische religiöse Musik: des Hinduismus und des Buddhismus, beim letzteren wiederum unter Differenzierung nach Hauptrichtungen).

Natürlich ist der Teilhabend-Betrachtende, der vom Künstlerischen her das Tiefstwesen verstehen will, nicht auf nur eine Kunst beschränkt, ja er sollte, damit seine Erfassung möglichst vielschichtig und vollständig werde, die verschiedenen Künste miteinander verbinden, vorzugsweise bildende Kunst und Dichtung, denn so wird das Anschaubare einfühlbar lebendig und umgekehrt das auf Grund des dichterischen Textes Einfühlend-Erfaßte bildhaft anschaubar (etwa: die mythologischen Reliefs der indischen Tempel werden durch das Mahabharata aus Sprachgestalt einfühlbar, erlebbar, sogar wenn die Bilddarstellung sich nicht auf dieses Epos bezieht, ausschlaggebend ist der Typus der Vorstellungswelt, — umgekehrt werden die Geschichten und, tiefer dringend, die Gefühls- und Denkwelt des Ramayana verdeutlicht durch inhaltlich entsprechende oder inhaltlich andere, aber dem Grundwesen des Ramayana nahe Bildwerke), nach Möglichkeit auch diese beiden Künste mit den andern, also mit theatralischer Darstellung und Musik, was erlaubt, die Bewußtheit in allen künstlerischen Dimensionen auszubauen (so: die Mythologie des Ramayana künstlerisch-teilhabend erfaßt in Bilddarstellung, dichterischem Text, tänzerischer Darstellung und begleitendem Gesang). Gerade die Verbindung von Künsten kann den Betrachter zu originellem und vielleicht objektiv-neuartigem Fragen, Überlegen und Feststellen bringen.

Aber so wichtig die künstlerische Darstellung des Religiösen, weil dieses dank ihr besonders lebendig anschaubar, einfühlbar, verstehbar wird, auch ist: die geistig anspruchsvolle Teilhabe an der Religion muß doch von jener wieder zum Begrifflich-Gefaßten weitergehen, das heißt, da ja erhebliches begriffliches Wissen für die tiefdringende Erfassung der Gestalten und Geschehnisse der religiösen Kunstwerke vorausgesetzt ist, zu ihm zurückkehren, und das auf höherer Stufe, erhöht eben durch die Teilhabe am Religiös-Künstlerischen. Man darf und soll, immer unterstützt durch das begriffliche Vorwissen aus eigenem Glauben oder aus religionsgeschichtlichem und -wissenschaftlichem Studium, sich durch religiöse Bildwerke, Dichtungen, Theater- und Musikaufführungen in die Vorstellungs- und Gefühlswelt, damit ins Psychologische und Geistige der betrachteten Religion einführen lassen, aber die Besonderheiten und Feinheiten, der Inhaltsreichtum, die so einsehbar werden, sind in Hinsicht auf das sie erhellende und in Beziehungen stellende Denken ins Rationale zu bringen. Man muß wissen, was Apollon ist, wenn man sich in eine Apollon-Statue, was das Jüngste Gericht ist, wenn man sich in Michelangelos Riesengemälde, was Shiva ist, wenn man sich in einen Nataraja, was Buddha ist, wenn man sich in eine Buddha-Skulptur, was Amida ist, wenn man sich in die Bildwerke des Byodoin-Tempels von Uji, und sei es auch nur in Photographien, vertieft, und eben auf Grund dieses Wissens wird man Besonderheiten und Feinheiten der religiösen Vorstellungen, die sich nur oder am besten künstlerisch ausdrücken lassen, herausfühlen und man mag darin sogar schöpferisches Verstehen verwirklichen, — aber intensivst fruchtbar wird die so gewonnene Einsicht erst, wenn man sie mit dem bisherigen Wissen verbindet und damit dem Denken neue Inhalte, vielleicht sogar eine neue Dimension gibt.

Daraus wird wohl oft der hypothetische Glaube, der vom Religionsfremden (Anhänger einer andern Religion oder Nichtgläubiger) von Anfang an aufzubringen ist, verfeinert werden: was dank der Betrachtung des Religiös-Künstlerischen bewußt wird, ins Rationale zu wenden, ist gerade hier wichtig, indem so ein begriffliches Ganzes aufgebaut wird, von dem aus sachlich richtiger und vielleicht sachverständig-originell überlegt werden kann. Dies sogar innerhalb des Christlichen: vielleicht denkt der, innerlich offene, Protestant anders über die Gottesmutter und den Marienkult, nachdem er, zumal in den Mittelmeerländern, Marienstatuen, -bilder und -kirchen, anders über Heilige und Heiligenverehrung, nachdem er Heiligen-Bildwerke gesehen und einfühlend verstanden und das so erfaßte Sonderwesen mit seinem Vorwissen verbunden hat. Wohl noch intensiver wirken in der Befassung mit den östlichen Religionen die Einfühlung ins Künstlerische und der auf sie gestützte Ausbau des Rationalen: man muß die Grundzüge des Brahmanismus kennen, wenn man Hindutempel, als ganze und in ihrer bildhauerischen Ausgestaltung, in prinzipieller Richtigkeit und zudem in einiger Differenziertheit verstehen will; vielleicht gelangt man so zur Einsichtsstufe, auf der man ihnen innerlich nahe ist, und gelingt das, so muß man von der Schau- und Gefühlserfahrung aus sein Wissen vom indischen Denken umbilden und vervollkommnen. Jedoch darf man Erfahrung jener Art nie bloß als Mittel zum Rationalen des Religionsverständnisses auffassen, denn sie hat Eigenwert und ist auch um ihrer selbst willen zu suchen. Als allgemeine Maxime sei postuliert: Höheres Wissen führe zu höherem An-Kunst-Teilhaben; vollkommeneres Künstlerisch-Erfassen erweitere und vertiefe die rationale Vergegenwärtigung. Besonders fruchtbar, und aber auch besonders anspruchsvoll, werden die Vorgehensweisen, wenn sie sich wechselwirkend gegenseitig anregen.

7.18 Begegnung mit Ideologie (I)

Für viele sich für das Prinzipielle von Mensch und Kultur Interessierende sind weniger die philosophischen oder religiösen Lehren maßgebend oder jedenfalls anregend als vielmehr die Ideologie, das heißt im Einzelfall eine bestimmte Ideologie, die für richtig gehalten wird. Ideologie ist ein Ganzes von Auffassungen, vorzugsweise in einiger oder sogar durchgebildeter Systematik dargelegt, das Ziele, Werte, Normen und Verfahrensweisen gebietet oder wenigstens nachdrücklich empfiehlt, vor allem in Hinsicht auf das Großgesellschaftliche — Staat, Politik, nationale und übernationale Gesellschaft —, aber auch Kleingesellschaftliches und Individuelles betreffend: mit ihren Geboten und Empfehlungen geht sie stärker als die Philosophie (die nach ihrem Wesen vorwiegend das Abstrakte bearbeitet) und die Religion (deren Hauptthema das Transzendente ist) auf das Praktisch-Konkrete und -Diesseitige. Verbindend zwischen den drei Denk- und Ideenfeldern wirkt, daß von Philosophie und Religion aus, wenn sie praktisch werden sollen, Ideologie zu schaffen, und anderseits die, bereits anerkannte oder noch Anerkennung suchende, Ideologie ins Philosophische und allenfalls auch ins Religiöse zu erhöhen ist.

Ideologie, auf Sozial- und Lebenspraktisches bezogen und daraus meistens vereinfacht und mitunter vergröbert, bietet dem Denkerisch-Interessierten nur beschränkte Möglichkeiten zur selbständigen Herausarbeitung von Theoretischem. Reiche Gelegenheit hat er aber, zumindest der Idee nach (der er freilich unter vollideologisiertem Machtregime nur privat, ohne öffentliche Wirkung, folgen kann), die ideologischen Thesen an der Wirklichkeit zu prüfen; oft wird er das Bisher-Angenommene kritisieren und relativieren, vielleicht auch, wenigstens in seinem persönlichen Denkbereich, durch Neues ersetzen. Beispiel: auf Sozial- und Geisteswissenschaft gestützte Prüfung der ideologischen These, daß das gesellschaftliche und damit auch das persönliche Geistige weitgehend oder ganz durch die zeitgenössischen wirtschaftlichen Gegebenheiten bedingt und so lediglich ein Teil des, nach Wesen und Rang sekundären, kulturellen Überbaues ist, — daraus Erkenntnis der Selbständigkeit, also des Primärwesens und -ranges jedenfalls einiger, und zwar geistesgeschichtlich wichtiger, geistiger Zustände, Entwicklungen und Leistungen, so der Aufnahme der griechischen Philosophie in der Scholastik, des cartesianischen Denkens und seiner Auswirkungen, der drei Kritiken Kants, der Tiefenpsychologie, der modernen kosmologischen Theorien und ihrer Auswirkungen auf das Christentum und die Religionen überhaupt. Sodann kann er die geprüften und vielleicht präzisierten oder sogar korrigierten Allgemeinaussagen auf die ihm persönlich bekannten Sozialtatsachen anwenden und dies vielleicht anders als sich aus der anerkannten, weil politisch mächtigen, Lehreinterpretation ergäbe; angenommen, das Ideologieziel sei die Besserstellung der Arbeiterschaft: Wie wird dieses Ziel wirtschaftstechnisch am besten, das heißt am zweckmäßigsten, weil am erfolgsichersten erreicht, — mit den Verfahren, die in der Ideologie ebenfalls verlangt werden, oder mit andern?. Drittens lassen sich die in der Ideologie postulierten und vertretenen Ziele und Werte prüfen und allenfalls, wenn auch nur mit privatem, persönlichem Geltungsanspruch, umbilden; wiederum das genannte Ideologieziel: Wie ist dieses Ziel in seinem konkreten Inhalt zu fassen, und welche Ziele sind, neben ihm und es abgrenzend, in Hinsicht auf die andern Berufsstände und auf das gesellschaftliche Ganze aufzustellen?. Viertens hat kritisches Denken den Bereich der gegebenen Ideologien und vielleicht auch den der für die Zukunft vorstellbaren gegen die Felder abzugrenzen, die prinzipiell ideologiefrei sein, also wenn nötig von Ideologie befreit werden sollen: Religion, Philosophie, Wissenschaft, Kunst, Privatleben.

Oft ist solches Denken schon innerhalb gegebener Ideologie möglich: wenn diese nicht starr in ihrem jetzigen Ideen- und Dogmenbestand bleibt und noch mehr, wenn sie freiheitliches Gedankengut enthält; in beiden Fällen kann fortgebildete Ideologie neue Auffassungen und Sozialentwicklungen und natürlich auch die bisherigen Verwirklichungserfahrungen und neue verwirklichungspraktische Verfahren berücksichtigen. Sogar die Abgrenzung zwischen Ideologie und Nichtideologie kann Ideologiethema sein; wahrscheinlich ist sie aber eher von Philosophie, Staats- und Gesellschaftslehre, Psychologie und Erziehungslehre und wohl auch von der Religion her an die Ideologie heranzutragen.

Auszugehen hat das ideologie-erhellende, zumal -kritische Denken aber immer auch von den privaten und öffentlichen Lebensbereichen, denen der aufgeschlossene Gegenwartsmensch in seinem Alltag unmittelbar begegnet: von der Familie und ihren Sozialbeziehungen, von der Berufsarbeit und Freizeitbeschäftigung, vom lokalen und regionalen Gesellschaftlichen, Politischen und Staatlichen. Vielfach anregend werden im weiteren die Medien sein. — Die moderne Kulturwelt ist sachlich so mannigfaltig und offen, daß sie von allen Denkstarken als zu ständiger Ideologieprüfung auffordernd verstanden werden sollte. Diese wird um so eher zu aktuellwertvoller Einsicht führen, je mehr sie die jetzigen Tatsachen und Tendenzen sachkundig einbezieht. Das heißt aber nicht, daß sie von (höherem) Außerideologischem aus die (von vornherein niedrige) Ideologie, also die Ideologien gesamthaft, zu überwinden habe: vielmehr wird oft die Ideologiereform, gerichtet auf menschlich und sachlich vollkommenere Ideologie, als die gesellschaftlich wichtige Aufgabe erkannt werden.

Zusammenhang Ideologie-Wissenschaft. Der kritische Ideologiebetrachter muß sich fragen, ob und wieweit die ideologischen Annahmen über das individualmenschliche und soziale Wirkliche und Mögliche sachlich zutreffend sind, hiebei geht er davon aus, daß die Ideologie, bei aller Freiheit des Zielsetzens und Wertens nur dann als richtig anerkannt werden darf, wenn erhebliche Übereinstimmung zwischen ihr und dem Realen festgestellt werden kann, daß sie aber, wenn sich hierin eine Diskrepanz zeigt, umzubilden und insbesondere dem Realen anzupassen ist, — ein Prüfungsgang, der offenbleiben muß, weil die soziale und von ihr aus die einzelmenschliche Realität sich ständig wandeln. In erster Linie zu berücksichtigen sind hiebei die Zustände und Wandlungen von Technik, Wirtschaft und Gesellschaft, letztere in engerem Sinne verstanden als das Bevölkerungsganze in seinem Aufbau aus Teilgesamtheiten, Organisationen und Institutionen, dies in den Strukturen und Prozessen, in den Beziehungen, Spannungen und Auseinandersetzungen; praktisch wichtigst sind die durch die neuen wissenschaftlichen Erkenntnisse bewirkten technischen Neuerungen, die durch sie bewirkten wirtschaftlichen Wandlungen und die durch die letzteren bedingten gesellschaftlichen Entwicklungen und Probleme. Durch solches kritisch-realistisches Denken können selbst Leute, die weder Fachwissenschaftler noch Ideologiespezialisten sind, zu Ergebnissen kommen, die zu öffentlicher Diskussion zu bringen im Allgemeininteresse läge (darum sorgt kluge Führung in autoritären Regimen wenigstens dafür, daß die Zusammenhänge zwischen Wissenschaft und Ideologie in sachkundigen elitären Zirkeln diskutiert werden und die überlieferten Parteidogmen aus neuer wissenschaftlicher Einsicht interpretiert werden, — sozialkulturell richtiger und für die Gesellschaft fruchtbarer wäre natürlich die allgemeine Diskussionserlaubnis, schon darum, weil damit eher der Fehler des ideologischen Beharrens auf bisheriger Realitätsdeutung, die durch neue wissenschaftliche Einsicht überholt ist, vermieden wird).

Zusammenhang Ideologie-Philosophie. Der kritische Ideologiebetrachter geht hier weniger von realwissenschaftlichen Forschungsergebnissen aus als von formalwissenschaftlichen (insbesondere logischen, logistischen, sprachphilosophischen) Erkenntnissen, weiter von das Realwissenschaftliche oder Großbereiche in ihm zusammenfassend behandelnden und dabei oft über das Wissenschaftlich-Erkannte hinausgehenden Aussagen, insbesondere Hypothesen, sodann von Ziele, Werte und Normen untersuchendem oder aber postulierendem und positiv, nämlich in Hinsicht auf Anwendung vertretendem zielphilosophischem Denken. Letzteres kann Aspekte bewußtmachen, unter denen der bisher anerkannte Ideologiegehalt richtiger zu fassen oder ein neuer zu formulieren ist, und dies erstens aus schon bisher anerkannten ethischen Auffassungen, die als solche oder in ihren praktischen Ableitungen klarer verstanden werden, oder zweitens aus der Postulierung neuer Ziele und Werte: aus rein moralphilosophischem Denken oder im Anschluß an gesellschaftliche und kulturelle Wandlungen, die wahrscheinlich zunächst wissenschaftlich zu untersuchen sind, — hier entsteht der dreifache Zusammenhang Ideologie-Philosophie-Wissenschaft oder Ideologie-Wissenschaft-Philosophie. Wiederum liegt es im Interesse der Ideologieklärung — zu welcher freilich die Ideologiekritik ein bester Weg ist, weshalb für sie Kritikbereitschaft zu befürworten ist —, daß die Ergebnisse solchen Denkens in der Gesellschaft, und sei es auch nur im engeren Umkreis des Denkenden, bekannt werden können.

Zusammenhang Ideologie-Religion. Ideologie ist prinzipiell diesseitig, nämlich auf Praktisch-Ausführbares gerichtet, und das auch, wenn sie in Transzendenzannahmen begründet ist: dann vertritt sie für das Diesseits das, was fürs Soziale und, meistens untergeordnet, fürs Individuelle aus dem angenommenen Transzendenten abzuleiten ist. Da der Gläubige von der Richtigkeit seiner Religion überzeugt ist, darf und soll er von ihr aus die Ideologie prüfen, nicht nur Fehler feststellend, sondern auch, um sie unter religiöser Idee zu vervollkommnen, — jedoch wird sich solches selbständige Denken meistens eher auf dem Felde der Religionsauslegung und -anwendung bewegen als auf demjenigen des reinen Ideologieausbaues. Recht auf freie Diskussion ist auch hier zu fordern, denn in der pluralistischen Kultur ist das religiöse Denken eine der möglichen Denkweisen.

Zusammenhang Ideologie-Direkterfahrung. Jeder Einzelne steht in seinem Alltag, der ihn auf Familie, Berufs- und Freizeitbereich und auf Lokal- und Regionalgesellschaft bezieht und in dem er unmittelbar von Auswirkungen der Ideologie erfährt und sie jedenfalls von seinem eigenen Standpunkt aus beurteilen kann. Soweit die Ideologie das beste Sosein der Bürger überhaupt oder der Angehörigen einer Klasse, eines Standes zu verfolgen behauptet, sind richtigerweise erstens von denen, für die sie wirken soll, Versprechen und Erfüllung zu vergleichen, zweitens von den andern die eintretenden oder drohenden Benachteiligungen abzuwehren und entsprechende Ideologieumbildungen zu verlangen. Möglicherweise wird hier ein enger Kontakt zwischen Ideologie und Anwendungspraxis geschaffen, oft in dem Sinne, daß die praktischen Überlegungen primär und die Ideologietheorie sekundär ist, also der Einzelne aus seiner Alltagserfahrung an diese einen, wenn auch sachlich nur kleinen, kreativen Beitrag leisten kann, wenn die Freiheit des Stellungnehmens und Sichäußerns gesichert ist.

Zusammenhang Ideologie-Medienteilhabe. Bildung und Interesse vorausgesetzt, tritt der moderne Weltbeobachter mit vielen Wirklichkeitsfeldern in Beziehung, Vielheit erstens sachlich, zweitens räumlich, geographisch, drittens zeitlich verstanden. Sachlich: Gesellschaftszustände und -entwicklungen, Politik, Staatsverwaltung und Recht, Sozialmaßnahmen, Krieg, Technik, Wirtschaft, »Kultur« im engeren Sinne, also Wissenschaft, Philosophie, Kirche und Theologie, Kunst, und in der letzteren die einzelnen Künste. Räumlich: solche Sachfelder einzeln oder zusammengefaßt — bis zum Gesellschafts- oder sogar zum Kulturganzen — in geographischer Bestimmung und Abgrenzung, also lokal, etwa für eine Großstadt, regional, national, mehrere Länder zusammenfassend, kontinental, ja global. Zeitlich: das Sachliche oder Sachlich-Räumliche für einen mehr oder weniger langen Zeitabschnitt gesehen: für die Gegenwart, für Epochen der Vergangenheit, auch voraussagend für die Zukunft. Vom Wissen und Verstehen aus, das der Innerlich-Beteiligte so gewinnt, erkennt er die Richtigkeit oder Unrichtigkeit, wahrscheinlich die teilweise Richtigkeit und teilweise Unrichtigkeit, damit die Unvollkommenheit und Ausbaubedürftigkeit der Ideologie, mit der er sich, wohl weil sie ihm gegenüber mit Geltungsanspruch vertreten wird, auseinanderzusetzen hat: je freier, kenntnis- und ideenreicher er darin ist, desto eher kann er durch selbständiges Denken einen Beitrag an die gesellschaftliche Ideologiefortbildung leisten.

Zusammenhang Ideologie-Kunst. Verglichen mit den Informationen und Berichten der Medien ist die gegenständliche, im engeren Sinne die realistische und noch enger gefaßt die naturalistische künstlerische Darstellung weniger stark auf Aktualität und allgemeiner auf gesellschaftliche und kulturelle Tatsachen bezogen, anderseits mehr die inneren Wesenszüge, Kräfte, Vorgänge, Beziehungen, Bedingtheiten, aber auch Möglichkeiten, Offenheiten, Freiheiten herausarbeitend und verstehbar machend, dies bezogen auf den Kulturbereich, welcher den Rahmen des Inhaltlichen bildet, auf Gegenwärtiges (in der unter Gegenwartsthematik stehenden Kunst), auf Vergangenes (in der Geschichtliches darstellenden Kunst), selten auf Zukünftiges (in der von für möglich gehaltenen, vielleicht als wahrscheinlich behaupteten zukünftigen Zuständen und Entwicklungen ausgehenden Kunst), wobei aber auch das künstlerisch gestaltete Vergangene oder Zukünftige, das durch eben die künstlerische Gestaltung lebendig einfühlbar wird, auf die Gegenwartssicht zielt. Dank der Kunst kann der an den Werken und Darbietungen intensiv und unter hohem Anspruch Teilhabende ein Verstehen des Menschlichen, und zwar von Einzelmenschlichem und Gesellschaftlichem, aufbauen, von dem aus er die Ideologiegehalte feiner differenzieren und richtiger beurteilen wird als die meisten, die der Kunst fremd bleiben oder von ihr nur Unterhaltung annehmen, und vielleicht kommt er so selbständig und sogar schöpferisch zu Auffassung, die in Hinsicht auf die geltende Ideologie Neues verlangt (es mag einer durch die dichterische Darstellung von Machtgebilden und -menschen zu Vorbehalten gegenüber autoritätsstaatlicher Ideologie kommen, aus denen er, wenn auch nur bei sich selbst und in seiner kleinen Nahwelt, die Aufnahme von freiheitlichen und pluralistischen Normen verlangt und damit, eben durch seine künstlerische Teilhabe veranlaßt, zum potentiellen Gegner der Ideologiebefürworter wird; das erklärt die Gegnerschaft diktatorischer Regime gegen das freie Themawählen und Gestalten der Künstler und zeigt gleichzeitig die geistige Einengung, die von ihr ausgeht).

Oft werden zwei oder mehrere dieser Zusammenhänge miteinander verbunden sein, also in Zusammenhang höherer Ordnung
stehen, — oder vom Betrachter gebracht werden; dies gilt besonders dann, wenn sie sich als solche (nicht bloß durch einige der in sie
einbezogenen Gegenstände oder Teilfelder) inhaltlich oder formal
vereinigen lassen. Zunächst sei auf Verbindungen eingegangen, in
welchen der Zusammenhang Ideologie-Wissenschaft die Ausgangskombination bildet und, weil die Ideologie wissenschaftlich zu
durchdringen ist, in dem zu erreichenden Ganzen tragend sein soll.
— Zusammenhang Ideologie-Wissenschaft verbunden mit Zusammenhang Ideologie-Philosophie. Von der Wissenschaft aus wird
die Ideologie auf ihre sachliche und logische, von der Philosophie
aus auf ihre mehr prinzipielle, ideenhafte, dazu ziel- und werthafte
Richtigkeit geprüft und je nach dem Ergebnis dieser Kritik, vielleicht aber auch aus selbständigem Postulieren umgebildet. Zusätz-
lich kann, und muß sogar, gefragt werden, ob die Fragen und
Antworten des ersten Überlegungsganges durch die Ergebnisse des
zweiten bestätigt werden oder zu relativieren sind, und umgekehrt
(so: wenn utilitaristische, praktisch-materialistische Ideologie mit
Hilfe von Sozialwissenschaft und Psychologie begründet und als
richtig erwiesen wird, so ist dem die philosophische Einsicht
entgegenzuhalten, daß solcher Ideologie das spirituale Zielsetzen
widerspricht, welches dem autonomen Einzelnen möglich ist:
werden die beiden Gedankengänge miteinander verbunden, so
ergibt sich ein komplexeres Aussageganzes, in dem jene Sonderaus-
sagen zumindest gegeneinander abgegrenzt werden). — Zusammenhang Ideologie-Wissenschaft verbunden mit Zusammenhang
Ideologie-Religion: die wissenschaftliche Auffassung, Präzisierung
und Relativierung wird der religiösen gegenübergestellt, — beide
können dadurch weiter zu präzisieren und zu relativieren sein
(etwa: die individualistisch-liberalistische, die ständestaatliche, die
sozialistische Ideologie nach wissenschaftlicher Auffassung einerseits, nach religiöser anderseits). — Zusammenhang Ideologie-
Wissenschaft verbunden mit Zusammenhang Ideologie-Alltagserfahrung (letztere in weitestem Sinne verstanden, sowohl als direkte
wie als indirekte, durch Medien und Bücher vermittelte Erfahrung):

die wissenschaftliche oder wissenschaftlich beeinflußte Auffassung der Ideologie (etwa die durch nationalökonomische Forschung untermauerte Ideologie »Soziale Marktwirtschaft«) wird von den konkreten Erfahrungen der Einzelnen und Gesamtheiten her beleuchtet (etwa von den die Groß-, Mittel- und Kleinindustrien als solche und ihre Arbeitnehmer, gesamthaft und nach Kategorien, im besondern betreffenden her), und umgekehrt; dadurch werden die ersten mit der sozialen und einzelmenschlichen Wirklichkeit, die zweiten mit den Allgemeintatsachen und dem Prinzipielleren in Beziehung gebracht. — Zusammenhang Ideologie-Wissenschaft verbunden mit dem Zusammenhang Ideologie-Kunst: die wissenschaftliche Fundierung und Präzisierung der Ideologie wird von den besonderen Ideologieaspekten, die sich von Kunstwerken her ergeben, in Frage gestellt, und umgekehrt: das erbringt einerseits größere Lebendigkeit und Subtilität des Wissenschaftlich-Auffassens, anderseits größere, nämlich ins Begriffliche gebrachte Klarheit des Künstlerisch-Einfühlens (so mag die wissenschaftlich geklärte »American Way of Life«-Ideologie durch den modernen amerikanischen Gesellschaftsroman vom einfühlenden Möglichkeiten-Erleben her relativiert, aber auch das letztere durch die auf die Ideologiethemen gehende sozialwissenschaftliche Untersuchung begrifflich geklärt, vor allem in seiner Einseitigkeit korrigiert werden).

Und diese auf den Zusammenhang Ideologie-Wissenschaft aufbauenden Verbindungen lassen sich erweitern. Wird an die Verbindung Ideologie-Wissenschaft/Ideologie-Philosophie der Zusammenhang Ideologie-Religion angelagert, so führt das wahrscheinlich zur Stärkung des Religiös-Moralischen, vielleicht auch zur Relativierung vom geglaubten Transzendenten her; wird der Zusammenhang Ideologie-Alltagserfahrung aufgenommen, so bedeutet das Anregung zu entsprechender lebens- und sozialpraxisnaher Konkretisierung des sowohl wissenschaftlich als auch philosophisch geklärten Ideologischen; schließlich wird das Rationale jener grundlegenden Kombination durch die die menschlichen Wesenszüge, Zusammenhänge und Bedingtheiten herausarbeitende Befassung mit Kunst subtilisiert und differenziert. — Von den auf die Zweierverbindungen Ideologie-Wissenschaft/Ideologie-Philosophie aufbauenden Dreierverbindungen ist, und zwar gerade im selbständigen und noch mehr im schöpferischen Denken, zu Komplexerem weiterzugehen. So läßt sich die Zusammenfassung Ideologie-Wissenschaft/Ideologie-Philosophie/Ideologie-Religion verbinden mit den Zusammenhängen Ideologie-Alltagserfahrung oder Ideologie-Kunst oder beiden zusammen: im ersten Fall wird das Rationale und Abstrakte (auch die entscheidenden Religionsgehalte sind großenteils von dieser Art, so die Aussagen über Transzendenz, religiöse Moral und Funktion der Kirche) konkretisiert, und zwar nicht nur durch Beleuchtung jenes Abstrakten von der Lebens- und Gesellschaftswirklichkeit her, sondern auch, und noch mehr, indem jene wissenschaftlich-philosophisch-religiös geprüfte und bestimmte Ideologieauffassung mit einer erfahrungsnäheren, dafür allerdings weniger theoretisch-weitgreifenden und -tiefdringenden zuerst konfrontiert und dann vereinigt wird; im zweiten Fall wird das mehr Theoretische und Prinzipielle jener Dreierverbindung ergänzt durch das Realitätsverstehen, zu dem der sich lebendig in Werke und Darbietungen einfühlende Kunstfreund gelangt (so wird etwa die Auffassung des Sozialismus, die Ergebnis der Vereinigung von wissenschaftlicher, philosophischer und religiöser Sicht dieser Ideologie ist, feiner und reicher, wenn seine Ziele, Werte und Normen vom Verstehen aus beleuchtet werden, das in der Kunstbetrachtung wird, und wenn danach dieses besondere Sozialismusverständnis in jenes Auffassungsganze integriert wird); im dritten Fall wird nicht nur die Ideologie (eben zum Beispiel der Sozialismus) unter allen fünf außerideologischen Aspekten geprüft, sondern es werden auch, und vor allem, die unter je einem dieser Aspekte gewonnenen Ausprägungen der Ideologie miteinander vereinigt. — Sodann kann von der Dreierkombination Ideologie-Wissenschaft/Ideologie-Philosophie/Ideologie-Alltagserfahrung ausgegangen werden: Ergänzung, und damit Erweiterung und Vertiefung erstens durch Ideologie-Religion (vielleicht erscheint in dieser Sicht jene Ausgangskombination als allzu realistisch, so daß das Religiöse, vom angenommenen Transzendenten, dem ihm entsprechenden und auch dem mehr lebenspraktischen Moralischen her, in sie eine überzeugtere Menschlichkeit einbringen muß), zweitens durch Ideologie-Kunst (humane Verfeinerung jenes Realistischen), drittens durch beide (sowohl religiös wie kunsterlebensbedingte Ver-

menschlichung, was jedenfalls der Idee nach ein reicheres, lebens-
volleres, subtiler durchgebildetes Ganzes ergibt). — Schließlich
kann Grundlage die Dreierkombination Ideologie-Wissenschaft/
Ideologie-Philosophie/Ideologie-Kunst sein: ergänzend aufzunehmen sind dann die Zusammenhänge Ideologie-Religion (wahrscheinlich kommt daraus, Glaube oder wenigstens Respekt vor der
Religion vorausgesetzt, bewußteres Hochschätzen der Menschen-
würde und klarerer, bestimmterer Wille, sich im Theoretischen wie
im Praktischen unter sie zu stellen) oder Ideologie-Alltagserfahrung (die Verbindung Wissenschaft-Philosophie betont das Theoretische, dieses kann vom Kunsterleben, das etwa zu psychologischer oder soziologischer Vertiefung anregt, verstärkt werden, und
außerdem wird der Kunstfreund in die Betrachtung ästhetische
Momente einbringen, es kann darum besonders nützlich sein, daß
er die Ideologie auch von den Alltagstatsachen und -problemen her
sieht und damit der Gesamtauffassung eine größere Wirklichkeitsgemäßheit gibt) oder beide.

Ähnlich läßt sich von der Verbindung Ideologie-Wissenschaft/
Ideologie-Religion ausgehen, das heißt von der den Ideologiegehalt
wissenschaftlich und zugleich religiös auffassenden Kombinations-
sicht. — Die erste Ergänzung ist hier wohl diejenige durch Ideologie-Philosophie, denn gerade die Verbindung von wissenschaftlicher und religiöser Ideologieprüfung wird die philosophisch aufs
Prinzipielle gehende Klärung der Begriffe, Prinzipien und Allgemeinaussagen erfordern. — Die zweite Ergänzung ist diejenige
durch Ideologie-Alltagserfahrung, in welcher die Ideologie entsprechend der kulturellen Situation wirklichkeitsnah gefaßt wird
(so: Wohlstandsideologie mag sozialwissenschaftlich bestens
untermauert und voll mit den herrschenden religiösen Ansichten
und Bestrebungen integriert sein, ja den sozialpraktischen Ausdruck der Religion bilden, aber auch dann wird sie an Überzeu-
gungskraft gewinnen, wenn auch die Einsichten und kritikbeding-
ten Anpassungen berücksichtigt werden, welche den von einem
mehr oder weniger weiten Alltag aus urteilenden Ideologieanhän-
gern als sachlich begründet erscheinen). — Durch die dritte,
Ideologie-Kunst, ist mit den wissenschaftlichen und religiösen
Ideologieauffassungen, enger mit der zugleich wissenschaftlich und
religiösen, diejenige zu vereinigen, die aus dem im Kunsterleben

angeregten und verfeinerten Verstehen des Menschlichen kommt. Und von jeder der sich so ergebenden Dreierkombinationen lassen sich komplexere erstellen, indem von den verbleibenden Typen zunächst je einer und dann beide integriert werden.

Eine weitere sinnvolle Grundverbindung ist Ideologie-Wissenschaft/Ideologie-Alltagserfahrung, indem die wissenschaftlich geprüfte und ausgebaute Ideologieauffassung und die von den Alltagsbedürfnissen her präzisierte und ihnen angepaßte miteinander verbunden und dann die weiteren Auffassungstypen mit dieser Grundverbindung zu einem Ganzen vereinigt werden: besonderes Gewicht hat da wohl der Einbezug des Zusammenhanges Ideologie-Philosophie, durch den die Ideologie unter prinzipielle Aspekte, und zwar sowohl das objektive Wesen betreffende wie auch ziel- und werthafte, gebracht wird; als ergänzend wichtig ist dabei von den Religiös-Gläubigen der Zusammenhang Ideologie-Religion einzubeziehen; wertvoll, vor allem in der verfeinernden Erhellung des Einzelmenschlichen und Kleingesellschaftlichen, ist aber auch der Einbezug des Zusammenhanges Ideologie-Kunsterleben.

7.21   Begegnung mit Ideologie (IV)

Daß der tieferdringenden Überlegung und Auseinandersetzung der Zusammenhang Ideologie-Wissenschaft zugrunde gelegt wird, empfiehlt sich darum, weil das wissenschaftliche Wissen und Denken am ehesten die sachgemäße Prüfung und auch Weiterbildung der Ideologie als Ganzen und in ihren Teilbereichen gestattet, ja verlangt. Ausgehen kann man aber auch von der Kombination Ideologie-Philosophie, die dann eine tragfähige Grundlage bildet, wenn diese beiden Denkfelder voneinander unabhängig, das heißt jedes für sich ausgebildet sind, also nicht die Ideologie nur die politische Anwendung der Philosophie ist oder die Philosophie nur die Ideologie ins Hochbegriffliche übersetzt (so läßt sich aus vitalistischer Philosophie ein ideologischer Biologismus ableiten, der ihr gegenüber untergeordnet bleibt; anderseits kann die marxistische Ideologie die Philosophie so festlegen, daß in dieser keine von jener abweichenden Prinzipien vertreten oder auch nur disku-

tiert werden dürfen); da beide Denktypen rational und abstrakt sind
— zumindest in der Art ihrer Darlegung: der Inhalt kann dagegen
weitgehend irrational sein, wie etwa im Nationalismus —, ist hier
die starke Betonung des Theoretischen wahrscheinlich. Im Sinne
der Annäherung ans Praktisch-Ausführbare gewandelt wird das
durch den Einbezug des Zusammenhanges Ideologie-Wissenschaft
und Ideologie-Alltagserfahrung.

Eher beschränkt verwendbar ist die Erstkombination Ideologie-
Religion, deren Besonderheit, bei aller gegenseitigen Relativierung
der beiden Auffassungssysteme, ist, daß Glaube mit Glaube verbunden wird (denn auch die Ideologie ist Glaube oder hat zumindest einen breiten Bezirk von Glaubenshaftem), woraus einerseits
gegenseitige Reserviertheit, als Vorbehalt der Religion gegenüber
der Ideologie oder umgekehrt der Ideologie gegenüber der Religion, anderseits gegenseitige Unterstützung kommen kann: vielleicht wird es für den Ideologievertreter zum Glücksfall, daß die
Kirche in seinen Thesen religiös-richtige Auffassungen erkennt,
und der Religionsvertreter erhält einen festeren Wirkungsrahmen,
wenn die religiösen Gebote von Politisch-Interessierten in Ideolo-
gieform gebracht werden. Entscheidend ist da wohl die Einbeziehung des Zusammenhanges Ideologie-Wissenschaft, denn angesichts der möglichen Doppelgläubigkeit müssen die Richtigkeitsan-
sprüche in umfassender Sachkunde objektiv untersucht werden.
Großen praktischen Wert hat wahrscheinlich die Ergänzung durch
den Zusammenhang Ideologie-Alltagserfahrung, allein oder verbunden mit demjenigen Ideologie-Wissenschaft, indem so die
unmittelbarste Wirklichkeitsnähe geschaffen wird (als Beispiel die
Gutheißung ständestaatlicher Ideologie im katholischen Glauben:
die beiden Systeme bedingen und verstärken sich gegenseitig,
indem die ständestaatlichen Ideen als dem göttlichen Ordnungswil-
len entsprechend erscheinen und anderseits die theologischen und
kirchlichen Thesen dank der Ideologie in die Diesseitswelt eingebracht werden, — aber vielleicht sind sie trotzdem realitätsfern,
sogar in doktrinärer Weise den modernen Kulturgegebenheiten
feindlich, und dann ist es für die beste praktische Anwendung
unerläßlich, die letzteren wissenschaftlich und auch aus der Alltagserfahrung zu prüfen, dies nicht nur in Hinsicht auf die Lehrever-
wirklichung, sondern auch in der Bereitschaft, die Doktrinen auf

die Wirklichkeit einzustellen, somit nicht-wirklichkeitsgemäße Doktringehalte auszuscheiden, wirklichkeitsgemäßes Neues, zumal der modernen Wirklichkeit gemäßes, das früher nicht eingesehen werden konnte, aufzunehmen und das an sich wirklichkeitsgemäße Alte den neuen Bedingungen anzupassen). Und auch der Zusammenhang Ideologie-Kunst, als Ergänzung zur Kombination Ideologie-Religion und gegebenenfalls zu deren vorgängigen Erweiterungen (Philosophie und Alltagserfahrung, einzeln oder zusammen), mag das ideologisch-und-religiöse Geglaubte klarer auf die Wirklichkeit beziehen, zumal wenn neues Künstlerisches als Symptom kultureller Wandlung, die auch unter ideologischem und religiösem Aspekt zu beachten ist, verstanden werden kann.

Erstkombination Ideologie-Alltagserfahrung. Es fehlt die wissenschaftliche und philosophische, damit die sachlich-abstrakte Durcharbeitung des sozialpraktisch wichtigen Wirklichkeitsbereiches, soweit sie nicht bereits in der Ideologie, die ja erhebliche Weite im Theoretischen haben kann, vollzogen ist. Und mitunter wird das Bemühen um größere theoretische Klarheit unterbunden: Wissenschaft und Philosophie müßten sich der Ideologie, die absolute Geltung beansprucht, und in zweiter Linie den Erfahrungen der Praktiker (vielleicht werden die »Werktätigen« ideologisch über die Intellektuellen gestellt, und das eben, um den Ideologievertretern ihren Vorrang zu bewahren) unterordnen. Aber sachlich ist der Beitrag, den Wissenschaft und Philosophie leisten können, höchst wertvoll und erst durch ihn, besonders wenn er durch Ideologie-Kunst ergänzt wird, erhalten die Möglichkeiten des schöpferischen Denkens einige Vielfalt.

Schließlich die vom Erstzusammenhang Ideologie-Kunst ausgehende komplexere Ideologiebetrachtung. Das Hauptwesen der Ideologie ist glaubenshaft, dasjenige der Kunst, obwohl sie die innere Wirklichkeit erhellen hilft, ist großenteils nichtrational und gesamthaft unwissenschaftlich; daraus werden die Erweiterungen ins Wissenschaftliche und Alltagspraktische in Hinsicht auf die konkrete Verankerung der ideologischen Auffassungen besonders aufschlußreich. Ideenhaft übergreifend und also in abstraktem Sinne klärend wirkt philosophische Vertiefung (vollen Sinn hat diese aber erst nach dem Einbezug eines ausreichend vielfältigen Wissens- und Erfahrungsgutes).

Bei allen diesen Ergänzungen ist zu bedenken, ob und wieweit eben die Komplexität als solche besondere Ansprüche stellt und damit besondere Weisen selbständigen, originellen und sogar schöpferischen Einsehens ermöglicht: dies vielleicht schon darum, weil im Einzelfall eine besondere Sichtenkombination besondere Fähigkeit oder zumindest besondere Phantasie erfordert, sodann darum, weil sie sachliche Zusammenhänge erkennen läßt, die sonst unbeachtet bleiben oder jedenfalls nicht voll beachtet würden; in beiden Fällen, vor allem im zweiten, hängt diese Sonderqualität des Kombinierend-Erfassens von den konkreten Inhalten des in der zusätzlichen Dimension Einbezogenen ab (inhaltliche Festgelegtheit der zu betrachtenden Ideologiegehalte vorausgesetzt, doch sind auch sie variabel). Originell und insbesondere Ausdruck von Kreativität kann schon die konkrete Erstkombination sein: der Entschluß und seine Ausführung, die gegebene Ideologie oder das in ihr gegebene besondere Ideologische, den Teilgehalt oder Teilaspekt der Ideologie, zunächst einmal von der wissenschaftlichen Seite her anzugehen (und erst noch: von welcher wissenschaftlichen Seite: etwa von allgemein-psychologischer, individual- oder sozialpsychologischer, soziologischer, staats- und rechtswissenschaftlicher, geschichtswissenschaftlicher usw.?), oder von philosophischer her (und dann: von welcher philosophischen Seite: von ontologischer, philosophisch-anthropologischer, sozialphiloso phischer, staats-, rechts- oder wirtschaftsphilosophischer, allgemeiner kultur- oder geschichtsphilosophischer?), oder von Alltagserfahrung her (und von welcher: von der eigenen beruflichen und staatsbürgerlichen oder von der durch Medieninformationen vermittelten?), oder vom Kunsterleben, von der einsichtschaffenden Teilhabe an Kunstwerken und -darbietungen her (aber von welcher Kunst oder welchen Künsten, und von welchen Werken?). Erst recht haben Originalität und Kreativität eine Wirkensgelegenheit bei der Wahl der an den grundlegenden Zweierzusammenhang anschließenden Kombinationen: Soll etwa mit Ideologie-Wissenschaft zuerst oder sogar allein Ideologie-Philosophie oder Ideologie-Alltagserfahrung oder Ideologie-Kunsterleben verbunden werden?; Soll darnach einer der beiden andern Typen und dann der verbleibende dritte aufgenommen werden?; Wie ist in jedem dieser Fälle das Ergänzende konkret zu fassen, also konkret vorzubereiten?; Soll die sozialwissenschaftlich durchleuchtete und präzisierte Ideologie zunächst mit den philosophischen oder den verwirklichungspraktischen Sachbezügen vertieft und erweitert werden?, wenn mit den ersten: eher mit den sozialphilosophischen, oder den ontologischen, oder den geschichtsphilosophischen, oder den moralphilosophischen?, wenn mit den zweiten: eher mit den technikpraktischen, oder den wirtschaftspraktischen oder den staatspraktischen, oder den international-politischen?.

Je offener der Ideologiebeurteiler einerseits die Ideologie und von ihr aus das Außerideologische, anderseits das Außerideologische in seinen wichtigsten Sonderfeldern und von ihnen aus die Ideologie betrachtet, desto interessanter werden für ihn alle diese Seinsgebiete und desto größer wird die Chance, daß er in der geistigen Auseinandersetzung mit ihnen seinen eigenen Denkbeitrag zu leisten vermag. Freilich hängt diese Offenheit nicht bloß von seinem Willensentschluß ab, sondern erfordert Sachkenntnis, kritischen Sinn und Bereitschaft, sich ins einzelne gehend mit den Ideologietatsachen und -problemen auseinanderzusetzen, und das wiederum verlangt die Bereitschaft, sich von der bequemen Meinung, die Ideologie sei vollkommen, zu lösen und die Angst, von der gängigen Meinung abzuweichen, zu überwinden.

Ähnlich wie die religiösen und philosophischen Aussagen, vor allem die die Ziele und Normen betreffenden, aber auch jene, welche das menschliche und insbesondere das gesellschaftliche Sein deuten, sind die ideologischen, jedenfalls zum Teil, in festgefügten Lehren enthalten; mitunter sind sie sogar mit Religiösem oder Philosophischem identisch, indem dieses entweder von seiner sozialen Durchsetzbarkeit aus aufgefaßt und damit ideologisiert werden kann oder von einem primären Ideologischen her bestimmt ist, dessen theoretischer Durchbildung es dient. So läßt sich philosophischer Biologismus oder Evolutionismus schon aus seinem rein philosophischen Gehalt als ein ideologisches Gedankensystem verstehen, weil in solcher Philosophie auch eine praktische Tendenz wirkt, — zu überlegen ist in solchen Fällen aber auch, ob nicht das Philosophische gegenüber dem Sozialpraktischen und insbesondere dem Politischen untergeordnet sei, in dem Sinne, daß es dieses rechtfertigen und unterstützen soll: Imperialismus etwa mag auf eine sozialdarwinistische Philosophie abstellen, auf ihren

Ausbau dringen, von ihr aber auch seine eigene Rechtfertigung fordern (Philosophie als Magd der Politik).

Befaßt man sich mit den ideologischen Lehren als geistiger Form, so wird man auch das mit ihnen verbundene Philosophische zu erhellen suchen. Wahrscheinlich ist dabei zu fragen, ob die Philosophie gegenüber der Ideologie bestimmend sei oder im Gegenteil von ihr, jedenfalls in den Hauptideen, bestimmt werde. Im zweiten Fall hätte die Philosophie unter anderm die Aufgabe, das Begriffliche der sie bestimmenden Ideologie zu klären und zu verfeinern: tatsächlich stünden die beiden in Wechselwirkung. Letztere kann aber auch so eintreten, daß von an sich philosophisch bestimmter Ideologie aus sekundär der Ausbau der bestimmenden Philosophie verlangt wird. Doch gibt es außerhalb des Philosophischen, jedenfalls des Primärphilosophischen, Ideologien, die als solche, wenn auch wahrscheinlich mit mehr oder weniger umfangreicher Sekundärphilosophie verbunden, zu vielfältigen und hochdifferenzierten Gedankensystemen durchgebildet sind: katholische Soziallehre, Liberalismus, Sozialismus, je in ihrer allgemeineren Einheitlichkeit, aber auch in ihrer Tendenzenvielfalt und -widersprüchlichkeit (Beispiel Sozialismus: es gibt den freiheitlich-demokratischen, den syndikalistischen, den autoritätsstaatlich-staatskapitalistischen, den religiös bestimmten, den von den besonderen Bedingungen der Entwicklungsländer ausgehenden Sozialismustypus). Die Betrachtung wird sich in erster Linie auf die großen ideologischen Werke richten (wobei der Unterschied zwischen dem sozial- oder staatsphilosophischen und dem ideologischen Werk darin liegt, daß dieses die Sozialwirklichkeit direkt beeinflussen will), sei es auf wichtige Einzelwerke, sei es auf Werkgruppen. Primärer Gegenstand sind aber auch die aktuellen ideologischen Darlegungen — Parteientschließungen, Reden, Aufsätze —, und dabei insbesondere deren formale Seite: oft wird die Form Aufschluß geben über die inhaltliche Offenheit oder Abgeschlossenheit, Beweglichkeit oder Starrheit; die Erhellung dieser Zusammenhänge kann die Sonderaufgabe schöpferischen Denkens werden. Immerhin ist hier, ähnlich wie in Religion, Philosophie und Wissenschaft, das Inhaltliche zumeist sehr viel wichtiger als das Formale; selbständige, zumal kreative Denkbemühung hat somit beim ersten sehr viel reichere Möglichkeiten als beim zweiten.

8.1 Gestaltbarkeit der Gemeinschaftsbeziehungen (I)

Die denkende — vom denkenden oder aber einfühlenden, ein- und miterlebenden, wahrnehmenden Erfassen ausgehende — Auseinandersetzung mit Werken oder Darbietungen wird vor allem darum geistig fruchtbar, weil der Gegenstand ein kulturobjektives Ergebnis geistigen Wirkens, eben der Werkschaffenden und Darbietenden, ist. Nun ist im Großbereich der nichtleistenden Verwirklichungen neben dem Feld der Auseinandersetzung mit Werken und Darbietungen dasjenige der Gemeinschaftserfüllungen, charakterisiert einerseits durch Direktzugänglichkeit, anderseits aber durch das Fehlen von Kulturobjektivem der erwähnten Art und damit von Anregungen, die sich aus dem Wirken Geistig-Starker ergeben. Wieweit hebt in Hinsicht auf mögliche Kreativität der Vorteil der Direktzugänglichkeit den Nachteil der geringeren Themenvielfalt und Anregungskraft auf? Umgekehrt: Wieweit ist dieser Nachteil stärker als jener Vorzug? Das hat einige Wichtigkeit, wenn man sich überlegt, wie und in welchem Umfange der Einzelne in seinen Gemeinschaftsbeziehungen und nichtleistenden Gemeinschaftserfüllungen selbständig und sogar schöpferisch werden könne. — Indem der Einzelne mit seiner Familie, seinen Freunden und Bekannten, seinen Berufskollegen in ständiger Verbindung steht, hat er zwar das in ihnen gegebene Menschliche unmittelbar vor sich, aber wahrscheinlich ist für ihn, den Nichtpsychologen, der Zugang zum Verborgenen sehr schwierig und zudem fehlen seiner näheren Umwelt die Extremausprägungen und -situationen, von denen aus die tiefstdringenden Einsichten zu gewinnen sind: die Gestaltungen der großen Dichter, die Beschreibungen der Psychologie und der philosophischen Anthropologie, in ausreichender Vielfalt herangezogen und gründlich durchgearbeitet, geben vollständigeren Einblick ins Menschliche und schon daraus mehr Gelegenheit zu originellem Vergleichen und Folgern als die Direktbeobachtung (was der aufmerksame, einfühlende Leser etwa bei Balzac, Zola, Ibsen, Dostojewski, Tolstoi, O'Neill, Thomas Mann einzusehen vermag, wird er·wahrscheinlich in seiner Nahwelt schon darum nicht finden, weil in ihr die Typenvielfalt beschränkt ist). — Zweitens ist hier hindernd, daß der Einzelne den ihm bekannten Menschen und dem in ihnen gegebenen Menschlichen nicht in der gleichen Sachlichkeit, ja Rücksichtslosigkeit begegnen darf, die ihm mit Bezug auf die Gestalten der Dichtung und die psychologischen und philosophischen Feststellungen ohne weiteres erlaubt ist: das Persönliche steht unter Achtungsgeboten, die von jedem zu befolgen sind, wenn er sich nicht aus der Gemeinschaft ausschließen will; gegenüber den Gestalten der Literatur und der bildenden Kunst ist man zu solchem nicht verpflichtet, da ist auch rücksichtsloses Analysieren und Werten erlaubt. (Immerhin gibt es da eine besondere Art von Höflichkeit, diejenige gegenüber den sich durch ihr Werk bloßlegenden Autoren: es gibt biographisches Privates, das man respektieren sollte; Anspruch auf volle Durchdringung gibt es doch wohl nur in bezug auf Werk und Darbietung). — Drittens hat der Einzelne sich in seinen Beziehungen zu Nahestehenden darum zurückzuhalten, weil er in seinem Urteilen und Handeln oft irren wird, jedenfalls nur beschränkt recht hat; Originalität und Kreativität stehen meistens unter der Maxime »Durch Versuch und Irrtum«: aber auch wer Neues will, muß die Menschen, mit denen er verbunden ist, höher einschätzen denn als Versuchspersonen (wenn man das Wesen Hamlets oder Ophelias falsch deutet, so schadet das keinem, weder Hamlet noch Ophelia und auch nicht Shakespeare, und das Falschdeuten kann ein Zwischenstück des Weges zu richtigem Neuverstehen sein: würde man dagegen einen hamletartigen Sohn oder eine opheliahafte Tochter in amateurpsychologischer Originalität falsch behandeln, so könnte ihnen das Schaden, vielleicht schweren, sogar irreparablen, zufügen). — Aus diesen drei Gründen, stärkst aber aus dem zweiten und dritten, ist zu folgern, daß die Direktzugänglichkeit des in der Nahumwelt gegebenen Menschlichen durch Pflichten der Rücksichtnahme eingeschränkt ist, welche erkennen lassen, daß das Schöpferische oft gerade dort die freieste Bahn hat, wo der Verwirklicher seinem Gegenstand in rein sachlicher Haltung gegenübersteht. Und daraus wird der seiner persönlichen Verantwortung bewußte An-sich-Kreative für sein Praktisches ableiten, daß er innerhalb der Familie, des Freundes- und Bekanntenkreises in dem sie betreffenden Kreativen sehr vorsichtig sei, was allerdings nicht heißt, daß er auf dieses gänzlich verzichten solle, denn bei behutsamem Vorgehen läßt sich in den Direktbeziehungen wertvolles Neues anregen oder für an sich Bekanntes eine neue Verwirklichungsweise anwenden (so: neue Ziele und Verfahren in der Erziehung, im Zusammensein mit und Trennung von erwachsenen Kindern, in der Diskussion mit Freunden und Bekannten über kulturwichtige Themen, in gruppenhafter Freizeitbetätigung).

Den größeren und großen Gesamtheiten gehört der Einzelne an, ohne daß er mit andern Einzelnen persönlich verbunden zu sein braucht, und gibt es solche persönliche Beziehung, so läßt sie sich als Klein- und Nahgemeinschaft innerhalb jenes Größeren verstehen, die als solche zu beachten ist (und insbesondere zu Beschränkungen im kreativen Tun und sogar im originellen Denken verpflichtet), aber die Unpersönlichkeit des Größeren nicht zu beeinflussen braucht, ja sie nicht beeinflussen soll, weshalb man sich insbesondere vor unnötiger Personalisierung des Großgesamtheitlichen und -gemeinschaftlichen hüten und sie allenfalls bewußt ablehnen wird (der in der Großgesamtheit, vor allem im Staat, Mächtige hat ein Interesse daran, in den Gesamtheitsangehörigen, insbesondere den Bürgern, das Gefühl zu wecken, sie kennten ihn persönlich, er sei ihr Bekannter, sogar ihr Freund, den man nicht nur für in der Sache überlegen halten müsse, sondern auch als so nahestehend, daß man ihn nicht, nicht einmal in Gedanken, scharf kritisieren oder gar ablehnen dürfe; der Gesamtheitsangehörige aber hat ein Interesse daran, eben diese Bindung, die ohnehin meistens nur vorgestellt ist, zu vermeiden). Die Unpersönlichkeit erlaubt Betrachtungs- und Verhaltensweisen, die erstens mehr oder weniger fachmännisch sachbezogen und vielleicht zudem von partikularen Auffassungen und auch Interessen bestimmt, zweitens in dem Sinne rücksichtslos sind, daß man jedenfalls in der Idee an die Mächtigen oder sonstwie Einflußreichen mit Ansprüchen und Kritiken herantritt, die, richtete man sie an Nahestehende, das Persönliche belasten müßten: Großgesamtheit, auch wenn als Großgemeinschaft empfunden, ist ein Bereich von hartem Fordern und Ablehnen (weshalb in der Gesellschaft politische Verfahren rechtliche Geltung haben und angewandt werden, mit denen entschieden wird, welche Ansprüche durchgesetzt werden sollen und welche im Gegenteil zurücktreten müssen, auch bis zu welcher Grenze die Kritik gehen darf).

Wenn der Einzelne, was für die meisten zutrifft, in der Großgesamtheit — in der Gesellschaft als Ganzen, im Staat, in der Kirche, sogar in Kleinerem wie in der Provinz oder in der (einigermaßen großen) Gemeinde — persönlich nur geringen Einfluß hat, in ihre Angelegenheiten also nicht tätig eingreifen kann (was Leistung wäre und unter den diese betreffenden Aspekten erhellt werden müßte), ist die auf sie gerichtete geistige Aktivität vorwiegend betrachtend, jedoch im Unterschied zu der rein auf die Sache gehenden, wie sie bei der Befassung mit Aktuellem oft und mit Sozialwissenschaftlich-Erforschtem meistens vorliegt, wirhaft in dem Sinne, daß der Betrachter das betrachtete Gesamtheitliche, sei es Tatsache oder Problem, werde es bejaht oder verneint, befürwortet oder abgelehnt und vielleicht bekämpft, als das Interesse einer Gemeinschaft, der auch er angehört, berührend versteht. Stärker als in objektivistischem Bewußtseiend-Teilhaben sind hier Ziel- und Wertauffassungen in Hinsicht auf die richtige Gestaltung der Gesellschaft als solcher, ihrer Institutionen und der sozialen Stellung der Einzelnen bestimmend. Vielleicht läßt sich der Betrachter dabei von Religion, Philosophie, Wissenschaft und Ideologie leiten und dann kann er selbständig wenigstens in der Auswahl der geltungfordernden Prinzipien und in der Weise ihrer Anwendung werden (so: Beurteilung des Ganzen oder von Sondergebieten des Sozialen aus den christlichen Grundauffassungen, spezieller aus der katholischen Sozial- und Staatslehre, aus philosophischem Idealismus oder Materialismus, aus tatsächlich oder vermeintlich wissenschaftlich begründetem Biologismus, Evolutionismus oder Psychologismus, aus ideologischem Liberalismus oder Sozialismus); vielleicht entscheidet er aus autonomem Fürrichtighalten, in dem er das Lehrehafte lediglich zur Anregung benützt, und das gibt ihm wohl am ehesten Gelegenheit zu kreativem Urteilen.

Ob der, kenntnisreiche und denkgeschulte, Betrachter das beurteilte gesellschaftliche Ganze als eine Großgemeinschaft und sich selbst als ihr angehörend versteht, hängt manchmal von der sozialen Gegebenheit und manchmal von der Selbstauffassung ab. In seiner Beziehung zum Volk, zur Einwohnerschaft der Provinz, der Stadt, des Dorfes, zur Sprachgesamtheit, zur Gesamtheit der Berufsgleichen und -nahen, zur Kirche, deren Glaubensdoktrin er anerkennt, ist das Zur-Gemeinschaft-Gehören gesellschaftlich vorgegeben, dabei allerdings durch Selbstauffassung verstärkbar (anderseits auch abschwächbar und sogar aufhebbar). Kreativität des gemeinschaftsbezogenen Denkens wird hier erstens in der Erhellung bisher nicht oder nur undeutlich erkannten Wesens im Objektiv-Gesellschaftlichen, in der subjektiven Stellung der Einzelnen zur Gemeinschaft, in der eigenen Gemeinschaftsbezogenheit (und -distanziertheit), zweitens in der Wertung von Objektiv-Gemeinschaftlichem und gemeinschaftsbezogenem Subjektivem, drittens im Postulieren von wertvollem Neuen dieser beiden Wirklichkeitsarten (Beispiel zum ersten: genauere Beobachtung und sorgfältigere Analyse von Gesamtheit und Gemeinschaft, der man selbst angehört, vor allem der Volks-, Sprach-, Berufs- und Religionsgesamtheit, und sich daraus ergebendes Neuverstehen; Beispiele zum zweiten: von der Idee, daß in unserer Zeit das menschheitliche Gesamtwohl das große Sozialproblem ist, ausgehende Wertung des Nationalen und Übernationalen, von der Idee, daß die Geistigkeit der Einzelnen als Ziel zu verstehen ist, ausgehende Wertung von Schule und Kirche; Beispiel zum dritten: Postulierung von dem menschheitlichen Gesamtwohl dienenden Maßnahmen in Staat und Staatengesamtheit, insbesondere die zwischenstaatliche wissenschaftliche, technische und wirtschaftliche Zusammenarbeit betreffend, Postulierung von der Geistigkeit der Einzelnen günstigen Neuerungen in Schule und Kirche).

Das großgesellschaftliche In-Gemeinschaft-Sein ist aber mitunter nicht in der gesellschaftlichen Wirklichkeit vorgegeben, sondern wird vom Einzelnen in seiner individuellen und vielleicht schon darin schöpferischen Selbstauffassung gesetzt, indem er von seinen kulturhaften Interessen aus sachlich spezielle Gesamtheiten erkennt und sich als zu ihnen gehörend und mit den Gleichinteressierten gemeinschaftlich verbunden versteht; Voraussetzung ist dabei wohl immer, daß das maßgebende Interesse in der Kultur erhebliche Verbreitung erlangt und außerdem in einigem Umfange zu kultureller Verwirklichung geführt hat (so kann sich derjenige, der sich für Höhlenmalerei oder Radioastronomie oder die Vereinten Nationen interessiert, als mit Gleichgesinnten verbunden und in gemeinschaftlichem Besitz eines reichen Sachbestandes wissen, — das gleiche wäre kaum möglich, zumindest jetzt noch nicht, in bezug auf die Befassung mit den religiösen Vorstellungen in den schriftlosen Frühkulturen oder mit den Lebewesen auf außerirdischen Himmelskörpern, das heißt praktisch auf Planeten außerhalb des Sonnensystems). Auch unter diesem weniger selbstverständlichen, anspruchsvolleren Typus des Sich-in-Gemeinschaft-Auffassens kann der Einzelne erstens in der Tatsachenfeststellung und -durcharbeitung, zweitens in der Wertung, drittens im Neues-Postulieren autonom und vielleicht schöpferisch denken, meistens allerdings ohne Aussicht, die eigenen Ansichten in weiterem Kreise zu verbreiten oder gar zu fachlicher Geltung zu bringen, — dies würde in der Regel kreative Leistung erfordern. Je weiter die Großgemeinschaft oder Gesamtheit ist, die sozial-tatsächlich gegeben ist oder die man durch eigene Auffassung als maßgebend feststellt, desto mehr ist man auf die Medieninformation und Bücher angewiesen und desto enger wird die Verbindung zum Bewußtseiend-Teilhaben am Sozialen und Kulturellen, aktuellem, über das in den Nachrichten und Kommentaren, und prinzipiellem, über das ebenfalls in den Kommentaren, dazu in den Beschreibungen von Sozialzuständen und in sozialwissenschaftlichen Untersuchungen berichtet wird: solches Bewußtseiend-Teilhaben fördert das Sich-in-Gemeinschaft-Wissen und die Auseinandersetzung mit den Gemeinschaftsdingen, und die Gemeinschaftsbezogenheit fördert das auf die Betrachtung gehende Interesse am Sozialen und Kulturellen.

In der modernen Kultur verliert der Einzelne einerseits manche der direkten nahgemeinschaftlichen Beziehungen, die früher selbstverständlich waren und es in nichtmodernen Kulturen der Gegenwart noch immer sind, anderseits sind erst unter modernen Voraussetzungen die sachlich vollständige, alle Sachfelder und -schichten der Gesellschaft erhellende und zusammenfassende, dazu globale, der Idee nach auf alle Länder gerichtete, schließlich großzeitliche, auf alle Geschichtsepochen gehende Vergegenwärtigung der gesellschaftlichen Wirklichkeit und das entsprechende Sich-in-Gemeinschaft-Wissen möglich, zwei ambivalente Tendenzen, von denen die erste zumindest teilweise wertnegativ ist, die zweite jedoch manches Wertvolle bietet und damit die erste teilweise oder sogar ganz kompensiert: die Unvermeidlichkeit der ersten Tendenz kann praktischer Grund sein, sich auf den Wert und die konkreten Möglichkeiten des Großgemeinschaftlichen zu besinnen. Die selbständige und dabei intensiv-interessierte Befassung mit dem von den Berichtsmedien angebotenen Kenntnisstoff gibt täglich Gelegenheit zu Sicheindenken, Sicheinfühlen, zu persönlicher Stellungnahme und innerer Beteiligung; dabei wird in der Regel das Politische und im weiteren Sinne Gesellschaftliche im Vordergrund stehen, aber gerade so läßt sich lebendige Einsicht ins Menschliche gewinnen: die Einzelnen, Gruppen und Organisationen sind ins gesellschaftliche Ganze einbezogen und wirken in ihm, — was politische oder allgemeiner soziale Aktivität ist, läßt immer auch auf das Denken und Wollen der sie tragenden Ungenannten schließen. Vom Betrachter ist freilich verlangt, daß er sich auf dieses Hinter- und Untergründige einstelle, also es so einsichtig mache, wie es in Wirklichkeit ist, nicht wie er möchte, daß es sei, auch auf jedes voreilige Urteilen verzichte (denn die sozialen Dinge sind vielschichtig und innerhalb der einzelnen Schichten komplex, also nur nach subtilem Eindringen — oder überhaupt nicht — abschließend zu beurteilen) und auf keinen Fall die eigene Stellungnahme durch ideologische Voreingenommenheit oder gar durch Angst beeinflussen lasse.

Kann schon die Befassung mit großräumigem politischem und Sozialem selbständig und kreativ sein, so erst recht das Sich-in-Gemeinschaft-Einfühlen im Sinne des Bewußtwerdens, durch welches man sich selbst allmählich als zu einer besonderen, konkret gefaßten Gemeinschaft, die nicht ohne weiteres, das heißt auf Grund der traditionell aufgefaßten Umweltgegebenheiten einsichtig ist, gehörend erfährt: Gemeinschaft, die über die eigene Nation, die eigene Religionsgesamtheit, die eigene Klasse hinausgeht (oft bietet es schon Schwierigkeiten, den Religions- oder Klassenfremden des eigenen Landes, noch mehr den Religions- oder Klassengleichen eines fremden Landes, den Klassengleichen einer andern Konfession oder den Glaubensgleichen einer andern Klasse als zur gleichen Großgemeinschaft gehörend, das heißt die Gesamtheit, die sich sozialanalytisch bilden läßt, als Gemeinschaft zu verstehen), — vor allem übernationale Kultur-, Religions- oder Klassengemeinschaft, weitergreifend und mit höherem Anspruch an den Sich-Eindenkenden die auf noch größerer und komplexerer Großgesamtheit aufbauende Gemeinschaft: Völker von verschiedenem Kulturtypus (so: West- und Osteuropäer, die Europäer und die Völker Nordafrikas und des Nahen Ostens, Europa und Nordamerika); Gläubige verschiedener Religionen (so: die Christen und die Juden, oder — alle Monotheisten — Christen, Juden und Mohammedaner, oder — alle Theisten, die einen Schöpfergott annehmen — Christen, Juden, Mohammedaner und Hindus, oder noch weitergreifend diese vier Hauptgesamtheiten und Mahayanabuddhisten, die zwar ebenfalls an einen Gott oder an Götter, aber nicht an den Weltenschöpfer glauben, schließlich die Theravadabuddhisten einbeziehend, die den Theisten wenigstens darin gleich sind, daß sie religiös denken); mit wirtschaftlichen Kategorien bestimmte Bevölkerungsgesamtheiten (so: Arbeiter, Angestellte und Bauern der Industrieländer, Arbeiter der Industrie- und der Entwicklungsländer, Lohnabhängige und Bauern der Industrie- und der Entwicklungsländer, — in allen drei Fällen sind die Lebensbedingungen und -probleme der genannten Hauptgruppen in Wesentlichem verschieden).

8.3   Gemeinschaft aus Teilhabe an Religion, Philosophie und Ideologie

Die Religionen, die Philosophien, die Ideologien sind, wenn sie kulturell einigermaßen wichtig geworden sind — und das geschichtlich oder gegenwärtig oder geschichtlich-und-gegenwärtig —, dem interessierten Beobachter und Betrachter jetzt meistens ohne Schwierigkeit zugänglich: fast in jedem Fall gibt es eine umfangreiche Literatur (Originalwerke und Übersetzungen, Darstellungen, Kommentierungen und Erläuterungen, geschichtliche

Berichte), und sie wird oft durch Mediensendungen ergänzt; dazu kommt die Direktbegegnung auf Reisen. Schwieriger zu erfassen sind dagegen Lehren und Bewegungen, deren gesellschaftlicher Erfolg gering war oder ist, in der Gegenwart manchmal auch die sich kritisch gegen die gesellschaftlich Mächtigen wendenden.

Religion wird natürlich vor allem von ihren Anhängern, ihren Gläubigen als großgemeinschaftsbildend erfahren. Sie finden in ihr das die Wirklichkeit erklärende und deutende Wahre und dazu das lebens- und sozialpraktische Maßgebende; sie sind in eine den Glauben tragende und anwendende Heilsanstalt, und sei sie noch so locker durchgebildet, einbezogen: eben daraus erfahren sie sich mit den Gleichgläubigen gemeinschaftlich verbunden. Jedoch ist dieses religionsbegründete In-Gemeinschaft-Sein für die weitaus meisten Gläubigen so selbstverständlich, daß sie kaum Anlaß bekommen, es aus persönlichem Neuernwollen zu verändern. Solches mag aber sinnvoll werden und sogar sich als Aufgabe stellen, wenn der Gläubige ein spezielles Interesse aufbringt, etwa für eine zunächst theologisch-theoretische und dann ins Praktische ausstrahlende Neurichtung innerhalb des traditionellen Lehrgebäudes, oder für die Zusammenfassung bisher getrennter Glaubensrichtungen und -gesamtheiten, oder für, christliche oder auch nichtchristliche Religionen einbeziehende, ökumenische Bestrebungen. Für einige wird es hier schöpferisches Neuverstehen von religiöser Gemeinschaft geben, und das wahrscheinlich auf zwei verschiedenen Ebenen: indem sich der speziell-interessierte Gläubige mit den ihm persönlich bekannten Gesinnungsgenossen zu religiöser, vielleicht sektenhafter oder anderseits theologisch-elitärer Nahgemeinschaft, mit den ihm nicht bekannten zu mehr oder weniger weitgreifender Großgemeinschaft (bis zur Gemeinschaft aller Christen, sogar aller Monotheisten, ja aller Theisten gehend) verbindet. Selbständigkeit des geistigen Aktivwerdens wird im ersten Falle auf die intensive und vielleicht originelle gemeinschaftliche Glaubensgestaltung und -anwendung, im zweiten auf die Vergegenwärtigung der Glaubensgleichheit und des Zu-Glaubensgleichen-Gehörens zielen, — das erste verlangt den realen Kontakt mit andern Menschen und ist daraus für viele schwierig, hat aber anderseits den Vorzug, eben im Direktrealisierbaren zu bleiben, das zweite dagegen ist weitgehend abstrakt und erfolgt in konstruierendem Vorstellen, durch das kein tatsächliches Soziales geschaffen wird, jedoch eine individuelle Gemeinschaftssicht entsteht, die als solche Ergebnis kreativer Bewußtheit ist.

Eine andere Art der religiösen Großgemeinschaftsgeistigkeit ist in unserer Zeit dank des Tatsachenreichtums und Leichtzugänglichkeit der außerchristlichen Hochreligionen möglich geworden: wer sich jetzt für eine fremde Religion oder die fremden Religionen überhaupt intensiv interessiert, kann auf die religionseigenen Schriften, dogmatische Grundlehren und ausführende Darlegungen (für beides wird er wahrscheinlich vortreffliche Übersetzungen finden), und auf religionswissenschaftliche Beschreibungen greifen und sich dadurch in das fremde Glaubensgut so vertiefen, daß es für ihn, ohne daß er sich der betreffenden Religion anschlösse, zu geistigem Besitz wird, durch den er sich mit ihr eindenkend und -fühlend verbindet und damit insbesondere mit dem Fragen, Antwortfinden, Zielhaben und Ablehnen, Verwirklichen und Verzichten ihrer Gläubigen. Bei langedauernder Beschäftigung mit den Religionen mag der Interessierte fähig werden, in hypothetischer Gläubigkeit (das heißt in zeitweiligem Denken »als ob man gläubig wäre«) an mehreren Religionen teilzuhaben, auch an derjenigen, die früher die eigene war, von der er sich aber gelöst hat. Wahrscheinlich gibt es die voll offene hypothetische Gläubigkeit nur für Nichtgläubige: solange man als Gläubiger in einer, seiner eigenen, Religion steht, fühlt man sich anderm Glauben überlegen; dagegen hat man als Atheist, bei aller Ablehnung der Religion überhaupt und der je besondern Religionen, die Möglichkeit zur hypothetischen Annahme und Erfahrung von religiösen Ideen, Lehren, Vorstellungen, Bildern, — alle Religionen sind so dem Als-ob-Gläubigen zugänglich. Gerade der Atheist kann sich, aus religionsinteressierter Nichtreligiosität (in der er weiß, daß nicht er den einzigrichtigen Glauben hat), in kreativem Selbstverstehen mit den Gläubigen aller Religionen verbinden. Und die Gemeinschaft, die er so erfährt, wird nicht ausschließlich im Hypothetisch-Geglaubten bleiben: vielmehr wird in ihr spirituale Grundhaltung bewußt, bei der es nicht mehr auf die Glaubensart ankommt (der Atheist wird zwar nicht das Denken der Theologen, Priester und Mönche anerkennen, wohl aber ihre Bemühung um die Wahrheit und ihr tätiges Sicheinsetzen).

Philosophisches Interesse wirkt großgemeinschaftbildend schon aus seiner Allgemeintendenz, aufs Philosophische zu gehen, das heißt auf die Philosophie als umfassendes Denkgebiet, noch intensiver aber aus dem Interesse für inhaltlich speziellere Lehren und Systeme, bestimmt durch Sachgebiet (so: Ontologie, Erkenntnistheorie, Staatsphilosophie) oder Einstellung (so: christliche, marxistische, rationalistische, irrationalistische Philosophie), für das Denken und Lehren der großen Philosophen und bedeutenden Spezialisten (die ersten werden vorwiegend philosophiegeschichtliche, die zweiten eher jetzige Denker sein), für das Philosophieren im eingeschränkteren Sinne, wie es auch von Nichtfachleuten betrieben werden kann und soll. Indem der Philosophisch-Interessierte sich mit Philosophischem befaßt, kann er sich als einer Gesamtheit von Gleichinteressierten (unter denen allerdings viele Begabtere und Aktivere sind als er selbst) verbunden verstehen, an deren Gesamtbemühung er, und sei es auch nur innerlich, beteiligt ist: ob man sich die allgemeinen Prinzipien alles philosophischen Denkens, oder die speziellen eines Sondergebietes der Philosophie, oder die Denkleistungen eines einzelnen Philosophen oder einer Philosophenschule, oder die Beziehungen zwischen Philosophie und Gesellschaft vergegenwärtigt, immer steht man dabei unter Denkthemen und wendet man Denkweisen an, die in der geschichtlichen und in der gegenwärtigen Kultur eine so breite Trägerschaft haben, daß man sich als durch weite Gemeinsamkeit von Hochwertvollem mit vielen andern Menschen zusammengehörend wissen darf. Für manchen wird das Sich-durch-Philosophie-Verbinden besonders lebendig sein, weil die Philosophie sich seit ihren Anfängen sowohl um die großen Menschheitsfragen als auch um viele subtile Einzelprobleme bemüht (das zeigen einerseits Parmenides und Heraklit, anderseits Zenon und Protagoras) und dabei jedenfalls als Ganzes, wenn auch nicht in den zum Teil dogmatisch verhärteten Schulen und Richtungen, für Neues offen ist; hiedurch bietet sie vielfach Gelegenheit zu selbständigem und insbesondere zu kreativem Teilhaben und In-Gemeinschaft-Treten, mehr als für die meisten das religiöse oder im Interesse am Religiösen begründete Denken. Jedoch gibt es da auch Hinderndes, so die Tatsache, daß in unserer modernen Kultur vieles, das früher von der Philosophie bearbeitet oder zumindest in allgemeinerer philosophierender

Einstellung überlegt wurde, etwa die Fragen nach Wesen und Entstehung des Kosmos, jetzt zum Themenkreis der Wissenschaft, genauer: einer spezialisierten Fachwissenschaft, gehört; die Kreativität des philosophischen Denkens kann so zum Ergebnis haben, daß man auf alten Typus des Philosophierens verzichtet und sich von der entsprechenden Gemeinschaft Philosophisch-Denkender, also etwa der über die Kosmosphilosophie Denkenden, herauslöst, um sich fortan ganz wissenschaftlich einzustellen und damit in die entsprechende Großgemeinschaft der Wissenschaftlich-Denkenden einzutreten. Doch kann auch, im Gegensatz hiezu, die aufs Philosophische und insbesondere das Philosophisch-Gemeinschaftliche gehende Kreativität von Wissenschaftlichem ausgehen, das neuartiges Philosophieren veranlaßt, etwa das an die Erkenntnisse der Atomphysik oder der Linguistik anschließende.

Inhaltlich enger, weniger frei und weniger offen, dafür aber oft klarer, fester und manchen zu intensiverer Beteiligtheit bringend als die Großgemeinschaft, die man sich auf Grund von philosophischem Interesse vorstellen kann, ist in der Regel diejenige, die von einer Ideologie ausgeht. Beschränkend ist hier in der Regel schon das Abstellen auf eben nur eine Ideologie, nämlich auf die als richtig anerkannte, nicht auf die Ideologie allgemein und auf die Gesamtheit der Ideologien, man wird daraus den Anhänger einer fremden Ideologie eher als fremd und gegnerisch gesinnt auffassen denn als gleichgesinnt und mit einem selbst übereinstimmend. Gerade diese Festgelegtheit kann als Gemeinschaft in Denken und Wollen, sogar als Schicksalsgemeinschaft erlebt werden, ähnlich wie religiöse Festgelegtheit durch die einer Religion oder Konfession Angehörenden. Und da die Ideologie vielfach auf Aktuelles gerichtet ist, mag sie den besonders aktiv Interessierten neue Weisen des Sich-verbunden-Wissens eröffnen. — Sehr viel geringer ist die gemeinschaftsbildende Kraft der Ideologie in ihrem Allgemeinwesen: der Philosophisch-Interessierte kann sich mit der Philosophie in ihrem Gesamten und Allgemeinen, daraus mit allen Philosophien und allen andern Philosophisch-Interessierten in geistiger Gemeinschaft verbunden erfahren; der Ideologieanhänger hingegen wird sich in der Regel nicht um Ideologie-an-sich kümmern (sogar bestreiten, daß er unter Ideologie steht) und er wird die Anhänger anderer Ideologien als Gegner sehen. Jedoch liegt darin kein unaufhebbarer

Zwang: verbindet sich ideologisches Denken und Wollen mit wissenschaftlicher Sachlichkeit und philosophischer Kritik, so mag wenigstens Gemeinsamkeit in den Voraussetzungen und Endzielen erkannt werden; die ideologischen Gegensätze erscheinen dann als eher die Verfahren und Mittel betreffend, und über dieses Praktische sollte man sachlich (und sachkundig) diskutieren. Kann nicht auch der Wille zur kritisch-sachlichen Weiterführung und Anwendung der Ideologie, als deren Anhänger man sich selbst versteht, neue geistige Gemeinsamkeit mit gleich eingestellten Anhängern anderer Ideologien und, klarer bewußt, neuesschaffendes, kreatives Bemühen um Gemeinschaft im Sozialreformerischen entstehen lassen? Das ist aus den Bildungsvoraussetzungen unserer Zeit zu bejahen. Und daß diese sozialpraktische, ideologiepraktische Möglichkeit genützt werde, ist sozial- und ideologieethisch zu postulieren.

Religion, praktische Philosophie und Ideologie richten sich stark auf das Seinsollende von Einzelleben und Gesellschaft; dabei wird das Einzelleben als gesellschaftsbedingt gesehen, so daß die gesellschaftliche Kultur — die Gesellschaft als solche, Staat und Politik, Wirtschaft und Technik, Ortsgestaltung und Umweltbeeinflussung — zum wichtigsten Thema wird. Postulate dieser Art werden wohl eher in Ideologie als in Religion und Philosophie aufgenommen, ja es kann neue Ideologie von ihnen aus geschaffen werden: gesellschaftsbezogene Ideologie wird aus dieser ihrer Aktualität am ehesten neue Weisen des Sich-in-Gemeinschaft-Wissens nicht nur ermöglichen, sondern auch nahelegen. Daß sich jetzt das Ideologische gegenüber Religion und Philosophie vor- und daß es diese beiden zurückdrängt, ist eine unvermeidliche Folge der diesseitszugewandten Leistungskraft der modernen Zivilisation; man muß dieses Zeitgenössische begreifen und, sei es auch nur als uns auferlegtes Schicksal, annehmen: eben so gewinnt man die Grundlage zu modernem In-geistiger-Gemeinschaft-Sein.

Wieweit verlangt die von Religion, Philosophie oder Ideologie ausgehende Gemeinschaft, die hier primär als persönliches oder allenfalls gruppenhaftes Sich-in-Gemeinschaft-Wissen, An-Gemeinschaft-Teilhaben zu verstehen ist, daß man in einer Kirche, religiösen oder philosophischen Vereinigung, politischen Partei Mitglied sei, Funktionen ausübe, gar führend werde? Solches wird bei vielen Interessierten die innere Beteiligung intensivieren und manche auf neue Wege des Denkens bringen; das wird sich insbesondere auf die Eigenformungskraft des Gemeinschaftsverständnisses auswirken. Es gibt da aber auch Einschränkendes, indem jedes organisierte Sozialgebilde seine festgelegten Normen hat, die von den Mitgliedern und auch den Führenden anzuerkennen und einzuhalten sind: lebendiges und kreatives In-Gemeinschaft-Treten, In-Gemeinschaft-Erfüllung-Finden ist mitunter leichter zu erreichen, wenn man sich außerhalb alles Organisierten hält.

8.4 Gemeinschaft aus Teilhabe an Wissenschaft

Wissenschaftliche Bewußtheit ist zweipolig daraus, daß sie einerseits das wissenschaftlich Erkannte, Gedachte, Dargelegte zum Gegenstand hat und andererseits den Prinzipien, unter denen die Wissenschaft an ihre Gegenstände herantritt und sie bearbeitet, verpflichtet ist; maßgebend wird das auch für die Teilhabe an Wissenschaft und Wissenschaftlichem und für das darauf gestützte Sich-in-Gemeinschaft-Wissen.

Aus Wissenschaftsgegenstand verbunden wird man sich am stärksten dann erfahren, wenn er Menschen betrifft. Wissenschaft untersucht Einzelne, Gruppen, Gesamtheiten, Gesellschaften, analysiert und deutet ihre innere Wirklichkeit, ihr Fühlen, Denken, Glauben und Wollen (damit ihre Zuneigungen und Abneigungen, ihre Ziele und Werte, ihr Lieben und Hassen), ihre äußere Situation und die Situationsbedingtheit ihrer Existenz, ihr nach außen gerichtetes Handeln und dessen Erfolge und Mißerfolge: so ermöglicht sie dem forschenden oder beschreibenden Wissenschaftler, sich in die Menschen, mit denen er sich befaßt, einzudenken und einzufühlen, und das vielleicht mit einer Genauigkeit, die in ihm selbst dem verstandenen Wesen neue Wirklichkeit gibt, ihn eben damit zu persönlich erlebter geistiger Gemeinschaft mit seinem Gegenstand führend. Am einfachsten zu verwirklichen ist Gemeinschaftsbewußtheit dieser Art in den Wissenschaften, welche das je besondere Seelische und Geistige, und darauf gerichtet auch die Lebensumstände von Personen und Kollektiven zu erhellen haben:

Geschichtswissenschaft, Biographisches und Gruppengeistiges herausarbeitende Religions-, Kunst-, Literaturwissenschaft, Philosophie in ihrem Interesse für das Persönliche der Denker und das Kollektivwesen der Richtungen und Schulen, Psychologie aller Typen, Soziologie. Und am stärksten wird das Sichverbinden natürlich dann, wenn es als solches eine Voraussetzung bester wissenschaftlicher Arbeit ist (Empfehlung: man bemühe sich, sich ins Denken und Verstehen großer Biographen einzufühlen, deren Aufgabe die möglichst vollkommene Einsicht ins Seelisch-Geistige der beschriebenen Großen ist); die Kreativität des Wissenschaftlers wird sich auch in dieser Richtung auswirken. Aber dieses Sichverbinden ist nicht auf die forschenden, untersuchenden und darlegenden Wissenschaftler beschränkt; vielmehr ist es, und mit vielfältigsten Erlebensinhalten, auch denen zugänglich, die die Wissenschaftsergebnisse aufnehmen, sei es zu weiterer wissenschaftlicher oder lehrender Arbeit, sei es aus dem rein-betrachtenden Interesse am, besondern oder allgemeinen, Menschlichen. Humanwissenschaft ist Dienst an der Humangemeinschaft, letztlich an der global-humanen Gemeinschaft, und daß sie diesen Dienst leisten kann, ist auch von den Aufnehmenden, von einigen in schöpferischem Neuessetzen, zu wollen.

Oft wird die an den menschlichen Wissenschaftsgegenstand anknüpfende Gemeinschaftsbewußtheit ganz oder jedenfalls stark überwiegend im Wissenschaftlichen bleiben: so die psychologisch, geschichtswissenschaftlich, soziologisch begründete, soweit solche Erkenntnis als solche das Zentrale ist. Oft aber leistet die Humanwissenschaft nur einen Beitrag an Verstehen und Sichverbinden, deren Hauptfeld außerhalb der Wissenschaft liegt. Wer sich mit Religion, Philosophie, den Künsten befaßt, ja möglichst tief in sie eindringen und möglichst lebendig mit ihnen verbunden werden will, der wird sich von den einschlägigen Wissenschaften helfen lassen: aber wichtigst müssen ihm die Lehren und Werke als solche und die schöpferischen Großen in ihrer Persönlichkeit sein, und da wäre das Nur-Wissenschaftliche zu eng.

Unterhalb der Menschenwelt ist die Tierwelt mit ebenfalls psychophysischer Wirklichkeit. Biologie, und ihre Spezialwissenschaften Tierpsychologie und Tiersoziologie, führen so kenntnisreich ins Tierseelische ein, daß sich sowohl der forschende oder beschreibende Wissenschaftler wie auch der nachvollziehende Wissensfreund mit den beobachteten Wesen innerlich verbinden können: Gemeinschaftserleben, das über das Menschliche hinausreicht, aber dabei nie das Empirisch-Erwiesene verläßt. Jedoch heißt das nicht, daß solche Bewußtheit nur rational sein könne: die tierpsychologische und -soziologische Kenntnis kann in ein mitfühlendes und auch wertendes, wertend-bejahendes Verstehen übergeleitet werden. — Kann man in seinem Interesse fürs Tierseelische von den hochorganisierten, entwicklungsgeschichtlich späteren Tieren, zumal den höchsten Wirbeltieren, zu den niedrigeren und schließlich den niedrigsten absteigen, somit seine Gemeinschaftsbewußtheit auf alle Tiere erstrecken und sich eben so neue Gelegenheiten zu schöpferischem Sich-in-Gemeinschaft-Begeben schaffen? Es kommt dabei auf die Definition des Begriffes »psychisch« an: bringt man ihn in die Nähe des, wissenschaftlich feststellbaren, organismischen Verhaltens, so mag man ihn anwenden, sobald man auf individuelle und kollektive Funktionen stößt, die autonome Lenkungskraft vermuten lassen. Und vielleicht erfährt man sich selber als mit aller Tierexistenz, bis hinunter zur einfachsten, daraus innerlich verbunden, daß man sein eigenes hochausgebildetes Seelisch-Geistiges als aus sehr frühem Naturhaftem entstanden weiß und nacherlebend vergegenwärtigt. — Und es gibt Wesensverwandtschaft, in einigem sogar Wesensgleichheit zwischen Tieren und Pflanzen, absteigend zu den allereinfachsten Lebewesen, die den einen, gemeinsamen Ursprung alles Lebens vermuten lassen. Daraus eine allgemeine Disposition alles Lebens zum Psychischen abzuleiten ist hypothetisch und spekulativ, muß aber gewagt werden, sofern man es für eine logisch berechtigte Vermutung hält, daß das, was auf höherer Stufe entsteht, schon in deren entwicklungsgeschichtlichem Unterbau als Möglichkeit gegeben sein muß. Wir Menschen in Wesensgemeinschaft mit allem Lebenden: Selbstverstehen dank der lebenswissenschaftlichen Erkenntnisse, auf Grund welcher es von Schöpferisch-Einsichtigen immer wieder zu erweitern, zu vertiefen, differenzierend durchzubilden ist.

Eine Großgruppe von Wissenschaften befaßt sich mit Gegenständen, die kein eigenes Seelisches haben und auch nicht als Vorstufen zu Seelisch-Begabtem aufzufassen sind, jedoch aus Seelischem geschaffen wurden und von ihm aus Sinn haben. Art, Inhalte

und Formen, Geschlossenheit oder Offenheit dieses Gegenstände-
reiches und seiner Teilgebiete machen das Wesen der Kultur aus
und charakterisieren insbesondere die einzelnen geschichtlich und
geographisch voneinander abzugrenzenden Kulturen. Mit diesen
und den in ihnen tätigen Einzelnen und Kollektiven kann der
Kulturbetrachter sich in geistiger Gemeinschaft verbinden, und
gerade darin mag er seinem schöpferischen Verstehen neue Gelegenheiten schaffen. Jeder Kenntnisreiche, der sich mit einem
Kulturfeld eingehend und dabei vorstellungsstark befaßt, kann sein
einfühlend-denkendes Teilhaben auf Zusammenhänge richten, die
von andern Betrachtern vernachlässigt oder gar nicht gesehen
werden. Hauptgebiete solchen von Kulturobjektivem und objekti-
viertem Kulturellem ausgehenden kreativen Geistige-Gemein-
schaft-Schaffens sind, zumindest was die moderne Kultur anbelangt: Wissenschaft (in ihren objektivierten Erkenntnissen, Lehren,
Veröffentlichungen und auch in ihrem Institutionellen), Technik,
Wirtschaft, Staat (je in ihrem Vergegenständlichten und Institutionellen); wichtige, obgleich weniger ausgedehnte Dingfelder sind
Religion, Philosophie und Ideologie, hier zu beschränken auf ihr
Objektiviertes (ebenfalls Lehren, Ideen, Werke, Institutionen). —
Worin besteht die gemeinschaft-schaffende Teilhabe des sich ins
Gegebene einfühlenden Betrachters? Am lebendigsten wird sie
wohl dann, wenn man sich sachrichtig ins Denken, Wollen und Tun
der in der Kultur progressiv und innovativ leistenden Gruppen und
Organisationen einfühlen und eindenken kann: es mag gelingen,
daß man ein Mitdenkender, Mitwollender, Mithandelnder wird
(dann ist wohl das Prozeßhafte, aus dem das Objektivierte entstand, das Hauptthema des Nachvollziehens: innere Gemeinschaft
geht oft von reiner Leistung aus, so im Politischen, bei Entdek-
kungsleistungen, bei technischen und wirtschaftlichen Pionierlei-
stungen). Sinnvolle Teilhabe gibt aber auch die Verbindung mit den
eher im Bekannten bleibenden Tätigen, seien es Einzelne oder
Sozialgebilde, sei ihre Zeit die ferne oder nähere oder nahe Vergangenheit oder die Gegenwart, ihr Ort ein uns ferner oder naher
Kulturraum oder unsere eigene Raumstelle, seien sie in ihrem
Arbeitsfeld selbständig oder unselbständig, anordnend oder ausführend (besonders zu vergegenwärtigen: Kompetenzen und Verantwortung der führenden Angestellten moderner Großorganisa-

tionen). Und sinnvolle Teilhabe erfaßt drittens den seelischen Bereich derer, denen das kulturelle Sachliche angeboten oder auferlegt wird: die es also in Anspruch nehmen, benützen, gebrauchen und verbrauchen können oder aber sich ihm fügen müssen; das wiederum wird in praktischem Zusammenhang mit wissenschaftlicher Information stehen, und diese gibt dem phantasievoll das gemeinschaftliche Wesen Suchenden mancherlei Hinweis auf neues Wesentliches. — Wäre es sinnvoll, über Objektiviertes auch die innere Verbindung mit Tierseelischem zu suchen? Wohl nur in sehr beschränktem Ausmaß: weil das Gegenstandschaffen der Tiere fast nur in vorgeprägter, also kaum das bewußte Besondersmachen erlaubender Weise erfolgt.

Alles wissenschaftliche Wissen wird von Wissenschaftlern, Wissenschaftsfreunden und andern an die Wissenschaften anschließenden Wissenden (es mögen unter diesen auch Wissenschaftsgegner sein) gewußt. Wer sind diese Wissensträger, wie ist ihr Wissen und was wird in und aus ihm? Fragen, durch die man veranlaßt werden kann, sich mit je besondern Kategorien von Wissenden innerlich zu verbinden, und das vielleicht aus persönlich-originellem, in einigem sogar schöpferischem Verstehensuchen. — Auf höchste Stufe gelangt und am lebendigsten anregend, bereichernd wird dies, wenn es geistige Gemeinschaft von in persönlichem Kontakt stehenden Wissenschaftlern entstehen läßt, beziehe sich das verbindende Interesse auf eine Spezialdisziplin, ein größeres Fachgebiet, eine Hauptwissenschaft oder das Allgemeine und Prinzipielle der Wissenschaften und damit *der* Wissenschaft. Zumindest vorbereitend und zum Teil selbstzweckhafte Erfüllung erreichend ist da insbesondere die Gemeinschaft der Lehrenden und Studierenden der Hochschulen. — Etwas niedriger ist wohl in der Regel das Anspruchsniveau, wenn sich Wissensfreunde außerhalb ihres Berufes mit, publizierenden oder vortragenden, Fachwissenschaftlern verbinden. Aber was da an Höhe des Wissens und der Beurteilungsfähigkeit fehlt, wird durch die gesellschaftliche Breite solcher wissenschaftsbegründeter und -bezogener Geistigkeit wettgemacht. Unentbehrliche Mittel: populärwissenschaftliche Wissensdarstellungen durch Bücher, Zeitschriften und Mediensendungen.

Bei allen diesen Überlegungen ist stets zu bedenken, daß das wissenschaftliche Wissen sowohl statisch als auch dynamisch ist.

Statisch in dem Sinne, daß in der Gesellschaft ein umfangreicher Bestand von Kenntnissen gegeben und verfügbar ist, die sich als richtig erwiesen haben und auf die sich der sie Übernehmende, Anwendende verlassen kann. Dynamisch in dem Sinne, daß dieses an sich bewährte Kenntnisgut grundsätzlich der Kritik unterliegt (wenn sie auch bei sehr vielen Wissensinhalten längst geleistet ist und jetzt höchstens noch in Grundlagentheoretischem weiterzuführen ist) und in ständigem Ausbau begriffen ist, letzteres so sehr, daß in mancher Wissenschaft zumindest einige der wichtigen Teillehren alle paar Jahre neugeschrieben werden müssen. Wahrscheinlich ist es stärkst das Interesse an der modernen Wissenschaftsdynamik, was Originalität und Kreativität in der Verwirklichung persönlicher Wissenschaftsgemeinschaft schaffen hilft.

Von hier aus mag man fragen, ob und wieweit die religiös, philosophisch oder ideologisch begründete geistige Gemeinschaft und das entsprechende In-Gemeinschaft-treten-Wollen von der Wissenschaft her beeinflußt werden. — Die Religion ist in ihren Grundannahmen wissenschaftsfremd, denn diese sind zumindest im allgemeinen Ideen- und Vorstellungsgehalt seit langer Zeit festgelegt: zu einer Gottesannahme kam man aus vorwissenschaftlichem und, vielleicht noch wichtiger, aus noch nicht wissenschaftlich-technischem Denken, kommt man aber nicht aus modernem Denken, das Wissenschaftlichkeit und wissenschaftlich-technisches Können vereinigt (schon weil die Wissenschaft das über die Erkenntnis hinausgehende positive Glauben verbietet und die Technik den mit Schwierigkeiten kämpfenden Menschen auf das eigene Lösen verweist und damit vom hilfebringenden religiösen Ritual ablenkt). Jedoch mag der aus vorwissenschaftlichem Denken übernommene religiöse Glaube an die moderne wissenschaftlich-technische Kultur angepaßt werden, indem man Gott oder dem »Transzendenten« Qualitäten zuschreibt, die man aus der wissenschaftlichen Wirklichkeitserhellung übernimmt (etwa: Verbindung des christlichen Monotheismus mit evolutionistischen Thesen sogar in Hinsicht auf das Wesen des Göttlichen), und überdies den göttlichen Willen so deutet, daß man sich unter ihm zu modern-technischem und -wirtschaftlichem Tun aufgerufen versteht (besonders dann, wenn dieses die Lebensverhältnisse bisher benachteiligter Volksschichten verbessert). Wird der Gläubige durch den Zwiespalt von altem Glauben und modernem Wissen und Können zu neuem religiösem Überlegen gebracht, so wird er in seinem Glauben aktiver, aufgeschlossener, vom Bisherigen unabhängiger, den Dogmen gegenüber freier und jedenfalls mit Bezug auf das von ihm persönlich, privat für richtig Gehaltene schöpferisch. — Die Philosophie, auch wo sie abstrakt ist und das Transzendente sucht, steht der Wissenschaft aus zwei Gründen weniger fern als die Religion: erstens gilt in ihr der Anspruch, daß die Wirklichkeit zu erkennen und darum eine richtigere neue Wirklichkeitserkenntnis den alten philosophischen Auffassungen (unter denen es auch dogmatisch verfestigte gibt) vorzuziehen sei; zweitens geht ihr anthropologisches, sozial- und kulturwissenschaftliches Interesse vorwiegend auf das Menschliche wie es in Wirklichkeit ist, und sehr viel weniger wie es nach alter Lehre zu verstehen sei. So ergibt sich für den ideenschaffenden und lehrenden Philosophen und auch für den eher der Betrachtung zuneigenden Philosophierenden die Pflicht zu intensiver Teilhabe an den Wissenschaften, den Naturwissenschaften aus dem ersten und den Humanwissenschaften aus dem zweiten Grund. — Die Ideologien sind, soweit sie aktuelle politische Bedeutung haben (und das ist bei ihnen das praktisch Wichtige), schon nach ihrer Entstehungszeit und noch mehr nach ihrer Thematik gegenwartsnah; was sie bestimmt, sind Sozialprobleme der jüngeren und jüngsten Zeit, der Gegenwart und der voraussehbaren Zukunft. Das aber muß das produktive ideologische Denken in ständige und lebendige Verbindung mit den Sozialwissenschaften bringen. — In jedem dieser drei Denkbereiche besteht die konkrete Möglichkeit, daß im bereichsspezifischen (also religiösen, philosophischen oder ideologischen) Denken der Wissenschaftler oder Wissenschaftskundige zu wesentlich-neuer, erst von den jetzigen Gegebenheiten aus zu gewinnender Einsicht vorstößt. Das aber läßt ihn in Wissenschafts- und Wissenschaftlergemeinschaft treten, für die er, wohl stärkst aus dem Willen zum Seinsollenden, sein persönliches und vielleicht schöpferisches Können hat.

Gibt Wissenschaft dem Wissensfreund den Zugang zum Erkannten, so Kunst dem Kunstfreund den zum Künstlerisch-Gestalteten. Auch beim zweiten kann der Gegenstand als solcher das entscheidende Thema sein: dank der künstlerischen Darstellung wird er einfühlbar, erlebbar, verstehbar (weniger kommt es da in der Regel auf das rationale Wissen an). Aber die Kunst, wo sie gegenständlich ist, gestaltet doch größtenteils Vorgestelltes, Gegenstände aus der Phantasie des schaffenden Künstlers, und das selbst dann, wenn sie an Reales anschließen: kann es da aus ihr Gemeinschaft mit, menschlicher oder außermenschlicher, Wirklichkeit geben? Zumindest in Annäherung ist das möglich, wenn man sich die künstlerisch gestalteten Inhalte als eben dank der Kunst einsichtig gewordene Typen vergegenwärtigt. Die reichste und dabei stärkst differenzierende Teilhabe und Gemeinschaftsbeziehung kommt wohl aus dichterischen Werken, aus Epos, Drama, Roman und Erzählung: der Homer, die griechischen Dramen (auch Aristophanes), die mittelalterlichen Epen, die Werke Shakespeares und Molières, die Romane Balzacs und Zolas, Dostojewskis und Tolstois, das Theater Ibsens, Strindbergs und Hauptmanns, sie sind einige Beispiele dafür, daß dank der dichterischen Gestalten sich die Leser, Hörer oder Zuschauer innerlich, als Teilnehmende und Mitbeteiligte einfühlend mit menschlicher Seinsweise verbinden, die ihnen sonst nicht zugänglich wäre. Zwar fehlt dabei die persönliche Direktbeziehung (bei Geschichtlichem könnte es sie ohnehin nicht geben), — aber diese ist für das entscheidende Wesen des Sich-in-Gemeinschaft-Erfahrens nicht unentbehrlich: sie fehlt denn auch in den geistigen Großgemeinschaften der Religiös-Gläubigen, der Ideologieanhänger, der Wissenschaftlich-Denkenden und sogar der aktiven Wissenschaftler von ausgedehnten Wissenschaftsfeldern. — Zu, wiederum unpersönlicher und oft den Jetzigen mit Früheren verbindender, Gemeinschaft kann die Teilhabe am Gegenständlich-Thematischen der bildenden Kunst führen: an den Darstellungen von Einzelnen, zumal von Großen, und von Gruppen und Gruppengeschehen. Als Beispiele seien erwähnt: ägyptische Porträtskulpturen und Wandmalereien (besonders anregend können da die Arbeitsszenen sein), assyrische Reliefs, griechische Porträtskulpturen und Vasenmalereien, römische Skulpturen, Fresken und Mosaiken, romanische und gotische Sakralkunst, Porträts und Alltagsszenen in der Renaissance- und Barockkunst, realistische und naturalistische Kunst der neueren Zeit, sozialistischer Realismus. Einengend kann bei der Teilhabe an bildender Kunst wirken, daß das Kunstwerk seinen Gegenstand in einer Augenblickserscheinung wiedergeben muß, als momentanen Zustand oder als Momentausschnitt eines Geschehens; intensivierend ist anderseits, daß man die dargestellten Menschen und Lebensdinge so sieht, wie der Künstler sie sah. Bildende Kunst vermittelt geistige Gemeinschaft, indem sie den Betrachter von außen nach innen führt: sie gibt ein Bild der äußeren Erscheinung, und von ihm aus fühlt man sich ins Dasein und Sosein der dargestellten Menschen ein; das hat den Vorzug, daß man von einem Zeitgenössisch-Realen ausgehen kann (wogegen man bei literarischen Werken von vornherein auf die Phantasie angewiesen ist, in der man das Gelesene oder Gehörte vom Hier-und-Jetzt aus in eine Dort-und-dann-Wirklichkeit zu übertragen sucht: vielleicht ist hier die Gefahr größer, daß man vollständig in die Irre geht). — Erweitert wurde in jüngster Zeit das rein-bildnerische oder literarisch-bildnerische Gestalten durch Photographie und Film: sie ermöglichen eine besonders realistische Teilhabe am Dargestellten und schaffen damit die Voraussetzung für neuartige, erst in unserer Zeit aufbaubare Gemeinschaftsbeziehung. Wieweit dieses Neue praktisch verwirklicht wird, hängt immer auch vom Willen, der Einfühlungskraft und der Phantasie des Betrachters ab; in diesem Sinne muß er gerade mit der persönlich geprägten Benützung der neuen technischen Medien sein Gemeinschaftsverstehen schöpferisch ausbauen. Einzubeziehen ist in diese Überlegungen die durch Photographie und Film bewirkte Allgemeinzugänglichkeit der bildenden Kunst: jeder Kunstinteressierte kann sich seine private Kunstbücherbibliothek anlegen, dank welcher er ein reiches und ihn vielleicht zu kreativem Neuverstehen auffordernes Bildmaterial ständig zur Verfügung hat.

Jedes Kunstwerk, das gesellschaftliche Beachtung fand oder jetzt findet, läßt etwas vom Seelischen der es Aufnehmenden verstehen und kann auf dieser Ebene gemeinschaftsbildend werden. Das literarische Werk hat seine Leser und Hörer, das Werk der bildenden Kunst seine es anschauend Betrachtenden, das im Konzert aufgeführte Musikwerk seine Hörer, das im Theater aufgeführte Drama und der Film je sein sehend-hörendes Publikum: Was ist da das gemeinschaftliche Erleben; welches ist seine gesellschaftliche Weite, welches seine gefühlshafte Intensität, welches seine mentale Offenheit oder aber Geschlossenheit, Eingeengtheit; ist das Kunstinteresse auch Neuem offen oder bleibt es im Bishergeschätzten und ist es so letztlich nur auf Selbstbestätigung gerichtet? So fragen heißt sich mit Gesamtheiten von Kunstliebhabern verbinden, sich entweder als zu ihnen gehörend erfahren oder wenigstens ihnen zeitweilig angleichen und sich so zu neuer Teilhabe-am-Menschlichen befähigen. Es kann bewußtseinspraktisch sinnvoll sein, auch für das Künstlerische, das unter höherem Anspruch als allzu einfach erscheint, Verstehen zu suchen; hypothetisches In-Gemeinschaft-Treten mag da hilfreich sein.

Drittens aber die innere Verbindung mit den Künstlern, in erster Linie den werkschaffenden, in zweiter mit den werkaufführenden. In Gemeinschaft verbunden wird man sich den Künstlern erfahren, deren Werke und Darbietungen man als hochrangig erlebt: man weiß, daß das wertvolle Künstlerische aus der persönlichen Schaffenskraft des Künstlers kommt, man versteht sie als ein Wesentliches und nimmt an ihr Anteil, vielleicht so stark, daß man im eigenen Geistigen ein ihr Ähnliches zu wecken vermag. — Vom einzelnen Künstler zu den Künstlergesamtheiten: das Sein und Wirken des Künstlers, mit dem man sich innerlich verbunden weiß, ist die individuelle Erscheinungsweise von allgemeinerem künstlerischem Sein und Wirken. Sich mit diesem Allgemeineren in geistiger Gemeinschaft verbunden zu erfahren wird für den umfassend-verstehenden Kunstfreund ein An-sich-Wertvolles sein. Aber was heißt das konkret? Die Inhalte und Formen solcher Verwirklichung sind großenteils vom Verwirklichenden selbst, in kreativem Erkennen und Vollziehen, zu gestalten.

8.6 Gemeinschaft aus Teilhabe am Aktuell-Sozialen

Unmittelbarer, wenn auch meistens weniger tiefdringend auf Prinzipielles gehend und in manchem weniger beharrlich, als die Darstellungen des Menschlichen durch Religion, Philosophie, Ideologie und Wissenschaft, dabei eher auf Allgemeines zielend als die künstlerischen sind die Berichte der Medien, also der Zeitungen und Zeitschriften, von Hörfunk und Fernsehen, von Reise- und Kulturfilm: diese geben dem sich fürs Menschliche Interessierenden weiteren Zugang zu Einsicht und damit zu innerer Gemeinschaft. Natürlich ist zwischen den Medien und jenen andern Erfassungsarten keine scharfe Grenze, denn der fachmännische Medienbericht ist wissenschaftlich fundiert und oft für die Wissenschaft anregend, der stellungnehmende wird religiöse oder ideologische Werte einbeziehen und sie vielleicht in neues Licht stellen, und bei höherem Gestaltungsanspruch haben die Journalisten, Publizisten, Photographen, Filmleute ästhetischen Momenten zu genügen, wobei sich die aktuelle Berichterstattung auf die nichtaktuelle Gestaltung formenverändernd auswirken kann. Berichte können sich auf Gegenstände aller Art beziehen; praktisch haben sie aber das Gemeinsame, daß die Inhalte einigermaßen aktuell sind (»aktuell« ließe sich als »berichtenswert« definieren, »aktueller Bericht« hätte daraus etwas Tautologisches). Manche der Inhalte werden Dinge betreffen, die den bereits genannten fünf Kulturfeldern zuzurechnen sind und in ihnen die weniger aktuellen Leistungen ergänzen; dann sind sie in die jenes Weitere betreffenden Überlegungen aufzunehmen, gerade von ihnen aus mag das allgemeinere Interesse intensiviert werden (Beispiele: gesteigertes Interesse für die religiöse Thematik und Problematik dank aktueller religionspolitischer Stellungnahmen, für Philosophie dank einer aktuelle Wirkung zeitigenden neuen Denkrichtung, für Ideologie dank eines innerparteilichen Meinungskampfes, für Wissenschaft dank einer prinzipiell wichtigen Entdeckung, für Kunst dank des Erfolges eines neuen Stils). Eigenständig sind dagegen die Berichte über das Aktuelle des sozialen Lebens: über Staat und Politik, über Wirtschaft und Technik, soweit ihr Neues gesellschaftlich wichtig wird, über Bevölkerungsentwicklungen, über die Wandlungen in den Organisationen und Institutionen, — und alle diese Tatsachen betreffen Menschengesamtheiten, mit denen man entweder bereits verbunden ist oder sich neu verbinden kann.

Gegeben ist der Gemeinschaftsbezug in erster Linie in der lokalen, regionalen und nationalen Gesellschaft: jeder lebt in seiner Stadt oder seinem Dorf, und damit in seinem Distrikt, seiner Provinz, seinem Bundesstaat, die ihrerseits Teilgebiet des nationalen Gesamtstaates sind. Jeder steht im Menschlichen seines geographischen Lebensgebietes, weiß sich mit dessen andern Bewohnern verbunden, hat Anteil an ihren Auffassungen, Hoffnungen und Sorgen, sieht sie aber auch in Meinungslager, Stände und Klassen geschieden und hat daraus seine Sympathien und Antipathien. Gemeinschaftsbildend mag da das Gebietseigene als solches sein: daraus kommen die Bejahung des Nah-Besondern, des Regionalen und der Patriotismus. Engere Gemeinschaft entsteht aus der Zugehörigkeit zu einer Gesellschaftsschicht der geographischen Nahwelt: sie bedeutet immer auch, daß man sich mit den Menschen der andern Schichten weniger verbunden weiß, und mitunter, daß man zu einem Bevölkerungsteil im Gegensatz steht. Darin aber wird eine Möglichkeit neuen Sichverbindens erkennbar: auch diejenigen, die man bisher für innerlich-fremd oder sogar gegnerisch hielt, sind Menschen mit ihrem eigenen Menschenwesen und -recht, das von allen Überlegen-Denkenden anzuerkennen ist. Schöpferische Bildung neuen In-Gemeinschaft-Seins ist da wohl jedem Beobachter des Nahgesellschaftlichen möglich; die Berichte über das nahgebietliche Aktuelle geben ständig neue Anregung.

Gemeinschaftsbezug hat eine zweite Wirklichkeits- und Möglichkeitenebene im geographisch näheren Übernationalen: im Großgebietlichen, in das man das Nationale einbezogen weiß. Natürlich hängt das Wesen dieses Übernationalen von der Ausdehnung des Nationalen ab: für den Kleinstaatbürger beginnt das Ausland schon dort, wo für den Großstaatbürger erst eine Provinz- oder Bundesstaatsgrenze wäre; von kleinem Staat aus wird man sich am ehesten mit dem geographisch nahen Ausländischen verbunden wissen. Jedes Land steht mit den Nachbarländern, jedes Volk mit den Nachbarvölkern in mehr oder weniger vielfältigem und intensivem Zusammenwirken, allerdings nicht nur helfendem, freundschaftlichem, sondern oft in Konkurrenz und Gegnerschaft; eine der ältesten Erfahrungen der politischen Nachbarschaft ist denn auch der Krieg. Gerade eine leidvolle Vergangenheit kann aber die Einsicht ins Gemeinsame des großgesellschaftlichen Schicksals entstehen lassen, und verstärkend ist dabei das Wissen, daß durch die moderne Zivilisation die über- und transnationalen Abhängigkeiten verstärkt worden sind: jedes Land, jedes Volk steht jetzt in mannigfacher Abhängigkeit von seinen Nachbarn. Wird das als selbstverständlich anerkannt? Jedenfalls nicht in dem Sinne, daß es die öffentliche Meinung bestimmte: die Allgemeinauffassung geht immer noch viel eher aufs Nationale, sogar mit Tendenzen zur Abkapselung und zur Ablehnung des Nachbarlich-Fremden. Denken, das auf die Tatsachen der modernen Kultur abstellt, wird sich von solcher Enge lösen und auf das in übernationaler Weite entstandene Gemeinsame eingehen: es läßt so moderngesellschaftliche Gemeinschaft, die sich auf geographisch benachbarte und kulturell nahverwandte Völker erstreckt, erkennen und erleben. Für jedes Land gibt es da die sich auf Geschichte und Geographie ergebenden besondern Möglichkeiten und auch Wünschbarkeiten: fürs menschheitliche Ganze sind so eine große Zahl von übernationalen Großgesamtheiten und -gemeinschaften vorstellbar. — Was diese größeren Gesamtheiten konkret sind und werden können, ergibt sich wiederum weitgehend aus dem aktuellen soziokulturellen Geschehen und ist von ihm aus zu verstehen. Das eröffnet dem Betrachter des zeitgenössischen Sozialen zahlreiche Möglichkeiten zu persönlichem Interesse und damit zu kreativem Sich-in-Gemeinschaft-Erfahren, das vielleicht später in aktiveres Sich-zu-Gemeinschaft-Bekennen und Sich-für-Gemeinschaft-Einsetzen übergeht.

Die geographisch begrenzte und beschränkte Großgesellschaft, auf die man gemeinschaftsbewußt bezogen ist, steht in Noch-Größerem und ist letztlich ein Teil der Menschheit. Entsprechend ist das zunächst ins nähere, sozusagen ins benachbarte Übernational-Gemeinschaftliche zielende Selbstverstehen offen gegen räumlich fernere und kulturell fremdere Gesamtheiten hin: und das wird ständig aktiviert durch die aktuellen großgesellschaftlichen, -kulturellen und, insbesondere (wegen ihrer höchstausgeprägten Aktualität), -politischen Entwicklungen. Man wird da immer auf sachrichtige Information und sachkundigste Kommentare abstellen: aber was das Groß- und Größtgemeinschaftliche ist, was also letztlich die Menschheit als Gemeinschaft erleben läßt, das ist, wie schon im Wenigergroßen, vom Einzelnen zu erkennen, wohl auch zu postulieren, auf Gruppen zu übertragen und vielleicht in Organisationsprogramme einzubringen. Der Abstand zwischen dem Einzelnen und der völkerumfassenden Größtgesamtheit ist riesengroß: gerade daraus wird der sehr-weiten Verstehens Fähige kreativ-denkend Gemeinschaftswesen postulieren, das sich erst aus neuest entstandenem, zumindest: neuest erkanntem, Globalaktuellem ableiten läßt.

Zu wiederholen ist, daß die Gemeinschaftserfahrung aus dem — zunächst engeren, dann weiteren, schließlich global-weitesten — Aktuellen vielfach mit der auf Religion, Philosophie, Ideologie, Wissenschaft und Kunst gegründeten in Beziehung steht. Von diesen aus wird Aktuelles in besonderer Inhaltlichkeit gesehen, etwa indem man in einer Sozialentwicklung ein Aktuell-Wichtiges eben darum erkennt, weil man sie aus philosophischem (oder anderm) Interesse beurteilt. Anderseits wird jenes speziellere und sondergebietliche Geistige vom sozialen und politischen Aktuellen her unter neue Problematik gebracht, etwa indem eine weltwirtschaftliche Veränderung (z. B. die bedrohlichen Auswirkungen des Anwachsens der Weltbevölkerung) zu Neufassung traditioneller Sozialmoral zwingt — oder, richtigerweise, zwingen müßte. Dem Großgemeinschaft wollenden, befürwortenden, verwirklichenden Bewußtsein stellen sich in solchem Sachzusammenhang immer wieder neue Aufgaben; manche von ihnen lassen sich nur von Schöpferisch-Einsichtigen lösen.

9. ZUSAMMENFASSENDER VERGLEICH

9.1 Verwirklichungsinhalte und -weisen

Stellt man die Kreativitätsmöglichkeiten, welche der sein Verwirklichen selbständig gestaltende Einzelne außerhalb der Leistung, nämlich im Bewußtseiend-Teilhaben und in der Erfüllung-in-der-Gemeinschaft hat, den auf die Leistung bezüglichen gegenüber, so zeigen sich bei aller prinzipiellen Gleichheit oder wenigstens Ähnlichkeit erhebliche Unterschiede, und zwar einerseits solche, welche den Inhalt und die Verwirklichungsweise, anderseits solche, welche den Wert des konkreten Schöpferischen, und hier einerseits Wert für den Verwirklicher selbst und vielleicht seine Nahgemeinschaft, anderseits für weitere Gesamtheiten und das Kulturganze, betreffen. Solche Vergleiche sind schon an sich sinnvoll, weil jeder Einblick ins Menschliche, zumal ins lebens- und kulturpraktisch wichtige, eigenwerte Bewußtheit ergeben kann, sodann in Hinsicht auf die persönlich-beste Selbstverwirklichung des Sichbesinnenden: was bei der Prüfung der einzelnen Kreativitätsfelder und ihrer Sonderbezirke als zweitrangig erscheint, kann in umfassenderer Gesamtbeurteilung erstrangig werden, und umgekehrt, — vielleicht erweist sich, daß der Leistungskreative das inhaltlich weite Schöpferische, welches ihn eben dank dieser Weite in Großzusammenhänge bringen kann, die in der Leistung unzugänglich sind, nicht wie bisher vernachlässigen dürfte, vielleicht aber auch, daß der kreative Betrachtende sich doch auch einem leistenden Schaffen, und sei es inhaltlich bescheiden, zuwenden müßte.

Nach Inhalt und Verwirklichungsweise sind die beiden Hauptkategorien des Schöpferischen vor allem daraus verschieden, daß die Leistung für die meisten Tätigen ein eng begrenztes Inhaltsfeld hat, Bewußtseiend-Teilhaben und Großgemeinschaft dagegen jedem ausreichend Fähigen große Bezugsräume eröffnen. Der Leistende muß sich genauestens in die sachlichen Voraussetzungen und Möglichkeiten seiner Leistung hineindenken, — übersieht oder mißdeutet er eine praktisch wichtige Einzelheit, so wird schon hiedurch der Leistungserfolg gefährdet. Er muß das Leistungsziel konkret formulieren, und das erfordert Klarheit nicht nur über das Ziel als solches, sondern auch über die Möglichkeiten der Umbildung des Vorhandenen (was schwierige theoretische Erhellung verlangen kann), — bliebe das Ziel unklar oder würde es in einer falschen, objektiv nicht begehbaren Richtung gesucht, so führte das zu Kraftvergeudung. Er muß, nach der besten Zielwahl, die Zielverwirklichung fachmännisch planen, und das erstens in voller Sachkunde und zweitens in ausreichender Fähigkeit mit Bezug auf die personelle und betriebliche Organisation, die finanziellen Mittel usw., — Mängel auf dieser Stufe hätten zumindest ein nichtoptimales Verhältnis von Aufwand und Ergebnis zur Folge. Er muß in ständiger Aufmerksamkeit für alles Hauptsächliche und auch für das wichtigere Nebensächliche den optimalen Plan optimal verwirklichen, entweder allein oder zusammen mit andern (letzteres etwa als Projektleiter oder in noch höherer Chefstellung), und er steht dabei, wenn die Leistung komplex ist, in vielfältigen Sachabhängigkeiten; entspricht er ihnen nicht voll, so bedroht das wiederum den Leistungserfolg. — All das gilt nicht auch für die Verwirklichung, die im Bewußtseiend-Teilhaben oder in der Erfüllung-in-der-Gemeinschaft gesucht wird: Sachkenntnis im ganzen und Kenntnis der Voraussetzungen und Möglichkeiten, klare Zielsetzung und überlegene Planung, konsequentes Verwirklichen usw. haben zwar auch hier ihren großen Nutzen, sind jedoch nicht unentbehrlich, ja es kann sogar förderlich sein, wenn man sich in ein Betrachtungs- oder Gemeinschaftsfeld erst allmählich einfühlt und sich auf ihm vorerst tastend zurechtfinden muß. Mithin sind in der zweiten Verwirklichungsart die Schwelle des selbständigen und auch diejenige des schöpferischen Denkens, Vorstellens und zielerreichenden Vollziehens niedriger als in der ersten; man sollte das als Aufforderung erfahren, sich zumindest an das Schöpferische zu wagen, das mit solcherweise leichter aufzubringender Erstanstrengung begonnen werden kann, oder wenn man ein Bedeutendes-Leistender ist, im Leichteren dieser andern Felder ein zweites und vielleicht ein drittes Schöpferisches anzustreben.

Wieweit lassen sich die Kategorien Verbesserungsschöpfung, Neuwesensschöpfung und Werkschöpfung, die streng genommen Kategorien der Leistungskreativität sind, auf schöpferisches Verwirklichen außerhalb der Leistung übertragen? Die ersten beiden werden oft in dem Sinne möglich sein, daß der Einzelne rein für sich selbst oder daß eine Gesamtheit in ihrem Gemeinschaftlichen von den in der Kultur üblichen Auffassungen und Verwirklichungsweisen abweicht, sei es noch einigermaßen in deren inhaltlichem und formalem Rahmen (so: zwar weiterhin psychologische Deutung eines psychologischen Romans, jetzt aber unter stärkerem Einbezug von sozialpsychologischer Erfahrung), sei es in neuartiger Sichtweise (so: Trivialliteratur wird auf ihr Sprachniveau und damit auf das Denkniveau der angesprochenen Sozialgruppen hin betrachtet, vielleicht sogar aus, wahrscheinlich nur amateurhaftem, wissenschaftlichem Anspruch untersucht). Dagegen ist Werkschaffung eine Kreativitätsweise, die sich, wenn auch sicher oft in Betrachtung oder in Gemeinschaftserleben vorbereitet, in der Leistung auswirken muß.

9.2 Werthaftes

Verschiedenheit im Wert der Kreativität, je nachdem diese sich auf Leistung oder aber auf nichtleistende Erfüllung richtet, hängt erstens ab von der Auffassung des Verwirklichers selbst, seiner Selbst- und Gegenstandswertung, zweitens von den in der Gesellschaft geltenden Ziel- und Werthaltungen. Der Einzelne mag das Schöpferische der Leistung am höchsten werten, begreiflich, wenn es inhaltlich und nach der Bedeutung für die Gesamtheit ein Wichtiges ist, verständlich auch, wenn es in der einen oder andern Hinsicht, oder in beidem, ein Bescheidenes ist, aber eben doch das Erfolgreich-Tätigsein und überdies den Aufbau einer aktiven gesellschaftlichen Beziehung erlaubt. Vielleicht gibt er aber der nichtleistenden kreativen Verwirklichung den Vorrang, weil sie ihn inhaltlich stärker interessiert, ihn in größeren Inhaltszusammenhang bringt und intellektuell anspruchsvoller ist als das Neue, das er im Beruf unternehmen kann, oder weil er das Betrachtend-Teilhaben oder die Erfüllung in-der-Gemeinschaft als solche, in der Idee, höher wertet als die Leistung. Die in der Gesellschaft geltenden Ziel- und Werteinstellungen müssen notwendig das Gesellschaftsnützliche und damit die Gesellschaftsnützlichkeit des Verhaltens der Einzelnen und Gesamtheiten betonen; daraus folgt unter moderner Kulturauffassung auch die Hochschätzung der entsprechenden Kreativität, aber denkbar ist Konservatismus, der gegenüber solcher Neuerung mißtrauisch ist und sie sogar ablehnt. Im zweiten Falle würde das Schöpferisch-sein-Wollen der Neuerungsfreudigen auf die Gesellschaft möglichst wenig berührendes Individuelles verwiesen, — vielleicht zieht die Gesellschaft vor, daß die Geistig-Aktiven sich in den »Elfenbeinturm« zurückziehen und nicht etwa eine Werkstätte einrichten, von der aus auch Bisher-Bestes gestört würde. Nun kann Ergebnis der betrachtenden und gemeinschaftverwirklichenden Teilhabe am Kulturellen sein, daß man gegen das Bisherige, und sei es in verehrte Tradition gefaßt, kritisch eingestellt wird. Das mag vorerst oder dauernd aufs eigene Denken des Kritisierenden beschränkt bleiben, wird aber bei einigen später in aktivere Einstellung übergeleitet werden. Kenntnisreiche und geistig-mutige Auseinandersetzung mit der — engeren oder weiteren oder globalen — Kulturproblematik der Gegenwart muß zur Einsicht führen, daß es auch in den an sich bestgeordneten Ländern Dinge gibt, die unter der, praktisch-humanitär als berechtigt anzuerkennenden, Forderung nach Wohlfahrt für alle Völker verändert werden müssen, daß traditionelle Ordnungs- und Leistungsprinzipien umzubilden, daß auf vielen Ebenen und in vielen Richtungen neue Lösungen zu suchen und darum die ihnen dienenden kulturellen Tätigkeiten auszubauen sind. Es werden daraus allgemeine und spezielle sozialpraktische Postulate abzuleiten sein, und es mag Schöpferische geben, die zugunsten von gesellschaftlich nützlicher Leistung auf das Kontemplativere verzichten. Jedoch schlösse das die grundsätzliche Hochschätzung des letzteren nicht aus: Geistigkeitsbejahung, wenn sie umfassend ist, versteht das tätige Leben immer auch als Grundlegung des betrachtenden und sich in der Gemeinschaft erfüllenden.

AUFBAU DER SCHÖPFERISCHEN VERMÖGEN

10.   AUFBAU VON ALLGEMEINFÄHIGKEIT

10.1   Vielfalt der Anforderungen

Schöpferisches Verwirklichen, sei es leistend, bewußtseiend-teilhabend oder gemeinschaftsbezogen oder -bedingt, ist unter Geistesmenschlichkeitsbeurteilung hochrangig, weil es die Verwirklichung und damit den Verwirklicher unter Möglichkeiten erstens besonderer Weite, Tiefe oder Weite-und-Tiefe, zweitens besonderer Intensität, drittens besonderen Anspruchs bringt, wobei in jedem dieser drei Fälle das je Besondere auf die Geistesmenschentumsstufe gebracht werden kann, aber auch dann erstrebenswert ist, wenn es unterhalb dieses Sehr-Hohen bleibt; hochrangig ist solche Verwirklichung immer schon daraus, daß das Selbständigsein und erst recht das Schöpferischsein an sich hohen Anspruch hat und erfüllt. Da diese Wertqualität mit Sicherheit zu erwarten ist, wird derjenige, der für sein Wollen geistesmenschliche Maßstäbe anerkennt, die Kreativität bejahen und darum sich ihren Aufbau vornehmen, das heißt praktisch: er wird sich um Aufbau der einzelnen Vermögen bemühen, die in ihrer Gesamtheit das Ganze der Kreativität ausmachen; »schöpferisches Vermögen« soll hier im Sinne von »zum individuellen oder kollektiven Wesen gehörende Verwirklichungsfähigkeit« verstanden sein, also auch als auf das sachliche und fachliche Können (zwei sachlich verschiedene Arten des fachlichen Könnens sind als voneinander verschieden aufzufassen, auch wenn sie nach dem psychologischen Typus gleich sind, etwa das Forschenkönnen des Physikers von demjenigen des

333

Astronomen, oder das Betrachtenkönnen des religionswissenschaftlich von demjenigen des philosophisch Interessierten) und auf die Leistungskraft von Sozialgebilden gehend. »Schöpferisches Vermögen« etwa des Politikers soll auch einschließen, daß er über einen sozialrealen Leistungsapparat verfügt, dank welchem er sein persönliches, allenfalls psychologisch zu deutendes Können gegen die naturhaften und gesellschaftlichen Hindernisse zum Erfolg führt. Hieraus ist abzuleiten, daß solche Aufbaubemühung dreischichtig sein muß: sie muß sich, sowohl zugleich als auch in verschiedenen Phasen, auf das richten, was in allgemeinem psychologischem Sinne »Fähigkeit« ist, weiter auf das, was sachbezogenes fachliches Können ist, und auf das, was gesellschaftliches Verwirklichungsmittel ist (das schließt auch das Technische ein, denn jedes höhere Technische, zumal jedes moderne, wissenschaftlich begründete, ist ein Kulturelles und damit, zwar nicht aus der allgemeinen Idee, aber aus der Besonderheit der Gegenwartskultur, ein Gesellschaftliches).

Aufbau von Fähigkeit in allgemeinem psychologischem Sinne: Erziehung, Schulung und Selbstbildung, gerichtet auf Klarheit, Genauigkeit und Durchsetzungskraft der seelischen (vor allem der geistigen, als der durch Bewußtheit charakterisierten und von ihr getragenen, aber auch der andern, wie der emotionalen, triebhaften) Verwirklichungskräfte und der ihnen entsprechenden Dispositionen (für beide zusammen bleibt der alte Ausdruck »Vermögen« jedenfalls in praktischer Hinsicht nützlich); verlangt sind hier einerseits Zielklarheit und anderseits Klarheit hinsichtlich des Zielerreichens: selbständiges und insbesondere schöpferisches Können soll Erziehungs-, Schulungs- und Selbstbildungsziel sein und diesem Ziel entsprechende Erziehungs-, Schulungs- und Selbstbildungsweisen und -mittel sind anzuwenden.

Aufbau des sachbezogenen fachlichen Könnens geschieht weniger durch Erziehung, sofern unter dieser die Formung in der Familie verstanden ist, überwiegend dagegen durch Schulung auf höherer, beruflicher oder fürs Berufliche sonstwie wichtiger Stufe (Kreativität wird zwar kaum je als solche Lehrziel oder auch nur -thema sein, wohl aber die sach- und berufsbezogene Selbständigkeit des Denkens, Wissenserwerbes, Urteilens, Stellungnehmens, weiter die Offenheit mit Bezug auf die Anwendungen, auch auf die vorausgesetzten Nützlichkeiten und angenommenen Vollkommenheiten, mit dieser Offenheit verbunden: Fähigkeit und Bereitschaft zu Kritik und zu auf Kritik gestützter Postulierung von Neuem); zudem ist richtigerweise das Fachkönnen auch lange nach der Schulung weiter auszubilden, unter der Idee, daß schöpferisches Sein an sich wertvoll ist, nach Möglichkeit bis ans Ende der Berufstätigkeit. Aufbau des Bestandes an gesellschaftlichen Verwirklichungsmitteln ist außerhalb des Persönlich-Psychischen zu suchen, nämlich im Technischen, Finanziellen, Organisatorischen: es sind in der Gesellschaft vielfältig Mittel dieser Art verfügbar und es muß dem Einzelnen darauf ankommen, für sich selbst zumindest das verfügbar zu machen, was für die erstrebte Verwirklichung unerläßlich ist, darüber hinaus wenn möglich auch, was sie erleichtert.

10.2 Denkbeweglichkeit (I)

Für den Aufbau der schöpferischen Fähigkeiten sowohl im allgemeinen psychologischen Sinne wie in Hinsicht auf das Fachliche ist grundlegend die innere Beweglichkeit; ohne diese gibt es kaum das Interesse und die innere Kraft zu solchem Aufbau: wer innerlich unbeweglich ist, hat kaum ein Interesse daran, eine Fähigkeit auszubilden, die sich nach ihrem Wesen auf hochrangige Beweglichkeit, nämlich diejenige des Schöpferischseins richtet. Wenn aber die innere Beweglichkeit fehlt? Dann wird richtigerweise in ihr das erste Erziehungs- und Schulungsziel zu sehen sein. Und wenn sie vorläufig gering ist? Dann wird man sich bemühen, sie schrittweise zu erweitern, zu vertiefen und zu stärken.

Kindern innere Beweglichkeit zu geben ist Aufgabe der Eltern und Lehrer. Beweglichkeitsförderung in der Familie: die Kinder sollen ständig erleben und sich durch dieses Erleben allmählich bewußtmachen, daß es keine Ansicht gibt, die nicht unter neuer Betrachtungsweise geprüft werden dürfte, kein Wissen, das nicht zumindest ergänzbar und relativierbar wäre, kein Sacherreichnis, das nicht Verbesserung oder Ersetzung erlaubte, keine Auffassung eines andern, die nicht zumindest eine subjektive Begründung und Berechtigung hat (was natürlich nicht zum »Jeder hat von seinem

Standpunkt aus recht und also gibt es keine Diskussion über das Objektiv-Richtige« führen darf). Das verlangt Beweglichkeit vor allem der Erzieher selbst: sie sollen zugleich die Autorität des Richtigen vertreten und die Offenheit zum Richtigeren erfahren lassen; sie sollen selbst den Mut haben und die Mühe auf sich nehmen, dem Anerkannten kritisch gegenüberzutreten und im Neuentstehenden das zu suchen, was das Geltende ersetzen wird, und sie sollen durch eben diese Haltung den beeinflußten Jungen zum Vorbild werden; sie müssen zugleich die Objektivität des Objektiven und die Subjektivität des Subjektiven vertreten; die Pflicht aus jenem und die Freiheit aus diesem müssen in ihnen persönlich überzeugte Förderer haben; sie müssen voll in die Gegenwart einführen und doch die Erwartung wecken, daß die Zukunft anderes bringen werde, und zwar nicht nur Wirksameres, Nützlicheres, sondern auch Komplizierteres, Schwierigeres, vielleicht Belastenderes (belastender vor allem für diejenigen, die mit ihm praktisch zu tun haben werden).

Aber Erziehung und Schulung, im engeren Sinne als Beeinflussung von Heranwachsenden verstanden, können dem Einzelnen bei weitem nicht das Ganze an innerer Beweglichkeit geben, deren er für sein Zielsetzen und -verwirklichen bedarf (weil sie ihm diese zumindest erleichtert und oft von sonst übermächtigem Hinderndem befreien hilft). Richtigerweise bemüht er sich lebenslang, seine innere Beweglichkeit, als Allgemeinvermögen und -einstellung und zugleich als sachspezielles Können, auszubauen, das heißt zu erweitern und zu differenzieren, damit auch auf höhere Intensitäts- und Anspruchsstufe zu bringen; hiebei wird er die im Lernen erworbene Grundbeweglichkeit bald hinter sich lassen, denn die Verwirklichungsfelder des Erwachsenen, zumal höheren Alters, sind dem Jugendlichen noch nicht zugänglich und oft nicht einmal einsehbar. Immerhin kann zu diesem Späteren doch schon in der Jugend der Grund gelegt werden, indem Eltern ihren Kindern und Lehrer ihren Schülern praktisch vorleben, daß keine Auffassung, keine Norm und kein Erreichnis als der Kritik enthoben behandelt werden darf und auch das eigene, persönliche Sosein immer wieder von allgemeinerem Richtigen aus zu prüfen und allenfalls auf es hin zu verändern ist: das »Es ist ausgeschlossen, daß ich in allem recht habe« mag das Wertvollste sein, das der Erzieher dem Zögling mitgibt. (Man mag sich fragen, ob nicht hier eine klassenbedingte Behinderung sichtbar wird, in dem Sinne, daß Junge aus höheren Ständen unter einer Umweltmentalität des Recht-zu-sein-Meinens, damit natürlich auch des Recht-zu-haben-Meinens heranwachsen, dies am ehesten in Familien, die gegenüber sozial Aufstrebenden gewährend sind, von ihnen also selbstverständlich Anpassung erwarten; träfe dies zu, so wäre, gerade in den sonst privilegierten Oberklassen, auf diese mögliche Beweglichkeitsbehinderung bewußt zu achten.)

Innere Beweglichkeit wirkt sich in der Beziehung des Denkenden zu einem Thema aus; sie hat ihren Gegenstand, an dem und dem gegenüber das Denken und an es anschließend vielleicht auch das Wollen und Handeln (als Untersuchen, Beschreiben, Analysieren und Systematisieren, in anderm Bereich als Beeinflussen, Formen, Gestalten) sich als so selbständig erweisen, daß der sie tragende und ausübende Einzelne als mehr oder weniger weitgehend schöpferisch verstanden werden kann, ja muß. (Bedarf die innere Beweglichkeit notwendig eines Gegenstandes? Zumindest wird sie ohne einen solchen nicht erkennbar; vielleicht aber ist er ein rein Subjektives, etwa eine Vorstellung, eine Glaubensannahme, und gerade bei stark ausgeprägter Gegenstandssubjektivität ist die Beweglichkeit erwünscht: man vergegenwärtige sich die Bedingtheit und Begrenztheit solcher Inhalte und richte sein Denken wenigstens hypothetisch auf andere Inhalte.) — Das Thema kann allgemein oder speziell sein, wobei diese beiden Qualitäten sowohl als absolut wie als relativ aufzufassen sind: absolut-allgemein ist das in einem Großgebiet geltende Wesentliche (so: Wesen des Begriffes, der Zahl, des Gesetzes, der Norm; Wesen der Materie, der Energie, der Strahlung, des Lebens, der Pflanze und des Tieres je als Typus, des Menschen, der Gesellschaft, der Kultur, auch der Kunst), absolut-speziell ist das Wesentliche jedes eindeutig bestimmten Teilfeldes eines Absolut-Allgemeinen (so: Gattungsbegriff, Primzahl, Naturgesetz, Rechtsnorm, chemische Elemente, Wärme, Licht, Stoffwechsel, Pilze, Wirbeltiere, Indoeuropäer, Volk, Industriekultur, bildende Kunst); aber mancher absolutallgemeine Inhalt ist relativ-speziell gegenüber einem noch allgemeineren (so: Begriff-Ideelles, Gesetz-Tatsachenzusammenhang, Materie-Seiendes, Energie-Wirkendes, Leben-Seinsart, Pflanze-

Lebewesen, Tier-Lebewesen, Mensch-Primaten, Gesellschaft-Zusammenleben, Kultur-Geistigwirkliches, Kunst-Gestaltungs-wirklichkeit), und mancher absolut-spezielle Inhalt ist relativ-allgemein gegenüber ihm untergeordneten Speziellerem (vor allem auf Grund der Spezifizierung nach Wissenschaften und nach Sonderbereichen der praktischen Anwendung). Die zu erstrebende und auszubildende innere Beweglichkeit wird oft gerade im Zusammenhang mit dieser Allgemeinheit oder Besonderheit ihr Thema erhalten: Worin ist ein einzelner Gegenstand absolut-allgemein oder absolut-speziell, relativ-allgemein oder relativ-speziell? Wie steht das konkrete Absolut-Allgemeine zu Noch-Allgemeinerem, zu Weniger-Allgemeinem?, das Absolut-Spezielle zu noch Speziellerem, zu weniger Speziellem? Solches Überlegen macht dem Denkenden die inneren Bezogenheiten im Wirklichen, im Ideellen und zwischen diesen Hauptreichen des Seienden bewußt und schafft für ihn ein begriffliches Gerüst, mit dessen Hilfe er sich sowohl im Konkreten wie im Abstrakten von Inhalt zu Inhalt bewegen kann, was nicht nur an sich, eben inhaltlich, interessant ist, sondern ihm auch den schrittweisen Ausbau seiner Denk- und Vorstellungsbeweglichkeit ermöglicht.

Vielleicht zeigt sich hier ein ursprünglicher Sinn des Klassifizierens, das heißt der unterscheidenden und systematisierenden Beschreibung von Ober- und Unterbegriffen und -typen: geistig-freudvolle Auseinandersetzung mit dem Seienden, zunächst mit dem Wirklichen (so schon in den Frühkulturen: frühe Klassifikationen, allgemeiner der hohe Stand der Sprachentwicklung, an den die frühen Hochkulturen anschließen konnten), dann auch mit dem Ideellen, dessen begriffliche Beziehungen ja besonders klar faßbar sind (Wurde, etwa in der Ideenlehre Platons, das Über-Ideelles-Philosophieren auch darum bevorzugt?). Aber natürlich haben Klassifikation und Systematisierung auch ihre Nachteile, vor allem darum, weil sie zu Begriffschematismus und zur Abwendung vom Materialen, sei es real oder ideell, führen (Beispiel: Spekulation über erste Ursachen und allenfalls den ersten Verursacher gibt Denkbeweglichkeit der Befassung mit nur einem konkret gegebenen Verursachungszusammenhang; aber sie verhindert vielleicht die Einsicht, die man gewänne, wenn man im Einzelfall die materialen, konkreten Zusammenhänge zwischen dem Wirkenden und dem Bewirkten sachkundig untersuchte oder wenigstens von ihnen auf Grund von sachkundiger Darlegung erführe.). Doch läßt sich die Wichtigkeit des Spezielleren, praktisch: des von einem Allgemeineren aus einzusehenden Inhaltlich-Beschränkteren, berücksichtigen, indem man vom Typus zu dessen Untertypen und Einzelausprägungen, vom Abstrakten zum Konkreten, jedenfalls zum Weniger-Abstrakten, vom Großgebietigen zum Mittel- und Kleingebietigen, vom Prinzipiellen zur Anwendung absteigt (oder, versteht man das Materiale als das Höhere, aufsteigt). Der Hauptvorzug solchen Weiterdenkens liegt wohl darin, daß es, ausreichendes Wissen vorausgesetzt, jedem Betrachter, also auch dem Nichtfachmann möglich ist (so erlaubt auch die Laiensachkunde etwa in der Ethik, von den allgemeinen Prinzipien zu konkreten und sogar aktuellen Anwendungen oder von praktischem Zielverhalten, das man in der Gesellschaft beobachtet, zu allgemeinen Wertbegriffen und Normen weiterzugehen, in der Botanik, das Gattungswesen ins Artwesen zu spezialisieren und dieses in der Einzelpflanze zu erkennen, anderseits vom konkret gegebenen Pflanzenorganismus schematisierend, abstrahierend und verallgemeinernd zum Typischen der Art, der Gattung usw., bis zum allgemeinsten Pflanzenwesen aufzusteigen, — Ab- und Aufsteigen läßt sich in jedem Wissensgebiet auf manchen oder sogar vielen Zusammenhangslinien vollziehen).

Diese Förderung der Denkbeweglichkeit ist aus ihrem geistigen Wesen auch Förderung der Selbständigkeit des Denkens und damit bei den Höherfähigen Vorbereitung der Denkkreativität. Daß man von Allgemeinheit zu Speziellem, in dem sie sichtbar wird, oder von Speziellem zu Allgemeinheit, als deren Ausprägung es sich verstehen läßt, fortschreitet, bedeutet Denkoriginalität zumindest darum, weil alles Kategorienbilden und -anwenden in menschlicher Geistesaktivität geschieht, dank welcher der Mental-Aktive mehr oder weniger weiten Entscheidungsraum hat und tatsächlich die Angemessenheit des im Einzelfall vorzunehmenden Über- oder Unterordnens selbst bestimmt.

Wird die Denkbeweglichkeit im Zusammenhang mit Klassifikation und Systematik vorzugsweise durch abstrakte Inhalte gefördert, so beim Feststellen des je gegebenen Gegenstandswesens — von Einzeldingen oder Gegenstandsfeldern, diese als solche betrachtet, also nicht mit Über- oder Untergeordnetem in Beziehung gesetzt — durch konkrete: der Gegenstand soll in seinem individuellen Sosein gesehen werden. Hieraus ergibt sich die Einschränkung, daß dies nur bei Gegenständen möglich ist, die individuelles Sosein tatsächlich haben. Individualität des Wesens läßt sich zunächst negativ fassen: der Gegenstand hat Qualität (zumindest eine, wahrscheinlich aber mehrere), die nur ihm eigen ist und somit den andern Gegenständen, auch wesensverwandten, fehlt. In strenger Auffassung läßt sich dieser Wesenstypus nur Hochkomplexem zuschreiben: einzelnen Menschen, zumal durch ihre besonderen Fähigkeiten ausgezeichneten, Gruppen, Gesamtheiten und Organisationen, je als einzeln gesehen und in ihrer Besonderheit betrachtet, Werken, zumal einigermaßen umfangreichen und schon hieraus komplexen, Werkaufführungen (jede Aufführung hat auch dem aufgeführten Werk gegenüber ihre Besonderheit), Ideen (und zwar einzelnen und Ideenkomplexen), Lehren usw. Möglich und häufig erwünscht ist aber die weniger strenge Begriffsanwendung, in dem Sinne, daß als individuell das Besondere eines einigermaßen speziellen Typus verstanden wird: das Wesen einer Stoff- oder Energiekategorie (so: eines bestimmten chemischen Elementes, einer Legierung, der Elektrizität, des Blutes überhaupt und einzelner Blutstoffe), einer einigermaßen eng gefaßten Pflanzen- oder Tierkategorie (so: einer bestimmten Moos- oder Pilzart, der Orchideen gesamthaft oder ins Speziellere gehend, der Forellen, der Schimpansen), eines Sterntypus (so: die verschiedenen Arten der Sonnen je nach ihrem astrophysikalischen Typus), einer sozialen Institution (so: das Wesen des Staates, der Religionsgemeinschaft, der Genossenschaft, des Verkehrsrechtes), eines ideellen Konkreten (so: Zahl, Formel, Modell, Satz, Gesetz); jede so betrachtbare Soseinsart ist zwar allgemein, insofern sie sich auf viele konkrete Einzeldinge bezieht, anderseits speziell, insofern sich von ihr aus das Ganze oder jedenfalls ein Großteil des Ganzen des betreffenden Gegenstandes erfassen läßt (unterhalb des Geistigen fehlt weitgehend die Individualität der Einzeldinge: eine in ihren chemischen und physikalischen Eigenschaften beschriebene chemische Verbindung, ein pflanzlicher oder tierischer Organismus, eine Tiergruppe, je in ihrem fachmännisch dargelegten Aufbau, lassen sich auch als einzelne auf Grund der Allgemeinfeststellung ausreichend oder sogar vollständig erfassen). Solche Individualbeschreibung durch Allgemeinaussagen, obwohl das Wesentliche des Gegenstandes erhellend, darf aber nicht hindern, daß man nach Möglichkeit auch Besonderes herausarbeitet, das nur im Einzelfall gegeben ist: vom Arttypischen abweichendes Spezielles etwa eines Kristalls, einer Pflanze, eines Tieres, einer Tiergruppe, die als einzelne konkret gegeben sind.

Denkbeweglichkeit besteht unter beiden Auffassungen darin und läßt sich dadurch intensivieren, daß man das Inhaltlich-Besondere der einzelnen Dinge und damit praktisch auch der durch eng gefaßtes Spezialwesen bestimmten Kleinfelder herausarbeitet, als solches betrachtet und allenfalls untersucht, anderm Inhaltlichen gegenüberstellt und so einen möglichst großen Teil des, jedes persönliche Vergegenwärtigenkönnen übersteigenden, Soseinsreichtums der Gegenständewelt, und zwar der realen wie der ideellen, erfährt. Wer aus intellektuellem Erleben weiß, wie vielfältig diese Welt ist, kann und muß bei jeder Zuwendung zu einem Besonderen bedenken, daß es viel Andersartiges gibt, das gleichen oder höheren Rang hat wie das momentan Bevorzugte oder wenigstens in einem untergeordneten Seinsfeld wichtigst ist: er wird sich dadurch von einengender Festlegung auf Sonderinhalte und -aspekte abhalten lassen. Verlangt ist dabei freilich, daß man die Einzeldinge und Kleinfelder, und gerade die momentan nicht beachteten, genauer: daß man im Prinzip jedes Einzelding und Kleinfeld für im Soseinsganzen wichtig und somit der eingehenden Betrachtung wert hält; man kann das als bloß praktische Empfehlung verstehen, aber es liegt darin wohl ein Tieferdringendes, sozusagen Weltanschauliches: daß es in der Welt oder, versteht man unter Welt das Realitätsganze, im Soseinsganzen (das auch das Ideelle einschließt) auf das einzelne ankommt, dieses also nicht etwa, eben als einzelnes, minderen Ranges ist. Hieraus folgt, daß in den so gesehenen Reichen des Realen und Ideellen das Neue, komme es aus natürlicher oder nicht gewollter sozialer Entwicklung oder sei es ein Bewußt-Geschaffenes, besonders aufmerksam zu beobachten und zu erfassen ist: das Seinsganze, in welchem das einzelne wichtigst ist, erhält als einen Grundzug die Offenheit in Hinsicht auf Neuinhalte. Denkautonomie und -kreativität werden hier schon dadurch angeregt, daß der Betrachter sich immer, jedenfalls häufig genug, gegenwärtig halten muß, daß das, was im Augenblick sein Thema ist, nur einen Ausschnitt aus einer höchst vielfältigen und komplexen Inhaltefülle betrifft und also Beschränkung bedeutet, die er überwinden sollte: je größer die Inhaltegesamtheit ist, die er in Kleinfelder und Einzeldinge zu unterteilen vermag (was er, das ist hier verlangt, als sinnvoll verstehen muß), desto vielfältiger werden für ihn die Möglichkeiten zumindest des persönlich-originellen Vergleichens, Analysierens und Gruppierens.

Denkbeweglichkeit wird drittens im Zusammenhang mit der Herausarbeitung von objektiven, also in der Wirklichkeit als wirklich, im Möglichen als tatsächlich möglich, im Ideellen als ideell gegeben faßbaren Inhaltsbeziehungen (zu unterscheiden von denen, die in der Klassifikation ans klassifizierte Material herangetragen werden: wie etwa das Zu-den-Insekten-Gehören der Bienen, — objektiv gegeben wären dagegen die Beziehung der einzelnen Biene zum Bienenvolk, ihre Mitteilungsmöglichkeiten, das geometrische Muster ihres Informationstanzes). Es gibt bei diesen Beziehungen einfache und komplexe, in der ganzen Spannweite vom Sehr-Einfachen bis zum Sehr-Komplexen (Einfaches: etwa die Beziehung zwischen Druck und Gegendruck, der Zusammenhang Wunde–Infektion, die logische Struktur eines kurzen umgangssprachlichen Satzes; Komplexes: etwa biochemische und biophysikalische Beziehungen, tiefenpsychologische Zusammenhänge, nichteuklidische Geometrie); dabei ist keineswegs sicher, daß ein einfacher Gegenstand nur in einfachen Beziehungen stehe, oder ein komplexer nur in komplexen: auch das Einfache ist in komplizierte Großzusammenhänge einbezogen und auch das Komplexe kann unter grob-einfache Wirkungen gebracht werden, — aber es ergibt sich aus der Komplexität als solcher, daß im Komplexen die komplexen Beziehungen wahrscheinlicher und, soweit gegeben, vielfältiger sind als die einfachen, und daraus ist insbesondere zu vermuten, daß das höchstausgebildete und schwierigst zu erfassende Beziehungsgefüge sich im Geistigen findet, einerseits im individuellen und anderseits im kollektiven, objektiv-kulturellen. Gerade die Suche nach diesen materialen Zusammenhängen muß den Betrachter veranlassen, sich von mancher bisheriger Festgelegtheit zu lösen, also in seinem auf das Objektive gerichteten Denken beweglich zu werden: womit er eine innere Haltung annehmen kann, die für Autonomie und Kreativität besonders günstig ist, dies schon, weil die Beziehungen, in denen ein Gegenstand oder Gegenständefeld steht, kaum je vollständig durchgearbeitet sind und somit in Hinsicht auf sie jedenfalls der kenntnisreiche Betrachter neue Fragen zu stellen und neue Einsichten zu gewinnen fähig ist oder mit einiger Bemühung fähig werden kann.

Praktisch stehen die drei Beweglichkeitstypen — an Klassifikation, Wesens- und Beziehungserfassung anschließend — vielfältig in Zusammenhang und Wechselwirkung. Von der Klassifikation her, die Aufgabe vor allem der klassifizierenden Wissenschaftler ist, werden die Wesensmomente, und zwar sowohl die für die begriffliche Einteilung verwendeten wie die andern, individuelleren, und die materialen Beziehungen genauer faßbar (so: weil man die Haupt- und Untertypen des Rechtlichen dank juristischer Klassifikation vor sich hat, kann man etwa das Wesen der staatsrechtlichen Normen genau analysieren und die Sachbeziehungen innerhalb des Staatsrechtes wie zwischen öffentlichem und privatem Recht klar herausarbeiten). Von der Wesenserfassung her versteht man die Klassifikation und die Beziehungen besser: der Klasseneinteilung liegen die in der angewandten Sichtweise maßgebenden Wesensmomente zugrunde (vom klassifizierenden Wissenschaftler ist diese Wesenskunde verlangt, und aus neuer Wesenskunde ist vielleicht die bisher geltende Klassifikation zu ändern, worüber auch der sachkundige Laie seine, möglicherweise gedanklich-kreativen, Überlegungen anstellen kann) und die materialen Beziehungen knüpfen an die wesensgemäßen Beziehungsmöglichkeiten und -notwendigkeiten an, sind also von diesen aus am leichtesten einsehbar. Und von den materialen Beziehungen aus läßt sich in Hinsicht auf Klassifikation und Wesensmomente Neues ableiten: weil sich eine materiale Beziehung als formaler Gesichtspunkt nützlich erweisen (Beispiel: Bildung von Formalkategorien des politischen Handelns nach der Art der kollektiven Subjekte: partei-politisches, verbandspolitisches, kirchlich-politisches, journalisti-sches, regierungsspezifisches, administratives, diplomatisches, militärisches, richterlich-politisches) oder wichtigen Aufschluß über das Wesen geben kann (alle genannten Arten des politischen Handelns lassen auf besonderes Wesen der Handelnden schließen). Diese Zusammenhänge können den sachkundigen, und seine Sach-kunde bewußt ausbauenden, Betrachter zu komplexerer Beweg-lichkeit bringen, und vielleicht zu solcher, welche sein autonomes und schöpferisches Denken erweitert und intensiviert.

10.4   Denkoffenheit

Innere Beweglichkeit ist möglich schon innerhalb eines festen und hinsichtlich des Prinzipiellen nicht bezweifelten Bestandes von Kenntnissen, Fähigkeiten, Ideen, Werten und Zielen: der Wissen-schaftler innerhalb seiner Fachwissenschaft und gestützt auf sein bisheriges Fürrichtighalten, der dogmatisch festgelegte Gläubige und der auf seine Ideologie verpflichtete Politiker, der Techniker und der Wirtschaftler im Rahmen einer reichen und vielfältigen, aber letztlich doch starren Berufserfahrung, der von traditioneller Stilauffassung bestimmte Kunstfreund, jeder von ihnen kann in jeder der oben beschriebenen Arten innerlich beweglich sein, das heißt in großer Vielfalt begrifflich unterscheiden und klassifizieren, Wesenstypen erfassen, Beziehungen feststellen, und vielleicht diese Grundarten kombinieren, aber trotzdem die hiebei bestimmende Grundeinstellung nicht ändern und sich also nicht zu innerer Umbildung bereithalten. Sollen die Denkautonomie und die Denk-kreativität zu Meisterschaft gebracht werden, so ist die Beweglich-keit durch Offenheit zu ergänzen, ja in dieser zu ihrem eigentlichen Sinn zu bringen. Offenheit: Fähigkeit und Bereitschaft zunächst zur Beobachtung, zur kenntnisnehmenden Vergegenwärtigung, anschließend zur Aufnahme, zur Einbeziehung (ins Denken und Handeln) von Inhalten, die man bisher nicht oder zuwenig beach-tete, zumal von Neuem, sei es neu Bekanntgewordenem (Erfor-schung von an sich vorhandenen Tatsachen), sei es von Neuentstan-denem (von sozialem oder kulturellem Neuem), entsprechend

Fähigkeit und Bereitschaft, sich mit Darlegungen und Lehren zu befassen, die man bisher zuwenig beachtete und vielleicht ablehnte, das heißt auch Fähigkeit und Bereitschaft, sich selbst gegenüber kritisch zu sein und, wenn man es noch nicht oder zuwenig ist, selbstkritischer zu werden.

Bisher nicht beachtete Inhalte sind schon innerhalb des Sachgebietes, für das man sich an sich interessiert, genauer zu erfassen, denn es gibt in diesem wahrscheinlich Bezirke, die man bisher vernachlässigt, und Auffassungen, die man abgelehnt hat: in beidem kann man sich neuer Einsicht öffnen. Wichtiger aber wird hier in der Regel die Aufnahme von Themen außerhalb des bisherigen Themenfeldes sein; man soll sich für Dinge interessieren, die einen bisher nicht interessierten, und man soll sich so für neue Gegenstände und zugleich für neue Weisen des Denkens und Handelns öffnen. Obwohl der Einzelne in seinem geistigen Verwirklichen beschränkt ist und immer beschränkt bleiben wird, hat er zu jeder Zeit die Möglichkeit, sich für Neues nicht nur innerhalb der ihm bekannten Großgebiete, sondern außerhalb dieser, also für ein ihm neues Großfeld zu interessieren: praktisch geschieht das am einfachsten so, daß er von Interessen Kenntnis nimmt, die von seinen eigenen abweichen und vielleicht erheblich verschieden sind, und daß er sie vorläufig versuchsweise, unter nur hypothetischer Anerkennung ihres Wertes anwendet. — Am leichtesten ist und die meisten Möglichkeiten hat dieses Sichöffnen innerhalb der Betrachtung, als dem wissenden, verstehenden, mit- und einfühlenden, auch empfindend-beobachtenden Teilhaben: jeder einigermaßen geübte, vor allem der der bewußt-gewollten Teilhabe fähige Betrachter ist imstande, in seine Betrachtung neue Gegenstände einzubeziehen, — freilich innerhalb des seinem Betrachtenkönnen Zugänglichen, aber dieses ist nicht starr beschränkt, sondern ausweitbar, sei es durch einen nahen oder einen ferneren, vielleicht einen sehr fernen Inhaltsbereich (durch einen nahen: Ergänzung der allgemeinen, zumeist vorwiegend aufs Politische gehenden Geschichte durch Wirtschaftsgeschichte; durch einen einigermaßen fernen: Ergänzung der allgemeinen Geschichte durch Staatslehre; durch einen sehr fernen: Ergänzung der allgemeinen Geschichte durch Wissenschaftstheorie; jede der drei ergänzenden Wissenschaften bereichert das geschichtswissenschaftliche Wissen und

Denken). Bewußtes Sichöffnen, im Sinne von bewußt erstrebter und vollzogener Selbstbildung zu geistiger Offenheit, wird darum am zweckmäßigsten in der betrachtenden Verwirklichung eingeleitet. — Sichöffnen in der Leistung ist schwieriger, weil die Aufnahme eines neuen Leistungsinhaltes ausreichende Leistungsfähigkeit in bezug auf diesen und dazu eine konkrete Leistungsgelegenheit erfordert, Fähigkeit, in welcher hoher Anspruch in Hinsicht auf Sachrichtigkeit gestellt ist (es kann schwieriger sein, ein neues Küchengerät zweckmäßigst zu gestalten als einen theoretischen Gedankengang der Metallurgie nachzuvollziehen), und Gelegenheit, die, zumal unter der jetzigen hochgesteigerten Arbeitsteilung, in der Gesellschaft gegeben sein muß (sogar die bescheidenste nebenamtliche Betätigung in einem Verein bedarf zumindest der gesellschaftlich wirksamen Ermächtigung, wahrscheinlich eines Auftrages). Freie Wahl von Leistungsziel und -weise besteht immerhin im Hobby, aber oft fehlt da die fachmännische Kompetenz zu einem sachlich befriedigenden oder gar gesellschaftlich nützlichen oder sonstwie wertvollen Erreichnis (dagegen kann der Betrachter ganz im eigenen Ermessen ein neues Themenfeld wählen und, Schulung vorausgesetzt, zu sachlich sehr hoher Vergegenwärtigung gelangen). Leistungsoffenheit soll im Rahmen der beruflichen, sachlichen und sozialen Gegebenheiten nach Möglichkeit erstrebt werden, aber die letzteren sind oft unaufhebbar beschränkend. Wiederum weiter sind für die meisten die Gelegenheiten zum Sichöffnen innerhalb des Ganzen der auf die Gemeinschaft bezogenen Ideen, Einstellungen und gefühlshaften Verwirklichungen, denn was als Gemeinschaft verstanden und was als diese erlebt wird, liegt zu einem erheblichen Teil im persönlichen Gestalten des Einzelnen. — In diesem Zusammenhang ist auf die Beweglichkeitsförderung zurückzukommen: was hier für die Möglichkeiten der Offenheit festgestellt wird, trifft im großen ganzen auch für die Beweglichkeit zu: auch diese läßt sich mit größter Inhaltsvielfalt im Bewußtseiend-Teilhaben, mit erheblicher mit Bezug auf die Gemeinschaftsdinge, oft mit nur beschränkter in der Leistung (zumal in der durch spezialisierte Betriebsorganisation festgelegten) erreichen.

Offenheit als die Fähigkeit und Bereitschaft zur Einbeziehung von bisher nicht oder zuwenig beachteten und insbesondere von neuen Inhalten ist als allgemeines und damit praktisch auf verschiedenartiges Besonderes anwendbares Vermögen auszubilden. Die Grundlage hiezu wird in der entsprechenden Gestaltung der prinzipiellen Wirklichkeitsauffassung gelegt: in der selbstverständlich werdenden Einsicht, daß neben und hinter jedem erfaßten Gegenstand andere Gegenstände sind, die bisher nicht oder zuwenig erfaßt wurden, und an ihn (zeitlich oder logisch) anschließend Neues gesetzt oder geschaffen werden kann, das jetzt noch nicht gegeben und damit selbst von intensivster Aufmerksamkeit solange nicht zu entdecken ist, als sie nicht selbst auf das Neue hin aktiv und vielleicht kreativ wird. Solche allgemeine Auffassungsoffenheit ist schon in den Schulen zu begründen; später ist an ihr durch organisierte oder persönlich-private Weiterbildung vervollkommnend zu arbeiten. Aber dieses Allgemeine genügt nicht, vielmehr ist es durch Fachliches zu ergänzen: der Heranwachsende wird zu Fachkönnen geschult, der Erwachsene muß sich in diesem weiterschulen, das vor allem im Beruflichen, daneben aber auch in den reinen Bildungsfächern, — und eben aus dieser Fachkenntnis muß er sich vergegenwärtigen können, daß außerhalb des Erkannten noch-nicht-erkanntes Bestehendes ist und nach dem Jetzt-Vorhandenen noch-nicht-erkennbares Noch-nicht-Bestehendes werden kann. Das bedeutet nicht etwa Relativismus und Ausbildung zu ihm, sondern Objektivismus und objektivistische Schulung: das, was noch nicht erkannt oder sogar noch nicht erkennbar ist, wird als ein — reales oder ideelles — Objektives aufgefaßt, beim Realen als wirklich oder möglich und beim Ideellen als in menschlichem Bewußtsein tatsächlich gegeben und damit den Sachkundigen zugänglich oder als erst zukünftig denkbar; Objektivismus ist hier die Auffassung vom Seienden, aber er ist offen eben in dem Sinne, daß das Feld des Objektiven erstens nicht, besonders für den Einzelnen nicht, vollkommen erhellt ist (was sich immer auf eine subjektive Enge der Betrachter zurückführen läßt) und zweitens in seinen Soseinsarten nie nicht-mehr-veränderlich sein wird (das zweite betrifft das objektive Sosein des gegebenen Seinsganzen oder, geht man aufs einzelne, die Arten des im Seinsganzen möglichen objektiven Soseins).

In Hinsicht auf das Praktische dieser Denkausbildung ist nach den zweckmäßigsten Schulungsmitteln und -verfahren zu fragen.

Man wird das Geeignete zunächst für klar umreißbare Sonderfelder festzustellen suchen, denn dies läßt sich am ehesten auf die praktische Erfahrung stützen. Aufschlußreich ist da als erstes die Wissenschaftsgeschichte (Wissenschaft im weitesten Sinne, als Bemühung um das rationale Wissen, verstanden); hier, wo es ums Objektive geht, ist ihr zu entnehmen, wie sehr in ihren einzelnen Epochen, und das bis in die jüngste Zeit, den einzelnen Wissenschaften und damit den Wissenschaftlern, auch den höchstgeschulten und führenden, sachlich für die moderne Sicht wichtigste Gegenstandsfelder verborgen waren: man vergegenwärtige sich Beispiele des Wissensstandes 1900: Astronomie und insbesondere Astrophysik, Physik und insbesondere Atomphysik, Chemie und insbesondere die Kenntnis der Hormone und Fermente, Biologie und insbesondere Mikrobiologie und Zellenlehre, Psychologie und insbesondere die Erforschung des Unbewußten, Geschichtswissenschaft und insbesondere die Kenntnis der vorgeschichtlichen Kulturen, Soziologie und insbesondere Religionssoziologie, Logik und insbesondere Logistik, Sprachwissenschaft und insbesondere Semantik, Mathematik und insbesondere die Mathematikanwendung in den Natur- und Sozialwissenschaften, — man stelle sich dabei einerseits vor, auf welches noch-nicht-erkannte Bestehende (Galaxien, Quasare und Pulsare, Atomteilchen, chemische Strukturen, psychische und soziale Tatsachen), anderseits, auf welches Noch-nicht-Entstandene (Radioteleskop, Elektronenmikroskop, Transistor, Kunststoffe, synthetisch hergestelltes Insulin, Forschungssatellit und Erreichung des Mondes) hin man selbst hätte damals offen sein müssen, und man versuche, daraus auf die jetzt richtige Einstellung zu schließen. Von der zusammenfassenden oder spezielleren Wissenschaftsgeschichte wird man, zweitens, zur Wissenschaftsgegenwart übergehen, zu den jetzigen Problemen und Problemlösungen: zumindest ist, wenn man selbst nicht wissenschaftlich aktiv ist, für einige wichtige und dem Betrachter genauer bekannte Inhaltsfelder herauszuarbeiten, welche Themen die neue Forschung bestimmen und den Forscher veranlassen, von den bisherigen Auffassungen abzuweichen, also bei ihm Offenheit für neues und insbesondere neuartiges Denken voraussetzen. Allerdings sind diese Forschungen meistens so kompliziert, daß sie nur von Fachleuten oder jedenfalls nur von Sehr-Kenntnisreichen voll verstanden werden können, — daraus ergeben sich zwei Folgerungen: die popularisierende Wissenschaftsdarlegung ist auch unter diesem speziellen Gesichtspunkt praktisch wichtig, und das Postulat »Offenheit« ist insbesondere dahin auszulegen, daß der Offenheitsuchende bereit sein muß, von der Offenheit der modernen Forscher zu lernen (Beispiele für aktuelle Wissenschaftsoffenheit lassen sich etwa in der auf Satellitenbeobachtungen gestützten Erforschung des Mondes, der Planeten und des Sonnensystems als ganzen, in der mit neuen Großanlagen arbeitenden Atomphysik, in den mit Computern berechenbaren Modellen von organismischen Strukturen, in der Erfassung der Feinstrukturen und -funktionen der lebenden Zelle finden).

Die so festzustellende vorläufige Beschränktheit der Wissenschaftsinhalte ist oft auch Beschränktheit und sogar vorläufige Unrichtigkeit der wissenschaftlichen Lehre als der Darlegung und Erklärung der beschränkten Inhalte (wobei unrichtige Lehre auch im Zusammenhang mit ausreichender Tatsachenkenntnis entstehen kann): Inwiefern waren Theorien und andere prinzipielle Auffassungen, die etwa vor Darwin und Pasteur, vor Planck und Einstein, vor Tönnies und Max Weber, vor Eddington und Hubble als selbstverständlich richtig anerkannt waren, objektiv unrichtig und, was sich natürlich erst nachträglich feststellen ließ, subjektiv mangelhaft, letzteres als Ausdruck und Folge von vermeidbarer Starrheit (woraus in der Wissenschaftsgeschichte mitunter zu fragen sein wird, ob nicht der große Gelehrte A gegenüber den Theorien seines Meinungsgegners B hätte offener sein müssen)?

Wenn aber Auffassungsbeschränktheit schon von den kenntnisschaffenden Wissenschaftlern nicht immer vermieden werden kann, so wahrscheinlich auch nicht von den kenntnisübernehmenden Wissensfreunden, von denen also, die zwar am Fortgang der Forschung interessiert sind, aber an ihr nicht aktiv teilhaben: von ihnen ist zu verlangen — und sie müssen es von sich selbst verlangen —, daß sie in ihrem Fürrichtighalten nicht bei dem bleiben, was sie in der Schule gelernt oder später aus Populärdarstellung erfahren haben (doch setzte wohl schon ihr bisheriges Denkbemühen einige intellektuelle Offenheit voraus). Hier ist ein grundsätzliches Postulat aufzustellen: Wenn man wissenschaftlich offen sein und offener werden soll, so allgemein für das Denken an sich, für die Rationalität (und das, obwohl diese in der zeitgenössischen Kulturkritik abgewertet und mitunter verleumdet wird). Aber gerade von hier aus muß man sich, auch als das Rationale bewußt Befürwortender, für die andern Denkweisen öffnen: für die eher einfühlenden, von Empfindung ausgehenden, für das Verstehen im besondern; im Zusammenhang damit ist die Aufmerksamkeit auf die Kunstwerke und -darbietungen zu richten, denn die, vor allem menschlichen, Inhalte, die der Künstler gestaltet, sind oft in einer Lebensechtheit dargestellt, die der Wissenschaft nicht erreichbar ist (ein Stück von Tschechow zeigt russische Wirklichkeit in einer weder der psychologischen noch der soziologischen Beschreibung möglichen Subtilität; Bach und Bruckner lassen religiöse Bewußtheit nachvollziehen, die außerhalb des Sprachlichen liegt; Rubens macht üppige Sinnlichkeit unmittelbar einsichtig).

Und dazu muß natürlich das bloße Betrachten als solches, sei es rational oder einfühlend und miterlebend, auf seine Beschränktheit hin geprüft werden: vielleicht ist man innerhalb des Ganzen der Betrachtung durchaus offen, begrenzt aber darin, daß man sich allzusehr an die Betrachtung hält, also sich nicht in zumindest innerer Aktivität auf die Hauptfelder Leistung und Gemeinschaft begibt und daraus Erfahrung gewinnt, welche die Begrenztheit eben der bisherigen Betrachtungsverwirklichung, ja der Betrachtung als Typus verstehen läßt; freilich führt diese das Praktische betreffende Überlegung wieder in die Betrachtung zurück, denn der Handelnde muß, weil sein persönliches oder kleinkollektives Wissen und Können beschränkt ist, auf die Erfahrungen abstellen, die im gesellschaftlichen Großen gemacht wurden (so: auf die wirtschaftspraktischen Erfahrungen mit einer nationalökonomischen Theorie, auf die praktisch-medizinischen Ergebnisse einer neuen Therapie), — aber gerade das kann größere Offenheit bewirken.

Doch am direktesten wird die Offenheit des Denkens durch Selbstkritik gefördert. In erster Linie muß diese das subjektive Fürrichtighalten unter die objektive Richtigkeit stellen: wird in der Kultur neue Einsicht gewonnen und durch die Informationsverfahren zugänglich, so ist jeder, der die alte, jetzt überholte für wichtig hielt, es sich selbst schuldig, seine persönliche Auffassung entsprechend zu ändern. Das setzt Fähigkeit zur Selbstprüfung voraus, und es kann entscheidend sein, daß man das eigene Allenfalls-unrecht-Haben als eine prinzipielle Tatsache versteht (nicht unbedingt als einen prinzipiellen Mangel, denn daß man im meisten vorläufig und in manchem dauernd unrecht hat, entspricht dem Gang des Erkennens und ist, wenn man seiner klar bewußt ist, kraftweckend: wer weiß, daß er in manchem unvermeidlich unrecht hat, wird sich um das Richtigere bemühen). Zu überwinden ist dabei die Unlust an der Unsicherheit, und einzusehen ist, daß das Unsichersein ein Positives haben soll: es soll den Willen wecken, mit eben solcher Fraglichkeit zu leben und sich gerade durch sie zu immer klarerem Welt- und Selbstverständnis bringen zu lassen. Vielleicht erinnert das an die Freude östlicher Denker (und, weniger anspruchsvoll, Denkender) am Leeren: es gibt auch Gewißheitsleere, an der man sich, und zwar als Mensch der modernen westlichen Kultur, freuen kann, Leere darin bestehend, daß man sich in allem, was man sich vergegenwärtigt, als noch nicht die letzte und endgültige Einsicht habend weiß und darum immer viele Vervollkommnungslinien vor sich sieht, — von denen aber keine zu einem Stand führen wird, bei dem die weitere Vervollkommnung ausgeschlossen wäre; dies gälte selbst dann, wenn im Kulturganzen die vollständige Universumskenntnis erreicht wäre, denn der Einzelne gelangte nie zu ihr (doch dieses vollkommene Wissen kann es nicht geben, schon wegen der praktisch unendlichen Vielheit der realen und ideellen Beziehungen zwischen den Arten des Soseienden, dazu im Menschlichen wegen des Neuen, das im Verlaufe des menschheitlichen Schaffensprozesses entsteht).

Die Selbstkritik ist auch unter Ziel- und Wertgesichtspunkten zu üben: Ist das Für-wertvoll-Gehaltene unbestreitbar wertvoll, oder ist es wertvoll nur unter bestimmten und nicht unter andern

Voraussetzungen, oder ist es bei genauerer Sicht nicht wertvoll? Man mag mit dem beginnen, was man als der Einzelne, der man ist, konkret verfolgt, hochhält, im Werten anwendet (»Ist das, was ich da tue oder will, das mir mögliche Beste und damit auch das, was ich wollen und tun soll? Aber worauf kann ich mich bei dieser Überlegung stützen?«). Diese Fragen führt einerseits zur Einsicht in die tatsächlich gegebene Freiheit, die der Einzelne in seinem Wollen und Tun hat, obgleich sie nicht in allem so weit geht, wie er meint, andererseits zur Auseinandersetzung mit den in der Kultur geltenden und Anerkennung verlangenden Ziel-, Wert- und Verhaltensauffassungen, vor allem den religiösen, philosophischen und ideologischen (»Ist das, was mir hier empfohlen oder sogar geboten wird, tatsächlich gut? Was heißt aber im Zusammenhang mit Zielen, Werten und Normen, daß etwas tatsächlich gut sei?«). Die gewonnene Offenheit wirkt so einerseits in der Richtung der Freiheitsbejahung, der praktischen Autonomie und des Anspruches auf sie, andererseits in der Richtung auf die Relativierung des Ethischen, ja vielleicht auf theoretischen Moralrelativismus, und je weiter der Suchende hier wie dort gelangt, desto offener wird er für das, was bisher nicht als zumindest vertretbar anerkannt wurde.

Der Offenheit soll schließlich die Praxis-Selbstkritik dienen, sei sie beruflich oder außerberuflich. Das auf ein Leistungsergebnis gerichtete Tun steht wahrscheinlich unter einem bewährten oder für zweckmäßig gehaltenen Verwirklichungsschema. Aber ist dieses wirklich das zweckmäßigste? Und, wenn ja, hat es nicht etwa Nachteile auf einem andern Gebiet, im Individuellen oder Kollektiven? Eine Verwirklichung könnte zweckmäßig sein, aber den Leistenden selbst oder Mitwirkende oder Unbeteiligte mit Ungünstigem belasten, das durch die Vorzüge des Verwirklichten nicht wettgemacht wird. Ist das Angewandte zweckmäßigst, gibt es nicht Zweckmäßigeres?: der Handelnde hat die Eignung von Methoden und Mitteln zu überlegen, vielleicht erkennt er, daß anderes geeigneter wäre, und das ist auch Kritik am bisherigen persönlichen Für-zweckmäßigst-Halten. In diesem Zusammenhang kann es das Verständnis des Menschlichen fördern, wenn man sich vergegenwärtigt, wie sehr das aufs Praktische gehende Prüfenkönnen und Offenheitgewinnen eine Errungenschaft der Neuzeit ist und wie sehr in den früheren Kulturen der Einzelne in seinen, ohnehin weniger zahlreichen, Verfahren stärker gebunden war (schon der Schuljunge kann sich heute überlegen, wie er etwa seine Modelleisenbahn oder sein Fahrrad zu größerer Leistungskraft bringe, im Mittelalter gab es jedenfalls dieses Spezifisch-Mechanische nicht, — wieweit ist ein Mann, der in der Jugend mit Modelleisenbahn gespielt und sich ans Fahrrad gewöhnt hat, innerlich von dem verschieden, dem das aus Umweltbedingung nicht möglich war, und wieweit ist der moderne Mensch als Typus hieraus offener als alle Vormodernen und jetzigen Nichtmodernen, sei diese Offenheit auch auf das Mechanische beschränkt?). Manchen gibt der Beruf vielerlei Gelegenheit zu solchem Fragen, andern kaum oder gar nicht, so nicht denen, die in festgefügter Leistungsorganisation vorgeschriebene Funktionen erfüllen müssen (immerhin wird kluge Betriebsleitung dafür sorgen, daß auf jeder Leistungsstufe Zweckmäßigeres vorgeschlagen werden kann). Allen aber ist Außerberufliches zugänglich, das Ausführungsbeweglichkeit und von ihr aus -offenheit erlaubt, — man denkt da zunächst an Hobby und Sport, aber Praxis, damit Praxis-Selbstkritik, -öffnung, -vervollkommnung sind auch, für viele als das entscheidend Wichtige, in der betrachtenden Teilhabe und dem In-Gemeinschaft-Stehen möglich. Gerade in diesem Persönlichen soll nichts hindern, wenigstens versuchsweise anders vorzugehen, als es üblich ist und für erfolgbringend gehalten wird.

10.6 Freiheit (I)

Durch Beweglichkeit zu Offenheit, durch Offenheit zu Freiheit: schafft die Beweglichkeit Voraussetzungen für die Offenheit im Sinne der Fähigkeit, mehrere Varianten eines Prinzipiellen einzusehen oder auszuüben, so ermöglicht diese die Wahl von Inhalten, Zielen und Verwirklichungsweisen. Aber gleich wie Beweglichkeit noch nicht Offenheit ist (weil es jene auch in einem starr abgeschlossenen Vielfaltsnetz geben kann), ist Offenheit nicht schon als solche die Freiheit: Offenheit ist sach- und auffassungsbezogen, Freiheit dagegen ist persönliches, ichhaftes Wollen- und Gestaltenkönnen, wesentlich sind in ihr Wille und Kraft, aus dem eigenen Ichzentrum heraus tatsächlich in den Verwirklichungsrichtungen zu handeln, die dank der Offenheit begehbar sind. Darin liegt eine Hauptvoraussetzung des selbständigen, autonomen, schöpferischen Verwirklichens, — womit in Hinsicht auf dieses die Schaffung innerer und äußerer Freiheit eine Hauptaufgabe wird.

Freiheitsschaffung muß praktisch in erster Linie die Überwindung des die Freiheit Hindernden und damit die Befreiung sein. Eingeleitet wird das schon durch die Beseitigung des die Offenheit Hindernden, denn wo Offenheit fehlt, kann es keine Freiheit geben. Aber die Öffnung allein genügt nicht, denn sie beseitigt nicht die spezifischen Hemmnisse im Feld der möglichen Freiheit als solcher. Das erste dieser Hemmnisse ist die Trägheit, im weitesten Sinne verstanden, jede Art von Bequemlichkeit und Sichzufriedengeben einschließend; Überwindung der Trägheit erfordert entsprechende Schulung und Selbstbeeinflussung, am wirksamsten ist da wohl die disziplinierte Beschäftigung mit langwierigen und einigermaßen schwierigen Aufgaben, die man gestellt bekommt oder sich selbst stellt, Aufgaben des Lernens, Betrachtend-Erhellens und -Teilhabens, der Leistung, und zwar der beruflichen wie der außerberuflichen, der aktiven oder jedenfalls beobachtenden Befassung mit Gemeinschaftsdingen. Natürlich ist in der Regel auf die gewählten Aufgaben vor allem wegen ihres Eigenwertes einzugehen, nicht bloß wegen ihrer Nützlichkeit für die Trägheitsüberwindung (letzteres ist immerhin in Übungsabsicht erlaubt und dabei wird man mitunter bewußt das Unbequeme dem Bequemen vorziehen); allmählich wird so für den Lernenden selbstverständlich, sein subjektives Können unter das hochgewertete Objektive zu stellen, wissend, daß zwar das Hochwerten ebenfalls subjektiv, dagegen das zu verwirklichende Hochgewertete objektiv ist (so: Meisterschaft in einer mathematischen Teildisziplin oder im Schachspiel ist ein Ziel, das unter subjektivem Werten gewählt wird, Mathematik und Schachspiel aber sind Felder objektiver Gegenständlichkeit, die als solche zu meistern sind und eben durch ihre objektive Schwierigkeit das subjektive Leistenkönnen und -wollen, damit auch die Aktivität, also das Nicht-mehr-Trägsein, steigern helfen).

Freiheithemmend sind zweitens Nichtwissen und Nichtkönnen: Fähigkeitsmängel, in manchem sicher anlagebedingt, in anderm jedoch Folge von ungenügender Schulung und Weiterbildung, so daß eine entsprechende Einflußnahme auf diese zu postulieren ist: Wissen und Können sind bei den Kindern und Heranwachsenden durch Eltern und Lehrer, bei den Erwachsenen durch von ihnen selbst gewollte und bestimmte Weiterbildung so zu gestalten, daß möglichst vielfältige und starke Freiheit zur selbstgewählten Verwirklichung, zur subjektiv und objektiv schöpferischen im besondern, möglich wird. Alles Lernen, dessen Inhalt in Hinsicht auf geistig-aktive und insbesondere schöpferische Verwirklichung wichtig werden kann, ist zu befürworten; aber da diese Feststellung allzu allgemein und sogar leerformelhaft ist, empfiehlt sich eine konkretere Überlegung. Es gibt Wissen und Können, das bei den meisten Lernenden nicht direkt in anspruchsvolle geistige Aktivität oder gar in Kreativität eingehen wird (vielleicht aber bei einigen, oder bei vielen in Einfacheres); anderes Wissen dagegen kann einigermaßen unmittelbar Möglichkeiten des schöpferischen Verwirklichens eröffnen und dient in diesem Sinne der Freiheit, ist sogar an sich Freiheit: Ausbildung dieser Art von Wissen und Können ist Befreiung und Freiheitsaufbau.

Freiheitshemmend ist drittens Mangel an Entschlußkraft, der zwar oft mit der Trägheit verbunden ist, aber einen selbständigen Grund bildet (denn auch der Nichtträge, ja der zu hoher Aktivität Bereite kann durch ihn belastet sein). Verursachend sind hier Momente mehrerer Schichten: subjektive wie Willensmängel, Angst vor Verantwortung, Konformismus, Angst vor gesellschaftlichen Nachteilen; organisatorische wie Unzulänglichkeiten in der Willensbildungs- und Anordnungsstruktur von Leistungsgebilden (staatliche Behörde, Kirche und kirchliche Teilorganisation, wirtschaftliche Unternehmung); sachliche wie Vielheit und Widersprüchlichkeit sowohl der Probleme als auch der möglichen Problemlösungen; — auch die Überwindung dieses Negativen bedeutet, positiv gesehen, Befreiung und Freiheitsaufbau. Den subjektiven Mängeln ist schon in der Erziehung und später in der selbständigen Betätigung, beruflicher wie außerberuflicher, zu begegnen: Erziehung zum persönlichen Stellungnehmen, auch auf die Gefahr des Irrtums hin (darum ist gleichzeitig die Fähigkeit zur Selbstkritik auszubilden); Erziehung zu Mut und Risikobereitschaft sowohl der Sache wie der gesellschaftlichen Umwelt wie dem eigenen Fürrichtighalten gegenüber: man muß den Mut bekommen, sich wenigstens zeitweilig vom gesellschaftlich Höchstgewerteten in Religion, Philosophie, Ideologie, Politik, Wissenschaft, Dichtung, bildender Kunst, Musik abzuwenden; das ist selbst dann als Steigerung der Entschlußkraft wertvoll, wenn man es später als Übertreibung oder sogar als sachlich verfehlt zurücknehmen wird. — Die organisatorischen Mängel sind durch Organisationsverbesserung zu korrigieren: die Organisation ist so umzubauen oder neu einzurichten, daß im konkreten Sozialgebilde fachlich geeignete Einzelne oder Gremien zur Entschlußfassung berechtigt und verpflichtet werden. Die sachlichen Schwierigkeiten hat der Sachkundige zu meistern, und darum ist vor allem die Sachkunde auszubauen und sind die organisatorischen, technischen und finanziellen Voraussetzungen einer sachlich richtigen Leistung zu schaffen (was ebenfalls eine Reihe von sachlich richtigen Entscheidungen verlangen kann); nötig ist aber auch die Konzentration auf das Wichtige (wichtig für die handelnden Einzelnen oder Gruppen), sie bedeutet den bewußten Verzicht auf andere, in der angewandten Beurteilung unwichtige Inhalte. Beides ist nicht nur in der Leistung zu üben, sondern auch im Betrachtend-Teilhaben und in der Teilnahme an den Gemeinschaftsverwirklichungen und beides ist im Alltag des Geistig-Interessierten unserer Zeit zunehmend unentbehrlich, weil das Angebot an Teilhabeinhalten ständig größer, verwirrender wird, also der Einzelne immer mehr gezwungen ist, sich mit einigem, aber nicht mit dem andern intensiver zu befassen (Zwang, ausgehend vom modernen Bücher-, Zeitschriften-, Rundfunk- und Fernsehangebot, spezieller von der Inhaltsfülle der Sachgebiete, für die man sich stärker interessiert: sachlich anspruchsvolles Interesse etwa für Biologie, Psychologie oder Geschichte, für moderne Literatur oder die christliche Kunst verlangt Beschränkung auf eine Gegenständegesamtheit, die vom Einzelnen bewältigt werden kann).

Der Aufbau der Entschlußkraft ist, ebenfalls in Hinsicht auf die Erweiterung und Stärkung der Freiheit zum Schöpferischen, in den Aufbau der Beharrlichkeit überzuleiten: diese Freiheit ist meistens, jedenfalls beim Schwierigen und damit beim meisten Hohen (denn es gibt nur wenig Hohes, das nicht schwierig wäre, wobei allerdings angenommen ist, daß das Hochsein des Hohen aus übersubjektivem Wertungsaspekt kommt, wie er bei den Geistig-Großen erkennbar ist, nicht etwa aus dem Bedürfnis nach bequemer Unterhaltung, das mitunter als demokratisch gerechtfertigt hingestellt wird: Freiheit zum Schöpferischen ist wohl häufig auch Freiheit von aus Behaglichkeitssuche kommendem Populäranspruch), nur dann erfolgreich, wenn das in ihr Gesetzte beharrlich verfolgt wird, — aber Beharrlichkeit ist belastend, und die Abneigung gegen diese Belastung hindert manchen Fähigen in seinem besten Verwirklichen.

Die Freiheit wird schließlich erschwert durch religiöse, philosophische, ideologische oder lebenspraktische Freiheitsablehnung. Es gibt zwar den Glauben ans menschliche Gestaltenkönnen, an Selbständigkeit, Freiheit und Freiheitsanspruch des Einzelnen und der Gesamtheiten, aber es gibt auch den Glauben an die menschliche Schwäche, Unselbständigkeit, Führungsbedürftigkeit: das Hin-zur-praktischen-Freiheit verlangt somit das Weg-von-der-doktrinalen-Unfreiheit. Dagegen ließe sich einwenden, daß das Theoretische gegenüber dem Praktischen vorrangig ist, und daß es sinnlos ist, nach praktischer Freiheit zu streben, wenn die, natürlich für richtig gehaltene, Theorie zeigt, daß es Freiheit weder gibt noch geben kann. Was aber, wenn die Erfahrung zeigt, daß es Freiheit trotz solcher Theorie gibt, jedenfalls in dem Sinne, daß der Einzelne einen Teil seines Entscheidens als frei erfährt? Dann mag immer noch behauptet werden, die Theorie sei richtig und die Praxis falsch, denn wer sich für frei halte, sei tatsächlich unfrei, bemerke es nur nicht; aber in diesem Falle soll die Theorie nicht das, was im Alltag als Freiheit erfahren wird, behindern: selbst wenn alles menschliche Wollen deterministisch zu erklären wäre, bliebe doch der höhere Wertrang des als frei aufgefaßten und würde, unterbände man dieses, die Wertfülle des Verwirklichens beeinträchtigt. Beseitigung der Hemmnisse gegen die Freiheit bedeutet hier demnach die Loslösung von den ins Praktische eingreifenden Determinismen (die trotzdem Thema des Philosophierens bleiben sollen) und Gutheißung des praktischen (wenn auch allenfalls unter theoretischen Vorbehalten angewandtem) Liberalismus.

Anschließend an den mit der Hemmnisüberwindung, der Befreiung verbundenen Freiheitsaufbau ist ein allgemeinerer, reiner ideenhafter anzustreben, hier nun allerdings unter prinzipieller, theoretischer, lebens- und sozialphilosophischer Bejahung der Freiheitsrealität, und zwar der Freiheitswirklichkeit, feststellbar im Selbsterleben und in psychologischer Beobachtung, und der Freiheitsmöglichkeit, gegeben, wenn der Einzelne oder die Gruppe nach psychologischer Einsicht die Voraussetzungen zu selbstbestimmtem Wollen und Tun besitzt. Diese Auffassung steht in Gegensatz zum psychologischen Determinismus, aber das mit Grund, denn die allgemeine Behauptung, das für frei gehaltene Wollen erfolge tatsächlich unter dem Zwang von es bestimmenden inneren Mächten, ist in ihrem Grundwesen ein vorwissenschaftliches, metaphysisches Erklärungsschema (Rückführung des Erfahrenen auf Ursachen und Allgemeinwesen, statt streng sachliche Tatsachenbeschreibung): Freiheit gehört zum Realen, das als solches zu erfassen ist, gleich wie jedes Höhere, Komplexere als solches, nämlich eben in seinem Höher- und Komplexersein, Denkgegenstand sein soll. Sich auf die Gegebenheit der Freiheit zu besinnen, ist zwar theoretisches Denken, kann aber, und das insbesondere in Hinsicht auf Selbständigkeit und Kreativität, unmittelbar praktisch werden, indem der Einzelne, der sich das Allgemeine der Freiheit vergegenwärtigt, sich auch von dieser Seite her, vielleicht erst von ihr her oder von ihr her besonders klar, als Freier verstehen lernt und aus der Tatsache des eigenen Freiseins sowohl die Pflicht zur richtigen Freiheitsanwendung ableitet als auch die richtige Ausführung dieser Pflicht erkennen will.

Was aber ist die richtige Freiheitsanwendung konkret-inhaltlich? Das muß der seiner Freiheit gewisse Einzelne für sich selbst, für den konkreten Menschen, der er selber ist, zu ergründen suchen, und das auf mehreren Ebenen, von den allgemeinen, allen Menschen (wenn auch nur aus seinem persönlichen Fürrichtighalten) zugeschriebenen Zielen, Werten und Normen, über die beschränkter allgemeinen, die für Kategorien von Menschen gelten sollen (für Typen wie Mann und Frau, Techniker und Arzt, Unternehmer, Angestellter und Arbeiter, Philosophierender und betrachtender Kunstfreund, Hobby- oder Sporttreibender), zu dem, was man sich ganz fürs persönliche Verwirklichen vornimmt (etwa: Durchsetzung des politischen Prinzips »Chancengleichheit für Mann und Frau« in der Kommunalverwaltung der Stadt N, voller Verkaufserfolg eines neuen Automodells, Rekordverbesserung in einer Leichtathletikdisziplin).

Von hier aus erweisen sich die, und zwar auch die an sich kritisch gesehenen, religiösen, philosophischen und ideologischen Ziel-, Wert- und Normauffassungen als lebenspraktisch nützlich: wer das Richtige sucht, findet in ihnen Anregung und Diskussionsstoff. Modernes Denken schließt dabei meistens an Denkergebnisse Großer oder jedenfalls Sehr-Sachkundiger an, für welche die modernen Tatsachen noch nicht gegeben waren: das wird in der Regel die Gutheißung und also die Übernahme, Weiterführung und erneute Anwendung schon bisher geltender Werte, Ziele und Normen nahelegen; aber das geschahe in selbständigem Denken und wäre etwas anderes als die aus Erziehung und Umwelteinfluß kommende Geprägtheit, in welcher der Denkende, oder Glaubende, kaum mehr über das Prinzipielle entscheidet. Ein kreatives Moment kann hier darin wirken, daß man in der Fassung des für wichtig zu haltenden Zeitgenössischen persönlich, darum vielleicht anders als irgendein anderer, vorgeht. Und fügt sich der Frei-Denkende in ein, lehrhaftes oder sonstwie gesellschaftlich geltendes, Ideenganzes ein, so bleibt ihm doch immer dessen konkretere Ausgestaltung möglich. In beidem, jenem Prinzipiellen und diesem Praxisnäheren, wird man sich weder durch sich selbst noch von außen endgültig festlegen lassen: schöpferische Freiheit soll sich auch in Selbstkritik und Neubeginnen auswirken.

Der in Freiheit das Richtige suchende Moderndenkende steht vor einer erst in unserer Zeit möglich gewordenen Mannigfaltigkeit von Inhalten und Formen. Mannigfaltigkeit schon der Hauptfelder, zwischen denen der Anspruchsvolle in Hinsicht auf sein selbstzweckhaftes und insbesondere sein kreatives Verwirklichen wählen kann: Entscheidung zunächst für Betrachtend-Teilhaben, Leistung oder Erfüllung-in-der-Gemeinschaft, entweder nur für einen dieser Großbereiche oder für zwei oder für alle drei; anschließend Entscheidung für die, größeren oder kleineren, Sondergebiete innerhalb der Hauptbereiche: etwa im Betrachtend-Teilhaben für Naturwissenschaft, Sozialwissenschaft oder Geschichte, je mit mehr oder weniger weitgehenden Spezialisierungen, oder für Kunst im allgemeinen und insbesondere für Literatur, bildende Kunst oder Musik, wiederum mit aktivem Interesse für Teilfelder; in der Leistung für ein Hauptfeld der Berufstätigkeit, weiter für außerberufliche Betätigung (Politik, Kirche, humanitäre Organisation, Sport, Hobby); in der Erfüllung-in-der-Gemeinschaft für Familie und Freundschaftskreis oder für eine Großgesamtheit Klassen-, Berufs-, Glaubensgemeinschaft). Indem der Wollende sich so besinnt und festlegt, wendet er seine Freiheit an und stärkt sie gleichzeitig; faßt er die selbständige Verwirklichung als an sich wertvoll auf, so erstreckt sich das auch auf die Freiheitsausübung als solche, — aber weil dem so ist, mag der, eigenwerten, Freiheitsaktivierung zu großes Gewicht gegeben werden (es ist Freiheitsmißbrauch möglich, der gerade aus der Hochschätzung der Freiheit kommt), und hieraus folgt, daß anderseits, allenfalls zur Korrektur, die Besinnung auf das überindividuelle, also in allgemeinerer Sicht anzuerkennende und als verpflichtend anzunehmende Richtige, bei hohem Anspruch die lebens-, staats- und kulturphilosophische oder, in eher formaler Einteilung, die ziel-, wert- und normphilosophische Besinnung unentbehrlich ist. — Mannigfaltigkeit aber noch mehr, und praktisch ins Unendliche gehend, in den für die tatsächliche Verwirklichung zu wählenden Einzelgegenständen und Gegenständegesamtheiten (wer sich betrachtend mit Literatur befassen will, hat die zu betrachtenden Werke auszuwählen, wer politische Leistung sucht, hat die zu bearbeitenden Themen und die bestgeeigneten Aktivitäten festzulegen, und für die Verbindung mit einer Gemeinschaft hat man sich auf die konkreten gemeinschaftsbildenden Momente zu besinnen). Wenn immer das freie Denken in einem der vielen Sachfelder, die dem Verwirklichenwollen offenstehen (wobei freilich jedes das ihm entsprechende Wissen und Können erfordert), Verwirklichungsinhalte und -weisen festlegt, ist selbständiges, auf Neues gehendes und damit, mehr oder weniger weitgehend, schöpferisches Geistigaktivwerden möglich.

Befreiung und Freiheitsaufbau sind vor allem Selbstgestaltungs-
aufgaben: wenn der Einzelne ein Freier und Aus-Freiheit-Schöpfe-
rischer werden soll, so sind von ihm in erster Linie die Überwindung innerer Hindernisse und die Ausbildung eigener geistiger
Vermögen verlangt. Aber entscheidend und zu erstreben ist auch
die äußere Freiheit und sind in deren Ganzem die einzelnen äußeren
Freiheiten: außerrechtlich-persönliche, rechtliche, wirtschaftliche,
technische, wobei jede dieser vier wiederum ein Ganzes ist, das sich
in enger gefaßte Sonderfreiheiten unterteilen läßt.

Außerrechtlich-persönliche Freiheit: der Einzelne lebt in einer
gesellschaftlichen Umwelt, die mehr oder weniger freiheitlich sein
kann; freiheitshindernd ist da vor allem der Konformismus,
begründet in religiösen, ideologischen und sozialpraktisch-gelten-
den Auffassungen und Normen (er ist um so strenger, je einheitli-
cher die gegebenen Auffassungen oder, bei deren Vielfalt, je
mächtiger die Vertreter des vorherrschenden Auffassungstypus
sind); freiheitsfördernd ist die Auffassung, in welcher die Freiheit
prinzipiell bejaht wird (als Grenzfall denkbar ist sogar ein Konformismus, dessen Hauptinhalt wäre, daß die Einzelnen ihr Sosein aus
eigenem, nichtkonformistischem Wollen bestimmen sollen) oder
zumindest anerkannt wird, daß es mehrere oder viele Einstellungen
gibt, die gleichberechtigt sind, — jedenfalls sich alle in ihrem
Grundsätzlichen vertreten lassen (Meinungsrelativismus und -plu-
ralismus ist eine praktisch beste Voraussetzung der liberalen Gesellschaft). Und befreiend, freiheitaufbauend ist die Auflockerung von
sozialen Verhaltensweisen, welche den Einzelnen in seiner persönlichen Entscheidung für Ziele, Werte, Normen und Verwirklichungen hindern: Forderungen richten sich hieraus vor allem an
Religion und Ideologie, konkreter an ihre Vertreter, in zweiter
Linie an die in der Gesamtgesellschaft führenden Schichten, an die
Eliten; hier wie dort sollte verpflichtend werden, vom vorherrschenden Fürrichtighalten abweichendes Denken und Wollen als
berechtigt, ja die Meinungsvielfalt als an sich wertvoll anzuerkennen.

Rechtliche Freiheit: die Einzelnen, Gruppen, Gesamtheiten und
Organisationen stehen im Staat und seinen Teilgebilden unter

erzwingbaren Normen, und je nachdem, was in diesen geboten, erlaubt, verboten oder anderswie geregelt ist, haben die Wollenden und Handelnden mehr oder weniger weite Aktionsfelder: da Selbständigkeit und Kreativität weitgehende individuelle Freiheit voraussetzen, ist zu verlangen, daß diese vom Recht her nicht nur möglichst wenig behindert (so: Persönlichkeitsrechte, Recht auf ungehinderte berufliche Betätigung), sondern materiell gesichert (so durch Schutz der Persönlichkeitsrechte bei Beeinträchtigung) und, noch positiver, gefördert werde (so durch Anordnungen über die Schulorganisation, über die Schaffung von Forschungsinstitutionen). Freiheitshindernd ist die Vorschrift, welche den Einzelnen allzu stark zu einem ihm von außen auferlegten Handeln zwingt oder ihn in anderer Weise von dem abhält, was er aus eigenem Antrieb unternehmen möchte, am meisten natürlich die Ausschließung des von ihm gewollten Handelns (etwa der oppositionellen oder wenigstens nicht machtkonformen politischen Betätigung, des avantgardistischen künstlerischen Schaffens); freiheitsfördernd ist das Recht, das nach seinem materiellen Inhalt einen weiten, sicheren Rahmen für die von den Einzelnen zu bestimmenden Verwirklichungen bildet (nicht nur für die handelnden und damit irgendwie für die Gesamtheit nützlichen, dies jedenfalls nach der Selbstauffassung des Tätigen, sondern auch die nicht-handelnden, nämlich betrachtenden, vielleicht die in religiösem oder philosophischem Sinne meditativen, für deren volles Ergebnis auf das nach außen gerichtete Tun verzichtet werden muß). Befreiend ist die Umbildung des Rechtes, durch welche Freiheitshinderndes beseitigt und Freiheitsförderndes neu aufgenommen oder auch nur das Geltende und In-Geltung-Bleibende freiheitlicher interpretiert und angewandt wird (oft wird man sich aber schon damit zufriedengeben müssen, daß Recht, das an sich freiheitlich formuliert ist, wenigstens nichts ins Unfreiheitliche verkehrt wird). Zwischen den die außerrechtlich-persönliche Freiheit beeinflussenden Auffassungen und dem Recht besteht Verbindung erstens dadurch, daß das Recht aus den allgemeineren Wert- und Normvorstellungen gestaltet ist (eine Gesellschaft von freiheitlicher Allgemeingesinnung wird freiheitliches Recht verlangen, unfreiheitliches ablehnen), zweitens dadurch, daß vom Recht her das allgemeinere Wollen und Werten geprägt wird (freiheitliches Recht führt schließlich zu Freiheitlichkeit der Einzelnen und Gesamtheiten; aus Zwangsrecht kommen, weil es einschüchtert und des selbständigen Wollens entwöhnt, Mangel an Freiheitlichkeit und eigentliche Unfreiheitlichkeit); politisches Wirken, das auf beiden Feldern die Freiheit fördern soll, wird am ehesten Erfolg haben, wenn es die Liberalisierung des Rechtes anstrebt, denn diese läßt sich in ein sachlich klares und bestimmtes Aktionsprogramm fassen und wird sich schon durch die Befürwortung, noch mehr natürlich durch den Erfolg aufs Allgemeinere auswirken (das als solches geringere Angriffsmöglichkeiten bietet).

Die wirtschaftliche Freiheit ist hier unter zwei Aspekten zu sehen: einerseits unter demjenigen der Güterversorgung der Einzelnen, Gesamtheiten und Organisationen, anderseits unter demjenigen der sozialwichtigen und zugleich individuelle Erfüllung bietenden wirtschaftlichen Leistung ebenfalls der Einzelnen, Gesamtheiten und Organisationen (wobei der Einzelne, indem er sich in ein größeres Leistungsganzes einordnet, an Aufgaben mitwirkt, die nur kollektiv unternommen werden können und ihm hieraus vielleicht ein weites Schaffensfeld eröffnet, aber auch bedingt durch Arbeitsteilung und Mechanisierung eingeengt wird). Freiheitshindernd sind hier Mängel in der Güterproduktion und -verteilung; freiheitsfördernd die hohe Leistungskraft des volkswirtschaftlichen Produktionsapparates und die breite Streuung des Volkseinkommens; befreiend die wirtschaftspolitischen und in geringerem Maße auch privatwirtschaftliche Maßnahmen zur Beseitigung jenes ungünstigen und zum Ausbau dieses günstigen Wirtschaftlichen. Die für die Freiheit wichtigen wirtschaftlichen Momente sind zum Teil verbunden mit denen, welche die rechtliche und die außerrechtlich-persönliche Freiheit beeinflussen: Recht hindert oder fördert das für die Freiheit der Einzelnen, Gruppen und Organisationen wichtige Wirtschaftliche, und gleiches kann von religiöser, philosophischer, ideologischer oder einfach lebenspraktischer Einstellung ausgehen; zu postulieren ist somit die möglichst große Wirtschaftsgünstigkeit dieses Außerwirtschaftlichen. Anderseits bedingt der Wirtschaftszustand die unter diesen beiden Freiheitstypen möglichen Auffassungen und Verwirklichungen: eine Wohlstandskultur von hohem Stand der Güterversorgung und der wirtschaftlichen Sicherheit erlaubt und erfordert andere Normauffassungen als die durch Volksarmut geprägte Kultur; daraus ist zweierlei abzuleiten: erstens sollen bei steigendem Volkswohlstand die einengenden Normen beseitigt werden, die durch ihn überholt sind, zweitens können in eine noch durch Volksarmut charakterisierte Gesellschaft nicht Zielauffassungen und Normen übernommen werden, welche die Sozialtatsachen der Wohlfahrtskultur voraussetzen. Hieraus ergeben sich praktische Folgerungen auch in Hinsicht auf das autonome und kreative Verwirklichen: Außerwirtschaftliches soll das wirtschaftliche Schöpferischwerden fördern, zumindest aber nicht hindern, und vom Wirtschaftlich-Kreativen her soll das, was im Rahmen der rechtlichen und außerrechtlichen Normen erreichbar ist, gefördert, jedenfalls aber nicht gehindert werden (solche Behinderung träte etwa ein, wenn die rein wirtschaftliche Interessiertheit allgemein so stark wäre, daß die möglichen religiösen, philosophischen, künstlerischen Verwirklichungen vernachlässigt würden).

Technische Freiheit ist Freiheit aus der Verfügung über mit Hilfe von menschlichem Können gewonnene oder gestaltete materielle Mittel: Stoffe, Energie, Geräte und Maschinen, materielle Einrichtungen, verwendet für Güterproduktion und Leistung von Diensten und beherrscht dank der Fähigkeit von Menschen, sie menschlichen Bedürfnissen dienstbar zu machen (wobei meistens nur wenige Spezialisten jene Fähigkeit, dagegen viele Verbraucher diese Bedürfnisse haben, was heißt, daß das, besondere Leistungsfreiheit erfordernde, Handeln weniger Leistender vom Technischen her Freiheit für viele Technikbenützer schafft). Freiheitshindernd sind hier Mängel im technischen Können und zu geringe Ausstattung mit technischen Gütern (beides wirkt sich auch in der Wirtschaft als Mangel aus und bedeutet wirtschaftliche Einengung); freiheitsfördernd ist alles, was vom Technischen her die Handlungsfähigkeit der Einzelnen, Gruppen, Organisationen und damit des gesellschaftlichen Ganzen steigert; befreiend sind die Überwindung jener Mängel und der Aufbau dieses Positiven. Wiederum bestehen vielfach Beziehungen zu den andern Feldern der äußeren, gesellschaftlichen Freiheit: was als konkreter Inhalt von Freiheit im Außerrechtlich-Persönlichen, im Rechtlichen oder Wirtschaftlichen verstanden wird, ist einerseits Bedingung auch für das technische Handeln und damit die technische Kreativität (natürlich nur neben andern Bedingungen, vor allem den innertechnischen) und wird anderseits von der Technik beeinflußt oder soll von ihr beeinflußt werden, in dem Sinne, daß alles dank der Technik Möglichgewordene, das als wertvoll anzuerkennen ist, tatsächlich erstrebt wird und verwirklicht werden darf.

10.9   Zielphilosophisches Denken

Beweglichkeit, Offenheit und Freiheit bilden Voraussetzungen für viele verschiedenartige Verwirklichungen: durch sie besteht ein mehr oder weniger weiter Raum, in welchem der Wollende aus eigenem Fürwichtighalten seine, vielleicht neuartigen, Ziele setzen kann. Mitunter hat das aber zur Folge, daß sich der Einzelne vor eine Vielfalt gestellt sieht, in welcher er ein Wertvolles und darum Erstrebenswürdiges selbständig zu erkennen oder gar zu setzen nicht fähig ist, so daß er, da doch die Zielwahl geboten ist, in Unklarheit und Wirrnis gerät, aus welcher er schließlich ins Allzubequeme abgleitet oder sich von außen kommenden Geboten unterordnet. Die drei genannten Momente des inneren Wesens führen nur dann zu konkreter Verwirklichung von Wertvollem, wenn er eigenen Zielwählens und sogar eigenen Zielsetzens fähig ist: Zielwahl als Entscheidung für eines oder einige und gegen die andern einer Gesamtheit von bekannten Zielen, deren Verwirklichung an sich möglich wäre (wenn nicht sofort, so später, und wenn nicht vollständig, so teilweise); Zielsetzung als Bestimmung neuen Zielinhaltes, wahrscheinlich unter mehr oder weniger klar bewußtem Rückgriff auf bekanntes Allgemeines, dem für die praktische Durchsetzung ein spezieller Inhalt gegeben werden muß, vielleicht auf Allgemeines aus früherer oder fremder Kultur (so: Rückgriff auf Prinzipien des modernen Sozialismus, der aristotelischen Ethik, des Zen-Buddhismus). Beides, Zielwahl und Zielsetzung, erfordert Einsichts- und Entscheidungsvermögen, das sich zwar unter die allgemeinen Titel Beweglichkeit, Offenheit und Freiheit bringen läßt, aber inhaltlich besondersartig ist und auch aus lebenspraktischen Gründen gesondert betrachtet werden sollte, vor allem darum, weil die Ziele, Werte und Normen, über die hier zu entscheiden ist, subjektiv oder zumindest subjektivem Fürrichtighalten unterstellt, insgesamt also subjektrelativ sind, im Unterschied zum Objektiv-Tatsächlichen, das in der Auseinandersetzung mit dem Wirklichen und Ideellen das Hauptthema ist. Und dieses Subjektrelative ist im Zusammenhang mit dem Aufbau der schöpferischen Vermögen zweifach zu prüfen: erstens in Hinsicht auf deren konkrete Ziele und zweitens unter der Frage nach dem Wert des schöpferischen Verwirklichens als solchen.

Freilich ist über die sachlich-besonderen Ziele des Verwirklichens überhaupt und des schöpferischen im engeren Sinne großenteils rein sachbezogen zu entscheiden; daneben aber, und auf die tragende Einstellung gehend, ist nach der Richtigkeit des die Wahl des Sachlichen bestimmenden Werthaften zu fragen. Das Sichbesinnen wird in der Regel dann am wirklichkeitsnächsten sein, wenn es stark in der Auseinandersetzung mit Aktuell-Ethischem oder -Lebensphilosophischem, vielleicht auch -Staatsphilosophischem, insgesamt mit Aktuell-Zielphilosophischem besteht (Zielphilosophie verstanden als Philosophie, die sich sowohl formal als auch material, und wenn material, dann beschreibend, postulierend, vertretend, kritisierend oder auf lebens- und sozialpraktische Anwendung gerichtet, mit den gesamtmenschlich bedeutenden Zielen der Einzelnen, Gruppen, Gesamtheiten und Institutionen befaßt, — mit den gesamtmenschlich bedeutenden: somit liegen die vorwiegend sach- oder organisationsspeziellen Ziele wie etwa die Leistungs- und Rentabilitätsziele einer einzelnen Wirtschaftsunternehmung oder einer Wirtschaftsgruppe außerhalb des Betrachtungsfeldes). Dabei werden oft die gegebenen Zielhaltungen rationaler, das heißt begrifflicher und stärker systematisiert, zu umschreiben sein als sie es tatsächlich sind, nämlich so, als wären sie Ausdruck einer theoretisch formulierten Grundauffassung (man wird etwa den nur nach Berufserfolg Trachtenden, den sich mit Fernsehunterhaltung Zufriedengebenden, aber auch den sich intensiv für Populärastronomie Interessierenden, denen entsprechende lebensphilosophische Prinzipien nicht bewußt sind, mitunter am besten verstehen, wenn man ihr Wollen deutet, als stehe hinter ihm eine einigermaßen klare Idee), — man kommt so auf eine Gesamtheit von Zielideen, von denen man zumindest annehmen kann, sie seien rationale Abbildungen von überwiegend irrationalen Wünschen und Antrieben.

Die aktuellen Ziel-, Wert- und Normprinzipien, seien sie tatsächlich bewußt oder eher als rationale Abbildungen von Nichtrationalem zu verstehen, können Inhalt von Lehre sein oder zumindest als hypothetischer Lehreinhalt formuliert werden: tragend ist dann ein Ganzes von religiösen, philosophischen, ideologischen, juristischen oder wissenschaftsethischen Auffassungen (wobei insbesondere die juristischen weitgehend von religiösen, philosophischen oder ideologischen bestimmt sein werden), aber auch so sind die Ziele, Werte und Normen, hier vorwiegend in ihrem Typischen herauszuheben, als eigenständiges Lehregebiet zu sehen (so daß die zielphilosophischen Inhalte und die Beziehungen zwischen ihnen wichtiger sind als die Wirklichkeitsannahmen, auf die sie sich gründen). Manche dieser Lehren haben in der Gesellschaft praktische Geltung, indem sie mehr oder weniger selbstverständlich, allerdings vielfach unter ideologischem und politischem Druck, ausgeübt zumindest durch Propaganda, vielleicht aber auch durch Benachteiligung der Andersdenkenden, als richtig anerkannt und zumindest im sichtbaren Verhalten, wenn auch nicht immer im wesentlichen Sinn des Gewollten, angewandt werden. Bei der kritischen Befassung macht es natürlich einen Unterschied, ob man die Lehre in seiner eigenen gesellschaftlichen Umwelt als herrschend vorfindet oder außerhalb dieser: Selbständigkeit und Freiheit des Denkens werden am ehesten gefördert, wenn man den Mut aufbringen muß, sich mit Nahem auseinanderzusetzen (so lassen sich für einen Westeuropäer oder Nordamerikaner die Inhalte und Zwänge der kommunistischen Ziellehren leichter kritisieren als diejenigen der modernisierten Christlichkeit, liege deren Modernisierung auch nur darin, daß gegenüber der modern-wissenschaftlichen Rationalität ein neuer Irrationalismus, Zugang zum Transzendenten behauptend, ins Feld geführt wird; innere Förderung kommt für jene kaum aus der ersten, wohl aber aus der zweiten Kritik).

Aber oft sind die tatsächlich geltenden Ziele, Werte und Normen anders als die in den anerkannten Lehren vertretenen und mitunter stehen sie zu diesen in klarem Gegensatz, dies entweder ohne oder aber mit Wissen des Wollenden und Handelnden: es gibt hier sowohl Mangel an Denkklarheit als auch bewußte Gegensätzlichkeit (so der sich zur Gleichheit aller Menschen bekennende Christ,

Liberale oder Sozialist, der, negativ, andern das verweigert, was er selbst beansprucht, aber vielleicht auch, positiv, sich zu Geistigkeit emporringt, die viele andere weder interessiert noch ihnen zugänglich wäre und damit zwar nicht dem Gleichheitsprinzip, das auf die Gleichheit der Voraussetzungen und Möglichkeiten geht, jedoch dem tatsächlichen Gleichsein widerspricht und also bei ideologischer Strenge abzulehnen wäre). Wiederum werden Autonomie und Kreativität des zielphilosophischen und -praktischen Denkens wohl am meisten durch das Eingehen auf die Widersprüche, die man in der eigenen Umwelt, ja in sich selbst findet, gefördert.

Bei solchen Überlegungen mag man auch feststellen, daß es viele Einzelne gibt, die sich über Ziele, Werte und Normen außerhalb des für sie alltäglich Gültigen kaum bewußt sind; man kann sogar die Gesellschaft, auch die eigene und allgemeiner die moderne Industriegesellschaft, auf Grund solcher Bewußtheit oder Nichtbewußtheit in Großgesamtheiten unterteilen (verfeinert nach geringerer Bewußtheit und größerer Nichtbewußtheit), und der Selbstkritische erkennt dabei vielleicht, daß er sich nicht zur Gesamtheit der Klarbewußten rechnen darf: gerade das kann Antrieb zu selbständigem und sogar schöpferischem Zielsetzen werden. Dieses genügt wohl nur dann hohem zielphilosophischem Anspruch, wenn es von kenntnisreichem und urteilsstarkem zielphilosophischem Denken getragen ist; nicht, daß der Zielsucher selber Zielphilosoph sein müßte, aber des Über-Ziele-Philosophierens sollte er fähig sein: je stärker in der Gesellschaft die Zielunsicherheit wird, je mehr die überlieferte Normengeltung abgebaut wird, desto mehr müssen die zu höherem Menschsein Begabten selber philosophieren (und das auch auf die Gefahr eines anfänglichen negativen Dilettantismus hin, — man kann und soll als Philosophierender wenigstens später, nach längerem Aufbau des Denkens, in positivem Sinne Dilettant sein).

Die selbständige Besinnung auf die anzuerkennenden, von Lehrenden oder Vorbildern zu übernehmenden oder autonom zu setzenden, nach der Gutheißung zu verwirklichenden Ziele, Werte und Normen hat vielleicht als Sonderinhalt das Schöpferischsein als hohe, ja höchste menschliche Erfüllung: begründet werden kann das durch Einsicht ins Große der Kultur, bei einigen aber ist es Ergebnis eigener Selbstfindung, autonomen schöpferischen Denkens, das zu schöpferischem Sein verpflichtet.

11.1 Fachliche Leistungsfähigkeit

Das schöpferische Verwirklichen ist zwar nicht in allen, aber in vielen seiner Inhalte fachlich, in dem Sinne, daß der Verwirklicher oder die verwirklichende Gruppe oder Organisation auf Grund ausreichender Sachkenntnis handeln muß, die zumeist das Ergebnis fachlicher Ausbildung und Erfahrung sein wird. Wieweit ist dem Aufbau der schöpferischen Vermögen hieraus ein fachlicher Inhalt zu geben?, ergänzend und erweiternd: denn die Förderung von innerer Beweglichkeit, Offenheit und Freiheit soll ja vorerst und in der Hauptsache aufs Allgemeinere gehen und damit überfachlich sein. Jede sachlich anspruchsvolle Verwirklichung, sei sie leistend oder betrachtend (bei der Leistung ist sie meistens beruflich, aber nicht immer: Amateursport; bei der Betrachtung ist sie, obwohl vielleicht von beruflichem Interesse getragen, ihrem Grundwesen nach nichtberuflich), setzt erhebliche fachliche Kompetenz voraus: Kenntnis des fachlich wichtigen Inhaltlichen, Begrifflichen, Denk- und Verfahrenstechnischen, Fähigkeit zu fachgerechtem Zielsetzen, -verfolgen und -ausführen; solches ist zwar nicht schon an sich fachliche Kreativität, jedoch in dieser meistens unentbehrlich, denn ohne Fachfähigkeit gibt es kaum je den zu sachlich abgeschlossenem Erfolg führenden Vorstoß zu Neuem (neues Fragen dagegen ist mitunter auch dem Nichtfachmann möglich, zumal wenn er als Fachmann seines eigenen Gebietes auf einem andern Gebiet Probleme sieht, die dessen Spezialisten bisher nicht beachteten: so mag der Biologe, obwohl in der Chemie Nichtfachmann, dem Chemiker eine Frage stellen, auf Grund welcher ein neuer biochemischer Zusammenhang erkannt wird). Was innerhalb der gesamthafteren fachlichen Kompetenz als Besonderes gegeben und darum auch ausgebaut werden muß, kann drei prinzipiell verschiedene Kenntnisschichten betreffen: erstens Kenntnis des Faches nach seinem jetzigen Stand; zweitens Kenntnis von erfolgversprechenden Richtungen des einigermaßen aktuellen und damit zeitlich nahen fachlichen Ausbaues; drittens Denken, welches Tatsachen oder Einsichten des einen Sachgebietes mit solchen eines andern in Beziehung bringt, wobei freilich meistens die Fachlichkeit nur für das eine Gebiet ausgebildet sein wird (dies gilt zunehmend auch innerhalb der größeren Wissenschaften: Fachlichkeit besteht hier als hochausgebildete Sonderkenntnis einer Teildisziplin oder sogar nur eines Untergebietes dieser). Immerhin wird nicht jeder den Kenntnisaufbau auf allen drei Ebenen betreiben, sondern mancher nur auf einer oder zweien, — doch ist bei hohem Anspruch die fachliche Selbstvervollkommnung dreischichtig.

Die Kenntnis des Faches nach dem jetzigen Stand ist nur scheinbar etwas Statisches, etwas, das man mit Begabung und Fleiß erwirbt und dann als festes Kenntnisgut besitzt; vielmehr ist sie dynamisch oder sollte es sein, denn alle Kenntnisgebiete befinden sich in ständiger Erweiterung, Vertiefung und Differenzierung, und immer wieder ergeben sich unter neuen Aspekten neue Einsichten, — was heute vollständige Sachgebietskenntnis ist, wird morgen in einigem überholt sein (aber natürlich nicht in allem und wahrscheinlich nicht einmal in Wichtigstem: mit jener Einschränkung gibt es doch einigermaßen dauernden geistigen Besitz). Lebendiges Interesse für ein Fachgebiet verlangt somit außer der allgemeinen Beweglichkeit, Offenheit und Freiheit speziellere, fachliche: der Sich-selbst-Aufbauende muß fachlich-beweglich sein, um den Gang seines Faches ständig zu verfolgen und insbesondere die Darlegungen über das Neue nachzuvollziehen, fachlich-offen, um Wesen und Bedeutung von Neuem einzusehen, fachlich-frei, um sich vielleicht von alter Auffassung ab- und neuer zuzuwenden. Das Ziel »Fachkenntnis auf dem jetzigen Stand« kann hieraus immer nur vorläufig verwirklicht werden, — es verpflichtet zu ständiger Bemühung um die Erweiterung und Vertiefung des jeweiligen Kenntnisstandes. Dieses Bemühen bedeutet praktisch großenteils und immer wieder in anderm Sachzusammenhang den Nachvollzug von kreativem Schaffen neuen Wissens und Denkens, und zwar den dem aufgeschlossenen, interessierten Sachkundigen möglichen Nachvollzug von geistigem Schaffen, das hohe Fachmannserfordernisse stellt, so daß jener eben durch sein Nachvollziehen ins Wollen und Verwirklichen der in der betreffenden Sache Produktiveren und vielleicht Schöpferischen eingeführt wird. Gelingt es dem Teilhabenden, vom schöpferischen Denken und Handeln nicht nur übersichtsweise, vor allem auf die Ergebnisse gehend, zu erfahren, sondern es in allen Wesensschichten und Phasen einigermaßen vollständig aufzunehmen, so mag es ihm so deutlich gegenwärtig werden, als sei er ein, wenn auch wahrscheinlich nur beobachtender, Mitwirkender, und das natürlich ist Anregung und Kraftsteigerung für sein eigenes fachliches Schöpferischseinkönnen.

Am klarsten ist das wohl in den Wissenschaften, da in ihnen das gefundene oder geschaffene Neue rational beschrieben und allenfalls erklärt werden muß, in einfacher, aber präziser sprachlicher oder in mathematischer Formulierung, als Modell oder System, in Hypothese oder Theorie, in umfassenderer Lehre, ergänzt soweit nützlich durch bildhafte Darstellung, die aber immer der Herausarbeitung eines Rational-Faßbaren zu dienen hat (diese Verfahren sind etwa im Zusammenhang mit mikrobiologischer Forschung anzuwenden: sprachliche Themafassung und Ergebnisfeststellung, mathematische Einkleidung von Bedingungen, Wirkungen und Veränderungen, Wirkungsmodelle und -systeme, Hypothesen und, mit höherem Anspruch, Theorie über die physikalischen und chemischen Momente, welche die untersuchten Lebensfunktionen begleiten oder verursachen, all dies soweit nötig durch Photographien und Zeichnungen anschaulich gemacht). Mitunter wird dabei das Nichtrationale, das auch in der Wissenschaft wichtig ist, vernachlässigt: der schöpferische Wissenschaftler führt zwar seine Arbeit ganz in der nötigen einwandfreien und geschlossenen Rationalität, aber auch aus freier Wahl zwischen den sachlich gegebenen Möglichkeiten, aus mehr oder weniger starkem gefühlsmäßigem oder durch Zielidee und Werthaltung bestimmtem Interesse, und das sowohl bei der Fassung der Gesamtaufgabe als auch beim Fortschreiten von Teilthema zu Teilthema (so mag der Soziologe aus gefühlshaftem Interesse an der Friedenssicherung diese, und damit alle Aspekte der Kriegsvermeidung, gesamthaft und von den speziellen Bedingungen jedes einzelnen Sozialfeldes aus eingehend studieren: sosehr er sich dabei im Rahmen strenger Rationalität hält, so ist er doch im Grundsätzlichen seiner Denk- und Forschungsleistung durch Außerrationales bestimmt). Wissenschaftliche Kreativität in solcher konkreter Leistung am Werk zu sehen, sich in einiger und wenn möglich erheblicher eigener Fachkenntnis zu vergegenwärtigen, wie der Meister seines Faches den rationalen

371

Wissensaufbau praktisch betreibt, aber auch welches Intuitive, Gefühlshafte, Ideenhafte für ihn maßgebend ist: das ist zwar nur nachvollziehendes Teilhaben an in ihrer Tatsächlichkeit zugänglicher Wissenschaftskreativität, aber der Sicheindenkende mag darin eigenes Schaffensvermögen aufbauen, und sei es so, daß er sich später vom Nachvollzogenen ab- und einem besonderen Eigenen zuwendet.

Fachliche Kreativität kann auf der Ebene der Kenntnis des Faches auch im nichtwissenschaftlichen Auffassungschaffen erstrebt und aufgebaut werden: im religiösen, philosophischen (soweit nicht-wissenschaftlich), ideologischen, dazu im eine selbständige Lehrekategorie bildenden ziel- und wertsetzenden; auf jedem dieser Denkgebiete bildet fachbesondere Kenntnis und Denkfähigkeit die Voraussetzung für den Vorstoß zu neuen Tatsachen-, Wert- und Zielauffassungen (so verlangt die christliche Theologie vom in ihr Denkenden zwar nicht eigentlich Wissenschaftlichkeit, aber immerhin inhaltliche Geschlossenheit und logische Folgerichtigkeit, dazu umfassende und tiefdringende Kenntnis der Glaubensinhalte: all das bildet Fachkenntnis im religiösen und vielleicht auch in engerem theologischem Sinn). Und ähnliches gilt für das besondere Bewußtheitsschaffen, das im dichterischen Gestalten gegeben ist und in ihm einen Teil, aber nicht das Ganze bildet: der Dichter gestaltet ein sprachliches und damit ein aussagehaftes Werk, das die Aufnehmenden in einen Seinsbereich einführt, an dem teilzuhaben für sie sinnvoll ist oder wird; hier bedarf der Schaffende fachlicher Kenntnis in zweifachem Sinne, vor allem als Gestaltungsfähigkeit, dank welcher er das Gestaltete sprachlich erlebbar macht (spezifisches fachliches Können des Romanciers, des Dramatikers, des Kurzgeschichtenautors, bis zum mehr journalistischen des Feuilletonisten), und zweitens als aus tiefstdringendem Einfühlen kommenden Verstehens des Menschlichen, allgemein und spezieller in Hinsicht auf das darzustellende; dichterisch kreativ werden kann in der Regel nur, wer, Begabung vorausgesetzt, auf beiden Ebenen die sachlichen und damit die fachlichen Kenntnisse und Fähigkeiten hat, die dem Zeitstand entsprechen. Das mag überleiten zu den Voraussetzungen des schöpferischen Verwirklichens in bildender Kunst, Musik, Tanz, in der theatralischen Darstellung als solcher, abgesehen von ihrem literarischen

Gehalt, gesamthaft in den nichtsprachlichen, dafür anschaulich oder unmittelbar einfühlbar vermittelnden Künsten: zumeist stärker als in der Dichtung steht hier der Verwirklicher unter den gestaltungspraktischen Anforderungen seines Kunstzweiges, die von ihm eine langwierige berufliche Ausbildung verlangen, welche ihrerseits meistens eine Bedingung für Leistung höheren Ranges und insbesondere für kreatives Werkschaffen oder Aufführen bildet.

In der Technik, sei sie praktische Anwendung wissenschaftlicher Erkenntnis oder einfach auf Erfahrung gestützte zweckmäßige Mittelgestaltung und -anwendung, ist unerläßlich, daß der Ausübende weiß, was nach dem gegenwärtigen Stand des betreffenden Faches möglich ist, sich bewährt hat, im Rahmen des Wahrscheinlich-Besseren erstrebt werden sollte, auch was die selbstverständlich zu erfüllenden Struktur-, Funktions- und Ergebnisnormen sind. Der Technisch Leistende, zumal der Technisch-Schöpferische muß ein Fachmann sein, dessen allgemeinere geistige Beweglichkeit, Offenheit und Freiheit im Beruflichen durch spezialisierte, fachliche und damit fachbesonders sachliche Kenntnis und Fähigkeit erweitert, vertieft und verstärkt sind: so muß der schöpferisch zu Neuem vorstoßende Apparatebauer allgemein willens und fähig sein, Bisheriges, auch bewährtes und noch lange weiterführbares, zu verlassen, sich Neues auszudenken und es als Ziel aufzufassen, auch Kritiken zu ertragen und Mißlingen zu riskieren, aber dieses Allgemeine genügt nicht, denn er muß als der Berufsspezialist, der er ist, ein ganz konkret gefaßtes Einzelding verbessern oder von Grund auf neu konzipieren; nicht ein allgemeines Neues ist da für ihn Ziel und Aufgabe, sondern ein praktisch anwendbares Technisches (wie etwa ein neues Gerät zur Nachverbrennung von Motorabgasen), und eben für dieses Höchstspezielle muß er fachlich bestens vorbereitet sein oder sich erst vorbereiten. Je wichtiger die technische Leistungswelt in der modernen Kultur wird, je mehr sie sich in Unterbereiche aufteilt und je höher die in ihnen an die Leistenden gestellten Anforderungen sind, desto intensiver muß, versteht man das kreative technische Tun als gesellschaftlich unentbehrlich und überdies als eine der praktischen Weisen selbstzweckhafter geistiger Erfüllung, die fachliche technische Schulung und Fortbildung sein, und das immer auch im Blick auf die Vervollkommnung und Erweiterung des Technikgutes. Natürlich kommt es nicht nur auf Neuschaffung an, sondern auch auf die optimale Weiterführung des Bekannten: man wird die je besondern Neuleistungen auch unter der Leitidee zu würdigen haben, daß das gesellschaftliche Technikganze (einer Region, eines Landes, einer Ländergruppe, letztlich in globalem Ausmaß) zu rationellster Nützlichkeit gebracht werde und also der unnötige Verzicht auf Vorhandenes zu vermeiden sei.

Fachkenntnis wird sodann in der Wirtschaft verlangt: Kenntnis von Organisation und Verfahren im allgemeinen, gesamtwirtschaftliche Kenntnis, anderseits Branchenkenntnis, Sonderkenntnis über, wiederum allgemeiner oder spezieller gefaßte, Theorie und Praxis der Industrie (es macht da einen Unterschied, ob man in der Textil- oder Nährmittel-, in der Baumaschinen- oder in der Feinapparateindustrie arbeitet), des Gewerbes, der Landwirtschaft, des Handels, des Bankwesens, des Versicherungswesens, der Verkehrswirtschaft, der Hotellerie usw.; wiederum genügt es nicht, daß der Leistende, zumal der für Effizienz und damit für Anpassung an neue Bedingungen und Möglichkeiten verantwortliche, sei er mit Sachaufgaben betraut oder eigentlich führend, nur in seinem Gesamtwesen beweglich, offen und frei ist, sondern diese Qualitäten müssen in engerem beruflichem Sinne verstanden und entsprechend ausgebildet werden, woraus abzuleiten ist, daß die Schulung zur Selbständigkeit und sogar Kreativität im beruflichen Handeln, sei es rein-kommerziell oder wie jetzt oft technisch-wirtschaftlich, ein Hauptinhalt der Berufsbildung und damit auch der beruflichen Selbstbildung sein muß. Da Technik und Wirtschaft, obwohl im Grundwesen verschieden, praktisch oft zusammenhängen, indem von neuer technischer Möglichkeit aus ein neues Wirtschaftliches vorgenommen werden kann (etwa von der modernen Elektronik aus ihre Anwendung in der Wirtschaft, allgemein in Groß- und Mittelunternehmungen und spezieller in unternehmungshaft betriebenen Rechenzentren) oder aus wirtschaftlicher Überlegung eine neue technische Entwicklung veranlaßt wird (so: neue Arbeitsmaschinen zur Produktionskostensenkung und damit zum Erfolg im Konkurrenzkampf, Postdienstautomatisierung zur Einsparung von Arbeitskräften), ist die berufliche Leistungsfähigkeit oft im Technischen und im Wirtschaftlichen zugleich auszubilden und auch nach der eigentlichen Schulung fortzubilden: der auf hoher Stufe Leistende soll technisch-wirtschaftlich oder wirtschaftlich-technisch (wohl immer ist eine der beiden Qualitäten grundlegend und die andere eher ergänzend: so der Industriewirtschaftler, der Technisches schöpferisch anzuregen weiß, oder der Eisenbahninge-nieur, der eben aus seinem hochrangigen technischen Können zumindest in die Betriebswirtschaft und vielleicht auch in die Angebotsgestaltung, ja die entsprechende Finanzplanung richtung-weisend eingreift) produktiv und sogar kreativ werden. Angesichts der praktisch unerläßlichen Verbindung von Wirtschaft und Tech-nik, sowohl in den markt- wie den staatswirtschaftlichen, in den fortgeschrittenen wie in den weniger entwickelten und darum die »Entwicklung« als ein Sozialwichtigstes betreibenden Ländern, kann der Aufbau hoher Fähigkeit zu wirtschaftlich-technischer oder technisch-wirtschaftlicher Verbesserungs-, Neuerungs- und Werkkreativität für das gesellschaftliche Ganze entscheidend sein oder jedenfalls werden.

Fachliche Fähigkeiten müssen weiter für die politischen und staatsspezifischen Leistungen, die auf hoher Stufe der Selbständig-keit, Originalität und Kreativität zu verwirklichen sind, gegeben sein, also ausgebildet werden: der Staatsmann vor allem, aber auch jedes Regierungsmitglied, der führende Parlamentarier, der Partei-führer, der Verwaltungschef, der führende Militär, auch der hohe Richter, jeder von ihnen, der eine stärker und der andere weniger, bedarf hoher und schöpferischer Gestaltungsfähigkeit auf einem mehr oder weniger großen Sachgebiet, vom aktuelle Probleme stellenden Gesamtgesellschaftlichen (etwa bei tiefgreifender wirt-schaftlicher und sozialer Strukturwandlung) bis zur speziellsten Sachaufgabe (etwa in der Sozialversicherung). Aus der Besonder-heit der im Staate oder auf den Staat hin vollzogenen Leistung, daraus nämlich, daß in ihr oft politische Macht gewonnen und für die vertretene Sache eingesetzt werden muß, sind an viele, zumal an führende Handelnde Wissens- und Könnensanforderungen zweier verschiedener Schichten gestellt: rein sachliche (juristische, natio-nalökonomische, technische, medizinische, militärische) und spe-zifisch politische, eben auf Machtgewinnung und -ausübung gerichtete; ist in der ersten Schicht das zu erwerben, was der Fachmann des betreffenden Sachgebietes (also der Jurist, der

Nationalökonom, der Eisenbahn- oder Straßenfachmann, der sich mit dem öffentlichen Gesundheitswesen befassende Arzt, der Militärtechniker) kennen und können muß, so in der zweiten die Fähigkeit, mit der Macht zu arbeiten. Aber ist Machthandeln lehrbar und lernbar wie etwa das juristische, technische oder unternehmerische? Lehrbar wahrscheinlich nicht, abgesehen von einzelnen Zweigen der staatlichen Leistung (gelehrt in entsprechenden Eliteschulen), wohl aber lernbar jedenfalls in dem Sinne, daß der Politisch-Begabte durch Beobachtung der Gegenwartspolitik, und zwar derjenigen des eigenen Landes (dessen Probleme und Machtmöglichkeiten ihm am nächsten sind) wie fremder Länder und der übernationalen Organisationen, daß er aus der Geschichte, aber auch, sehr viel enger, aus der eigenen Erfahrung lernt.

11.2 Fachliche Betrachtungsfähigkeit

Überlegungen zum Aufbau fachlicher Fähigkeit und insbesondere Kreativität haben vorzugsweise Leistungen und Leistende zum Thema. Sie sollten aber nicht in dieser Weise beschränkt bleiben: vielmehr sind sie auch auf die Betrachtung und Betrachtende zu erstrecken, denn auch in diesem zweiten Bereich der geistigen Verwirklichung kann fachlich hochrangiges Wissen und Denken zumindest nützlich und vielleicht unentbehrlich sein. Natürlich ist es in der Regel ausgeschlossen, daß der Nur-Betrachtende gleiche Fachkenntnis hat wie der auf dem betreffenden Gebiet Leistende, zumal der selbständig Forschende oder Darlegende, und es gibt Fachgebiete, auf denen die Frageweisen, Begriffe, Beschreibungsmethoden so speziell sind, daß die meisten Fachfremden nicht in die schwierigeren Problemkomplexe eindringen können (so: Mathematik, Logistik, Semantik, organische Chemie, Biophysik, Geologie, Astronomie, je in ihren hochanspruchsvollen Themen), aber nicht alle Wissenschaften enthalten solch schwierigstes Hochkomplexes (so: allgemeine Geschichte und im besondern Kulturgeschichte, Wirtschaftsgeschichte, Archäologie usw., Literatur- und Kunstwissenschaft, Botanik, Zoologie), und auch die Wissenschaften, in denen einige Spezialdisziplinen für die meisten allzu schwierig sind, haben andere Teilgebiete, zu denen Höhergeschulte bei einiger Anstrengung Zugang finden. Fachliche Ausbildung, als Schulung und individuelle Fortbildung, ist auch in Hinsicht auf solche betrachtende Erfüllung erwünscht, ja unerläßlich: nicht in dem Sinne, daß der Lernende ein Leistender fachlich hohen Ranges werden soll, wohl aber in dem, daß er fachwichtige Einzeltatsachen und Beziehungen zwischen ihnen (auch die Beziehungen als solche, sozusagen als Einzeltatsachen höherer Ordnung, und Beziehungen zwischen Beziehungen) sachrichtig zu erhellen vermag. Ziel muß hier sein, daß man sachkundiger Dilettant wird, sachkundig wenigstens soweit, daß man fachliche Inhalte und Inhaltskomplexe auf einigermaßen hoher Stufe des Beurteilenkönnens selbständig-denkend erfassen, verstehen und deuten, in Beziehung bringen kann, dilettantisch anderseits darin, daß man von fachlicher Leistung, zumal fürs Fachgebiet wichtig werdender, weil in ihm Neues gestaltender Leistung ausgeschlossen ist.

Und hier zeigt sich eine unvermeidliche Begrenztheit des betrachtungsbezogenen Fachlichen: dieses muß sich auf Wissenschaft stützen und in ihrem Rahmen halten. Wer es in seinen geistigen Besitz bringt und zu höherer Einsichtsstärke aufbaut, hat davon den Gewinn, über intellektuelle Gestaltungskraft zu verfügen, — aber vielleicht empfindet er eben das Intellektuelle als dem-Wesentlichen-fernhaltend und damit als entfremdend. Das vielleicht schon in der Begegnung mit der Naturwelt: die Naturwissenschaften geben zu ihr gedanklichen Einlaß, notwendigerweise in begrifflicher Fassung des Naturwesens, das an sich nicht begrifflich ist; man wird das gutheißen, weil alles Verborgenere der Natur nur durch Wissenschaft erhellt werden kann. Stärker beim Menschlichen, dem Einzelmenschlichen, Kollektiven und, Menschliches objektivierenden, Kulturellen: hier ist die Welt, der sich der Betrachter wesensverwandt weiß und die er darum ohne Wissenschaftshilfe zu verstehen sich wünschen könnte und vielleicht auch sollte. In der Tat ist das auf mehreren Interessenlinien möglich, so durch die je besondere Teilhabeweise des religiösen Glaubens, der Mystik und der Meditation, des künstlerischen (betrachtend, nachvollziehend künstlerischen) Einfühlend-Aufnehmens von Musik, Dichtung und bildender Kunst, des Wertend-Beteiligtseins an Sozialgeschehen (insbesondere an aktueller Sozialproblematik und Politik). Jedoch bleibt solches für die meisten Betrachter außerhalb der Fachlichkeit, — diese aber ist unentbehrlich für die ins Tiefere und Subtilere vordringende Teilhabe am Einzelmenschlichen, Sozialen und Kulturellen: umfassende, durchgehend erhellende und dabei möglichst klare Vergegenwärtigung gibt es da nur von Psychologie, Sozial- und Kulturwissenschaft aus; Wissenschaft und Wissenschaftlichkeit sind für den das Fachlich-Richtige wollenden Betrachter des Menschlichen modernes Schicksal.

Kann denn der Betrachter unter solchen Voraussetzungen schöpferisch sein? Selbständig forschen kann er nicht (früher war das eher möglich als in der modernen Wissenschaft), wohl auch nicht unter wissenschaftlichem Anspruch zu Neuem führend analysieren, systematisieren, in Lehre fassen, veröffentlichen, kaum sich an einer fachmännischen Diskussion beteiligen. Möglich ist hingegen, daß der Wissensfreund, der auf dem gewählten Betrachtungsfeld nicht selbst Fachwissenschaftler ist, sich vorzugsweise und zum Teil sogar zu Neuem vorstoßend mit Inhalten befaßt, welche die Wissenschaft für weniger wichtig oder sogar unwichtig, und mit Fragen, die sie wenigstens vorläufig oder vielleicht prinzipiell für unbeantwortbar hält (gerade die Beurteilung durch die professionalisierte Wissenschaft muß aber den eigenes Denken suchenden Wissensfreund zu Vorsicht und Selbstkritik mahnen). Und möglich ist die Betrachtung, die ein Selbständigkeitsmoment darin hat, daß sie sich über mehrere Großgebiete erstreckt und damit unter Weiteanspruch tritt (aber nicht Vollständigkeitsanspruch, denn Weite und Vollständigkeit sind hier Gegensätze), der, obwohl auf Wissenschaftlich-Erkanntes gerichtet, nicht eigentlich wissenschaftlich ist, sondern eher wissenanwendend, nämlich auf Wissen die selbstzweckhafte Bewußtheit aufbauend.

Inhalt, mit dem sich die Wissenschaft kaum, jedenfalls nicht sehr intensiv befaßt, der aber für die Betrachtung das Hauptthema bieten kann, ist vor allem das individuelle Wesen der Wissenschaftsgegenstände, das Einzeln-Besondere, von welchem die notwendig auf Allgemeinfeststellungen gehende und darum typisierende Wissenschaft absehen muß (diese Allgemeinfeststellungen haben Nutzen auch für die Betrachtung eben des Besonderen, indem sie ihr den Begriffsrahmen geben); Beispiele hiefür seien: die singuläre Form der Pflanze A; Inhalt und Form des Romans B; die Sozialstruktur der Region C; die modernen Inhalte der Neuideologie D. Freilich lassen sich auf manchem Sachfeld individuelles und typisches oder artgemäßes Wesen nicht genau unterscheiden und oft ist das Spezielle hauptsächlich ein Artvertreter (etwa ein Kristall, der Afrikanische Elefant, der Golfstrom, die Sonne, ein konkreter Rechtssatz, eine konkrete Wirtschaftsunternehmung, eine Hieroglypheninschrift), zwar stark ins konkrete Sonderwesen gehend, aber doch im interessierenden Wesen gleich wie sehr viele andere Gegenstände. Von hier aus läßt sich das Ziel »Sicht des Besondern« in dem Sinne erweitern, daß der Betrachter sich um die möglichst genaue Erfassung des Typuswesens, von einigermaßen allgemeinen Gattungen bis zu sehr speziellen Arten und Unterarten, bemüht; wissenschaftlich begründete Fachlichkeit, soweit vom Nichtfachmann erwerbbar, soll hier denkpraktisch angewandt werden. Der philosophische Begriff »Wesensschau«, üblicherweise mehr theoretisch, erhält so eine praktisch-spirituale Bedeutung.

Inhalt, mit dem sich die Wissenschaft nicht intensiv befaßt, ist zweitens viel Soziales und Kulturelles, das eben jetzt in der Nahwelt des Betrachters oder sonstwie für ihn beobachtbar (durch Zeitung, Zeitschrift, Buch, Rundfunk, Fernsehen, auch auf Reisen) wirklich ist oder wird. Die Vergegenwärtigung wird sich hier ebenfalls auf das Einzel- und Sonderwesen richten (so: auf konkrete wirtschafts-, finanz- und sozialpolitische Vorkehrungen des Staates, auf den Bau von Atomkraftwerken, auf die Schwierigkeiten im Zeitungswesen, auf eine neue Oper und ihre Uraufführung), vielleicht darüber hinaus aber auch auf Zusammenhänge, die, beschäftigte sich die Wissenschaft mit dem betreffenden Tatsachenkomplex, von ihr herauszuarbeiten wären. Nicht daß der Betrachter damit ein forschender und zu fachlich gültiger Erkenntnis vorstoßender Wissenschaftler würde, jedoch ist möglich, daß er zu mentaler Aktivität gelangt, von der er ausgeschlossen ist, wenn er sich mit Gegenständen befaßt, die bereits unter allen wissenschaftlich interessanten Aspekten durchgearbeitet sind (so: Botanik, Zoologie, allgemeine und fachspezielle Geschichte). Gibt es für den Betrachter nicht auch die Möglichkeit, sein selbständiges Denken statt auf das Einzeln-Besondere und das Aktuelle, das erste für die Fachwissenschaft oft zu speziell und das zweite von ihr doch nicht bearbeitbar, auf das Allgemeinste zu richten, also auf die Großthemen einer Gesamtwissenschaft oder sogar einer »Überwissenschaft«, praktisch der die allgemeinsten Fragen behandelnden Philosophie (etwa auf das Wesen der Welt, von Stoff und Energie, des Lebens, von Seele und Geist, der Ideen, noch allgemeiner: des Wirklichen und vielleicht des Transzendenten, des Ideellen, des Seienden, des Seins und auch des Nichtseins)?: solche Großthemen bestimmen zwar seit alters die Kontemplation, führen aber, eben wegen ihrer extremen Allgemeinheit, weitgehend ins Nurformale, letztlich ins Leerformhafte. Das Nurkonkrete gibt da viel eher Gelegenheit zu selbständigem Denken.

11.3 Vereinigende Zusammenschau

Denken, das Tatsachen und Einsichten des einen Sachgebietes mit solchen eines andern in Beziehung bringt, kann gewollte Bewußtseinsleistung bedeuten: besonders intensiv, wenn Elemente verschiedener Felder zu einem komplexen Neuen vereinigt werden, weniger intensiv in der bloß vergleichenden Beschreibung. Was die in Beziehung gebrachten Felder anbelangt, so lassen sich mehrere Haupttypen unterscheiden: Untergebiete einer Groß- oder Hauptwissenschaft (so: Sonderdisziplinen innerhalb der Physik, Chemie, Biologie, Kulturgeschichte, Mathematik), einer Groß- und Hauptphilosophie (so: philosophische Sonderfächer innerhalb der Naturphilosophie, Staatsphilosophie, Ethik), einer Groß- und Hauptreligion (so: der rationalen, diesseitspraktischen Gläubigkeit und Mystik, auch der verschiedenen Lehrrichtungen innerhalb einer Großreligion wie Christentum, Hinduismus, Buddhismus), einer Groß- und Hauptideologie (so: verschiedene und sogar gegensätzliche Lehrrichtungen innerhalb des Liberalismus, des Sozialismus), einer Groß- und Haupttechnik (so: verschiedene Fachtechniken innerhalb der Bau-, Maschinen-, Elektro-, Chemo-, Landwirtschaftstechnik), eines Groß- und Hauptgebietes der Wirtschaft (so: sozial wichtige Teilgebiete innerhalb der Industrie, der Landwirtschaft, des Handels, je eines größeren Landes oder einer Ländergruppe, oder innerhalb des Welthandels, der Weltlandwirtschaft), eines Groß- und Hauptgebietes des Staatlichen (so: Teilfelder innerhalb der staatlichen Institutionen, des Rechtes, der übernationalen Staatenwelt, der internationalen Organisationen), eines

Groß- und Hauptgebietes der Kunst (so: Teilfelder innerhalb der Dichtung, der bildenden Kunst, der Musik, der theatralischen Künste), — sodann die Groß- und Hauptgebiete als solche, also die Groß- und Hauptwissenschaften, -philosophiegebiete und -philosophien, -religionen, -ideologien, -technikgebiete, die Groß- und Hauptgebiete der Wirtschaft, der Gesellschaft, der Künste, — schließlich je das Gesamte und Ganze der Wissenschaft, der Philosophie, der Religion, der Ideologie, der Technik, der Wirtschaft, des Staates, der Gesellschaft, der Künste, und das entweder für ein Kulturgebiet (so: europäisch-amerikanische Wissenschaft, indische Religion, ostasiatische Kunst) oder eine der großen Kulturepochen (so: frühgeschichtliche Religionen, Philosophie des Mittelalters, Kunst der Renaissance, Staatenwelt des 18. Jahrhunderts) oder allgemein das Ganze der Natur, wie in den Naturwissenschaften beschrieben, der Kultur, wie dem Kulturbetrachter sowohl in unmittelbarer Teilhabe und Anschauung als auch in kulturwissenschaftlicher Beschreibung erfahrbar, des Ideell-Seienden, das gesamthaft Gegenstand von Logik, Mathematik und zum Teil auch der Sprachwissenschaft ist.

Bringt man größere, große oder sogar die gesamthaften, alles Seiende unter wenigen Allgemeinkategorien einteilenden Sachgebiete miteinander in Beziehung, so sind entsprechendes Wissen und Verbindenkönnen einzusetzen, letzteres entweder nur auf Betrachtung oder aber, zumal wenn die Gebiete nicht sehr groß sind, auch oder nur auf gestaltendes Eingreifen gerichtet; das aber erfordert Ausbildung, die über die spezialfachliche mehr oder weniger weit hinausgeht — und zugleich zu den persönlichen Qualitäten Beweglichkeit, Offenheit und Freiheit, jede der drei für sich und alle drei gesamthaft verstärkend, zurückführt: denn am beweglichsten, offensten, freiesten ist, wer die geistige Kraft zur Zusammenschau des Großen hat.

Das Jetzige geht, teils gleichbleibend und teils sich verändernd, in Zukünftiges über; aus dem Zuständlichen der Gegenwart kommt dasjenige der erst bevorstehenden Zeit; die jetzt ablaufenden Entwicklungen bereiten neue vor und werden in sie einmünden; das Aktuelle ist Ansatzpunkt für Kommendes. Vorausschau auf das, was jetzt noch nicht ist, aber in Zukunft sein wird, läßt vorausgreifendes Bewußtsein entstehen und hat daraus seine schöpferische Wesensart. Aber entspricht sie — jedenfalls in der Hauptsache, volle Richtigkeit ist nie zu erwarten — dem, was sein wird? Trifft das zu, so ist sie in höherem Grade schöpferisch als die bloße Voraussage: sachrichtige Vereinigung der jetzt wißbaren, oder ahnbaren, Zukunftsmomente. Solches Denken und Denkend-Gestalten kann für Einzelne und auch Organisationen als besondere Aufgabe verstanden werden, sei es als zukünftige Leistung vorbereitend, sei es aus der Sorge um den Fortgang des Sozialen, sei es aus dem Willen zur auch zeitlich weitgreifenden Wirklichkeitsbetrachtung. Verlangt ist dafür der Aufbau spezifischer Vorausdenkensfähigkeit, und diese steht notwendigerweise unter hoher fachlicher Anforderung. Wie läßt sich diese Fähigkeit ausbilden? Wohl vor allem so, daß man sich über das Wesen, und damit über das Bleibende und Wandelbare des Jetzigen, über die im Jetzigen liegenden Möglichkeiten, über die bereits jetzt wirkenden Wandlungskräfte, über die sich vorbereitenden Tendenzen klar wird: auf eben diese Einsicht hin ist möglichst tiefdringendes Verstehen zu gewinnen. Zu ergänzen ist dieses überwiegend Sachbezogene durch das Verstehen der in der Kultur wirkenden, ebenfalls teils gleichbleibenden und teils sich wandelnden Bedürfnisse, Ideen, Ziele und Werte, mit vorwiegendem Interesse für die Dynamik des Geistigen. Immer ist der Verstehenaufbauende zu eigenem Stellungnehmen berechtigt, — in den Grenzen der Tatsachen, aber allenfalls einem befürworteten Richtigen, ja dem zukünftigen Guten verpflichtet.

Am vielfältigsten sind, inhaltlich und formal, die Möglichkeiten des Sich-der-Zukunft-Öffnens in der Wissenschaft. Alle Wissenschaft soll von ihrem gegenwärtig-hohen Stand zu zukünftig-höherem aufsteigen; sie soll darum ihr Themengebiet erweitern, ihre Fragestellung vertiefen, ihre Methoden schärfen, ihre Mittel zu größerer Leistungskraft bringen; sie soll so einen reicheren, feiner durchgebildeten, vollständigeren und umfassender richtigen Kenntnisbestand aufbauen, sie soll dessen gesellschaftliche Allgemeinzugänglichkeit verbessern und sichern, sie soll neue Möglichkeiten der gesellschaftlich nützlichen Wissensanwendung schaffen: das verlangt Zukunftsoffenheit von der Wissenschaft als gesamthaftem Großgebiet der modernen Kultur, von den Fachwissenschaften und ihren Sonderdisziplinen, und ins Subjekthafte gewandt von den führenden Wissenschaftlern und Wissenschaftsorganisationen. Und all das steht unter dem ständigen Druck der wachsenden und sich immer weiter differenzierenden Bedürfnissen der sich in eine zunehmend unsichere Zukunft hinein bewegenden modernen Gesellschaft. — Wie kann das in fachlichem Lernen vorbereitet werden? Wohl am besten so, daß man sich in seinem jetzigen wissenschaftlichen Denken, Wollen und Leisten (sei es individuell oder gruppenhaft) zu möglichst hochrangigem Wissen und Können bringt, dabei insbesondere zu scharf und mutig kritischem, dem Neuen offenem Willen zum Richtigeren. Einige der Kräfte und Tendenzen zukünftiger Wissenschaft sind schon jetzt am Werk, andere bereiten sich jetzt vor: schöpferische Gegenwartswissenschaft muß sie erkennen und unterstützen.

Oft wird beim In-die-Zukunft-Denken das Technische den Vorrang haben. Dann sind im Bisher-Erreichten, Jetzt-Verwirklichten einerseits die tatsächlichen Möglichkeiten und anderseits die fachlichen und allgemeineren Wünschbarkeiten des weiteren Ausbaues oder der Ersetzung von Bisherigem zu erkennen (Ersetzungsideen müssen realistisch bleiben, das heißt sie dürfen sich vom jetzigen Technikstand nicht allzu weit entfernen); von solchen Überlegungen aus werden neue Aufgaben an die Wissenschaft gestellt, sie sind vom Technisch-Schöpferischen entweder detailliert oder nur allgemein zu formulieren. Somit sind hier die Fähigkeiten zur Einsicht in die Zukunftsmöglichkeiten zweischichtig auszubilden, nämlich sowohl das rein Technische als auch das technisch anzuwendende Wissenschaftliche betreffend. Und mitunter ist Dreischichtigkeit verlangt: wenn für die Weiterführung der technisch-wissenschaftlichen Entwicklung wirtschaftliche Momente auslösend sind (Beispiel: Einsicht, daß der, mit Sicherheit zunehmende, Energiebedarf inskünftig zum Teil anders als bisher

befriedigt werden muß, entsprechend Entwicklung neuer Kraft-
werktypen und darauf gerichtete wissenschaftliche Forschung).
Natürlich ist das zukünftige Wirtschaftliche, auch wenn es praktisch meistens eng mit Technischem und Technik-Wissenschaftli-
chem zusammenhängt, ein für sich bestehendes Themenfeld, das
jedoch auch als solches, wenn es fachmännisch bearbeitet wird,
sogleich wieder fachwissenschaftliche Untersuchung verlangt, vor
allem wirtschaftswissenschaftliche und ergänzend soziologische
und sozialpsychologische. Denn das zukünftige Wirtschaftliche
wird stark vom zukünftigen Sozialen abhängen, wie umgekehrt
enge Abhängigkeit des Gesellschaftlichen vom Wirtschaftlichen
besteht und hieraus die das Soziale, insbesondere das Staatliche und
die Politik betreffende Voraussicht die richtige Einschätzung
zumindest der mittelfristigen Wirtschaftsveränderungen erfordert:
aus alledem sind konkrete Aufgaben für die fachliche Kreativitäts-
ausbildung abzuleiten.

Auch von den Schöpferischen in Religion, Philosophie und
Ideologie kann Kenntnis der im gegebenen Fachlichen liegenden
Möglichkeiten und unter ihnen wahrscheinlichen Zukunftstenden-
zen verlangt und darum in Schulung und Selbstbildung aufzubauen
sein. Zu einem erheblichen Teil sind solche Dinge denen von
Wissenschaft, Technik und Wirtschaft nachgeordnet und in der
Thematik von diesen primär wichtigen Kulturfeldern abhängig;
Religion, Philosophie und Ideologie sind, soweit das zutrifft, eher
reaktiv als selbständig-aktiv: erstens in der Wirklichkeitsdeutung,
zweitens in den wertenden Stellungnahmen und drittens in, weiter-
zuführenden oder neuaufzustellenden, Postulaten. Jedoch gibt es
da auch Vorrang gegenüber dem andern, und das in erster Linie aus
dem, den Wesenskern des Menschlichen ausmachenden, Vermögen, sich selbst zu bestimmen, in Freiheit Werte und Ziele zu
setzen, anzuwenden und zu verfolgen, durchzusetzen: es kann
daraus religiöse, philosophische oder ideologische Stellungnahme
insbesondere zu Wissenschaft, Technik und Wirtschaft kommen,
kritische, zustimmende oder ablehnende, fordernde, richtungwei-
sende. Dieses theoretische (wenn auch nicht wissenschaftlich theoretische) und praktische (wenn auch nicht technisch und wirtschaftlich praktische) Aktivwerden wird in der Zukunftskultur um so
wichtiger sein, je stärker die moderne wissenschaftlich-technisch-

wirtschaftliche Zivilisation in äußere und innere Schwierigkeiten gerät. Aber damit ist keineswegs sicher, daß die zukünftigen Lösungen schon in den traditionellen Sinn-, Wert- und Ziellehren vorweggenommen sind und man also letztlich zu Vormodernem zurückkehren müsse. Wissenschaft, Technik und Wirtschaft sind wahrscheinlich für das zukünftige Menschenwesen so sehr prägend, daß sie auch für die in Zukunft auszuarbeitenden religiösen, philosophischen und ideologischen Thesen grundlegend sein werden, dies auch aus dem sozialpraktischen Grund, daß sich die jetzt sichtbar werdenden Großprobleme nur mit mehr Wissenschaft, mehr Technik und mehr Wirtschaft lösen lassen. — Offenheit für die Zukunft stellt an die Schöpferischen von Religion, Philosophie und Ideologie zu weitestem, und auch mutigstem, Denken verpflichtende Anforderungen.

Das Aktuelle der Zukunftsgesellschaft und ihrer Problematik wird die Zukunftsaufgaben des Staates, die Aufgaben des Zukunftsstaates bestimmen, und es mag sein, daß dieser erheblich anders sein wird als der jetzige Staat, den der je besondere Staatsbetrachter vor sich hat (den Verschiedenheiten im Jetztgegebenen werden wahrscheinlich Verschiedenheiten in den staatlichen Entwicklungen der einzelnen Länder und Ländergruppen entsprechen). Das ist in größter Weite, sich auf alle Bereiche des öffentlich-rechtlichen Gesamtheitslebens zu sehen: es betrifft die nationalen Staaten mit ihren regionalen und lokalen Untergebilden; es betrifft die Nationalstaaten-vereinigenden Zusammenschlüsse; es betrifft die übernational-staatlichen Neuorganisationen; es zielt in Richtung auf Kontinentalstaaten und Weltstaat; es steht letztlich unter der Idee der globalen, menschheitlichen Friedens- und Wohlfahrtsförderung. Die Wandlungstendenzen und -möglichkeiten im näheren und ferneren, eben letztlich globalen, dazu im näher- und fernerzukünftigen Staatlichen zu erkennen erfordert unter besonders hohem Wissens- und Denkanspruch das Sich-der-Staatszukunft-Öffnen: zu leisten ist es am ehesten von einer Elite der Staatsinteressierten, nämlich von den Staatstheoretikern, Staatsphilosophen, Politologen, in deren Selbstverständnis liegt, daß sie einen denkerischen Beitrag an den, sozialethisch und -praktisch besten, Staat der Zukunft zu leisten haben. Allgemeinfähigkeit und Fachlichkeit vereinigen sich in solchem Bemühen auf höchster Stufe.

Vom elitären, notwendigerweise auf wenige besonders Kenntnisreiche beschränkten Vorausdenken, das die zukünftigen Staatsentwicklungen zu erhellen trachtet, zu einem allgemeiner zugänglichen: dem sich zukünftigem Künstlerischem öffnenden. Die Wandlungen in den geistigen Vermögen, Interessen und Bedürfnissen prägen sich in Wandlungen des Künstlerischen aus. Ja diese nehmen jene vorweg, sind für sie symptomatisch: die künstlerische Avantgarde — Avantgarde aller Künste — macht die allgemeinen geistigen Tendenzen einfühlbar, die als solche noch verborgen, jedenfalls schwer zugänglich sind. Daraus aber kann das Eindringen in moderne Kunst eine Hauptweise der Einsicht ins Entstehende, des Sich-der-Zukunft-Öffnens werden.

INHALT

VIERTER TEIL:
AUFBAU DER SCHÖPFERISCHEN VERMÖGEN